C000193508

LE BONHEUR NATIONAL BRUT

François Roux est réalisateur de films publicitaires, de documentaires et de vidéo-clips, mais également auteur et metteur en scène de théâtre. Il a écrit et mis en scène *Petits meurtres en famille* (2006) et est l'auteur de deux autres pièces, *À bout de souffle* (2007) et *La Faim du loup* (2010). Son premier roman, *La Mélancolie des loups*, a été publié en 2010 aux Éditions Léo Scheer.

FRANÇOIS ROUX

Le Bonheur national brut

ROMAN

ALBIN MICHEL

© Éditions Albin Michel, 2014.
ISBN : 978-2-253-04544-1 – 1re publication LGF

À Alice et Vincent

PREMIÈRE PARTIE

10 mai 1981

Le pays était bel et bien coupé en deux.

Depuis plusieurs mois – et dans la France entière –, on se répandait en injures, en hypothèses, en pronostics avec, à gauche comme à droite, la même ferveur et une égale mauvaise foi.

Moi, Paul Savidan, dix-sept ans et sept mois, je n'attendais rien de particulier de cette élection présidentielle. Même en âge de voter, jamais je ne me serais soumis à ce qui m'apparaissait comme un exercice assommant. La chose politique, je la tenais éloignée dans une espèce de vague dégoût et autant de méfiance. Un sentiment que j'aurais été bien en peine de vous justifier, mais auquel je m'accrochais contre vents et marées, ce qui, dans cette région de Bretagne où je vivais, aurait pu passer pour un véritable exploit. De la même manière que j'avais raté Mai 68 à cause de mon jeune âge, je raterais ce 10 mai 1981 et quantité d'autres mais à venir, toujours pour d'excellentes raisons. Au fil des années, cela constituerait d'ailleurs l'une des caractéristiques de mon tempérament que de me situer constamment hors champ des événements marquants du monde, du mien comme de celui des autres. Mais ceci est vraiment une autre histoire et il est trop tôt pour s'y attarder.

Cette agitation fébrile autour du duel pour la présidence de la République ne m'avait que très peu concerné. Elle n'avait en rien modifié le déroulement immuable de mon emploi du temps matinal, composé d'une succession de gestes et de rituels intimes accomplis mille fois, toujours dans le même ordre, et dont je ne savais plus désormais s'ils répondaient à une habitude ou à une envie. La force des routines – tout comme l'ordre et la propreté – dégageait mon esprit des pensées confuses, désorientées, bestiales qui l'aiguillonnaient en permanence. Autant l'avouer, ce qui m'intéressait par-dessus tout, c'était l'apprentissage de ma sexualité. Je peux même affirmer sans trop d'erreur que c'était ce qui, ces années-là, accaparait l'essentiel de mon énergie. À 9 h 30, je m'attablai devant mes fiches de lecture en vue d'un baccalauréat série D qui se profilait dans un peu plus d'un mois. J'étais par nature un élève très moyen qui se maintenait à un niveau convenable à force d'incessants reproches paternels et d'un non moins incessant bachotage.

Vers midi, le téléphone résonna bruyamment dans le salon désert.

Il me fallut une bonne dizaine de sonneries pour admettre que mon interlocuteur ne céderait pas facilement au chantage de l'inertie. Qui pouvait être aussi entêté ? Un seul nom me venait spontanément à l'esprit. Ce fut donc avec un peu de mollesse et beaucoup de résignation que je me dirigeai vers le salon, puis vers le guéridon où trônait le dernier modèle en bakélite gris souris des Postes et Télécommunications et qu'enfin je décrochai.

— Salut...

C'était la voix mâle de mon ami Rodolphe.

— Évidemment, c'est toi.

— Qu'est-ce que tu branles, amigo ?

— Je bosse, mon vieux. Le bac est dans un mois, si tu as oublié.

— Tu bosses ?... Aujourd'hui tu bosses ? La France est à deux doigts du triomphe de ses forces révolutionnaires sur sa frange la plus réactionnaire, et toi tu bosses, pauvre plouc ?

— Je suis un besogneux, tu n'arrêtes pas de me le répéter.

— Qu'est-ce qu'il faudrait pour te faire sortir de ta foutue piaule ? Une putain d'explosion nucléaire ?

— Tu m'appelles pour quoi exactement ?

— On a besoin de petites mains pour le dépouillement. Évidemment, c'est moi qui mène les opérations. Un petit arrangement de dernière minute avec monsieur le maire et une victoire toute personnelle sur mon paternel, qui m'a interdit de foutre le nez, ou même un pied, dans ce repaire de cons invertébrés. Au fait, tu sais que j'ai voté ce matin...

— Mmm... Et après ?

— Et après ? Oh bordel, le vent de l'Histoire te souffle à la gueule et toi tu fermes le vasistas de peur d'être décoiffé ! J'ai voté, nom de Dieu, et c'était comme... comme un dépucelage ! Une autre première fois, si tu vois ce que je veux dire...

— Je ne suis pas sûr de voir, Rodolphe.

— Hum... Bien sûr... Je ne sais même pas pourquoi je te pose une telle question. Passons... Alors ?

— Alors quoi ?

— Est-ce que tu daigneras venir nous donner un coup de main ?

D'une manière générale, j'aimais prendre le temps de formuler mes avis. Je bannissais les approximations de ma conversation, de sorte que j'imposais régulièrement à mes interlocuteurs des silences aussi inspirés qu'agaçants. Ce ne fut donc qu'après de longues secondes d'hésitation que je me sentis en mesure d'énoncer ce qui correspondait le mieux au cours de ma pensée :

— Rodolphe... je... je ne suis pas sûr que ça me fasse très plaisir.

— Mon petit Paul...

Là, son ton devint franchement méprisant.

— Est-ce que tu pourrais me donner un seul foutu exemple qui illustrerait, même rien qu'un petit peu, ce qui pourrait vraiment te faire grimper aux rideaux ?

J'aurais eu à cet égard pas mal d'exemples à lui opposer, en particulier à cet instant précis de la matinée où mon esprit mortifié par la rigueur de l'étude était alimenté par des fantasmes tenaces. Comme je n'avais nullement l'intention d'en révéler la teneur à quiconque – surtout pas à mon meilleur ami –, je me contentai de pousser un gros soupir d'agacement.

— Tu n'es qu'un pauvre naze.

Ce fut dit tout bas, avec de l'amertume dans la voix. Il raccrocha aussi sec.

Contrairement à moi, Rodolphe Lescuyer n'avait besoin ni de travailler pour réussir ni de peser ses mots pour briller. Et je me dis que l'amitié était décidément une chose bien étrange qui pouvait associer des individus aussi dissemblables que nous l'étions alors et que nous le fûmes de plus en plus pendant les trente années qui suivirent. Après tout, pourquoi pas ? C'est somme toute un dispositif classique – le bon flic et le mauvais flic, la Belle et la Bête, Batman et Robin – dont les exemples fleurissent dans la littérature, au cinéma et bien plus qu'on ne le croit dans la vie courante. Moi qui me voyais comme un type terne et inculte, je trouvais en Rodolphe l'inspiration et le brio qui me faisaient défaut. Rodolphe, de son côté, avait besoin d'un auditoire assez averti pour le suivre, assez indolent pour la fermer quand il allait trop loin.

Tout l'après-midi, Rodolphe poursuivrait sa traque de volontaires, essentiellement recrutés parmi les nombreux amis qu'il s'était constitués après deux ans passés au sein de la fédération locale des Jeunes Socialistes, dont il était l'une des figures incontournables. Il avait facilement atteint le quota d'adhésions qu'il s'était fixé, ce qui à ses yeux reflétait assez justement la popularité dont il jouissait parmi ses coreligionnaires. Ce mouvement, il y avait adhéré pour deux raisons, et il aurait été bien difficile de déterminer laquelle avait été plus décisive que l'autre. Pour Rodolphe, qui avait pour ambition de se lancer dans la politique, militer au sein d'un parti représentait le tremplin naturel pour se faire une place au soleil. C'était aussi – il s'en vantait constamment – une occasion supplémentaire de faire enrager son communiste de père, pour qui les socialistes – et à mettre dans le même panier les extrêmes de la gauche – constituaient un ennemi plus dangereux encore que les forces de droite elles-mêmes. Le père et le fils se menaient depuis deux ans une guerre des nerfs sans merci.

Rodolphe jeta un rapide coup d'œil à sa montre. Il était 16 heures. Après avoir observé le ciel et longuement pesé le pour et le contre, il opta pour un coupe-vent qui pendait à une patère de l'entrée. Puis il comprima sous un épais bonnet de laine ses longs cheveux qui prospéraient en épis sauvages sur le haut du crâne. Il entendit la voix de sa mère dans son dos :

— Tu sors ?

Il se retourna.

— J'ai besoin de prendre l'air.

— Tu vas y aller ? dit-elle en haussant la voix.

Rodolphe serra les mâchoires, sa façon à lui de montrer qu'aucune réponse ne suivrait. Hélène s'avança lentement vers son fils. Un sourire triste s'esquissait sur son visage rond, usé avant l'âge, où des paupières lourdes accablaient deux pupilles sombres, à peine mobiles, débordant de tendresse mais spoliées de toute lueur. Un regard de labrador. Il était facile de deviner à cet instant ce qui avait poussé cette récente quinquagénaire à donner à son fils le prénom de l'amant frivole et inconséquent dont s'était entichée Emma Bovary dans le roman éponyme de Gustave Flaubert, qui plus est quand on s'appelait Lescuyer ! Il émanait de cette petite bonne femme un parfum de tristesse inavouée qui remplissait Rodolphe d'une profonde mélancolie, dont il se refusait cependant à devenir l'esclave. Il serra sa mère dans ses bras. Elle approcha ses lèvres du creux de son oreille et lui murmura dans un souffle, comme pour livrer un secret :

— Tu sais que c'est important pour lui. Ces gens, ils se sont tellement mal comportés.

Elle s'écarta en maintenant la pression de ses mains sur les bras de son fils.

— Tu comprends quand même ?

— C'est de l'histoire ancienne, Maman. Je ne veux plus céder à ce chantage.

Il agrippa la poignée de la porte.

— Je peux tout te pardonner, tout. Sauf de le faire souffrir exprès.

Il ne voulut pas batailler, il sortit.

Rodolphe quitta une longue plage déserte et s'engagea sur un chemin terreux, bordé d'ajoncs, de hautes fougères et de bouquets d'herbes folles jamais domestiquées. Tout le long de ce passage étroit surgissaient des éboulements de masses granitiques arrondies, où proliféraient comme des excréments de la roche toutes les nuances d'un lichen sec et crénelé. Il emprunta un raidillon et se retrouva, quelques mètres plus haut, sur un promontoire qui dominait l'océan. Sous ses pieds, à une dizaine de mètres en contrebas, se hérissaient des centaines de blocs de granit fouettés sur toute leur hauteur par des vagues en furie. Rodolphe se rapprocha dangereusement du bord jusqu'à ce que ses orteils surplombent le vide. Le vent lui soufflait au visage par rafales. À plusieurs reprises il faillit tomber, mais un solide entraînement à cet exercice lui faisait à chaque fois retrouver l'équilibre. Il regarda loin devant lui. Au-dessus d'une mer moutonneuse, un soleil blanc s'accrochait au ciel de brume. Il ferma les yeux pour mieux se concentrer sur les bruits alentour. Le fracas de la houle contre la roche imposa à son cerveau un mouvement jumeau, synchrone, qui l'atteignit par bouffées successives. Des pensées sauvages l'envahirent, il se projeta cinq, dix, quinze ans en avant. Une bourrasque de vent s'éleva. Il vacilla un court instant mais trouva la force de lui résister en écartant les bras. Alors, il se fit à nouveau la promesse qu'il se faisait chaque fois qu'il montait sur cette presqu'île rocheuse : un jour, le monde lui appartiendrait.

Il était maintenant près de 17 heures, plus qu'une heure avant que ne ferme le bureau de vote. Rodolphe enfourcha son vélo, qu'il avait abandonné à l'entrée de la plage, et prit la direction du centre-ville puis celle la mairie, un petit bâtiment de pierres grises, coiffé d'un triste toit d'ardoises d'où poussaient en chapelets toutes sortes de proliférations moussues et verdâtres. Il poussa la porte vitrée. Une ambiance de préparation de braquage régnait à l'intérieur. On parlait bas en échangeant deux ou trois mots, jamais plus, sur l'issue possible du scrutin. On s'était trop répandu en certitudes ces dernières semaines pour avoir encore l'audace d'exprimer un avis. Les conspirateurs s'agglutinaient par grappes sur toute la surface de cette salle inhospitalière. Monsieur le maire, tout ce qu'il y a d'officiel avec son faux sourire de circonstance et son écharpe en bandoulière, butinait d'un groupe à l'autre telle une grosse abeille tricolore dont une excitation muette faisait rosir les joues – sans doute pour mieux honorer les couleurs du parti qui avait favorisé son ascension à ce poste. Les derniers votants se répartissaient dans les deux isoloirs collés contre le mur du fond et dissimulaient leurs intentions derrière un rideau de serge grise et rapiécée. Quelques adolescents murmuraient entre eux : c'était les forces vives du mouvement lycéen qu'avait convoquées Rodolphe. Après avoir tendu une main hésitante au maître des lieux, à laquelle il s'entendit répondre avec une vigoureuse accolade – « Ah, nom de Dieu, on aura beau dire, c'est vous l'avenir de la nation ! » –, il s'approcha de ses disciples intimidés et les félicita chaudement de l'esprit citoyen qui les animait.

À la même heure, j'attendais patiemment qu'ouvre le guichet du cinéma *Le Noroît*, qui programmait ce jour-là *Excalibur* de John Boorman.

Lecteur médiocre, téléspectateur frustré, le cinéma constituait la seule fenêtre que j'arrivais à entrouvrir sur le monde. C'était, j'en suis conscient, une manière bien chimérique de procéder quand on sait le poids d'illusions et de mensonges qui sature la moindre image, mais c'était ma manière à moi, et contre cela personne – pas même mes parents – ne pouvait rien. Tous les dimanches donc, et aussi les mercredis après-midi, mais moins régulièrement, je prenais mon ticket pour un film dont je n'avais généralement jamais entendu parler. Et c'était là tout le sel de l'affaire. Je poussais la porte battante capitonnée de velours grenat puis je me tassais dans la pénombre la plus comprimée à une place toujours identique. Là, je me mettais à espérer violemment que quelque chose me serait révélé. Au demeurant, quelque chose de possiblement lié au sexe ou, mieux encore, à l'exposition d'une anatomie. Et de préférence masculine. Même entraperçue – surtout entraperçue –, la nudité d'un homme, surgie inopinément des méandres d'un scénario complexe, me ravissait. Je n'aimais pas les images pornographiques pour ce qu'elles offraient d'immédiat et de trivial. J'aimais gamberger, imaginer, projeter. Il me fallait une construction méthodique, une solidité intellectuelle et esthétique pour que la chair puisse opérer dans toute sa dimension fantasmatique. Voilà maintenant six ans que des images de cinéma illuminaient l'obscur objet de mon désir. Le film que je m'apprêtais à voir allait d'ailleurs parfaitement remplir cette fonction cathartique. Les amours contrariées d'Arthur et de Guenièvre, au cœur de forêts crépusculaires et idylliques, sur fond de musique wagnérienne, mais surtout l'irréprochable plastique du jeune Nicholas Clay – le Lancelot du film, montré entièrement nu à maintes reprises – m'émurent plus qu'il n'est ici possible de le décrire.

J'étais homo, je le savais depuis longtemps, depuis toujours à vrai dire. À sept ans déjà, l'entrejambe généreux du beau Thierry la Fronde m'intéressait autrement plus que le visage un peu mièvre de sa compagne Isabelle. Je n'en souffrais pas vraiment. C'était comme ça et pas autrement. J'attendais mon heure. Et d'ici là, je rongeais mon frein et je mentais à tout le monde, ce qui, au fond, ne me déplaisait pas tant que ça.

À 19 h 55, tandis que la majorité des Français retenaient leur souffle, le mien s'accélérait. À cet instant précis, j'étais engagé dans l'un de ces exercices masturbatoires dont le renouvellement de la mise en scène était pour moi une source intarissable de questionnement. Cette fois, j'avais coincé mon engin entre le matelas et le sommier de mon lit, une technique que j'avais inaugurée après le visionnage du film *Catch 22* de Mike Nichols et à laquelle j'avais depuis apporté nombre d'améliorations, la plus incontestable étant l'introduction dans le dispositif d'un des coussins du moelleux canapé parental, que je coinçais sous mes genoux pour m'assurer un meilleur confort et une hauteur de tir optimale. Après une série d'allers-retours peu convaincants parce que précipités, je décidai d'accorder au mouvement d'ensemble un tempo plus modéré. L'allegro remplaça le *furioso*. Mon esprit se fixa sur une image particulièrement tenace du film que je venais de voir et, à 20 heures pile, j'éjaculai entre les couvertures et le sommier en poussant des grognements de bête.

C'est avec des cris similaires en intensité, bien que fondamentalement différents en nature, que furent accueillis à la mairie les premiers sondages annonçant la victoire de François Mitterrand à l'élection présidentielle. D'abord personne n'y avait cru. Sur les écrans commença de se dessiner le crâne dégarni du vainqueur, réduit à son approximation infographique, dentelée et floue, qui présentait un désagréable air de ressemblance avec celui de son adversaire et en trompa plus d'un. Puis ce fut l'évidence, et avec elle le début de l'hystérie. Rodolphe resta prostré pendant de longues secondes, bouche bée, tandis que de partout s'élevaient des cris sourds, primitifs, incontrôlables. On sautait sur place, on tapait des pieds et des mains, on vociférait les slogans les plus éloquents et Rodolphe n'en était qu'à demi conscient. Ainsi, c'était possible ! Tout cela avait un sens. On pouvait encore rêver. Ah ça, nom de Dieu, oui, qu'il serait bon de faire de la politique !

La soirée passa tel un rêve.

Immédiatement, comme en réponse à un même appel inexprimé, des flots humains se déversèrent dans les rues. Bientôt, partout on danserait, partout on hurlerait, partout on chanterait, partout on se piétinerait. Il paraissait de la plus haute importance d'éprouver la vérité du scrutin en se frottant obstinément les uns aux autres, comme si cette victoire ne reposait sur aucune réalité sérieuse et qu'il fallait se le beugler aux oreilles pour s'en persuader. Ce fut aussi une éclatante victoire pour les viticulteurs de la vallée champenoise, dont les bouteilles passaient de main en bouche sans discontinuer. En tout lieu, dedans, dehors, partout, ça buvait sec et ça braillait autant. Les voitures s'immobilisaient n'importe où, dans des assourdissements de klaxons, pour décharger leurs cargaisons de passagers qui se mettaient spontanément à embrasser tous les passants et bien souvent à éclater en sanglots entre leurs bras. Un vieillard légèrement éméché entonna dignement une *Carmagnole*, qui fut reprise en chœur par des dizaines de personnes dont la plupart en connaissaient à peine les paroles, qu'importe ! Une fleuriste enthousiaste liquida gratis son stock de roses, qu'on porta à la boutonnière comme une décoration dûment méritée. Certains installèrent les enceintes de leur salon aux grilles des balcons, aux montants des fenêtres, et firent gueuler des musiques qui décuplaient l'excitation et la ferveur de la foule. Ça explosait de rire, ça fondait en larmes. On avait l'impression que toutes sortes de sentiments extrêmes avaient été comprimés pendant des siècles par un barrage immatériel qu'un raz de marée dévastateur et salutaire venait d'ébranler.

Jamais on n'avait été aussi heureux.

Jamais on n'avait autant espéré.

À la mairie, le groupuscule militant réuni par Rodolphe fut bientôt grossi d'une vingtaine d'autres lycéens, dont bon nombre de filles, ce qui rajouta à l'excitation de la victoire la promesse d'une possible volupté. Tanguy Caron, un autre de mes amis, en profita d'ailleurs pour coincer Myriam Le Gac, une nymphette de terminale A sur laquelle il avait des vues depuis la seconde, qui n'avait jusqu'alors répondu à ses avances que par de décevants gloussements réfractaires. Socialiste convaincue, étourdie par la bière, sa propre exaltation, la furie de ses congénères, la jeune fille se laissa cette fois faire et il en résulta une séance de pelotage assez sérieuse dans les toilettes pour dames de la mairie. Ce soir-là, les mamelles de Myriam Le Gac devinrent symboliquement pour Tanguy celles de la nation tout entière.

Même moi je finis par montrer le bout de mon nez, bien que mes parents – furieux en même temps qu'affolés par le résultat de l'élection – prétextassent l'imminence de l'examen pour m'en empêcher. J'arrivai tard, après avoir fait le mur, ce que j'osais rarement. J'en étais encore tout retourné quand je poussai la porte vitrée du local enfumé. Régulièrement alimenté en alcool par Rodolphe, je ne tardai pas à me mettre au diapason, à danser, sautiller, hurler des slogans que je renierais sûrement une fois dessaoulé. Tanguy apparut bientôt au bras de la belle Myriam : avec les quantités de liquide que chacun absorbait, les toilettes pour dames étaient devenues un lieu surfréquenté qu'il devenait délicat d'occuper plus longtemps. Dès qu'il me vit, il abandonna sa récente conquête pour se précipiter dans mes bras.

— Paul... Aaaah... Mon petit Paul... Aaaah... Tu es là... Super... Oooouh c'est super... Oooouh... Vraiment super...

Et il se mit à me secouer comme un prunier en poussant des cris de sauvage. De toute évidence, l'alcool et la réalité grisante de l'anatomie de Myriam l'empêchaient à ce stade d'aligner la moindre phrase un peu consistante. Quand il se calma et put reprendre le fil de ses pensées, il se tourna vers Rodolphe, hilare, ébouriffé, à bout de souffle.

— Je le déteste ton... ton putain de... Mitterrand, mais je lui devrai au moins de m'être éclaté comme un malade le jour de son couronnement !

Tout en parlant, il jeta un coup d'œil vers Myriam Le Gac qui avait rejoint un groupe d'amis et n'arrêtait pas de hurler de rire à la moindre occasion.

— C'est sans doute la première et la dernière fois que notre président te fera bander, dit Rodolphe en souriant.

Tanguy éclata de rire. Il était de droite, il ne s'en cachait pas, même devant Rodolphe – particulièrement devant Rodolphe. Depuis la sixième, une sombre rivalité les opposait. Tous deux avaient des tempéraments de lutteurs, et la moindre occasion était bonne pour s'en souvenir.

— Je l'ai eue cette... cette... garce. Tu m'as toujours dit que je ne l'aurais jamais, eh bien je l'ai eue !

Il exultait comme un perchiste qui aurait amélioré son record de quelques centimètres.

Bientôt nous sortîmes. Tanguy s'était débrouillé pour récupérer un puissant pétard qu'on se mit à téter l'un après l'autre dans un renfoncement que dessinait le mur de la mairie quand il rencontrait celui du presbytère. Ce fut donc sous les doubles auspices de la République et du Clergé que je goûtai à mon premier joint. Comme il fallait s'y attendre, je vomis. En particulier dans le voisinage immédiat des espadrilles de Myriam qui, au demeurant, s'en aperçut à peine. Il faut avouer qu'elle était passablement engagée dans d'ardents échanges linguaux avec Tanguy puis – allons-y tant qu'on y est – avec Rodolphe, qui n'en demandait pas tant, mais ne dit pas non. La jeune fille était socialiste, je l'ai dit, et l'excès d'alcool la rendait ce soir-là très disposée à mettre en pratique les préceptes de partage et de générosité prônés par son parti. Tanguy fut pris d'un accès de rage, sans doute décuplé par les effets de la fumette. Partager n'était déjà pas son fort, mais avec Rodolphe, c'était hors de question. Sans un mot, il s'empara violemment de la main de Myriam et disparut avec elle dans le local de la mairie en nous abandonnant à notre triste sort.

Vers 6 heures du matin, après avoir épuisé ses forces et la réserve de champagne de monsieur le maire, chacun rentra chez soi. J'avais décidé que je dormirais chez Rodolphe. Mieux valait me faire pincer en plein jour, frais et reposé, qu'au petit matin, titubant et verdâtre. Pierre Lescuyer était assis à la table de la cuisine avec Antoine, le plus âgé de ses deux fils, de trois ans l'aîné de Rodolphe. Le père était contremaître et le fils ouvrier à la CIT-Alcatel, une de ces usines d'optronique qui avaient poussé comme des champignons après l'installation dans la ville voisine du Centre national d'étude des télécommunications, un organisme de recherche financé par l'État. Les deux hommes buvaient un bol de café et, à en juger par les lignes, les épuisettes et tout le fourbi accumulé dans l'entrée, ils se préparaient à aller pêcher.

Ils grognèrent un bonjour à peine audible. Le père de Rodolphe ne m'avait jamais eu à la bonne. En tant que fils de notable, j'étais nécessairement un affreux connard, un sentiment qui l'habiterait pendant de longues années sans qu'il cherche un instant à le rectifier. Je restai donc prudemment derrière mon pote, en essayant de me tenir le plus droit possible. Rodolphe, gêné de se retrouver dans la situation de celui qui empiète sur un territoire, se crut obligé de leur adresser la parole.

— On a gagné, hein ? avança-t-il avec précaution, en se tenant ferme au chambranle de la porte.

— Si on veut.

Le père plongea le nez dans son bol. Le frère ajouta en écho :

— Ouais, si on veut.

Sous le coup de l'alcool et de l'exaspération, Rodolphe se mit à bégayer.

— Putain, vous n'êtes même pas un peu contents de ce qui se passe ? Cette fois, il va bien y avoir des ministres co... communistes, non ?

— C'est ce qu'on dit.

26

— Et ce n'est pas ce dont tu as tou... toujours rêvé ?

Le père reposa son bol des deux mains et se tourna vers Rodolphe avec un air grave.

— Tu sais d'où il vient ce Mitterrand, non ?

Ce disant, il élida le « e » du patronyme, comme avaient coutume de le faire ceux qui détestaient la figure du nouveau président, à commencer par Georges Marchais, le premier secrétaire du parti. Ce qui donnait quelque chose comme *Mitrand*.

— Oui, Papa, je sais... Vichy, la francisque, Schueller, L'Oréal, la Cagoule, tout le toutim, oui, oui, Papa, je sais tout ça... Grâce à toi d'ailleurs, du fond du cœur, merci, merci...

— Tu f'rais confiance, toi, à un type qui est né à Jarnac ? dit Antoine, le spécialiste de la famille des jeux de mots foireux.

Il se mit à ricaner. Sautant sur l'occasion de me mettre le frangin dans la poche, je fis moi-même sonner un rire de castrat qui dégénéra aussitôt en hoquet. Rodolphe me jeta un regard révolté et haussa les épaules.

Le père s'énerva.

— Bon Dieu, tu crois qu'il va leur laisser faire ce qu'ils veulent ? Tu as entendu comme moi ce qu'a dit cet enfoiré de Rocard ?

— Je te signale que c'est la motion de Mitterrand qui est passée à Metz et pas celle de Rocard, justement !

— Crois-moi, c'est ça la vraie pensée de tes socialistes. On est juste des marionnettes pour eux. Ils empochent nos voix et puis basta. Ce qu'ils veulent, c'est nous la boucler ! Et ils vont y arriver, je t'en fiche mon ticket. Tu verras, tu verras...

Antoine se crut obligé de compléter :

— Ouais, tu verras, mon gars.

Effectivement on verrait. La discussion commençant à accumuler pas mal de déjà-vu, Rodolphe préféra s'abstenir de tout argument supplémentaire.

— Bon, ben, bonne pêche alors..., dit-il avec un sourire compatissant.

— C'est ça, va dessaouler, ducon, fit Antoine en replongeant dans son bol.

Nous rejoignîmes précipitamment la chambre de Rodolphe en grimpant quatre à quatre les escaliers de la maison familiale. Cette nuit-là, allongé sur un matelas pneumatique que je fus obligé de regonfler à trois reprises, je dormis à peine.

À mes côtés, Rodolphe ronflait avec un doux sourire aux lèvres. À le voir soudain aussi angélique, j'imaginai ses rêves teintés d'infimes nuances de rose et débordants de mamelles revigorantes.

6 juillet 1981

Les derniers résultats tombèrent un lundi.

En vérité, ce ne fut une surprise pour personne : Rodolphe récolta une mention très bien et les félicitations du jury, tandis que moi j'écopai d'une mention passable après un fastidieux repêchage à l'oral.

« Peut-on être à la fois contre la peine de mort et pour l'avortement ? »

Tel fut le sujet de philosophie auquel se frottèrent cette année-là les candidats des sections scientifiques.

Rodolphe, bien sûr, excella. Il avait eu tout le loisir de potasser le sujet au sein du groupe de réflexion sur les affaires sociales qu'il avait lui-même mis en place. Quant à moi, je me contentai d'un plan classique, dont la thèse souffrait cruellement d'exemples et l'antithèse de conviction, ce qui handicapa ma synthèse de manière significative et me valut un 7. Comme par ailleurs j'avais dû, faute de temps, faire plus ou moins l'impasse sur les probabilités en mathématiques et sur l'optique en physique – les bêtes noires de tout élève moyen –, j'obtins dans ces matières des notes catastrophiques. Je ne dus mon succès relatif qu'aux questions de cours de physique-chimie, dont je connaissais par cœur les moindres développements, et aux langues étrangères, qui étaient mon point fort.

Rodolphe souleva son demi pour m'obliger à trinquer avec lui.

— Tu l'as eu, non ? Au fond, ce n'est pas ce qui compte ?

Nous étions attablés à la terrasse du *Café des Écoles*, un lieu mythique pour tous les élèves du lycée et notre terrain de récréation favori. On était tous là, une bonne centaine, scientifiques, économistes et littéraires mêlés, à commenter les succès des uns et les échecs – toujours immérités – des autres. Ce café, on l'avait fréquenté pendant au moins trois ans, quatre au pire. C'était autour de lui que tournait le monde. C'était là qu'on échangeait les bons tuyaux et les pires ragots. C'était là que, poussés par les potes et l'alcool, les plus aventureux d'entre nous griffonnaient à la hâte d'improbables rendez-vous sur un sous-bock de bière pour des minettes qui s'en fichaient pas mal. C'était là qu'on conspirait contre les profs et les parents, qu'on échangeait nos premiers baisers, qu'on épongeait nos premiers chagrins. Quitter le lycée signifiait ne plus revoir ce lieu, et ne plus revoir ce lieu représentait pour tous un crève-cœur absolu. L'abandon de notre café, c'était sans se le dire l'abandon de la meilleure part de nous-mêmes. Et pour trouver quoi ? Bien sûr, il y aurait une fac, une prépa, d'autres amitiés, d'autres amours, un métier à apprivoiser, le monde à conquérir. Bien sûr on se reverrait, on se le jurait, avec parfois des sanglots qui vous serraient la gorge. Jamais l'émerveillement des choses nouvelles n'effacerait l'insouciance des jours passés.

Oh non, l'éloignement n'empêcherait rien, il y aurait encore quantité d'autres jours à partager. Tout cela n'était rien qu'un petit accroc dans une enveloppe tellement résistante. Oui, bien sûr. Sauf qu'au fond de soi chacun savait que plus rien ne serait comme avant.

Tanguy Caron se pointa dans notre dos. Grand échalas d'un mètre quatre-vingts, l'œil éclairé par cent mille volts, il arborait en toute circonstance un mystérieux sourire de Joconde et l'on se demandait toujours en le voyant quelle blague il venait de commettre et quelle autre il était sur le point d'entreprendre. Il me donna une grande claque dans le dos.

— Bravo, mon gars. T'as une âme de sprinter, je l'ai toujours su. C'est dans les derniers mètres que t'es le meilleur.

— Fous-toi de ma gueule.

— Mais je ne me fous pas de ta gueule ! Rodolphe, est-ce que je me fous de sa gueule ?

Il hurlait presque.

— Il l'a eu de justesse et toi tu fanfaronnes comme un crétin.

— Putain, il l'a eu et c'est ça qui compte.

Il se mit à me secouer la nuque d'une main vigoureuse.

— Paul, c'est ça qui compte.

— C'est ce que je n'arrête pas de lui dire, dit Rodolphe.

— Vous me faites rigoler tous les deux avec vos mentions. Vous ne savez même pas ce que ça veut dire, *passable*, pour mon paternel. C'est juste un mot qu'il a rayé de son vocabulaire.

Un garçon de café passa près d'eux et Tanguy l'interpella :

— Michel, un whisky sec, et puis non, un double, s'il te plaît.

Le Michel en question, une grande brindille couperosée et mélancolique, s'approcha, méfiant.

— Depuis quand t'as dix-huit ans, toi ?

— Depuis ce matin. 1 h 35 exactement. J'ai toujours été un lève-tôt. Tu veux des preuves ?

Tanguy fouilla dans une poche de son short et exhiba fièrement sa carte d'identité. Le barman, qui avait essuyé les bobards de générations de lycéens, jeta un coup d'œil au document officiel, puis s'éloigna en poussant des grognements désapprobateurs.

Je lui lançai un regard critique.

— Il est 3 heures de l'après-midi, Tanguy.

— Ce que tu peux être chiant, dit-il gentiment.

— Nuance : Paul Savidan n'est jamais chiant, il n'est que le bon sens incarné, dit Rodolphe.

— Paul Savidan ne sait pas profiter de la vie et Rodolphe Lescuyer ferait bien de le laisser se démerder tout seul, voilà ce que je pense, moi.

Tanguy me pinça la joue d'un geste amical, tandis que je me rétractais, boudeur. Il s'enfonça contre le dossier de sa chaise puis s'empara brusquement d'un sous-bock qui traînait sur la table. Pendant de longues minutes, il se mit à le déchiqueter savamment, l'épluchant comme on le fait d'un oignon, couche après couche, petit bout par petit bout, tout en scrutant les allées et venues des élèves. Il interpella par leur nom plusieurs personnes qui passaient, gratifiant chacune d'elles d'un petit mot d'encouragement ou de consolation selon leur résultat. De nous tous, Tanguy était certainement le plus populaire du lycée. Il y jouissait d'une certaine aura, à mettre au crédit de ses nombreuses implications dans la vie de l'établissement. Tanguy était non seulement délégué de notre classe mais aussi capitaine-entraîneur de l'équipe de ping-pong – où il excellait –, président de l'association La Bourse ou la vie – qu'il avait lui-même créée et qui lui permettait de faire prospérer son argent de poche par des opérations spéculatives de moyenne envergure –, trésorier de l'antenne locale de l'Alliance Bretagne/Irlande et – parce qu'il avait de sérieuses vues sur sa présidente – secrétaire de l'Association contre la maltraitance des animaux de laboratoire.

Tanguy était un boulimique d'action. Quand il n'était pas en train de se fatiguer à sa table de travail – je n'ai jamais vu quelqu'un bosser autant ses cours –, il se dépensait sans compter au ping-pong ou à ses réunions associatives, mais aussi au foot, au tennis, aux échecs, et j'en passe... Son corps comme son esprit semblaient ne jamais vouloir se mettre au repos. Ses mains étaient sans arrêt à tripoter tout ce qui passait à proximité de leurs doigts, sa bouche à mâchonner quelque chose, ses yeux à fureter de droite et de gauche comme un animal à l'affût. Il nous arrivait de nous moquer de cette hyperactivité et nos remarques étaient capables de le plonger dans des colères muettes dont nous avions appris à nous méfier. Il n'y avait qu'avec nous qu'il se permettait – de temps à autre – des mouvements d'humeur. Avec les autres – tous les autres –, il tentait de paraître constamment détendu, rigolard, sûr de lui, même si y parvenir impliquait parfois des efforts insoutenables. Et pourtant. Au moindre relâchement de sa part, vous compreniez que sa nervosité relevait de bien plus que de l'urgence à se défouler, qu'il était habité par quelque chose de trouble, un sentiment sur lequel, avec les années, j'ai pu mettre un nom : l'inquiétude.

— Comment tu peux te rappeler autant de noms ? Tu devrais être maire de cette foutue ville, dit Rodolphe.

Lui qui ne cherchait jamais à plaire à quiconque s'était toujours montré méfiant à l'égard de la popularité de Tanguy.

— Eh, eh, qui sait, un jour ? Ce n'est pas dur d'être sympa avec les gens, tu devrais essayer. Ça pourrait même t'être utile, figure-toi. Fais-moi confiance, c'est en serrant des pognes qu'on se fait élire, pas en bafouillant de grands discours. On te prendra au sérieux le jour où tu sauras découper correctement un saucisson. Regarde ton ami le président, avec sa force tranquille et son côté terroir, il nous a quand même bien roulés dans la farine !

J'éclatai de rire, alors que Rodolphe encaissait avec un sourire narquois, mais tout en gardant le conseil du saucisson dans un coin de sa tête, on ne sait jamais. Quelques instants plus tard, le serveur déposait un verre de whisky sur la table. Tanguy cessa son épluchage et, d'un geste brusque, dépoussiéra ses genoux des vestiges du sous-bock. Une pluie de confettis s'abattit à ses pieds. Il approcha sa main, but son verre cul sec et en commanda aussitôt un autre.

— Si je comprends bien, tu as décidé de te bourrer la gueule, dit Rodolphe.

— Je bois à une époque qui s'achève.

Il leva son verre vide avec un petit pincement au cœur.

— Et à mes dix-huit ans, putain de bordel !

Cette fois, il le dit très fort, comme pour mieux tempérer le ton inhabituellement morose du début de sa phrase.

Quelques secondes plus tard, le garçon déposait un deuxième verre de whisky avec un air inquiet. Rodolphe leva bien haut son demi.

— Et puis à ton bac... à *notre* bac !

Nos trois verres s'entrechoquèrent. Les yeux de Tanguy évitèrent de croiser ceux de Rodolphe. Il baissa la tête et se mit à faire tourner fébrilement son verre, d'une seule main. Je l'observai attentivement. Pendant quelques secondes, je crus déceler chez lui un profond chagrin. Il dut sentir le poids de mon regard. Alors il se reprit et éclata d'un rire destiné à me rassurer. Je savais que derrière cette attitude de façade, bon enfant, guillerette, Tanguy était dévoré de honte. Je savais que cette mention bien qu'il avait obtenue et qui aurait largement suffi à beaucoup d'autres, il la vivait, lui, à double titre, comme un échec retentissant. Une mention supérieure aurait non seulement été l'aboutissement logique de sa brillante scolarité, mais surtout, elle l'aurait maintenu au même niveau que Rodolphe. Que celui-ci ait pu cette fois le dépasser, que cette humiliation soit aujourd'hui exposée, noir sur blanc, sur les panneaux d'affichage d'une cour de lycée et demain, plus officiellement et plus visiblement encore, dans les colonnes d'un quotidien que chacun pourrait lire, disséquer, commenter en public et au grand jour, voilà probablement ce qui le tourmentait le plus. Il voyait le nom de Rodolphe en tellement grand, et le sien, en dessous, en tellement plus petit. Bon Dieu, il lui fallait quand même une sacrée dose de courage pour continuer à faire autant semblant. À cet instant, je n'avais qu'une seule envie : le consoler – moi qui, avec ma mention passable et les risques d'une fureur paternelle, étais cent fois moins malheureux que lui. L'atmosphère menaçait de sombrer dans le pathos quand Tanguy sentit la nécessité de reprendre la parole :

— Au fait, vous venez toujours ce week-end ? Il y aura une fiesta sur la plage, musique à fond, nanas, petits pétards de derrière les fagots...

À l'évocation de cette dernière éventualité, j'eus un haut-le-cœur. Tanguy se pencha soudain vers nous en parlant à voix basse.

— Eh, eh, justement, regardez ce qui se pointe.

Il se redressa et agita sa main dans un salut témé-raire, qui tomba à l'eau. Le temps était apparemment révolu où Myriam Le Gac accordait à mon pote les faveurs de son anatomie. À présent elle ne lui consen-tait pas même un regard. Elle s'assit toute raide parmi sa congrégation de fidèles, en fixant dans le ciel azuré une ligne invisible qui passait loin, très loin au-delà de Tanguy, et même au-delà de la plupart des gens qui se trouvaient sur cette terrasse. L'excitation de la vic-toire retombée, Myriam Le Gac redevenait ce qu'elle n'avait au fond jamais cessé d'être : une abominable snob. Tandis que Rodolphe se tassait, honteux, dans son fauteuil, en se remémorant les caresses avortées de la jeune fille, Tanguy en conclut qu'elle n'était abor-dable que les jours d'élection présidentielle et calcula qu'il lui faudrait sept années supplémentaires avant de pouvoir à nouveau l'approcher. Il avait franchement mieux à faire.

On passa la fin de la journée à écouter des vinyles sur la chaîne hi-fi flambant neuve de Tanguy, un cadeau de sa mère pour ses dix-huit ans. Rodolphe et Tanguy échangèrent des points de vue très opposés sur les dernières acquisitions musicales du *Discobole,* le seul magasin de disques de la ville qui disposait d'un système d'écoute avant achat, où ils étaient capables de rester des après-midi entières. Selon les propres mots de Rodolphe, le dernier album d'AC/DC (les chouchous de Tanguy), *For Those About to Rock We Salute You,* n'était qu'une sombre merde, une resucée pitoyable de leur précédent album *Back in Black.* Le groupe piétinait, il n'avait plus rien à cracher, c'en était terminé de ces foutraques bruyants et inutiles. Pour Tanguy, le dernier album des Pink Floyd (le groupe culte de Rodolphe), *A Collection of Great Dance Songs,* n'était qu'une indécente compilation remixée – que leur leader Roger Waters avait bien eu raison de refuser de signer –, et une véritable honte. Où était passée la puissance de *Meddle* ? Où s'était volatilisé le son des Floyd ? Même en matière de musique, ces deux-là trouvaient le moyen de se crêper le chignon. Ils n'accordèrent leurs violons que pour encenser *Face Value,* le premier album solo de Phil Collins, le chanteur de Genesis, et en particulier la chanson *In the Air Tonight* : les deux compères ne trouvaient pas assez de mots pour décrire l'intelligence de la superposition de la *drum machine* – une sorte de percussion préenregistrée – à la batterie classique, qui créait selon eux un son authentiquement novateur.

Moi je ne disais rien. Mes goûts musicaux ne me faisaient guère atterrir outre-Manche qu'aux alentours des Beatles. En revanche, toutes les chansons de Barbara m'émerveillaient, la plupart étant capables de m'émouvoir jusqu'aux larmes. J'avais aussi un faible pour Véronique Sanson, dont l'écoute quasi ininterrompue de la chanson « Le Maudit » m'était à la fois pénible et terriblement salutaire :

« Tu es prisonnier de ton secret,
Mais ta douleur efface ta faute... »

Autant vous dire que j'étais, musicalement parlant, le Vilain Petit Canard de la bande. Je m'en sortais comme je pouvais d'ailleurs, toute mon enfance ayant été bercée par l'intégrale des œuvres pour piano de ma mère et les opéras de mon père – italiens et français uniquement, les autres n'étant que « cacophonie indigente », selon ses propres mots. En réalité, il m'était interdit d'écouter à peu près tout ce qui déviait de ce registre. Les chansons des Beatles étaient tolérées en ce qu'elles pouvaient améliorer mes connaissances linguistiques. Quant à mes deux chanteuses de prédilection, mon père accordait, du bout des lèvres, une relative valeur poétique à leurs textes, tout en regrettant que leurs interprètes soient, à son opinion, deux indécrottables lesbiennes. De la même façon, la télévision me resta longtemps inaccessible et les bandes dessinées me l'étaient encore. Le mot « passable » était effectivement un mot banni du très strict dictionnaire parental.

Vers 6 heures du soir, soit une heure et demie après l'horaire convenu, Benoît sonna à la porte de la maison qu'occupait Tanguy avec sa mère et ses deux sœurs. Benoît était le quatrième et dernier élément de notre bande, que les mauvaises langues du lycée avaient surnommée «Le Loup et ses Trois Petits Cochons», le rôle de l'affreux carnivore revenant évidemment à Rodolphe. Benoît était le seul de nous quatre à avoir échoué au bac – il ne s'était même pas présenté à certains oraux – mais il avait l'air de s'en ficher royalement. Il s'affala dans un fauteuil en ignorant nos reproches.

— Eh, les mecs, n'en rajoutez pas, elle était pas cool cette journée, croyez-moi, vraiment pas cool du tout.

«Cool» était le mot préféré de Benoît, qui l'utilisait indifféremment pour décrire les bonnes – «cool» – et les mauvaises choses – «pas cool» – qui lui arrivaient. Le vocable étant bilingue, monsieur Latour – le professeur de français – et mademoiselle Cartridge – l'assistante d'anglais – s'exténuaient à le débusquer dans ses dissertations. Le record du premier était de vingt-deux dans une seule copie, celui de la seconde, de pas moins de trente-sept.

Ce que Benoît ne trouvait pas cool du tout, c'était la recherche de documentation effrénée à laquelle il avait dû se livrer chez les libraires et dans les rares agences touristiques de la ville afin que nous élisions enfin la destination du voyage que nous projetions d'entreprendre au mois d'août. Rodolphe penchait pour la Norvège, qui avait l'avantage d'associer fjords admirables et blondeurs libérales. Amsterdam et ses coffee-shops avaient la faveur de Tanguy. Benoît, lui, aurait souhaité une destination *hyper-cool*, sous le soleil exactement, dans le genre Ibiza ou Marrakech. Quant à moi, mon cœur me portait vers la campagne et les musées italiens, mais ma proposition fut écartée aussitôt que je l'exposai. On batailla une bonne heure autour de prospectus, de guides, de publicités, avant de se fixer sur la Grèce, qui avait le mérite de faire converger dans une même perspective climat favorable, grands espaces et potentialités de drague. Dans la mythologie de mes potes, les Européennes du Nord semblaient y affluer par cars entiers. Rodolphe argumenta que les Grecs fumaient le narguilé à longueur de journée, une précision qui finit par emporter l'adhésion de Tanguy. Dans un excès de bienveillance, on me concéda de passer les deux premières journées du séjour à écumer le cap Sounion, puis les théâtres antiques de Delphes et d'Épidaure avant d'embarquer, une fois définitivement allégés de ce fardeau culturel, sur un de ces immenses ferries qui nous emporteraient vers le grand large et, bien à l'est, vers les Cyclades.

Il était presque 20 heures quand je quittai précipitamment la maison de Tanguy et que j'enfourchai mon vélo. J'habitais en ville, à une quinzaine de kilomètres. Même en pédalant comme un dératé, je ne pouvais espérer arriver chez moi avant une demi-heure, ce qui signifiait un retard considérable – et inexcusable – au dîner, réglé chez nous comme un coucou suisse. Vers 20 h 30, c'est tout rouge et à bout de souffle que je poussai la grille d'entrée dans des protestations de ferraille et que je balançai négligemment mon vélo sur l'une des plates-bandes patiemment entretenues par ma mère. La moitié gauche du rez-de-chaussée de notre grande maison était occupée par le cabinet de gynécologie de mon père. La cuisine se trouvait dans l'aile droite de la bâtisse et donnait directement sur le jardin. Je poussai la porte vitrée en m'excusant timidement de mon retard. Mon père ne leva pas le nez de son dessert, tandis que Pierre, mon jeune frère de treize ans, me fixait avec des yeux où brillait la jubilation de ma prochaine condamnation. Je m'assis devant mon assiette où agonisaient, empilés l'un sur l'autre, la salade de carottes de l'entrée, le rosbif-purée du plat principal et la crème caramel du dessert. En dépit des protestations de sa femme, mon père procédait ainsi chaque fois qu'un de ses enfants avait bafoué ses horaires, une façon toute personnelle de marquer son autorité sans avoir à prononcer un mot.

Mon père repoussa légèrement son assiette, but une gorgée du seul verre de vin qu'il s'octroyait par repas et s'essuya méthodiquement les coins des lèvres, l'un après l'autre, dans une serviette de lin brodée aux initiales de son arrière-grand-mère. Le chef de famille allait s'exprimer, chacun s'y préparait. Je me raidis sur ma chaise. Pierre attendait avec ravissement l'ouverture des hostilités.

— Comme tu peux l'imaginer, Paul, ta mère et moi sommes profondément navrés par ton résultat.

— Joseph !

Le cri de ma mère avait tout d'un glapissement. Elle poursuivit, hésitante :

— Ce n'est pas rien, quand même. Toi, tu en es peut-être profondément navré, mais moi j'en suis contente.

Mon père prit sa voix doucereuse, celle qu'il employait quand il entendait faire passer sa femme pour la dernière des crétines.

— J'aimerais, ma chère Monique, que tu ne m'interrompes pas sans raison sur un sujet aussi épineux. Je dis et je répète que je suis déçu. Ce ne sont pas tes commentaires qui vont me défaire de ce sentiment.

Comme toujours, ma mère obtempéra. Je baissai les yeux, tandis qu'elle m'observait avec une compassion grandissante qui m'agaça.

— Ce repêchage, mon garçon, c'est l'arbre qui cache la forêt. Pour moi, ce baccalauréat, c'est comme si tu ne l'avais pas eu du tout.

J'accusai le coup mais une décharge électrique de grande intensité parcourut ma moelle épinière jusqu'à mon cerveau droit qui est, à ce que l'on prétend, le siège des émotions. Cela faisait quelques années que mon cerveau gauche, celui de la logique froide, ne m'était d'aucun secours face à mon père. Voyant l'effet produit, il enchaîna avec un sourire sadique :

— Je déteste ce Rodolphe Lescuyer et plus encore ce qu'il représente, mais je dois avouer que ce garçon est fort méritant, si l'on considère un instant le milieu dont il est issu.

Il me regarda droit dans les yeux et marqua une pause théâtrale.

— En ce moment et, Dieu m'en est témoin, certainement pour la seule et unique fois de ma vie, j'aimerais ce soir être à la place de son père.

— Oh ! fit ma mère, indignée.

— Rodolphe n'en fiche pas une. C'est un pur génie. Il n'a pas besoin de travailler pour réussir.

Ce fut dit tête baissée, le nez dans une assiette à laquelle j'avais décidé de ne pas toucher. Mon père leva les yeux au ciel.

— Un pur génie ! Tu as de ces expressions, mon garçon. Il n'empêche. Avec un dossier comme le tien, où comptes-tu exactement atterrir à la rentrée prochaine, quand ton camarade fréquentera probablement une classe préparatoire aux plus grandes de nos écoles ?

Toute ma scolarité depuis la sixième – époque à laquelle nous nous étions rencontrés –, je m'étais frotté à la comparaison avec Rodolphe, toujours en ma défaveur évidemment. Avec le temps, je m'y étais habitué, mais il m'était impossible de ne plus en souffrir.

— Il s'est inscrit en licence de droit à la fac. Il déteste le système élitiste des classes prépa.

Je mentais, bien sûr, car ce que visait Rodolphe n'était guère moins que l'entrée à l'ENA.

— Élitiste ? dit mon père avec des accents douloureux – ce mot lui était particulièrement insupportable. Je parie que c'est encore une de ces fichues idées que son imbécile de père lui a mises dans la tête ! Quel gâchis ! Il n'empêche, je répète ma question : que feras-tu en septembre ?

Je plongeai le nez un peu plus avant dans mon repas conceptuel, puis j'osai, sur un ton que je voulais sans agitation ni trouble :

— La manche, papa, la manche... Qu'est-ce que tu veux que je fasse d'autre, con comme je suis ?

Cette fois, ce fut à ma mère de pousser son petit cri réprobateur, mon père gardant obstinément le cap de son sérieux.

— Inutile de céder à la vulgarité, Paul.

Je n'insistai pas. Que voulais-je faire à la rentrée exactement ? Je n'avais aucun début de réponse à cette question pourtant essentielle. Pour être franc, disons que rien ne me tentait vraiment. J'avais bien pensé un temps embrasser la profession de réalisateur, mais vu de ma province, le monde du cinéma m'apparaissait comme un horizon magique, inatteignable, circonscrit à l'obscurité d'une salle de quatre cents places, rue de la Libération, et à mes seuls fantasmes. Comme je ne m'étais pas vraiment renseigné non plus sur les aspects pratiques d'une telle option, l'idée avait vite été abandonnée. J'envisageai d'autres métiers, sans qu'aucun alimente une attention suffisante. Dès que se présentait la potentialité d'un futur, je me sentais submergé par l'insuffisance de mon désir, la faiblesse de mon courage ou l'impression de vertige que provoquait l'idée de devoir faire un choix. De sorte qu'il ne me resta aucun recours quand tomba la question de mon père.

— Je ne sais pas ce que je ferai en septembre, Papa.

— Eh bien, puisque tu ne le sais pas, moi je le sais.

Il prit une longue inspiration, ses petits yeux secs se mouillèrent d'une excitation visible. Il les cligna, une larme transparente et nacrée lui brûla le coin des paupières. Il s'en débarrassa d'un geste agacé et voici ce qu'il annonça :

— Paul, j'ai décidé de t'inscrire à Paris dans une école privée, qui nous coûtera cher, à ta mère comme à moi, quoique pour des raisons fort différentes, et tu y prépareras la première année du concours de médecine avec tout le sérieux que nécessite ce cursus. J'ai également pris des dispositions pour ton hébergement. Tu seras logé chez madame Ziegler, la mère de mon plus fidèle camarade de promotion, avec qui je suis toujours en contact. Elle a accepté de me rendre ce service. Je suis convaincu qu'elle t'accueillera comme son propre fils. Je l'ai bien connue, c'est une femme de caractère, intraitable mais d'une générosité sans bornes, exactement ce qui convient à un caractère – il mit du temps à trouver l'adjectif – *flottant* comme le tien.

Il me regarda soudain avec une attention d'où s'était évaporée toute volonté de nuire.

— Paul, je souhaite sincèrement que tous ces efforts soient récompensés.

Puis, après un silence ému, en étirant ses lèvres desséchées dans ce qui aurait pu s'apparenter à un sourire :

— Peut-être même seras-tu un jour en mesure de reprendre ce cabinet... Quand viendra pour moi le temps de me retirer.

Je ne l'écoutais plus depuis un bon moment. Mon cerveau n'avait retenu de ce long développement que le fabuleux, l'extraordinaire nom de *Paris*, que je voyais très clairement se détacher en lettres clignotantes sur fond de ciel brodé d'étoiles rutilantes et multicolores. Ainsi j'allais fuir les silences pesants de cette salle à manger ! Ainsi c'en était fini des pénibles affrontements avec mon père, des regards écœurants de bienveillance de ma mère, des insinuations malveillantes de mon jeune frère. J'allais descendre à la capitale, oui, oui, à la capitale ! Là où tout se joue, là où tout arrive. Paris, même incarcéré dans la chambre de bonne d'une rombière, même pour des études qui ne m'inspiraient que dégoût, m'apparaissait comme une énorme friandise dans laquelle j'allais enfin pouvoir croquer. Avec – comble d'ironie – l'assentiment de mon père.

Ce fut donc le ventre vide mais le cœur léger que je montai dans ma chambre par le sombre escalier qui éventrait l'entrée dans des vomissures de boiseries Art nouveau. Pierre s'y engouffra à ma suite. Ses yeux luisaient de haine quand il m'attrapa par la manche.

— Tu t'en tires bien, mon salaud !

— Fous-moi la paix.

Je tentai de me libérer de l'emprise de mon cadet, mais Pierre, vorace, s'accrocha plus fort. Je commençai de monter les marches en claudiquant. Le petit morpion me retenait fermement, par la taille maintenant.

— T'es rien qu'un nul. Quand je pense à tout l'argent qu'on va foutre en l'air pour te voir échouer comme une sombre merde.

— Tout l'argent ? Quel argent ? En quoi ça te concerne, tu peux me le dire ?

— Celui de notre famille, connard ! Donc, le mien aussi. Ici, l'argent est un ensemble fermé. Puisque dans cette maison on ne sait pas le faire prospérer comme il faudrait, il contient par nature sa propre frontière. Or tout sous-ensemble de fermés est un fermé, donc tout ce qui est pour toi n'est pas pour moi.

— Je ne vois pas où tu veux en venir avec ce charabia. J'ai l'impression que tu mélanges tout.

— Je ne mélange pas. C'est toi qui ne comprends rien. D'ailleurs, tu es un incapable. À ta place, j'aurais honte de m'être planté comme tu l'as fait en ayant soi-disant autant bossé.

Je me mis à hurler pour tenter de trouver une porte de sortie honorable et en me reservant des mots que j'avais entendus de la propre bouche de Tanguy.

— Je l'ai eu, c'est ça qui compte ! On verra comment tu te débrouilleras, toi !

Pas de problème de ce côté-là. Pierre allait entrer en troisième avec un an d'avance, et les études ne lui posaient aucune sorte de difficulté. Il flottait sur les mathématiques comme un gondolier sur sa lagune, sans vagues et presque sans effort. Ce n'était donc pas tout à fait un hasard si les chiffres et, par un cheminement mental finalement assez logique, l'argent occupaient une grande part de ses préoccupations. À treize ans, il s'était déjà constitué un trésor de guerre non négligeable, alimenté par le maigre argent de poche qu'on lui octroyait chaque mois, par des assauts répétés sur les économies de nos grands-parents, mais surtout par les petits boulots qu'il multipliait dans le voisinage – baby-sitting, promenades de chiens en tout genre, nettoyage des carrosseries du quartier, commissions pour notre mère quand celles-ci échappaient aux obligations purement familiales. Mon jeune frère ne ménageait pas sa peine pour améliorer l'état de sa cagnotte. En attendant d'avoir dix-huit ans – l'âge légal pour l'ouverture d'un compte bancaire –, il s'employait à thésauriser. Cela le plongeait d'ailleurs dans d'affreux tourments de constater que ses économies perdaient de mois en mois de la valeur, puisqu'il n'était pas en mesure de les réinvestir pour les faire fructifier et que l'inflation galopait. Selon lui, ce n'étaient certainement pas les dispositions liberticides du nouveau président en matière d'économie qui allaient arranger la situation.

Les choses commençaient à s'envenimer quand notre mère, effarée par un tel vacarme, se précipita à son tour dans l'entrée. Elle s'adressa à nous d'une voix un peu plus forte qu'elle ne l'aurait souhaité :

— Qu'est-ce qui se passe exactement ?

Pierre lâcha ma chemise qui, sous le coup de ses attaques répétées, pendouillait maintenant hors de mon pantalon. Ma mère s'avança. Arrivée au bord de l'escalier, elle réarrangea d'un geste nerveux, plusieurs fois de suite, l'ordonnancement de sa coiffure, puis, ne sachant plus très bien quoi faire de ses mains, les ficha de chaque côté de son bassin dans un geste qu'elle regretta aussitôt mais qu'elle tâcha de tenir le plus dignement possible. Elle était désemparée dès qu'il s'agissait de prendre part au moindre conflit, un trait de caractère dont j'ai largement hérité.

— On vous entend du salon. Votre père peut à peine suivre son émission favorite. Pourquoi vous vous battez, mes enfants ?

Maintenant son ton était nettement moins protestataire.

Aucun de nous ne répondit. Ce n'était pas l'autorité toute relative de notre mère qui nous en empêchait. Pierre pressentait que son argumentation serait indéfendable vis-à-vis d'un tiers et ne souhaitait pas s'y appesantir. Quant à moi, je commençais de nourrir un vague sentiment de culpabilité que les invectives de mon frère n'avaient fait que réveiller. Je savais, j'en étais à cet instant pleinement conscient, qu'en allant à Paris, j'allais décevoir mon père et, pire encore, ma mère. Je n'avais formulé aucun commentaire sur leur décision tout simplement parce que l'idée de fuir l'emportait sur toute autre considération. Quand mon père m'eut finalement demandé ce que je pensais de sa proposition, je le remerciai chaudement d'avoir aménagé avec autant de sollicitude mon avenir et lui jurai que je me montrerais dorénavant à la hauteur des ses espérances.

Mon frère et moi avions effectivement de bonnes raisons de la fermer.

Pierre descendit les quelques marches qui le séparaient du palier, tandis que, trois marches plus haut, je rassemblais les pans de ma chemise à l'intérieur de mon pantalon.

— Pour l'amour du ciel, embrassez-vous. Deux frères ne peuvent pas se faire la guerre, bon sang. Il y a déjà trop de haine sur cette terre pour en rajouter sous notre propre toit.

Pierre et moi nous défiâmes en silence.

— Allez, faites un effort… Je vous en prie… Pour me faire plaisir.

Elle joignit à sa phrase une supplication de ses mains croisées, un geste auquel elle avait recours de manière quasi systématique. Chez le boucher, par exemple, quand elle lui réclamait de façon vibrante la part la plus tendre du bœuf qu'il venait de désosser. Devant son mari quand elle implorait la clémence pour l'un de ses deux marmots. Aux réunions Tupperware qu'elle organisait dans son salon quand elle voulait convaincre ses amies de l'incomparable ingéniosité de la nouvelle gamme Empilo'frais. À l'église évidemment, quand elle

sollicitait pour elle et pour les siens toute la commisération du maître des lieux.

Pierre céda le premier. Il fit faire à sa main droite
un aller-retour rapide contre son T-shirt pour l'éponger de sa sueur et me la présenta, faussement amie.
Je la secouai mollement. De toute évidence, rien n'était
réglé mais notre mère parut s'en contenter.

Le week-end suivant, il régnait chez les Caron
une ambiance autrement plus fraternelle. Tanguy
n'était pas seulement populaire au lycée, il l'était également dans sa famille. Sa mère, mais aussi ses deux
sœurs – âgées de quatorze et douze ans – l'adulaient.
L'absence du père – décédé sept ans plus tôt d'une
rupture d'anévrisme – avait soudé cette famille autour
de la seule figure masculine qui lui restait.

Depuis des années, madame Caron célébrait avec
entrain la moindre victoire de son fils. Son brevet, tous
ses passages en classe supérieure, parfois un simple
succès à une interrogation écrite étaient des occasions
d'afficher aux yeux du monde la fierté qu'elle ressentait pour ce demi-dieu et cette fierté de mère comblée,
elle tenait absolument à la partager avec le plus grand
nombre. Il était donc entendu que la célébration du
succès de son rejeton au baccalauréat se devait de revêtir un caractère particulièrement festif, si bien que nul
effort ne fut épargné.

La famille vivait dans une petite maison à quelques
mètres de la plage. Tanguy avait décidé qu'aucun
autre endroit ne servirait mieux l'événement. C'est
donc à même le sable que fut dressée une très longue
table, constituée d'une planche de près de cinq mètres,

recouverte de quelques nappes de coton bariolées, que ne supportaient pas moins de sept solides tréteaux de chantier. Des bougies en nombre incalculable remplissaient le moindre vide laissé par les plats. Avec la nuit qui commençait à tomber, elles conféraient à l'ensemble un air d'autel satanique avant la mise à sac des offrandes. Dans un coin, les deux enceintes d'une radiocassette portative éructaient une musique geignarde, dont ne nous parvenaient que les fréquences les plus basses, dans des étouffements et des grésillements qui faisaient penser aux émissions de Radio Londres aux pires moments de la Blitzkrieg.

Évidemment, je brûlais d'envie de raconter à mes potes l'hallucinant revirement de mon père, quelques jours plus tôt. Je m'étais abstenu de leur communiquer la nouvelle par téléphone pour profiter de visu de ce que j'espérais être leur stupéfaction et, secrètement, leur jalousie. Rodolphe fut le premier à réagir. Il était faussement calme, comme si la nouvelle n'avait en soi rien d'exceptionnel.

— À Paris ? Le petit Paul Savidan va se jeter dans les griffes du funeste monde parisien ?

Il sourit à Tanguy et Benoît, qui avaient encaissé, incrédules, le choc de la nouvelle.

— En voilà un scoop ! Ton père serait-il soudain devenu aveugle, ou l'a-t-il été toute sa vie, ce que je ne suis pas loin de croire ? Autant de vagins inspectés avec d'horribles instruments de torture ont fini par lui griller les nerfs optiques, voilà ce que je pense !

L'activité de mon père avait de tout temps forcé l'admiration de mes potes, qui étaient tous fascinés par les manipulations intimes auxquelles il pouvait se livrer en toute impunité. Seul Rodolphe faisait de la résistance et considérait ce métier comme un encouragement à ce qu'il nommait « la plus immonde dépravation légale ».

J'étais outré, je m'attendais à tout sauf à de tels sarcasmes. C'était mal connaître Rodolphe.

— Que veux-tu dire ?

— Comment un être aussi influençable que toi peut-il espérer se sortir de cette jungle ? N'est-ce pas la preuve d'un aveuglement consternant et totalement irresponsable de la part d'un père ?

À ce stade, j'avais omis de préciser la nature des études que je ferais à Paris. Quand ce fut chose faite, Rodolphe éclata d'un rire nerveux et terriblement désagréable, puis il se déchaîna.

— Médecine ?

Il répéta le mot plusieurs fois, hurlant et riant en même temps.

— Oui, oui, médecine, tu as bien entendu...

— Toi, un carabin ?

— Oui, moi, un carabin. Et pourquoi pas ?

— Tu ne peux pas voir une goutte de sang sans rameuter pompiers, infirmières et Samu.

Voyant que je ne me démontais pas sur ce point sensible dont il avait effectivement été le témoin à plusieurs reprises, il réattaqua dans une direction inattendue :

— Tu sais ce que c'est médecine ? Et qui plus est médecine à Paris ?

— J'imagine que tu vas me le dire.

— Eh bien, c'est la fièvre du cul, mon vieux.

— La fièvre de quoi ?

— La débauche la plus dégradante. La corruption charnelle la plus infâme. Le p'tit bal populaire des berlingots et des valseuses, si tu veux savoir. Le grand marché à ciel ouvert des asperges et des thermomètres à moustache.

Il était de plus en plus enflammé.

— Et puis, crois-moi, c'est partout et tout le temps. Entre prostate et vaginite dans les amphis, tu n'entendras parler que clitoris et trous du cul dans les vestiaires. En première année, ils te font sodomiser les cadavres en guise de bizutage. Tu es prêt à ça ? Tu es vraiment prêt à enculer un macchabée, Paul Savidan ?

Hormis la proximité sexuelle avec des restes humains, la soudaine perspective d'être soudainement plongé dans un bain de stupre n'était pas pour me déplaire.

— Sans compter que tu es encore puceau et qu'un contact aussi soudain et aussi prolifique avec le sexe peut te valoir un choc anaphylactique dont tu pourrais bien ne jamais te remettre.

— Un choc ana... quoi ?

— Une réaction allergique excessive, pauvre tarte ! Et ça veut faire médecine.

Il observa la mine des deux autres, histoire de vérifier que son petit numéro de fantaisiste fonctionnait à merveille.

Tanguy était plié en deux. Benoît arborait un petit sourire inquiet.

— T'as vraiment envie de faire médecine, Paul ?

— Ça ou autre chose..., dis-je, évasif. Et puis, c'est Paris quand même.

Je n'avais aucune envie de m'étendre sur ce sujet assez embarrassant de l'École de médecine, ce que mes trois amis, même Rodolphe, saisirent assez vite et ce dont je leur fus reconnaissant. En contrepartie, je me mis à vanter les attraits culturels de la capitale, à énumérer les musées que j'allais visiter, les expositions qu'on y prévoyait à la rentrée, tous les films que je brûlais de voir et qu'avait annoncés, avec de grands effets de manchettes, le magazine *Première*, dont j'étais un fan absolu depuis plus de cinq ans. Pour couper court à cet enthousiasme qui avait déjà provoqué quelques bâillements discrets chez mes amis, Benoît me prit dans ses bras et, tout en m'assurant que j'allais être très heureux, me fit promettre de bien faire attention à ma pomme.

Vers 23 heures, sur les conseils pressants de son fils, madame Caron s'éclipsa discrètement avec ses deux filles.

Les choses sérieuses pouvaient commencer.

Dans un mouvement qui s'apparentait au miracle eucharistique de la multiplication des pains, les sacs et les poches de plus de trente convives se vidèrent de leur contenu et ce furent bientôt une cinquantaine de bouteilles d'alcool en tout genre qui flottèrent dans des baquets remplis de glaçons, remplaçant avantageusement les sodas gracieusement mis à notre disposition depuis le début de la soirée.

Certains – en fait, des filles uniquement – se mirent à se trémousser au son nasillard de la radiocassette. D'autres s'engagèrent dans des discussions dont il ressortait clairement que désormais, avec leur entrée dans la vie étudiante, le monde n'avait qu'à bien se tenir.

Benoît, toujours à l'affût de photos inédites, mitrailla le buffet, puis la plupart des personnes présentes, avec l'Instamatic Kodak que ses grands-parents lui avaient offert pour sa communion solennelle et qu'il avait toujours à portée de main. Personne n'avait vu un seul des clichés qu'il avait pris pendant toutes ces années. Benoît se refusant toujours à nous les montrer, nous considérions que c'était la preuve de l'intérêt anecdotique qu'ils devaient revêtir. Ce fut donc avec un grand étonnement que nous reçûmes l'annonce qu'il nous fit sur le coup de 5 heures du matin, alors qu'un soleil cramoisi commençait à pointer. Nous posions tous les trois devant son objectif pour une photo de groupe où, aidé par l'alcool – et les joints que Tanguy avait une fois de plus dégotés –, chacun tentait de faire les pires grimaces possibles quand Benoît lâcha soudain son appareil et nous regarda bien en face.

— Au fait, je ne vous ai pas dit...

Il parlait sur un ton paisible, en totale opposition avec l'importance de la chose.

— J'ai trouvé un boulot pour la rentrée.

Je fus le premier à réagir.

— Un boulot ? Et ton bac ?

— Plus de bac. Bye bye le lycée. *Auf Wiedersehen, Fräulein!* C'est cool, non ?

— C'est quoi ce boulot, Benoît ? dit Tanguy, inquiet.

Benoît entretint le mystère quelques secondes, puis il lança, fièrement.

— Journaliste, les gars !

Nous restâmes figés.

— Le correspondant local d'*Ouest-France* vient de partir à la retraite. Ils cherchent un remplaçant.

Toujours pas de réaction. Benoît haussa le ton.

— Putain, vous verriez la gueule que vous tirez ! On dirait que ça vous défrise de me voir bosser. C'est pas cool, ça !

— Et par quel miracle as-tu réussi à les persuader de t'engager comme reporter, car c'est bien de cela qu'il s'agit ? dit Rodolphe, persifleur.

— Je leur ai fait voir mes photos. Ça leur a plu.

— Tes photos ? Celles que tu refuses de nous montrer tellement tu les trouves nulles ? dit Tanguy, avec une légère anxiété dans la voix.

Benoît esquissa un sourire impénétrable. Rodolphe se rapprocha et lui entoura l'épaule de son bras. Il commença sur un ton qui se voulait charitable mais qui se révéla, comme toujours, parfaitement méprisant.

— Tu déconnes, mon petit Benoît, hein ? Tu ne vas quand même pas arrêter tes études si près du but ? Tu as certes eu une année difficile, mais il faut reconnaître que tu n'en as pas foutu une rame. Je crois simplement que cet échec t'a sonné et qu'il faut que tu te reprennes. Sois persuadé qu'avec un minimum de travail, tu es aussi capable que n'importe lequel d'entre nous de décrocher ton bac l'année prochaine.

Benoît s'écarta vivement.

— Ça ne m'intéresse pas de décrocher mon bac. Mon grand-père n'a jamais décroché aucun diplôme et c'est le mec le plus cool et le plus cultivé que je connaisse.

J'en ai marre de glander le cul sur une chaise, enfermé dans une salle de classe. Moi, j'ai besoin de grand air. J'ai besoin de me frotter à la vraie vie. Et puis je ne veux pas partir.

Il fit une courte pause et parla plus bas, comme s'il s'excusait.

— Je ne suis pas comme vous, moi. C'est ici que je suis bien et pas ailleurs.

Il cessa de parler et nous fixa d'un air résolu pendant de longues secondes.

Ce que je lus dans ce regard était limpide : jamais Benoît ne se laisserait emmerder par un examen, quel qu'il soit. Jamais il ne souffrirait pour quoi il n'avait que mépris. Bien sûr, il irait écumer les comices agricoles, les mariages, les remises de médailles, les fêtes de fin d'année des écoles et quantité d'autres événements qui nous apparaissaient comme dérisoires et négligeables, mais toute sa vie il s'efforcerait d'atteindre ce que nous étions, nous autres, mal partis pour jamais l'obtenir : être libre.

4 août 1981

La veille au soir, nous avions embarqué à Athènes sur un ferry à moitié déglingué. Il était rouillé de bout en bout et l'on pouvait à juste titre se demander comment il osait arborer avec autant de raideur et de prétention le pavillon bleu et blanc de son port d'attache.

L'endroit était littéralement envahi par des vagues de touristes en provenance des quatre coins de l'Europe. Ça piaillait dans toutes les langues et sur tous les tons. Les serviettes multicolores s'étalaient jusqu'au moindre recoin de cette plage improvisée, créant une ambiance de fête à mi-chemin entre camping disco et médina. Des hectolitres d'huile solaire dégouttaient de bouteilles orange fluo pour se répandre sur des hectomètres carrés de peaux brûlantes, plus ou moins rougeaudes, plus ou moins jeunes, plus ou moins avachies, mais uniformément avides de tendre vers un degré de cuisson optimal. Une fois mes yeux accoutumés à la lumière mordante du soleil grec se confirma ce que j'avais vaguement perçu la veille dans mes allées et venues entre les toilettes messieurs et les banquettes des salons d'accueil : le pont supérieur de notre ferry se présentait comme le paradis retrouvé des homosexuels.

Évidemment, pour moi, ce fut un choc.

Visuel, d'abord : au milieu des laideurs classiques de bord de mer auxquelles les plages bretonnes m'avaient maintes fois confronté s'exhibaient les plus parfaits apollons qu'il m'ait à ce jour été donné de voir. Jamais mes pupilles n'avaient autant été sollicitées. D'ailleurs, aussitôt réveillé, mon premier réflexe fut de chausser les lunettes de soleil à verres réfléchissants que j'avais achetées au début du séjour pour pouvoir profiter pleinement du panorama sans risquer d'éveiller les soupçons de personne.

Le choc le plus traumatisant fut sans doute d'ordre personnel : jamais je n'aurais imaginé que mes frères de sexe – c'est le mot qui me vint spontanément à l'esprit – puissent disposer, et surtout user, d'une telle liberté de ton et d'attitude. Pour moi – comme pour des centaines de milliers d'autres –, la sexualité était d'abord mensonge et dissimulation. Tous mes sentiments, la moindre de mes réactions, le plus anodin de mes jugements, je les passais sans cesse au crible implacable de la morale et des usages hétérosexuels que j'avais eu largement le temps de décoder, d'ingurgiter, d'assimiler. Je vivais constamment dans la crainte que se découvre la véritable nature de mes penchants. Résultat, je m'exprimais rarement à la légère, sauf en cas de cuite avancée, et, même en ces occasions, je tentais coûte que coûte de garder le contrôle de peur d'avoir ensuite à le regretter amèrement. Quand l'un ou l'autre de mes amis réclamait mon jugement sur telle ou telle fille, j'esquissais invariablement un sourire sibyllin, très neutre, très énervant, que j'accompagnais non moins invariablement d'un «Franchement, comment peux-tu aimer ce genre de nana?». À force, on avait cessé de me poser la moindre question sur le sujet, estimant que mes idéaux féminins flottaient largement au-dessus des réalités de ce monde et que je déchanterais tôt ou tard.

En attendant m'obsédait la question de savoir quand je pourrais un jour – car nul doute que ce jour devait nécessairement arriver – rencontrer le premier garçon de ma vie, très vite me jeter dans ses bras et encore plus vite dans son lit. À quels signes repérerais-je *qu'il en était*, comme on disait alors, et, dans le même temps, comment m'identifierait-il comme l'un des siens? Faudrait-il agir comme ces agents secrets qui se font reconnaître de leurs correspondants mystère par des sous-entendus dont le sens est connu d'eux seuls? Quels étaient les codes de ce monde clandestin, et qui m'en donnerait les clefs? Ces questionnements angoissants, englués dans une naïveté qui me faisait imaginer des scénarios de rencontre dignes d'une midinette, voilà que, sur le pont supérieur de ce rafiot miteux, ils trouvaient enfin leur résolution, et la plus claire qui soit. Ici, nulle cachotterie, nul faux-semblant, nul sous-entendu, nulle tractation mystérieuse. Le plus prosaïquement du monde, on se draguait, on s'esclaffait, on se faisait de furtives cajoleries, on roucoulait, on s'affichait, on pelotait plus ou moins discrètement son voisin de serviette en l'enduisant de crème et en éclatant de rire. Si codes il y avait, ils ne me paraissaient soudain plus du tout impénétrables : ce fut la fin de mes angoissants questionnements et peut-être le plus beau jour de ma vie.

De nous quatre, seul Rodolphe semblait réfractaire à la meute d'envahisseurs. À son réveil, il jeta un regard ahuri sur cette faune braillarde.

— Eux, c'est saucisses-boulettes à tous les repas, si vous voulez mon avis. C'est vraiment dégueulasse. Carrément immonde !

Ce fut dit assez fort pour le faire détester immédiatement par une bande de Français allongés juste à côté de nous.

Tanguy, lui, ça le faisait plutôt marrer, cette basse-cour de coqs assez peu virils. Benoît, comme à son habitude, mitraillait avec un minimum de discrétion tout ce qui se présentait. Il fit ami-ami avec un quatuor d'Allemands qui prirent pour lui les poses les plus avantageuses, puis avec un Suisse chauve et laid qui se mit à l'asticoter et à lui faire des œillades que Benoît déclina avec une décontraction étonnante. Bientôt, il sautillait d'un groupe à l'autre, électrisé par cette orgie de chair et de bonne humeur contagieuse. Il s'agenouilla à mes côtés et me murmura à l'oreille :

— Paul, observe tous ces visages. C'est hallucinant ! J'ai jamais vu autant de lumière et de vérité.

Visiblement, Benoît vivait ces moments comme une révélation mystique. Je n'eus aucun mot à lui opposer. À cet instant, je n'avais d'yeux que pour un Italien qui se pavanait à quelques millimètres de mes lunettes d'aviateur. Le jeune homme, pas plus de vingt ans, était alangui sur une immense serviette blanche et vêtu d'un minuscule slip de bain d'un rouge flamboyant. Dans une savante et langoureuse gymnastique, il ne cessait d'exposer aux yeux incrédules de ses congénères les creux et bosses de son côté pile, puis ceux de son côté face, qu'il avait fort avantageux dans n'importe quel sens.

Tanguy se mit à hurler :

— Regardez ! On arrive.

La protubérance qui avait spontanément éclos entre mes cuisses à la vision de mon voisin transalpin m'empêcha de profiter pleinement du spectacle. Ce fut allongé sur le ventre, le regard barré par les épaisses traverses de la balustrade, que je reçus les premières images de l'île de Mykonos, qui me sembla éclatante de lumière.

La soirée fut inoubliable à plus d'un titre.

L'après-midi, sur la plage, Tanguy s'était longuement entretenu avec deux Espagnoles ravissantes, dont il espérait bien au bout de compte obtenir quelques avantages intimes. Au bout d'une conversation décousue, exténuante, ponctuée de mots inédits, de voyelles superflues, de gloussements désarmants, d'approches infructueuses, il fut convenu avec les donzelles de les retrouver le soir même dans une boîte où serait donnée une fête qui s'annonçait comme l'événement de la saison estivale.

Après avoir copieusement arrosé de bière un plat de moussaka dans l'un des restaurants du port, nous arrivâmes vers minuit, à moitié titubants et très excités, au lieu du rendez-vous, qui se situait en pleine ville au croisement de deux ruelles étroites.

À l'extérieur, devant une minuscule porte bleue, s'impatientait une foule bigarrée, cosmopolite, bruyante, où j'identifiai quelques-uns de nos compagnons de voyage, mais aussi un grand nombre de femmes, pour la plupart jeunes et sexy, ce qui tranquillisa mes trois amis. Benoît reconnut immédiatement son quatuor allemand, qui l'acclama comme le messie en poussant des grognements de contentement aviné. Les quatre messieurs étaient vêtus de courtes toges bleu lavande à liseré argent qui auraient pu conférer un air martial à ces sénateurs romains si leurs crânes n'avaient été surmontés de couronnes où s'épanouissaient une débauche de fleurs blanches et bleues, rehaussées d'un impressionnant échafaudage de pétoncles nacrés. Ils étaient aussi violemment maquillés. De larges coulures de khôl noirâtres obscurcissaient leurs paupières tombantes. De leurs visages blafards, recouverts d'une épaisse couche de fond de teint gluant comme de l'emplâtre, émergeaient des lèvres empourprées qui, par contraste, jaunissaient terriblement leurs dents. Renseignements pris, il apparaissait que c'était une soirée déguisée et que le thème en était Nymphes ou satyres. Nos dignitaires germano-romains avaient clairement penché pour la seconde proposition.

Au bout d'une demi-heure, il nous fut enfin possible d'entrer.

La salle était en proie à une fièvre bachique surnaturelle. Du décor, sorti tout droit des divagations d'un décorateur sous acide, surgissaient des ornements de temple – colonnes doriques, chapiteaux, fûts, frontons, encorbellements, marches d'escalier – entièrement bombés de laque rose fuchsia. Épousant la géométrie de la mezzanine qui surplombait le rez-de-chaussée, une frise de stuc exhibait les prouesses érotiques d'adolescents en rut. Du plafond, tendu d'un vélum plissé en satin violet, retombait un lustre aux proportions inouïes, dont chaque branche était constituée d'un sexe noir et turgescent. Sur des estrades, une armée d'éphèbes immobiles, vêtus d'un pagne de gaze rigoureusement transparent, enserraient de leurs bras musclés des torches aux contours phalliques d'où jaillissaient des flammes dorées. Le membre masculin s'affichait partout, dans chaque détail de l'architecture et du mobilier, dans la splendeur de son anatomie revisitée. Répartis dans tout l'espace, des ventilateurs brassaient un air visqueux et insalubre, dont le souffle chaud faisait vibrer la moindre parcelle de tissu. Par-dessus tout ça, un nombre inédit d'enceintes, hautes comme des armoires, assénaient les boîtes à rythmes d'une musique disco assourdissante. Sur la piste de danse, c'était un maelström de corps encastrés les uns dans les autres, formant une masse compacte et dégoulinante d'où émergeaient bras et jambes dans des hoquets hystériques. Dans les regards hallucinés des danseurs se lisaient la même exubérance, la même démesure, la même volonté de vivre jusqu'à l'extrême ce moment unique et quasi irréel. Allant et venant autour de la piste, des beautés des deux sexes, inapprochables, éthérées, savamment dévêtues, laissaient admirer la perfection de leurs corps cuivrés en effleurant du regard le commun des mortels d'un air affecté. Ailleurs, des créatures improbables, perchées sur des talons d'une épaisseur nuisible, engoncées dans des robes moulantes ultracourtes, maquillées de strass, de paillettes, de couleurs vives, éclataient d'un rire gras et viril en distribuant leurs commentaires acides à des admirateurs hilares.

Partout ce n'était qu'exaltation, déploiement d'ego, exposition de soi.

Devant cette bacchanale de sollicitations, mes yeux se perdaient en allers-retours frénétiques et incontrôlables, pointant à droite la perfection angélique d'un elfe norvégien aux yeux clairs, à gauche le cul magnifiquement rebondi d'un Adonis solaire, là-haut la turgescence du lustre, en bas celle d'un centurion exhibitionniste. Terriblement excité, faisant tout pour n'en rien laisser paraître, j'étais – vieille rengaine – partagé entre effervescence et douleur, désir et frustration : un diabétique dans un entrepôt de friandises. Il me fallut quelques minutes pour reprendre mon souffle. Poussé de façon assez peu civile par un couple de vestales ventripotentes, je rejoignis Tanguy et Rodolphe au bar où, faute de mieux, je commençai à écluser bière sur bière puisque je ne voulais rien oser, pas même danser.

Loin, au bout du comptoir, les deux Espagnoles de la plage se trémoussaient sur de hauts tabourets jumeaux. Tanguy agita le bras pour s'en faire reconnaître, puis se tourna vers moi en me faisant un clin d'œil explicite. Il se précipita à leur rencontre avec un sourire niais qu'il pensait ravageur. Les deux jeunes femmes observèrent un instant son air godiche, se regardèrent droit dans les yeux et éclatèrent de rire. L'instant d'après, par pure provocation, ou pour établir la vérité d'une situation bancale, elles se roulaient un palot monumental qui ruina tous les espoirs de mon pote. Il s'arrêta net de sourire. Contenant sa hargne de mâle humilié, il les rejoignit malgré tout et leur offrit un verre, qu'elles acceptèrent avec humour maintenant que les choses étaient claires entre eux. Connaissant son appétit pour les défis, j'étais certain que Tanguy entretenait encore l'espoir d'obtenir quelque chose de concluant avec, non plus l'une ou l'autre, mais les deux réunies.

Nous avions perdu la trace de Benoît. Quand je le retrouvai un quart d'heure plus tard, il partageait le canapé d'une drag queen exubérante, obèse, travestie en parodie de Diane chasseresse. Une robe plissée, ridiculement courte, remontait le long de ses cuisses, qui s'apparentaient à deux énormes jambons velus. La main droite de la déesse était agitée par un mouvement continu d'éventail. Dans sa main gauche, elle tenait ferme une longue laisse dorée au bout de laquelle s'entortillait un couple de bellâtres grecs qui, tels deux chiots surexcités, passaient leur temps à s'échanger des coups de langue baveux. Benoît me présenta, les cabots en profitèrent pour me maltraiter les doigts de pieds avant d'attaquer les mollets. La divine créature tira la laisse d'un geste brutal qui faillit les étrangler et me tendit une patte moite, aux doigts grassouillets et infestés de bagues, que je me penchai pour baiser. Benoît lui glissa un mot à l'oreille. Une intimité manifeste les unissait déjà. Diane partit d'un éclat de rire exagéré, tira encore plus sur la laisse pour ramener vers elle les têtes de ses bêtes et les écraser contre ses énormes seins dans des jappements aigus. Elle réclama d'être immortalisée dans cette position par l'appareil photo de Benoît, ce à quoi il obtempéra avec enthousiasme.

Rodolphe, lui, ne décollait pas du bar. Il faisait la gueule, c'était clair. Et dans ces cas-là, je le savais, il se mettait à boire sans commune mesure. Il avisa soudain un garçon d'une vingtaine d'années au visage ravissant, malingre et pâle copie du dieu Hermès, équipé d'une toge sommaire – son drap d'hôtel probablement – et d'une vague paire d'ailes en papier d'emballage qu'il portait non pas aux talons comme le réclamait la mythologie mais sur le haut du crâne, sans doute pour des raisons pratiques.

— Laissez-moi vous avouer que je suis un grand fan de votre tenue, chantonna Rodolphe. Cette toge... Ces ailes surtout... *These wiiiings!* C'est tellement graaaacieux.

Comme je l'avais imaginé, il était ivre mort. Il s'exprimait d'une voix déformée, exagérément aiguë. Son intention était clairement de passer pour une folle tordue. Il attrapa la main du jeune homme d'un geste très peu masculin puis la souleva délicatement du bout des doigts.

— Paul, regarde cette joooolie main ! Observe bien comme elle est frêle et blaaaanche.

Puis il planta un regard haineux dans les yeux délavés du jeune Anglais.

— *By the way, are you really a boy, my dear?*

Il tenta violemment d'arracher le drap et le déchira à moitié.

— *Fuck you!* beugla le Britannique en lui balançant son verre de gin tonic à la figure.

Il s'enfuit, rouge de honte et de colère, en essayant de réajuster comme il pouvait sa tenue.

Il me semblait que c'était moi que Rodolphe venait de traîner dans la boue immonde de ses préjugés. Au même titre que ce garçon, je me sentais insulté, humilié, bafoué. Pour la première fois de ma vie, j'eus, logée au plus profond de mes entrailles, la conscience terrible et primitive de ce que signifiaient exclusion, racisme, rejet instinctif de l'autre. Tous ces sales pédés, ces hommes à moitié femmes, ces créatures hurlantes et travesties, ce n'étaient plus seulement mes frères de sexe, c'étaient mes frères, point final. J'étais de leur bord, indéniablement, et je n'avais le droit de me croire différent d'aucun d'entre eux. Je leur découvrais soudain une force immense. De quel courage avais-je fait preuve, moi, pendant toutes ces années ? J'avais désormais un combat à mener contre des démons enfouis, une dignité à conquérir qui devrait, tôt ou tard, se substituer aux exigences d'une norme aveugle et arbitraire. Soudain monta en moi une énorme colère. Il me fallait fuir cet endroit, fuir Rodolphe, fuir mes mensonges, fuir ma honte. Je me précipitai vers la sortie, dont l'accès était encombré par une vingtaine de personnes. Un Italien d'une trentaine d'années, adossé contre une colonne, une cigarette dans une main, un verre dans l'autre, m'observait nonchalamment pendant que je piaffais d'impatience. Ses cheveux étaient mi-longs, son corps abusivement bronzé. Il portait un short moulant en jean blanc tandis que sur sa poitrine dénudée, flasque et imberbe, pendouillait une collection de colifichets multicolores. Il me sourit. En un éclair, je compris. Je fonçai sur lui, collai mon sexe contre son sexe et ma bouche contre sa bouche. Nos langues se pétrirent aussitôt dans un baiser monstrueusement libérateur.

Maintenant, l'Italien me conduisait sur un chemin escarpé vers les hauteurs de l'île. Pas un mot échangé de toute cette montée. D'abord des différences linguistiques majeures nous séparaient, et puis l'heure n'était pas à la conversation. Les secondes s'écoulaient comme un rêve. La chaleur était douce. Le vent glissait sur nos visages. Les cailloux roulaient mollement sous nos pieds. Un silence éternel nous enveloppait. De temps en temps il se retournait pour me sourire. Parfois il attrapait ma main pour m'aider à franchir un escarpement difficile et il la gardait quelques secondes fermement accrochée à la sienne. Je croyais sentir les pulsations de son cœur sous la pression de ses doigts. La colère passée, j'évoluais dans une espèce de torpeur béate : un homme m'entraînait à le suivre et, quelques minutes plus tard, nous allions faire l'amour.

Arrivés dans le voisinage immédiat des célèbres moulins, il tenta de percer l'obscurité, puis, jugeant que l'endroit était propice, il s'arrêta et me fixa. Je l'observais, mort de trouille, bien que, de ma vie, je n'eusse jamais été aussi excité. Mon sexe était dur et presque douloureux. Il se rapprocha en souriant et, toujours sans un mot, s'avisa de me pétrir l'entrejambe à travers la toile du pantalon. Émoustillé par la raideur qu'il y trouva, son visage s'illumina. Sans s'encombrer d'autres préliminaires, il me déshabilla. Mon T-shirt atterrit sur un buisson d'aubépines et en un clin d'œil, je me retrouvai le postérieur à l'air et le pantalon aux chevilles. Lui-même fit glisser

son short et cracha bruyamment dans une main avant
d'enduire uniformément son sexe de salive et de me
retourner contre lui. Immédiatement, il me pénétra.
Une douleur inouïe me déchira le ventre. Un cri sauvage, insensé, s'éleva de ma gorge et mourut dans des
grognements pareillement bestiaux. Lui ne semblait
pas s'en émouvoir, il allait et venait en me déchirant
les entrailles. Dans mon cerveau, un déchaînement de
zébrures argentées, de craquements insoutenables,
de longues déchirures livides. J'aurais pu vomir.
D'une main, il tenta vaguement de réveiller mon sexe,
qui n'était plus qu'un sinistre machin rabougri d'où
s'était évaporé tout témoignage de désir. Il n'insista
pas longtemps. Soudain il poussa un hurlement de
jouissance grossier, qui se pacifia par à-coups pour
s'éteindre dans un souffle tiède contre ma nuque.
Quand il se retira, la souffrance cessa insensiblement
pour laisser place à une douleur sourde qui rayonnait de manière diffuse à partir du ventre. Je n'avais
plus de pensées, hormis un sentiment de honte qui
m'asséchait la gorge. Surtout, surtout ne pas le regarder. Décamper d'ici, le plus vite possible, le plus loin
possible. Fuir, encore une fois. Avec des gestes affolés
je récupérai le pantalon à terre et le T-shirt sur les
épines. De son côté, c'est avec une lenteur pâteuse
qu'il réajusta son short et s'approcha avec un sourire
de brute contentée où ne brillait plus aucune bienveillance. Ses lèvres se collèrent contre ma bouche
dans un baiser inutile, sans désir, puis je me dépêchai
de redescendre la colline, où le vent s'était levé, où
les grillons s'étaient d'un coup réveillés, où la chaleur était redevenue suffocante, où le moindre bruit

me paraissait insupportable. À l'orée de la ville, il disparut comme un voleur dans un semblant de sourire. Qui était ce type, dont j'ignorais jusqu'au prénom ? Je fixai sa silhouette avachie, son dos vulgaire, son short risible, jusqu'à ce qu'ils ne soient plus qu'un point infime dans ma mémoire.

24 septembre 1981

Son permis obtenu au premier essai, Benoît hérita de la vieille 4L pourrie de son grand-père, dont il désossa entièrement le moteur avec l'aide d'un copain garagiste et qu'il repeignit en rose fuchsia afin d'immortaliser nos vacances en Grèce et sa rencontre avec Lady Pinky, la déesse aux chiens. C'était donc dans un véhicule reconnaissable entre tous que nous voguions depuis quarante minutes vers la gare de Plouaret. Voguer étant d'ailleurs un terme un peu trop guilleret pour décrire la morosité qui s'était instillée dans l'habitacle sitôt sacs et valises entassés sur la galerie, ceintures bouclées, portières claquées. Tanguy et Rodolphe partaient s'installer à Rennes, moi à Paris. Enfin nous étions libres ! Du moins, c'était ce que nous croyions. Bien que pour l'instant – moi en particulier, et Tanguy pas très loin derrière – nous n'en menions pas large.

Rodolphe, assis à l'avant, se retourna et nous fixa d'un air inquisiteur.

— Putain les tronches !

On voyait bien que lui non plus n'était pas d'humeur à badiner.

— Ta gueule, lui dit doucement Benoît en fixant l'horizon d'une campagne à peine sortie de sa nuit automnale.

De tout le trajet, nous n'échangeâmes pas d'autres paroles.

Ce fut avec la même avarice de mots que l'on se sépara sur le quai. Il y eut bien de part et d'autre quelques débuts d'effusions, quelques conseils, quelques encouragements, quelques tentatives de fanfaronnade, mais tout cela restait compressé dans des phrases courtes qui en disaient d'autant plus long qu'elles dissimulaient l'essentiel. Le Brest-Paris de 7 h 22 arriva pile à l'heure et nous sauva de toute tentation de sentimentalisme.

Moins de deux minutes plus tard, Benoît regardait s'éloigner le train, les bras croisés, le cœur serré. Il se dirigea d'un air absent vers le parking, ouvrit la portière conducteur et s'affala dans le siège où il resta quelques secondes les mains agrippées sur le volant, les poumons en apnée, les yeux bloqués sur le losange du logo Renault. Avait-il fait le bon choix ? Ses amis partis, il se sentait abandonné, un abandon qu'il avait lui-même provoqué puisque sa décision était de rester ici, de continuer à vivre ici, d'échapper à tout ce qui lui apparaissait comme une contrainte. D'un tour de clef, il força le barillet du démarreur. Le moteur émit un hoquet, deux ou trois protestations de pistons entrechoqués puis se mit à ronronner. La masse de ferraille fuchsia s'ébranla doucement et commença à longer l'immensité de champs couleur tabac, grignotés par les fougères et les ajoncs sauvages. Quelques kilomètres plus loin, Benoît s'arrêta sur le bord de la route. Il sortit lentement de la 4L pour observer le paysage qui s'épanouissait devant lui. Le jour s'était complètement levé et le ciel brillait d'un blanc vif et argenté, lividité brumeuse plus aveuglante encore qu'un soleil franc. Il suivit des yeux l'envol de quelques mouettes qui s'égaillèrent avec des récriminations stridentes. Il fixa la mer immense et insaisissable, où crépitaient des vaguelettes mousseuses. Son regard se perdit sur la crête des peupliers qui ondulaient nonchalamment sous le souffle du vent. Il gonfla ses narines d'un air vif qui lui réchauffa la poitrine.

Oui, c'était certain, il avait fait le bon choix.

C'est avec la même appréhension qu'un Neil Armstrong effectuant ses premiers pas sur le sol lunaire que je posai un pied timide sur le quai de la gare Montparnasse. Je connaissais par cœur le chemin à prendre pour l'avoir mille fois fait détailler par ma mère, qui avait vécu à Paris pendant cinq ans avant d'y rencontrer mon père. Le trajet avait asséché mon chagrin. Je titubais sous le poids de mes bagages, mais je me sentais léger et euphorique en traversant la foule compacte qui s'agglutinait vers l'entrée du métro. Arrivé au guichet, je déposai une pièce de deux francs sur le comptoir d'un employé hargneux qui me tendit en échange le fameux rectangle de carton jaune barré de sa bande magnétique marron. J'attrapai délicatement du bout des doigts ce petit miracle de six centimètres sur trois ! Enfin j'avais en main le ticket « chic et choc » que vantait la publicité et qui m'avait tant fait fantasmer. Me revint en mémoire l'image de la tour Eiffel se profilant derrière le visage d'un jeune marin, que mes yeux avisés avaient toujours perçu comme une invitation à une monumentale fellation. Je me retrouvais à présent dans un film de Jacques Demy, m'attendant à ce qu'un mousse jumeau de celui de la pub pointe son nez en virevoltant au détour d'un couloir, m'emmène dans son sillage et me fasse découvrir son Paris à lui, forcément secret et excitant. Rien de tout cela pourtant. La rame dans laquelle je montai était désespérément calme, tout aussi désespérément hétérosexuelle. Et nul marin en vue.

Ce que je découvris en débouchant des escaliers de la station Invalides me fit l'effet d'une gifle. Paris s'étendait, en suivant les circonvolutions de la Seine, bien au-delà du pont Alexandre-III et jusqu'à l'île de la Cité. Je restai immobile de longues secondes, transporté par la virtuosité du spectacle. Mon esprit se gonflait de pensées optimistes et revigorantes. Mon existence était à l'aube d'un jour neuf, je le pressentais clairement. Plus rien ne serait comme avant.

Un quart d'heure plus tard, je sonnai discrètement à une porte, où s'affichait, gravé sur une minuscule plaque de cuivre, le nom de Jacqueline Ziegler. Qui allais-je trouver derrière cette porte ? Un cerbère qui me ferait regretter dix-huit ans de tyrannie paternelle ? Une dépressive dont je devrais subir les élucubrations maladives ? Une vicieuse qui irait cancaner sur le moindre de mes faits et gestes ? La réponse à ces questions se présenta sous la forme d'une accueillante petite bonne femme – pas moins de soixante-dix ans, pas plus de cinquante kilos – habillée d'une robe de coton lilas étonnamment courte, couverte des doigts jusqu'au cou d'une panoplie de bijoux fantaisie, la tête ornée d'un large bandeau mauve, façon Simone de Beauvoir, qui contenait une tignasse d'un auburn éclatant. Son visage, strié de rides, étincelait de malice. L'inverse de la rombière acariâtre que j'avais imaginée.

— Entre, Paul, tu ne vas quand même pas camper sur le palier !

Ce fut dit d'une voix grave, sortie des profondeurs de sa maigre poitrine. Je ne mis pas longtemps à m'apercevoir que cette voix unique, à la fois voluptueuse et rauque, était l'aboutissement de décennies de cigarettes anglaises, pas du tout légères, qu'elle cramait l'une après l'autre. D'ailleurs, une Craven A sans filtre à la main, elle me guida avec entrain vers un salon surchargé de meubles anciens, de gravures, de lithographies, de peintures, de coussins, d'objets inutiles, de tapis, de voilages, de doubles rideaux, le tout dans une profusion de couleurs tendres, de bouillonnements de chintz, de mousseline de soie, d'imprimés cachemire : une bonbonnière où le temps semblait s'être figé aux environs des années cinquante. Sur la queue d'un Steinway, une impressionnante collection de photographies figurait en noir et blanc les étapes de la vie d'une femme d'une grande beauté, parfois avec son mari et ses deux jeunes garçons, souvent dans des soirées mondaines ou des restaurants huppés, mais la plupart du temps dans le voisinage de microphones de studios, entourée d'amis aux visages épanouis.

Je m'approchai de l'instrument.

— J'ai doublé la voix d'actrices américaines il y a longtemps.

Cette révélation m'impressionna tellement que je ne sus quoi répondre.

— Tu aimes le cinéma, Paul ?

— Oh oui, j'adore le cinéma, dis-je un peu trop cérémonieusement.

— Dans ce cas, nous devrions bien nous entendre.

Elle s'échappa vers la cuisine, d'où elle rapporta quelques minutes plus tard un plateau en argent chargé d'une théière et de deux tasses dépareillées qu'elle posa sur une table basse. D'un petit tapotement sur le velours ras d'un canapé, elle m'invita à la rejoindre et commença sur un ton sérieux :

— Je suis très contente de te voir, mon petit Paul, mais je me demande encore par quel curieux hasard tu as atterri chez moi.

Je bafouillai, soudain inquiet :

— Mais c'est mon père qui... enfin votre fils...

Impossible de terminer ma phrase.

— Je connais à peine ton père et je ne vois pratiquement plus mon fils. Il a sans doute cru rattraper ses absences en laissant imaginer à ta famille que je serais ravie de t'héberger. Ce qui est le cas, rassure-toi.

Elle me fixa de ses yeux pervenche.

— Un peu de jeunesse dans les parages, voilà ce qu'il faut à cette vieille folle. C'est tout lui de penser ce genre de chose ! Et puis ton père m'a brossé un portrait de toi si... si... pathétique. Je n'ai pas eu le cœur à refuser. Tu aimes le thé, Paul.

C'était plus une affirmation qu'une question.

J'imaginais ce que mon père avait pu lui dire. Mou, vulnérable, sans aucune volonté. *Pour l'amour du ciel, sauvez-le, madame Ziegler, je vous en supplie !* La honte ! Elle remplit ma tasse vide d'un thé noir et brûlant, et entreprit aussitôt de me raconter sa vie par le menu. Elle était intarissable et passait d'un sujet à l'autre sans s'inquiéter des raccourcis que prenait son esprit enflammé, déversant le contenu de sa mémoire, citant des noms, pointant des dates, faisant un bond de dix ans en avant, puis repartant quinze ans en arrière. Parfois elle se levait pour décrocher une photo qu'elle me mettait sous le nez pour m'en raconter l'histoire. Rien n'aurait pu l'arrêter. C'était un flot ininterrompu de souvenirs et d'anecdotes que je buvais comme du petit-lait. Mon Dieu, cette femme n'avait pas eu l'occasion de parler depuis au moins dix ans ! Elle connaissait tout du cinéma et avait des vues bien précises sur les actrices du moment. Adjani, lumineuse, fragile, inouïe, folle sans doute. Deneuve, beauté glacée dont elle préférait la figure mystérieuse des premiers films. Et puis les Anglo-Saxonnes. Meryl Streep, la déesse, la première de toutes. Vanessa Redgrave, Jill Clayburgh, Diane Keaton... Elle avait tout vu, tout lu. C'était un tourbillon de références, de commentaires, de coups de griffe aussi, mais tout en douceur car elle aimait tant le cinéma qu'il ne lui serait pas venu à l'idée de le critiquer vraiment.

Au bout de deux heures elle s'interrompit, épuisée.

— On peut dire que j'ai passé le plus clair de mon temps dans l'obscurité.

Je crus lire dans son sourire une espèce d'amertume. Pourtant elle ne semblait rien regretter. Quatre heures sonnèrent à une pendule. Elle se leva.

— Il est temps que je te montre ton appartement.

C'était, logée au septième étage, une toute petite chambre de bonne fraîchement nettoyée, propre, sans artifice. Avec un peu d'effort et l'aide d'un tabouret, on pouvait disposer d'une vue sur la tour Eiffel par une lucarne en hauteur.

— Te voilà chez toi. Ça te plaît ? Tu peux la décorer comme tu le souhaites.

Je répondis par un grand sourire.

— Ils passent *La Femme d'à côté* à La Pagode à 18 heures, ça te dit ? Il paraît que Fanny Ardant y est formidable.

Je n'avais, avec les élèves inscrits dans l'établissement privé où je fis mes débuts deux jours plus tard, qu'un unique point commun : comme eux, je me demandais comment j'avais pu atterrir – pour des études dont chacun d'entre nous semblait se ficher éperdument – dans un endroit aussi révoltant de tristesse. Encadrant une cour rébarbative aux pavés défoncés, quatre bâtiments austères dessinaient un rectangle qui se concluait par une très haute porte cochère aux moulures méchamment écaillées. Sur toute l'étendue des façades, de larges coulées de suie noirâtre dégoulinaient le long de pierres centenaires et poreuses. Avec le temps et la pollution, elles s'étaient conglomérées en d'épaisses stalactites qui ruisselaient des toits en prenant l'aspect de griffures cauchemardesques. Il n'y avait pas que l'architecture qui semblait tenir du mauvais rêve éveillé. Le corps enseignant dans sa grande majorité, les cours – auxquels je ne comprenais strictement rien –, mais les élèves, surtout, provoquaient chez moi un sentiment de répulsion dont je ne réussis jamais à me défaire totalement. Comme il se doit, la plupart de mes camarades venaient des secteurs occidentaux de la ville et de sa petite couronne.

L'ouest d'une capitale étant connue, pour des raisons sociologiquement inexplicables, pour abriter les quartiers les plus favorisés, spacieux et déserts, les pauvres se disputant universellement sa partie orientale, compacte et surpeuplée. C'étaient donc essentiellement des gosses de riches qui s'intéressaient davantage à leurs nombreuses activités extrascolaires du côté de la porte d'Auteuil qu'aux interrogations auxquelles on les soumettait intra-muros, dans ce quartier du XIIIe arrondissement. Ils auraient réussi haut la main un QCM sur les derniers créateurs à la mode mais restaient bredouilles devant les collatérales de la veine fémorale ou les dérèglements du système cérébrospinal – mon Dieu, comment puis-je encore me souvenir de tous ces mots barbares ?

Dans l'ensemble, c'étaient d'affreux petits snobs arrogants, qui avaient atterri là par défaut, parce qu'on ne voulait plus d'eux nulle part. Ils faisaient régner dans les cours un cocktail de rébellion blasée et de cynisme indolent qui mettait à mal l'autorité des professeurs. L'apparente dureté de la discipline était d'ailleurs spontanément assouplie par la direction elle-même, pour des raisons plus économiques que pédagogiques : étant donné le coût exorbitant de la scolarité, le responsable de l'institution ne tenait pas à tuer la poule aux œufs d'or en imposant des règles trop rigides qui auraient fait fuir la plupart de ses sponsors – y a-t-il un autre mot ? Il en résultait une ambiance mollassonne, peu propice à l'étude, qui donnait à l'établissement des allures de camp de vacances pour post-ados neurasthéniques. D'ailleurs, peu d'entre eux réussiraient le concours d'entrée à la faculté. Cette école, c'était la dernière chance que s'offraient des parents riches et déprimés pour sauver l'honneur d'une progéniture avachie. Au bout de deux ans, ils déchanteraient et les bancs de l'université, qu'ils avaient jusqu'alors méprisés ou redoutés, seraient l'ultime refuge de leurs rêves de grandeur.

Nous étions une vingtaine à venir de province, mais j'étais le seul Breton, ce qui déchaîna une volée de moqueries et m'éloigna de quelques cases d'une possible intégration. Pour tous, y compris les autres provinciaux, la Bretagne était un pays affreusement ancestral, aux mœurs obscurantistes, où il pleuvait 24 heures sur 24, 365 jours par an. Ils s'étonnaient de ne pas me trouver coiffé d'un chapeau de feutre rond, vêtu d'un gilet brodé, équipé d'un parapluie et de sabots hydrophobes à bouts pointus. Les parents de certains d'entre eux possédaient bien une maison de famille quelque part sur la côte, dans un village au nom toujours imprononçable, mais s'ils avaient été contraints d'y passer quelques vacances, il était désormais entendu qu'à leur âge on ne les y reprendrait plus. Ils détestaient unanimement mon pays, où ils disaient avoir passé les pires moments de leur enfance. L'eau y était glaciale, le vent violent, les distractions inexistantes ou d'un autre âge, les Bretons leur apparaissaient comme un sous-peuple de péquenots arriérés et inhospitaliers. Ils plaisantaient bien sûr. Seulement à moitié, j'en étais convaincu. Ce n'était pas la première fois que j'étais la cible des railleries – j'en avais souvent fait les frais avec Rodolphe –, mais il y avait dans leur ton, leur vocabulaire, leurs manières, une suffisance de Parisiens désabusés à laquelle je décidai de n'opposer qu'un silence méprisant. Bientôt cela ne les amusa plus, on me laissa tranquille, puis on m'ignora complètement. Je me retrouvai seul, ce qui pour moi n'avait jamais été un problème.

17 octobre 1981

Il n'est pas faux de dire que la politique avait pris Rodolphe en otage dès son plus jeune âge. Sur les genoux de son père, il avait appris à déchiffrer l'alphabet dans les manchettes de *L'Humanité*. D'aussi loin que remontait chez lui la possibilité d'assembler des phrases, elles étaient régulièrement saupoudrées d'une pincée d'actualité et, plus régulièrement encore, d'un soupçon d'embrigadement. Pour son père, prosélyte dans l'âme comme le sont la plupart des passionnés, il était impératif que son rejeton puisse très tôt opérer la distinction entre le bien et le mal, ce qui dans son esprit généreux mais étriqué revenait à opposer les communistes à tous les autres. L'enfance de Rodolphe puis sa jeune adolescence furent donc marquées par les prises de position souvent radicales de son père vis-à-vis des soubresauts de l'Histoire, et particulièrement ceux qui agitaient «l'autre côté du rideau de fer», comme on appelait alors le bloc soviétique. À cinq ans, il connaissait non seulement l'existence mais l'exacte orthographe du patronyme du nouvel homme fort de la Tchécoslovaquie, Alexander Dubček. À onze ans, il fustigeait – sans l'avoir évidemment lu – *L'Archipel du Goulag* et applaudissait à l'expulsion d'URSS de son auteur, Aleksandr Soljenitsyne. À treize ans, il partageait avec son père la douleur de voir le Parti communiste français abandonner le concept de dictature du prolétariat. Ce ne fut qu'en 1979, avec l'invasion des troupes soviétiques en Afghanistan, qu'une rupture fatale – et inéluctable – s'établit entre père et fils. Pour la première fois de sa vie, Rodolphe osa affirmer que non, là c'en était trop. Terminé le diktat sur mon esprit, exit le goulag intellectuel ! Ma pensée, je la veux rayonnante, libre et souveraine ! À partir de cette époque – il avait seize ans –, il acquit son indépendance politique et se mit à se forger ses propres opinions, balançant aux orties celles qui lui avaient été patiemment inculquées pendant de longues années, comme un artiste se débarrasse des ébauches de ce qui constituera plus tard sa pensée véritable. Mais cette souveraineté intellectuelle, il la conquit en opposition, en creux si l'on peut dire. De fait, il devint farouchement, viscéralement – et de façon névrotique, faudrait-il encore ajouter – anticommuniste. Par pure provocation, il épousa un temps la pensée trotskiste, qui lui parut molle et sans objet véritable – un ana-chronisme –, et s'engagea dès l'été 1980 au sein des Jeunesses socialistes pour soutenir la candidature de Michel Rocard contre celle de François Mitterrand. Ce choix, exempt de réelle préférence, s'imposa à lui pour une seule et unique raison : l'Union de la gauche, et particulièrement l'idée que des ministres communistes soient compromis dans un éventuel gouvernement socialiste, lui hérissait tout simplement le poil. Pour lui, cela aurait constitué une victoire du père, et le père, il ne voulait pas le voir gagner, oh non, il voulait au contraire le voir abattu, le faire disparaître, le néantiser, le mettre six pieds sous terre – dans une urne si possible inviolable – et s'il fallait au passage l'humilier, ma foi, il ne s'en serait pas senti plus mal. Quand il fut décidé au congrès de Metz que la ligne Rocard devrait s'effacer au bénéfice de celle de Mitterrand, il se résigna, força sa nature, son ego, ses démons et se lança malgré tout dans la bataille. À l'époque, c'était aussi un bon petit soldat.

Rodolphe, emmitouflé dans sa parka verte, pénétra dans l'amphithéâtre par une porte à double battant qui continua d'osciller bruyamment sur ses gonds longtemps après qu'il en eut franchi le seuil. Il s'arrêta net. Une foule impatiente, toute d'ardeur et de vitalité, avait envahi la quasi-totalité des bancs disposés en arc de cercle. Sur l'estrade, une bonne dizaine de représentants du bureau national de syndicats étudiants s'échangeaient un unique micro pour haranguer le public. Tout en descendant le grand escalier qui coupait en deux les rangées de gradins, Rodolphe ne perdait pas une miette de ce que disait l'orateur du moment.

— ... Bien sûr, ce fut douloureux. Bien sûr, chaque discussion fut houleuse, chaque étape fut âpre à franchir. Mais tout au long de ce chemin difficile, nous sommes restés unis, avec en tête la volonté, l'opiniâtre volonté de servir un seul et même but : que le souci du collectif finisse par triompher de toutes nos individualités. Aujourd'hui l'utopie est devenue réalité. La jeunesse étudiante a désormais son syndicat et ce syndicat c'est le VÔTRE...

VOLONTÉ, SYNDICAT, RÉALITÉ, autant de mots qui éclataient dans sa bouche comme des ballons transpercés de la pointe d'un couteau. Des tonnerres d'applaudissements firent trembler la salle d'une énergie vibrionnante. Rodolphe resta un long moment immobile, les bras le long du corps, bouche bée. Bon Dieu, ce type sait parler, il n'y a pas de doute, se dit-il. Notez qu'il ne songea pas une seule seconde : « Ce type sait de quoi il parle », non, non, la seule pensée qui lui vint à l'esprit fut : « Ce type sait parler. » Il n'était pas tant concentré sur ce qu'il entendait – s'il avait écouté vraiment, il n'en aurait sans doute pas compris un traître mot – que sur la façon qu'avait l'orateur de servir son propos, presque physiquement, en accompagnant ses phrases d'une économie de gestes parfaitement maîtrisés. De ce long discours, Rodolphe ne ressentait que les pulsations, l'organisation quasi mathématique, le mouvement oscillatoire interne, la musique en quelque sorte. Une étrange sensation se mit à s'insinuer dans ses veines, irradiant une chaleur électrique dans son corps tout entier. Aucun des mots n'était en soi original, mais c'était la façon de les assembler, de les scander, d'insister sur certains phonèmes, d'en éluder d'autres, de précipiter la fin d'une phrase, de ralentir la suivante, de soudain faire éclater un mot, un seul, et de le faire résonner comme s'il devenait le pivot d'une pensée essentielle, oui, c'était tout cela qui était inédit et dérangeant. Au lycée, il n'avait jamais eu affaire qu'à des détracteurs faciles à manipuler. Sa hargne, son cynisme, son humour suffisaient à faire taire la moindre opposition. Bien sûr, il avait une pensée. Il était même l'héritier de siècles de logique, de raisonnement, d'argumentation. Il savait parfaitement analyser, disséquer, regrouper, conclure. Mais jamais il n'avait perçu cet étincellement du langage, ce ravissement du discours de façon aussi éclatante qu'ils se présentaient à tous ses sens en cet instant. Il se souvint de sa classe de philosophie et de cette phrase : « Les mots sont des pistolets chargés. » Bordel de Dieu ! Oui, c'étaient bien des balles qu'il prenait en pleine tronche. Des salves de mots, bien plus pénétrantes que ne l'aurait été n'importe quel projectile réel. Il se sentit personnellement la cible du long poème incantatoire de cet orateur brillantissime. Il eut sans se le dire le sentiment confus qu'il avait tout à réapprendre et que ses maîtres, il les trouverait désormais parmi ceux qui occupaient cette estrade : les professionnels du langage.

Il finit par reprendre ses esprits et se mit à descendre quelques marches en scrutant les bancs pour y chercher une place libre. Il la trouva au bout d'une rangée et s'assit près d'un jeune homme au visage ouvert, au teint mat, aux cheveux épais et sombres. Gabriel se poussa pour lui faire de la place. Il le transperça de ses yeux clairs et lui sourit.

— C'est qui ce type ? dit Rodolphe dès qu'il fut installé.

— Cambadélis. Jean-Christophe Cambadélis. Le président de l'UNEF-ID.

En fixant la mine quasi extatique de Rodolphe, Gabriel ne put s'empêcher d'ajouter :

— Brillant, le type, hein… ?

Rodolphe jeta à nouveau un coup d'œil vers l'estrade, où le nouveau président du jeune syndicat étudiant continuait d'électriser la foule. Ce dieu du verbe avait désormais un nom. Il se tourna vers Gabriel.

— L'UNEF-ID ?

— Ce mec a réussi à regrouper toutes les forces anti-communistes pour créer un nouveau syndicat. L'Union nationale des étudiants de France. *Indépendante* et *démocratique*.

Il accentua les deux adjectifs qui faisaient doré-navant toute la différence. Les yeux de Rodolphe s'illuminèrent. L'évocation de « toutes les forces anti-communistes », en particulier, le laissa rêveur.

— Un tour de force, je peux te dire. Il faut être sacrément malin pour arriver à réunir les trotskistes lambertistes de l'UNEF-US, le MAS noyauté par la LCR, de les travailler au corps et de les faire accoucher d'un projet commun.

Puis, avec un brin d'admiration :

— Pratiquement un coup d'État.

Rodolphe n'avait aucune idée de ce que pouvait être un trotskiste lambertiste. Hormis la LCR – la Ligue communiste révolutionnaire –, Rodolphe ignorait la signification des autres sigles dont on venait de lui rappeler l'existence. C'était certain, il avait vraiment tout à apprendre. Il dévisagea Gabriel un instant. Ce type avait l'air d'en connaître un rayon sur cette cuisine étrange et pour lui obscurément exotique.

Sur l'estrade, Cambadélis venait de passer le micro à un jeune homme dont les lunettes d'écaille man-geaient considérablement le visage blafard et ingénu. Le nouveau président de l'UNEF-ID était maintenant quasiment allongé dans son fauteuil, ses longues jambes croisées au niveau des chevilles, ses mains soutenant sa nuque dans une attitude savamment décontractée. À l'exception de ses yeux qui continuaient à briller d'une flamme vivace en décryptant les réactions de la foule, il était étrangement calme. Comment ce type avait-il pu réussir ce tour de force, puisque apparemment c'en était un ? Quelle puissance pouvait bien l'animer ? De quelle matière incandescente son cerveau était-il constitué ? À quoi pensait-il à ce moment précis ? Rodolphe ne le quittait pas des yeux, puis soudain il se tourna vers Gabriel.

— Et toi t'es quoi ?

Gabriel parut amusé de la question.

— Pour l'instant, je les écoute. J'attends de voir ce qu'ils ont dans le ventre.

Rodolphe fixa ce type, qui semblait si sûr de lui pour ses dix-neuf ou vingt ans. Bien que cela lui arrachât le cœur de passer pour un néophyte aux yeux de cet inconnu, il ne put réprimer la question suivante :

— C'est quoi les lambertistes ?

Gabriel haussa légèrement les épaules.

— Des trotskistes à la mode libérale. Je ne comprends pas bien ce qu'ils cherchent.

Il se tut un court instant.

— C'en est fini de l'extrême gauche de toute façon. Avec Mitterrand au pouvoir, on a enfin les moyens de faire vraiment bouger les choses. D'être constructif. Pas de blablater pendant des siècles, tu vois. Oui, de faire des choses et d'être au cœur du système. Exactement ce que ces types d'extrême gauche ont toujours refusé. Pour eux, être au pouvoir c'est déjà se salir. Tu parles... C'est un moment extraordinaire... Il ne faut pas le louper. Ce type, ce Cambadélis, je suis sûr qu'il a déjà compris tout ça. Regarde-le ! Il boit du petit-lait.

Rodolphe observa Gabriel avec des yeux intéressés. Il sentait inconsciemment que quelque chose de tenace le liait à ce type. Même s'il n'en avait pas la culture – tout cela n'était, au fond, qu'une question de temps –, sa pensée faisait écho à la sienne.

— Moi, je suis en fac d'histoire. Je ne crois pas aux lendemains qui chantent. Je suis un pragmatique. Il faut tirer les leçons de l'Histoire, tu ne crois pas ?

Rodolphe sourit pour trouver une contenance. Bon, ça suffisait maintenant ! Il lui fallait absolument sortir quelque chose, une petite phrase bien sentie qui prouverait à ce type que lui aussi avait des vues sur la vie, sur les choses, qu'il avait réfléchi, et pas qu'un peu, qu'il n'était certainement pas aussi ignorant qu'il y paraissait.

— Moi, je suis pour Rocard, dit brutalement Rodolphe.

Les yeux de Gabriel s'illuminèrent et devinrent d'un bleu électrique. Il sortit la main de son épais blouson de cuir brun élégamment meurtri par le temps et la présenta fièrement à Rodolphe.

— Bienvenue au club !

Son sourire dévoila deux rangées de dents parfaitement alignées et d'un éclat étincelant. Un beau gosse, pensa Rodolphe. Sûr que ce type devait plaire aux filles. Il poussa un soupir de soulagement et secoua fermement la main de son nouvel allié.

— Prépare-toi à te faire insulter. Ici, Rocard, c'est la bête noire, le début de l'excommunication. Nous, les types de la deuxième gauche, on est considérés comme d'affreux droitiers. D'ailleurs, on n'est qu'une poignée, tu verras...

Ainsi, voilà de quoi Rodolphe faisait partie : la deuxième gauche. Désormais, sa pensée aussi avait un nom.

Si Gabriel et ses camarades de la minorité rocardienne avaient élu le café *L'Espérance* pour héberger leurs réunions, c'était non seulement en raison de son nom – hautement symbolique pour des politiciens en herbe en ces temps de renouveau –, mais aussi parce qu'il était abondamment fréquenté par les étudiantes de la fac de lettres voisine. Ici, l'espérance l'était donc à double titre.

Sitôt débarqués, Gabriel présenta Rodolphe à une dizaine d'étudiants qui l'accueillirent à bras ouverts, dans un concert de démonstrations viriles, de phalanges écrasées et de maltraitance d'épaules. Rodolphe, qui détestait qu'on le touche – et encore plus qu'on le malmène physiquement –, reçut ces témoignages d'affection partisane en affichant un sourire embarrassé. Bientôt, ils déplacèrent des tables et des chaises pour les regrouper en un îlot central, sous l'œil paternel et hospitalier du patron, un Auvergnat cynique, maigre et sec. L'homme arborait une moustache énorme, grisâtre, qui se concluait par deux tortillons ridiculement pommadés et dévorait une bonne partie de son visage émacié. Punaisés sur toute la surface des murs noircis de tabac, des affiches écornées, des photographies, des tracts, des coupures décolorés, retraçaient des années de lutte étudiante. Il apparaissait d'ailleurs que le propriétaire des lieux avait été lui-même, une douzaine d'années plus tôt, aux temps forts du printemps de l'année 1968, un maoïste convaincu et intransigeant, avant de se ranger – conséquence d'un long et subtil glissement dialectique – sous la bannière des forces socialistes. On était en zone protégée.

Gabriel offrit une tournée générale afin de célébrer l'arrivée du nouveau venu et insista pour que Rodolphe s'assoie à ses côtés. Les discussions prirent immédiatement un tour politique. On batailla d'abord sur les actions à mener au sein de la minorité étudiante : la lutte en faveur de l'aide sociale et contre la sélection à l'entrée de l'université, l'autonomie de la jeunesse et bien d'autres sujets brûlants et d'actualité. Puis on en vint au congrès de Valence, qui devait réunir militants et dirigeants dans moins d'une semaine et où serait discuté le compromis qui opposait les forces conservatrices aux forces du changement. Autant dire qu'allaient s'y affronter sévèrement les diverses factions de la gauche socialiste et que ce noyau dur de rocardiens avait des tonnes de choses à en dire.

Rodolphe, enfoncé dans son siège, les bras croisés sur sa poitrine, ne bronchait pas. Pour l'instant, il se contentait d'écouter et d'observer, ce qui, quand on le connaissait, devait représenter un effort insensé. Une intuition supérieure le forçait à ce silence inhabituel. D'abord gober, faire l'éponge, enregistrer, assimiler et puis, plus tard – cela prendrait le temps qu'il faudrait –, tout recracher avec ses mots à lui, suivant sa propre logique et sa propre force de raisonnement. Rodolphe était tout bonnement en train de faire le pari que son intelligence saurait triompher de l'humiliation passagère que représentait le fait de devoir pour l'instant la boucler. Tous ses sens étaient en éveil. Son esprit était concentré sur la moindre des paroles de ses nouveaux camarades et sur le moindre de leurs gestes. Ainsi, se disait-il, voilà ma nouvelle famille. C'était donc avec ces gens qu'il allait désormais partager une intimité intellectuelle et pourquoi pas – cela était tout à fait dans l'ordre du possible – une amitié sincère. Cette pensée nouvelle le calma. Il les observa d'un œil différent, avec un mélange de curiosité et de bienveillance. Bientôt il allongea ses jambes et les croisa au niveau des chevilles tout en portant ses mains derrière sa nuque. Ce geste qu'il venait de voler à un certain Jean-Christophe Cambadélis le caractériserait pendant de très longues années.

Gabriel se pencha vers Rodolphe.

— Et toi, qu'est-ce que tu lui trouves à Rocard ?

Il s'était exprimé assez fort pour que chacun s'arrête de parler et se concentre sur la réponse qui serait donnée à cette question fondamentale.

Rodolphe se ressaisit, mais se força à garder la position décontractée qu'il venait d'adopter.

Ne pas flancher. La jouer cool, cool, cool. Surtout avec tous ces regards braqués sur moi.

Il se lança :

— Mon père est communiste. Tendance archistalinienne, si tu vois ce que je veux dire (autant jouer cartes sur table avec eux). Je suis bien placé pour savoir que ces types-là sont à côté de la plaque. Tu as entièrement raison, Gabriel, il faut savoir tirer les leçons de l'Histoire (un petit coup de brosse à reluire, ça n'a jamais tué personne). Ils sont englués dans leurs croyances, dans leurs mensonges odieux, mais surtout dans leurs foutus idéaux qui ne veulent plus rien dire du tout et qui ne font plus rêver personne. On sait aujourd'hui exactement comment ça s'est terminé et comment ils se sont foutu le doigt dans l'œil jusqu'au coude. Résultat, leur parti est devenu un objet de verre, fragile et complètement inadapté (pas mal, ça m'est venu sans y penser, mais ça sonne bien, d'ailleurs il y en a que ça fait sourire). Tu sais que mon paternel n'a pas arrêté de me seriner la nécessité de l'invasion des troupes soviétiques en Afghanistan ? La nécessité ! Mes fesses ! Ces mecs sont dangereux. Crois-moi, ils sont capables des pensées les plus paranoïaques pour justifier leur foutue révolution prolétarienne. C'est exactement à cause de ce genre de conneries que je ne crois pas à l'Union de la gauche, et que d'ailleurs je n'y ai jamais cru. La position de Rocard, puisque c'est ta question, est la plus réaliste, et aussi la plus réfléchie. Et puis, Mitterrand avec des ministres communistes, ça me fait doucement marrer ! Mitterrand, c'est quand même Vichy, la francisque, Schueller, L'Oréal, la Cagoule, enfin tout le toutim... (Oh là là, merde, j'en vois qui font la gueule. Il faut immédiatement rattraper le coup.) Même si je l'admire, hein, ce n'est pas du tout la question, ouais, c'est quand même grâce à ce type hors du commun qu'on en est là ! Une intelligence ravageuse, il faut en être conscient (intellectuellement de droite, mais bon, ça, je vais carrément fermer ma gueule là-dessus). Au prochain remaniement ministériel, je suis sûr qu'il les virera.

Il prit un air de fin stratège, en arquant jusqu'à l'extrême ses épais sourcils.

— D'ailleurs, qui pourrait lui donner tort ?

Gabriel lui adressa un très léger sourire. Rodolphe avait-il franchi un cap dans l'acceptation de sa pensée par cette assemblée d'experts ? Oui, il en était sûr, il avait fait bonne impression. Il n'y avait qu'à voir leurs têtes, leurs petits sourires d'acquiescement muet, cette manière un rien affectée qu'ils avaient de s'emparer de leur verre et d'y boire à petites gorgées contrôlées comme pour y recueillir un nectar précieux. Bon, certains avaient les yeux vagues, inexpressifs, ils semblaient même ne pas oser le regarder du tout, ce qui n'était pas de très bon augure – sans doute cette fichue tirade sur le patron, d'ailleurs je ne sais même pas ce que j'ai dit de si grave, hormis la pure vérité. Les mots, toujours ces putains de mots... Rodolphe ravala une petite bouffée de désillusion amère. Désormais il tâcherait d'être plus avisé et surtout de maîtriser ses instincts. Les mains toujours derrière la nuque, il adressa un léger signe de tête à Gabriel.

— Et toi ?

Gabriel se redressa légèrement comme pour se donner un peu plus d'importance.

— Mon père a fui la guerre d'Espagne. Il a fui l'horreur des révolutionnaires et il a fui l'horreur de Franco. Ce qui fait de moi un antifasciste et un anticommuniste par filiation. Et puis, même si ce n'est pas très bandant pour beaucoup de jeunes, je suis plus intéressé par les expériences sociales-démocrates de Felipe González en Espagne et de Willy Brandt en RFA que de rêver, comme le font Chevènement et toute sa clique, à une espèce de coup d'État militaire de la gauche progressiste. Je suis un pragmatique, je te l'ai dit. Au fond, je suis même un type très sérieux.

Il éclata de rire.

Pendant que continuait cette discussion, une horde de filles envahit peu à peu les lieux. Rodolphe les considéra d'un œil éteint pendant que montait en lui une lente bouffée de contrariété semblable à l'agacement naturel que provoquerait quelque chose d'aussi insolite et inopportun que l'intrusion d'un coup de cymbales dans un nocturne de Chopin ou d'un panneau publicitaire dans un sublime paysage de bord de mer. Gabriel, au contraire, ne cessait de se lever pour les accueillir, les saluer, les embrasser sur une joue – parfois les deux – en leur effleurant l'épaule, le cou, les cheveux, en des gestes cajoleurs et accueillants. Il connaissait le prénom de la plupart et avait pour chacune d'elles un petit mot bienveillant ou spirituel qu'il déversait de sa bouche carmin, humide, tout en les pénétrant de son regard d'un bleu ravageur qui apparaissait à Rodolphe aussi puissant que n'importe quel dispositif de radiographie à rayons X. Quel charmeur, ce salaud ! pensa-t-il. Bientôt, toute possibilité de conversation fut définitivement empêchée par l'irruption de plusieurs de ces boulets hystériques – telle fut, en tout cas, la façon dont elles finirent par s'imposer à Rodolphe. Lui, il aurait voulu poursuivre avec ses nouveaux amis cette petite querelle sémantique qui avait si bien commencé. Il aurait aimé continuer à battre les mots, à charrier les concepts, à se frotter aux idées nouvelles. Il voulait en apprendre encore et encore sur les courants, les factions, les luttes d'influence qui secouaient le parti et auxquelles il avait déjà irrémédiablement envie de se mesurer. Mais, l'alcool aidant – et ils en avaient déjà bu des litres et des litres, de cette bière anglaise au nom compliqué ! –, si les langues continuaient de se délier, c'était moins sous l'influence de leurs brillants discours que sous l'effet d'un débordement de testostérone de tous ces mâles échauffés. Les idées sérieuses s'effilochèrent, les concepts se tarirent d'eux-mêmes, les mots révélèrent d'autres pensées secrètes, tout aussi guerrières mais nettement moins militantes. Bientôt Gabriel ne fut plus du tout à la conversation. Rodolphe, abandonné, coincé au fond de son siège, avait renoncé à sa position décontractée façon Cambadélis. Il observait la manière dont Gabriel papillonnait et faisait rire les filles. Ah ça oui, il savait les faire rire et les filles adoraient ça ! Qu'est-ce qu'il leur déversait dans les pavillons pour les faire autant marrer ? De plus, il avait de longues mains, ce play-boy des bacs à sable, se dit-il soudain, en proie à une colère rentrée, en fixant les attaches fines et soignées de son nouveau camarade, et putain, comme il savait s'en servir ! Ces foutues mains-là n'avaient pas dû souvent remuer la terre sèche et aride de son Espagne d'origine, ni d'aucune autre terre d'ailleurs. Alors Rodolphe se mit à détailler ses mains à lui et il les trouva épaisses, grossières, pataudes, inaptes à séduire, à captiver, encore moins à caresser la joue ou la chevelure d'aucune de ces filles. Cinq minutes plus tard, devant la glace des toilettes messieurs, ce fut son visage qu'il se mit à scruter. Ce visage et ce corps qui, après douze ans de bons et loyaux services, s'étaient peu à peu mis à devenir, avec la préadolescence, une espèce de chose boursouflée et pénible, désespérément inesthétique. Effectivement, autant l'avouer, Rodolphe était laid. Il n'avait même pas cette laideur aimable,

97

rassurante, inoffensive, qui amène les gens à vous parce qu'ils n'y décèlent aucune concurrence possible. Il n'avait pas non plus cette laideur épouvantable que l'on rencontre parfois et qu'il aurait pu exhiber à la face du monde comme un trophée magnifique. Non, il avait simplement une laideur attristée, rébarbative, renfrognée, qui n'effraie ni ne contente, qui n'éloigne ni ne rapproche. Dans le miroir, Rodolphe ne put s'empêcher de fixer ses yeux d'un marron sans éclat, logés au fond d'arcades sourcilières affreusement proéminentes, néandertaliennes – qu'il tenait de son père ; son nez lourd et asymétrique – qu'il tenait de sa mère –, affublé de narines trop larges, trop basses, palpitantes, qui semblaient n'avoir pour but ultime que de raréfier l'oxygène à des kilomètres à la ronde ; sa bouche asséchée, oblongue, un brin vulgaire, derrière laquelle complotait une armée bancale de dents jaunasses et mal arrimées. Oui, un visage moche, vraiment, un visage de prolétaire, buté et grognon, voilà le reflet que lui renvoyait cette glace cramée par un chapelet de moisissures noirâtres, dans les toilettes puantes du sous-sol de ce café qui lui était d'un coup devenu complètement inamical. Encore une chose que ses parents lui avaient volée : la grâce. De cela non plus il n'arriverait pas à les absoudre. Bien sûr, il avait pour lui un humour ravageur, pointu, irrésistible, une apparente décontraction qui aurait pu passer pour un signe d'élégance. Son sourire aussi, lui avait-on soufflé un jour, n'était pas dénué de charme. Mais tout cela n'était que l'effet extérieur de son intelligence, l'impact visible de son esprit sur son physique. Il n'en avait pas moins, selon son propre avis, une sale tronche. S'il réussissait un jour dans la vie, ce ne serait sûrement pas à ce faciès regrettable qu'il le devrait. Non, il en était maintenant intimement convaincu, ce serait sur un autre front qu'il aurait à se battre. Il resta encore un long moment à aligner mentalement le moindre de ses défauts. L'image de Gabriel entouré de sa nuée d'abeilles virevoltantes s'imposa en format géant et bientôt un sentiment pénible, lancinant, jusqu'alors inexprimé, s'instilla au plus profond de lui : il était terriblement jaloux de cet enfoiré.

21 novembre 1981

Il pleuvait dur ce jour-là. Une petite pluie vicieuse imbibait une foule grelottante, qu'une armée de gardes-chiourme comprimait derrière deux longs corridors de barrières métalliques. Pourtant un indescriptible sentiment de félicité me rendait léger, d'une patience illimitée, totalement imperméable aux pleurnicheries du ciel et aux humiliations des services de sécurité. Je me sentais très haut placé, sur un petit nuage pour tout dire. Après deux mois d'une solitude forcée, assombrie par un enseignement où je me révélais de plus en plus comme un imposteur, voilà que je me retrouvais sur un terrain vague, à l'orée de Paris, parmi des milliers d'inconnus, pour assister au premier concert de ma vie. À 20 heures, les portes du chapiteau s'ouvrirent enfin. De partout s'élevèrent des hurlements de délivrance. Domptés par les vigiles, les spectateurs pénétrèrent au compte-gouttes à l'intérieur du chapiteau de toile. On se mit à patienter. D'abord calmement, au creux d'une rumeur sourde. Puis de moins en moins calmement. Au bout d'une heure de cette attente surexcitée, la foule n'en pouvait plus. Elle trépignait, glapissait, tapait des pieds et des mains en scandant un seul et unique nom, trois syllabes magiques, qui résonnaient furieusement dans la moiteur de l'espace. Étourdi par cette fureur contagieuse, je me surpris à brailler à mon tour pour faire sortir de l'ombre celle qui se tapissait quelque part dans les coulisses et dont nous étions exténués d'espérer la venue. Pour la première fois de ma vie, mon corps et mon esprit acceptaient de se dissoudre, de faire partie d'un tout et de ne pas se sentir humiliés par cette perte de leur autonomie. Brutalement, une poursuite se braqua sur l'espace du piano. Des milliers de gorges se nouèrent. Des milliers de corps, épuisés par ce supplice insoutenable, se figèrent. Après quelques instants d'un silence électrique, elle sortit lentement de l'ombre et s'avança vers le cercle lumineux. Elle se tenait là, dans cette paix instable, auréolée de lumière. Magnifique, incandescente. Elle avait couvert sa maigreur d'une robe de velours noir à la fois fluide et cintrée. Des accroche-cœurs caressaient le bas de son visage osseux. Deux longues virgules de khôl soulignaient le miracle de ses yeux sombres. Soudain, elle porta ses deux mains vers sa frêle poitrine et se baissa pour saluer son public. La folie, un temps calmée par ce qui s'offrait comme une apparition, s'empara à nouveau du public. Des voix s'élevèrent. Elle se releva lentement, ignorant l'hystérie que sa seule présence alimentait. Elle se dirigea vers son piano et posa ses deux mains sur le clavier. Quelques notes s'envolèrent. Aiguës. Cristallines. Célestes. Une petite ritournelle reconnaissable entre toutes. Enfin sa voix monta comme un cri. C'en était trop ! Une tristesse langoureuse, impérieuse, irrépressible s'insinua dans mes artères. Je me mis à pleurnicher. Bientôt un mouchoir blanc s'agita devant mes yeux. Au bout de ce mouchoir remuait une main amie. Au bout de cette main, ce fut bientôt un bras, puis un visage hilare, un visage d'ange, celui de Maxime. Aussitôt s'égrenèrent les premières mesures de ce que je considérais comme la meilleure – et peut-être la plus émouvante – des chansons de Barbara : *Ma plus belle histoire d'amour*. Instinctivement, je portai la main à ma poitrine. Maxime me lança un coup d'œil inquiet, auquel je n'opposai qu'un sourire gêné. D'un petit geste malicieux, il me tendit un nouveau mouchoir en papier que j'acceptai honteusement. Barbara se leva soudain, théâtrale. Un souffle d'admiration monta dans la salle. Maxime ne cessait de m'observer, je le sentais. Quand je me tournai furtivement vers lui, il affichait une mine joueuse qui n'avait plus rien de la bienveillance d'infirmière qu'il m'avait témoignée quelques secondes plus tôt. Terrorisé, je tentai de focaliser toutes mes émotions sur Barbara, qui s'était pratiquement allongée sur son piano, un coude sur l'instrument, son bras droit levé, tutoyant le faîte du chapiteau. Soudain, je sentis une main me caresser la nuque. Une main diaboliquement suave et habile. Putain, ce beau gosse était tout bonnement en train de me draguer ! Maxime malaxa doucement mes cheveux puis se mit à chatouiller avec lenteur la base de mon cou. Une douleur aiguë, qui n'avait plus rien à voir avec un quelconque stimulus poétique venu de la scène, me ravageait le bas-ventre. Barbara écarta les bras et les tendit vers un public en extase.

« Ma plus belle histoire d'amour, c'est vous. »

Moi, je bandais comme un âne.

Nous prîmes le dernier métro à la station Porte de Pantin. À la fin du concert, Maxime et moi nous nous étions roulé un palot hâtif, suivi d'une invitation immédiate à prolonger dans sa chambre de la rue Campagne-Première l'extase du récital et la volupté de cet échange furtif. Montre en main, les négociations se conclurent en moins de quinze secondes, Maxime ne semblant pas du genre à s'encombrer de précautions oratoires. (Ça te dirait ?... blablabla...) Évidemment, j'acceptai aussitôt. Tremblant, paniqué, mais ravi.

Il était accompagné de quelques amis qui, comme lui, avaient tous au moins cinq ou six ans de plus que moi. Ils me saluèrent poliment en me scannant de la tête aux pieds – avec une pause pas du tout évasive au niveau du renflement que présentait mon entrecuisse. Des regards que je mis des mois à reconnaître comme l'expression d'un particularisme à la fois systématique et parfaitement entendu : le regard d'un homo sur l'un de ses semblables. Puis personne ne fit plus attention à moi. Sans doute n'étais-je pas assez beau ou suffisamment intéressant pour alimenter une attention continue. Maxime avait parfois à mon égard de petits gestes délicats – bien que relativement discrets, même si l'issue de l'affaire était claire – mais, de manière générale, il semblait beaucoup moins intéressé par ma petite personne que par la discussion avec ses amis.

La rame où nous nous engouffrâmes débordait d'une humeur badine semblable à celle que j'avais connue quatre mois plus tôt sur le ferry grec, les serviettes et les crèmes solaires en moins, les strapontins en plus. C'était la première fois que je rencontrais autant d'homos à Paris – depuis mon arrivée, je me demandais sans cesse où ils pouvaient se planquer. Aux côtés de Maxime, quoique légèrement en retrait, je décidai d'opter pour la position de l'entomologiste qui regarde s'agiter une colonie d'insectes pour mieux en appréhender les habitudes. De fait, les manières de ce petit groupe – de la rame entière ? –, leurs blagues où planaient des sous-entendus incompréhensibles, et jusqu'à leur vocabulaire, me semblaient relever de codes impénétrables. Tous paraissaient appartenir à une caste supérieure dont j'étais nécessairement exclu puisque personne ne m'avait invité à les y rejoindre. Je me doutais qu'il y avait des règles de comportement, des usages lexicologiques que je devrais assimiler pour être enfin considéré – et accepté – par mes propres frères. Autant vous dire que je n'en menais pas large.

Maxime se retourna soudain et me jeta un coup d'œil intense, plein d'une lubricité joyeuse. Pour une raison inexplicable surgit du fond de ma mémoire l'image entêtante de l'Italien au short blanc et un frisson me parcourut. En réponse au sourire de Maxime, j'esquissai un rictus inquiet qu'il dut interpréter comme une grimace car il se retourna aussitôt vers ses amis, le visage fermé. Je pris peur. Je ne voulais subir aucune déconvenue de sa part. Je voulais de l'amour, je voulais de la tendresse. Du cul, oui, oui, mille fois du cul, mais pas de supplice, non, non, merci, c'était gentil d'y avoir pensé mais désormais la douleur je l'accrocherais au portemanteau avant d'entrer dans le lit de quiconque ! Mon Dieu, qu'est-ce qui m'attendait dans cette chambre de la rue Campagne-Première ?

C'était un appartement qui donnait sur la rue par des baies vitrées de plus de six mètres de haut : un atelier d'artiste comme je ne pouvais même pas imaginer qu'il en existât. Et bordélique comme il n'est pas permis. Dans la plus grande pièce, vaste comme un hall de gare, un enchevêtrement de canapés, de fauteuils, de tables basses, le tout réparti sur pas moins de cinq niveaux différents avec des colonnes Art déco qui surgissaient d'un peu partout. Dans tout l'espace, des tableaux à foison. Aux murs, évidemment, il y en avait des dizaines. Certains n'étaient même pas encadrés, d'autres étaient simplement punaisés – punaisés, vous imaginez – mais aussi à même le sol, empilés par groupes de quatre ou cinq contre les plinthes ou placés sur des chevalets – ceux-là étaient à peine achevés. Et puis des livres, des milliers de livres, de tous les genres et de tous les formats, coincés, sans logique apparente, sur les étagères poussiéreuses d'une bibliothèque défoncée, longue comme la Muraille de Chine, ailleurs empilés sur le moindre guéridon ou gisant au sol comme de vulgaires magazines. Je me promenai, à moitié hagard, dans ce qui se présentait à mes yeux comme rien de moins que la caverne d'Ali Baba, tandis que Maxime était parti dans une cuisine lointaine nous préparer deux gin tonics. Comment pouvait-on posséder tant de livres ? Était-il même possible de les avoir tous lus ?

J'étais en train d'observer un tableau – un petit format de 20 cm × 20 cm – quand Maxime s'avança dans mon dos. Il me tendit un verre et eut un léger mouvement de tête vers la toile.

— Combas.

— Pardon ?

— C'est un Combas. La figuration libre. Combas. Di Rosa. Boisrond. Keith Haring... Tu connais ?

Je me crus obligé de mentir.

— Un peu.

— Ma mère en raffole. C'est le genre de truc qu'elle essaie de faire.

— Elle est peintre ?

D'une main, il me désigna au pied d'une colonne un portrait inachevé, vaguement figuratif, plutôt un dessin d'enfant, une silhouette constituée d'un épais trait de peinture noire sur fond de taches de couleur imbriquées les unes dans les autres où surgissaient çà et là des signes cabalistiques naïfs.

— Le pire, c'est qu'elle arrive à en vendre. Moi je déteste.

Il se dirigea vers une chaîne stéréo déglinguée.

— Je t'aurais bien fait quelque chose à bouffer, mais comme d'hab il n'y a carrément rien dans ce foutu frigo, dit-il sans même se retourner.

Il offrait l'image de la plus parfaite indolence. Jusqu'à sa voix, qui avait des accents traînants. Un peu comme celle de Rodolphe mais, contrairement à celle-ci, il n'y entrait aucun cynisme, aucune revendication de classe ni d'aucune sorte. Une voix blanche. Il sortit un disque vinyle d'une pochette entièrement noire et fit hurler une musique inaudible : un concerto de Stockhausen, une musique sérielle qui n'avait rien de romantique.

Ce soir-là, sans y être préparé, je venais de pénétrer dans un territoire jusqu'alors inconnu qui me hanterait des années durant : celui des grands bourgeois. Ce maigre adjectif fait toute la différence, croyez-moi. Ce n'est pas une question d'argent. C'est une question d'attitude. Ici, l'argent ne comptait pas : il n'était pas un moyen, encore moins un but. C'était presque un gros mot. Ils étaient riches, mais ils s'en fichaient complètement. D'ailleurs ils se fichaient d'à peu près tout. Ce n'était pas un principe réfléchi – ce qui aurait fait d'eux des snobs –, mais un état naturel. Tout ce qui jusqu'ici avait pour moi représenté l'ordre, l'apparence, le respect des conventions, volait subitement en éclats. Les petits-bourgeois – et mes parents en étaient, c'est certain – obéissaient à des règles. Les grands bourgeois n'en avaient aucune. Ils faisaient tout simplement ce qui leur plaisait au moment où cela leur plaisait. Ils n'avaient pas peur de déranger, cette idée ne les effleurait même pas. Comment auraient-ils pu déranger ? Ils étaient chez eux partout, en toutes circonstances. Ils ne voulaient rien puisqu'ils avaient déjà tout. Ils n'avaient rien à prouver, rien à gagner. Il leur suffisait simplement de laisser s'écouler le long fleuve de leur vie de la façon la plus paisible qui soit, en observant d'un air vague et détaché le peuple primitif qui s'agitait le long des rives qu'ils traversaient. Ils possédaient le monde.

Je tombai amoureux. De Maxime évidemment, mais surtout de ce qu'il représentait. De ses manières, de la langueur de sa voix, de son frigo désespérément vide, de ses livres, de ses tableaux, de sa culture, des grincements de sa musique sérielle, de son indifférence aux contraintes, à l'ordre, au bon goût. Je tombai amoureux de cette décontraction que moi, empêtré dans d'affreux principes et des réglementations d'un autre temps, je n'aurais probablement jamais. Pour leur ressembler, j'aurais voulu que ma chambre de bonne croule sous les livres, les tableaux, la poussière. J'aurais voulu être comme lui, j'aurais voulu *être* lui.

Nos verres éclusés, Maxime me guida vers sa chambre. Le moment fatidique avait fini par arriver. Je le suivis en tremblant à travers un labyrinthe de coursives et de corridors. Je n'avais aucune idée de la façon dont les choses allaient se passer. Arrivés dans une pièce d'au moins trente mètres carrés – réplique exacte du salon en matière de désordre et de poussière –, Maxime prit immédiatement les devants. Il commença par m'embrasser tendrement, amoureusement, comme si je représentais à cet instant la chose la plus précieuse qu'il ait jamais tenue dans ses bras. Puis il me déshabilla par à-coups, savamment, en inondant le moindre centimètre carré de ma peau de baisers tour à tour timides et violents. J'étais en extase devant autant de savoir-faire, de douceur et de bestialité aussi ingénieusement mêlés. Bientôt lui aussi se déshabilla et nous nous allongeâmes sur le lit. Je tentais de me débrouiller tant bien que mal. En réalité, je calquais mon comportement sur celui de Maxime. Comme il m'était arrivé de le faire à l'école en regardant par-dessus l'épaule d'un camarade, j'observais la moindre de ses caresses et j'essayais de la copier. Je répondis à ses cajoleries par les mêmes cajoleries, à ses coups de langue par des coups de langue absolument jumeaux. Même en matière de sexe,

108

je m'appliquais à faire de mon mieux. Maxime dut s'apercevoir de quelque chose. Il leva sa tête d'entre mes cuisses, les cheveux complètement hirsutes, les lèvres humides, la bouche dégoulinant de sa propre salive, et commença à me regarder par en dessous, son visage rosi par l'excitation m'apparaissant complètement à l'envers.

— Dis-moi, Paul... Pfft... Est-ce que tu serais... enfin... Pfft... Est-ce que tu ne serais pas un peu puceau, par hasard ? dit-il en essayant de se débarrasser des quelques poils qui encombraient ses muqueuses.

Son sexe raide comme un gourdin encombrait mon visage. Je le pris délicatement entre mes doigts et le soulevai à l'oblique pour pouvoir lui répondre.

— Non... heu... Enfin... Pourquoi tu dis ça ?

— Alors ? Oui ou non ?

— Pratiquement, non...

— Mais ?

— Techniquement... oui.

— Ouh là là, j'adore.

Son excitation redoubla. Il repartit aussitôt fouiller mon entrejambe dans des léchages, des tétées, des succions absolument prodigieux. Bientôt, il s'allongea sur le ventre et m'attira à lui. Le plus naturellement du monde, je le pénétrai. Suivirent alors une série de positions intrigantes, certaines hautement acrobatiques, régulièrement alimentées par les conseils et les indications de Maxime sur la meilleure façon d'y parvenir. Tensions, contractions, résistance, allongements, pressions, distensions, relâchements s'enchaînaient dans ce qui s'apparentait à une séance d'aérobic lubrique qu'auraient orchestrée deux Véronique et Davina concupiscentes. TOU TOU YOU TOU!!! La masse de nos corps semblait s'être dissoute dans l'air ambiant. Un état d'apesanteur charnel où s'éclataient deux cosmonautes en rut. Mon corps – dont je ne me serais jamais douté qu'il puisse atteindre un tel degré d'élasticité – était sollicité de toutes parts et mes genoux, mes talons, mon crâne vinrent à plusieurs reprises cogner contre le plancher de chêne.

Et puis, parce que dans ce domaine – et celui-là uniquement – Maxime se voulait démocrate et partageur, ce fut bientôt à mon tour d'y passer. Inutile de préciser que je mourais de trouille. Une douleur noire échauffa mes entrailles. Les ailes des moulins de Mykonos se mirent à tourner à toute vitesse dans mon cerveau en feu.

— Tu as mal ? Tu veux qu'on arrête ? J'ai plein d'autres idées !

— Non, non, continue... Continue s'il te plaît...

Ce fut une révélation. La douleur se fondit progressivement en une volupté immense, inattendue, irradiante.

Cette nuit-là, je jouis cinq fois. Cinq fois !

Vers 11 heures du matin, une furie en déshabillé japonais déboula dans la chambre de Maxime, une cigarette à la main. Sans un regard pour le lit, elle se rua sur la fenêtre et ouvrit en grand les doubles rideaux.

— Maxime chéri, j'espère que vous n'avez pas oublié l'anniversaire de votre grand-père !

Elle se dirigea vers le lit et défit d'un coup sec le drap dont Maxime avait spontanément recouvert sa tête – et la mienne – pour se protéger de la lumière

crue et diffuse de ce dimanche de novembre. Horreur !
Nos deux corps nus, emmêlés, furent soudain la proie
d'une paire d'yeux inquisiteurs. Je protégeai mon sexe
en le collant contre la cuisse de Maxime tandis que
j'enfouissais ma tête dans les profondeurs de l'oreiller.
Je m'attendais à ce que pleuvent des cris, des torrents
d'insanités. J'imaginais la réaction de ma propre mère
dans une situation identique. Non d'ailleurs, je préfé-
rais ne rien imaginer du tout. J'étais tétanisé, un petit
animal affolé surpris au fond de son terrier par un
prédateur qui était sur le point de le dévorer tout cru.

Elle jeta sur moi un regard distrait en tirant une
longue bouffée de l'anglaise qu'elle étranglait entre ses
longs doigts jaunis et parfaitement manucurés. Avec
une impudeur totale, Maxime se mit à quatre pattes
pour reprendre possession du drap, dont il se couvrit
à nouveau le corps et la tête en grognant. Elle se rapprocha, furibonde, et attrapa encore le drap, bien que
plus mollement cette fois. Seules nos deux têtes émergeaient. La mère de Maxime lança un œil agacé à son
fils. Il se frotta les paupières puis s'appuya sur ses deux
coudes en lui souriant.

— Maman, je te présente le charmant petit Paul...
Paul, je te présente ma tendre mère. Mon réveille-
matin favori ! dit-il, décontracté, en la fixant.

Elle leva les yeux au ciel et ne m'accorda pas même
un regard. Pour elle, je n'existais tout simplement plus.

— Maxime, vous avez exactement un quart d'heure
pour vous habiller !

Elle sortit en claquant la porte.

Elle le vouvoyait. Il la tutoyait. Elle se foutait comme
d'une guigne de trouver un garçon à poil dans le lit

de son fils. Mon Dieu, quel monde étrange et passion-
nant ! Maxime éclata d'un rire énorme en découvrant
ma pauvre tronche d'halluciné.

3 décembre 1981

Tanguy prit au hasard l'un des nombreux papiers pliés en quatre que lui proposait l'examinateur. Il l'ouvrit, le lut, écarquilla les yeux d'effarement. D'une écriture à la graphie penchée, affreusement serrée – ce type ne devait pas se fendre la poire tous les jours –, s'alignaient six mots dont chacun avait un sens mais qui, mis ensemble, formaient une phrase ridicule et incompréhensible : « La sexualité des pots de yaourt. »

— Je vous écoute..., dit l'homme, impatient.

Tanguy lut la phrase à haute voix, sur un ton où perçait encore sa stupeur et peut-être un début d'agacement. L'examinateur arracha à ses lèvres sèches et longilignes un sourire rigide.

— Bien, bien.

— La sexualité des pots de yaourt ?

— Pourquoi pas ? Je vous en prie, ne faites pas cette tête. C'est exactement le genre de chose qu'on peut vous proposer au concours. Autant vous y préparer dès maintenant. Vous avez dix minutes, monsieur Caron.

Il dirigea son regard vers un autre étudiant qui planchait au fond de la salle de classe.

— Monsieur Thual, s'il vous plaît.

Tanguy alla s'asseoir à une table éloignée. Il fixa un moment les vingt-sept lettres qui dansaient devant ses yeux. Quelle connerie, pensa-t-il. Qu'est-ce qu'on cherchait à évaluer chez lui dans cette épreuve ? Son sens de l'humour ? Sa puissance de repartie ? Son aptitude à réagir promptement face à une situation risible et inconnue ?

Tanguy se mit au travail. Il savait qu'il lui fallait se montrer à la fois impliqué et détaché. Dans cette classe préparatoire aux grandes écoles de commerce, on ne cessait de tester ses connaissances, bien entendu, mais aussi son acharnement, son endurance, ses capacités d'adaptation, son sang-froid, autant de qualités qui feraient de lui un bon décideur, un grand manager, un meneur d'hommes capable d'anticiper, d'analyser, d'évaluer, dans le but unique d'envisager les meilleures options au moment le plus opportun.

Au bout d'exactement dix minutes, Tanguy fut rappelé par l'examinateur. Il s'assit en tâchant d'oublier ses notes. On lui avait répété que cela serait toujours du meilleur effet.

— Les pots de yaourt, puisque telle est la question, ont une sexualité réellement passionnante. Complexe, multiforme, très active... Subversive, pourrait-on ajouter.

Tanguy tentait de débiter toutes ces âneries sur le ton le plus professoral qui soit. L'homme en face de lui plissa les yeux, intéressé. Il attendait la suite.

— Prenez les yaourts brassés, par exemple. Eux, ce qu'ils recherchent c'est d'être battus sévèrement, pendant des heures – de très longues heures, selon les statistiques du ministère de la Santé –, en général avec un fouet métallique, pour atteindre un état de suavité proche d'un nirvana lactique, ce que les psychiatres désignent sous le nom de «syndrome masochiste de liquéfaction».

Tanguy mit en exergue les derniers mots de sa phrase et arracha un autre sourire aux lèvres de l'examinateur.

— En pratique, ils s'associent par groupes de quatre ou six individus, un comportement d'ailleurs caractéristique de la sexualité de cette sous-population de produits laitiers. Certains spécialistes inscrivent cette déviance à caractère grégaire sous le sigle IPY, qui signifie Instinct Partouzeur des Yaourts et a naturellement donné naissance, par extension, à l'acronyme «hippie», très en vogue dans les années 1970 au cœur des fromageries de chèvre du plateau du Larzac. Vous voyez, nous ne sortons pas du domaine laitier...

Et ainsi de suite.

Tanguy sortit de sa première colle le cœur léger. Il avait obtenu un 15 – un score inespéré à ce niveau d'études. Comme toujours, sa pensée immédiate fut que son père aurait été sacrément fier de lui. Après sept ans d'une absence insurmontable, c'était toujours à lui qu'il dédiait ses succès, et encore vers lui qu'il se tournait quand il avait des interrogations et des doutes. Qu'aurait-il dit ? Qu'aurait-il fait lui-même dans telle ou telle situation ? Quel autre choix aurait-il pu lui suggérer ? Bien sûr, il partageait avec sa mère et ses deux sœurs la fierté de ses performances scolaires, mais c'était essentiellement pour l'image qu'il souhaitait renvoyer à ce père absent qu'il se battait si farouchement et qu'il acceptait d'être écrasé par autant de travail. Il l'avait à peine connu, et cette seule pensée lui était insupportable. Depuis sa mort, Tanguy ressentait un vide immense, indicible, qu'il mettrait de longues années avant de pouvoir s'en ouvrir à quiconque.

Dans la nuit du 4 juin 1974, en seulement quelques heures, la vie de Tanguy bascula brutalement. Il allait avoir onze ans. Cette nuit-là, un hurlement déchira le silence qui régnait dans la maison. Tanguy se redressa dans son lit, mais il n'osa pas un geste. Ses membres se glacèrent. Son esprit était uniquement concentré sur le bruit qui lui parvenait de la chambre adjacente. C'était à présent des gémissements étouffés, le martèlement des pas affolés de sa mère, sa voix au téléphone, lointaine, rauque, suppliante, zébrée de sanglots. Bientôt la maison fut envahie par la famille et les amis proches. Tanguy était toujours dans sa chambre, raide de peur et d'angoisse, ne voulant mettre aucun mot sur ce que son imagination d'enfant lui laissait pressentir. Soudain, la porte s'ouvrit brusquement. Deux ou trois personnes se précipitèrent. Qui ? Qui avait pénétré dans sa chambre cette nuit-là ? On alluma sa lampe de chevet, on le tira de son lit, on le força à s'habiller, sans autre explication que l'urgence qu'il y avait à se préparer, vite, très vite, tout de suite. Sans même ôter son pyjama, il enfila un pantalon, un pull, puis une main le poussa sans ménagement dans le couloir, vers la chambre de ses parents. Le plafonnier jetait une lumière crue sur les draps blancs où son père gisait, inanimé, la bouche et les yeux clos, dans une expression de calme révoltante. Son attaque cérébrale ne lui avait arraché aucun cri, la mort se diluait sourdement en lui sans la moindre souffrance apparente, comme un serpent immonde étouffe lentement sa proie, dans un silence de marbre, jusqu'à l'asphyxie totale.

— C'est peut-être la dernière fois que tu vois ton papa. Embrasse-le ! dit sa mère en le poussant nerveusement vers le lit.

Ses gestes étaient saccadés, fiévreux. Cette femme aimante, placide, était devenue un animal désorienté, survolté, sans égards. Tanguy s'avança, déposa un baiser furtif sur la joue presque froide de son père, sur ce visage livide où la mort se lisait déjà. Puis, avant qu'il n'ait eu le temps de le regarder vraiment ou de comprendre quoi que ce soit, quelqu'un le tira par la manche et le sortit de la chambre, pendant que les adultes continuaient à s'affairer autour du lit dans des murmures, des pleurs, des plaintes sourdes. Ce fut tout. On l'envoya avec ses deux jeunes sœurs chez des parents proches. Il y resta trois jours sans avoir la moindre nouvelle de sa mère ni recevoir la moindre explication. D'ailleurs, lui-même, que voulait-il savoir de ce qui s'était passé ?

Quand on lui annonça la mort de son père, Tanguy se tint droit, ne réclama aucune caresse, aucun réconfort ou apitoiement et surtout ne versa aucune larme. Sans doute jugeait-il indécent ou inutile d'encombrer le chagrin de sa mère en y additionnant le sien. On ne pensa pas judicieux non plus de le convier à l'enterrement. Le lendemain de la cérémonie, il reprit possession de sa chambre, de cette maison dépeuplée, désormais habitée par l'incompréhension et le chagrin. Il ne garda de son père que l'image d'un gisant nimbé d'une lumière vive et indécente, enveloppé dans des draps immaculés qui, brutalement, par cette nuit de canicule, étaient devenus son suaire et l'avaient emporté dans l'au-delà du souvenir. Une image de cauchemar, en noir et blanc, tenace, précise, envahissante. Pendant de longs mois, Tanguy ne crut pas que son père fût parti pour toujours. Tout était allé si vite. Il devait se cacher quelque part. C'était une bonne blague qu'il leur jouait. Il allait revenir, c'est sûr. Aujourd'hui encore, il continuait de le chercher.

Tanguy s'avança dans les couloirs. Il salua quelques camarades. En trois mois seulement, il était devenu très populaire. Un rouquin frisé fonça sur lui.

— Alors ?

— La sexualité des pots de yaourt.

— La... quoi ?

— Tu as bien entendu.

— Quelle connerie ! Et puis ?

— 15, mon vieux.

— 15 ? Putain de salaud !

Le rouquin le gratifia d'une grande claque sur l'épaule.

Il était impossible de ne pas percevoir, dans cet échange apparemment amical, l'ombre de la rivalité ici omniprésente. Tous ces élèves qui aujourd'hui se tapaient dans le dos, s'échangeaient leurs notes et leurs doutes, partageaient les mêmes angoisses dans des chambrées à quatre lits de cinq mètres sur trois, s'affronteraient demain comme de véritables gladiateurs dans des épreuves qui décideraient à jamais de leur sort. C'était ainsi. Un état d'esprit constitutif de ces classes préparatoires aux écoles de commerce.

Une mise en concurrence permanente, entretenue par l'administration et les professeurs. Chaque élève se pliait naturellement à cette règle. C'était même ce qui les avait tous décidés à pousser les portes de cet établissement. Ceux qui n'étaient pas adaptés – trop faibles, trop sensibles, trop purs – avaient déjà fui et retrouvé les bancs plus paisibles de l'université. Ceux qui restaient, qu'ils l'admettent ou non, avaient choisi d'écraser les autres. Ce sentiment de compétition, Tanguy le connaissait. Il n'en avait pas peur. Loin de là. C'était son moteur.

La mère reprit la conserverie de poisson qu'avait patiemment développée son mari. En trimant dur, elle réussit à maintenir l'entreprise à flot. Dès l'âge de quatorze ans, Tanguy prit en charge une partie de ses aspects comptables. Il se frotta aux chiffres, commença à estimer le marché, la concurrence. Il inventa de nouvelles façons de gérer l'affaire, suggéra d'étendre l'activité initiale et d'y adjoindre un département de plats cuisinés. Ils achetèrent de nouvelles machines, embauchèrent du personnel. L'affaire repartit de plus belle. Très vite, la mère n'eut plus une minute ni pour elle ni pour ses enfants. On finit malgré tout par retrouver l'espérance, le goût du plaisir, l'ivresse de ces moments volés au sentiment d'injustice et d'abandon provoqué par le décès du père. La nature joviale des uns et des autres reprit lentement le dessus. Tanguy grandit comme il put, longue liane adolescente mal arrosée, trop vite poussée, accrochant ses crampons partout où il trouvait de la place, se réfugiant dans un humour sans cynisme qui devint son rempart. Une tante voisine vint régulièrement les épauler et s'occuper des deux petites. Le travail était devenu un état de guerre permanent contre l'angoisse du vide. Et si, d'un coup, tout venait encore à s'écrouler ? L'argent constituait le centre des préoccupations. Surtout ne jamais manquer. Survivre, les yeux fixés au compteur, les pieds ancrés dans le sol. Les rêves, ce serait pour plus tard. Pour l'heure, se contenter d'avancer, encore et encore, conjurer le sort, se sentir vivant mais surtout dominer cette foutue peur qui s'était insinuée sourdement. Un instinct guerrier se mit à couler dans les veines de Tanguy et devint une seconde nature. Oui, vraiment, de tous les élèves de ces classes préparatoires du lycée Chateaubriand à Rennes, nul autre que lui n'était mieux armé pour affronter la compétition.

Il était près de 20 heures. Tanguy ne voulait rater sous aucun prétexte le début des actualités sur Antenne 2, qu'il suivait chaque soir assidûment. Il monta rapidement dans sa chambre où il jeta en vrac, sur un bureau ridiculement petit, les quelques livres qu'il tenait serrés dans sa main et sa besace vert kaki, où il avait lui-même cousu un drapeau américain. En redescendant l'escalier quatre à quatre, il faillit percuter un groupe de filles. Il s'agrippa à la rampe métallique et s'arrêta de justesse en plein vol. Il reprit sa respiration et adressa son plus beau sourire à Inès, une belle blonde aux seins renflés et volumineux, sur laquelle il fantasmait depuis le jour de la rentrée. Malgré les nombreuses rebuffades qu'il avait déjà essuyées, il ne manquait jamais une occasion de lui adresser la parole.

Inès eut un sourire blasé. Elle leva au ciel ses yeux d'un vert tendre et délicat.

— Ah ! Voilà donc notre grand spécialiste des déviances lactiques !

Apparemment la nouvelle avait déjà fait le tour de l'école.

— Je me suis pas mal débrouillé, je dois dire.

Il ne put s'empêcher de jeter un regard rapide sur les mamelons qui pointaient outrageusement à travers le pull en lycra mauve.

— Évidemment tu ne t'es pas mal débrouillé ! Ton excellente note...

Elle se retourna furtivement vers ses amies.

— On peut au moins lui accorder ça... Cette note...

Puis, en fixant Tanguy de nouveau :

— ... confirme ce que je pense depuis le premier jour où je t'ai vu. Tu n'es qu'un sale pervers polymorphe.

Les filles gloussèrent. Tanguy ne se laissa pas démonter.

— Je prends ça comme un compliment.

Il accentua son sourire et balança un nouveau coup d'œil sur les tétons. Inès eut une grimace de dégoût en haussant ses épaules menues, puis entama la montée de l'escalier. Tanguy fit un pas de côté pour l'arrêter dans son élan.

— Tu fais quoi ce week-end ? On pourrait sortir au cinéma si tu veux. N'importe où d'ailleurs. C'est toi qui choisis.

Elle le foudroya du regard et dit, sur un ton d'un snobisme irrévocable :

— Comment t'expliquer, cher Tanguy ? Ce week-end, je vais dans un endroit absolument inaccessible aux garçons de ton espèce.

— De mon espèce ?

— Je vais au concert. Schubert, ça dit quelque chose à quelqu'un comme toi ?

— Bien sûr.

Il réfléchit quelques secondes puis annonça d'un air vainqueur :

— *La Truite !*

— *La Truite ?!!*

Il venait, c'est certain, de prononcer une grossièreté irréparable. Il se crut obligé d'ajouter, après quelques secondes supplémentaires de vaine réflexion :

— Entre autres, évidemment...

Elle eut une violente contraction des mâchoires.

— Tu réduis Schubert à cette niaiserie ? Comme tu réduis sans aucun doute Beethoven à sa *Lettre à Élise* !

— Je suis prêt à découvrir. Je suis assez ouvert comme type.

Tanguy approcha son visage à une dizaine de centimètres de celui d'Inès. Une intrusion flagrante dans sa zone d'intimité. Son ton se fit ouvertement dragueur et il dit en murmurant :

— Toutes les expériences nouvelles m'intéressent, ma chère Inès.

Elle-même rapprocha son visage de quelques centimètres supplémentaires, faisant du coup voler en éclats ladite zone. Tanguy pouvait sentir les effluves miraculeux de son haleine fraîche et parfumée, un subtil mélange de menthol et de baume vanillé. Elle parla lentement, comme pour marteler son plus profond mépris.

— Ne rêve pas, Tanguy Caron, il y a des expériences qui te sont à jamais interdites.

D'une main dédaigneuse, elle lui poussa l'épaule du bout des doigts. Tanguy se coinça contre la barre métallique pour laisser place à un flot de donzelles qui s'ébrouèrent en laissant échapper quelques rires étouffés.

Trois mois qu'il n'avait pas baisé ! Il n'en pouvait plus. Depuis ses treize ans – âge auquel Tanguy, au cours d'une classe de neige mémorable, avait abandonné sa virginité à une fille de terminale compréhensive et légèrement nymphomane –, le sexe faisait partie de son équilibre au même titre que le ping-pong ou les échecs. D'ailleurs, Tanguy n'envisageait pas le sexe autrement que comme un vaste terrain de jeu et les filles autrement que comme des challengers potentiels. Il ne les convoitait pas, il voulait juste leur infliger une défaite. Le plus souvent, il les quittait dès qu'il les avait possédées. Il avait même un petit carnet où, en face du nom de ses conquêtes, un numéro allant de 1 à 10 restituait, non pas l'ampleur de la volupté qu'il avait ressentie en couchant avec elles, mais le degré de difficulté qu'il avait éprouvé pour y parvenir. Seul le côté sportif de la chose l'intéressait. Les préliminaires, la chasse, les stratégies d'approche, les feintes, les coups dans la gueule, tout cela l'excitait au plus haut point. Le passage à l'acte s'apparentait à une troisième mi-temps, quand on est hypercontent d'avoir gagné mais qu'on regrette déjà de ne plus être sur le terrain.

Avec tout ça, le journal a dû démarrer, se dit Tanguy en galopant le long du couloir qui le mènerait quelques secondes plus tard à la salle de télévision. Une trentaine de chaises étaient éparpillées sur la surface d'un carrelage zébré de mille craquelures et souillé par des centaines de traces de pas. Sur les murs, qui avaient été blancs avant de revêtir l'aspect jaune pisseux qu'ils présentaient aujourd'hui, s'étalaient de larges traînées noirâtres d'on ne sait quelle provenance. Au fond de la pièce, un poste archaïque trônait en hauteur sur son socle métallique et inviolable. On aurait tout aussi bien pu se trouver dans une prison, un hôpital ou un asile. La mine qu'affichaient certains des élèves réunis ce soir-là faisait d'ailleurs pencher pour l'une ou l'autre de ces hypothèses.

Tanguy, après avoir bousculé avec un franc sourire quelques-uns de ses camarades, s'assit au deuxième rang. Sur l'écran du téléviseur, Hervé Claude, le journaliste d'Antenne 2, concluait une interview du Premier ministre Pierre Mauroy sur sa proposition de faire adopter par ordonnances, au cours du mois de janvier suivant, la réduction du temps de travail à 39 heures et l'abaissement à soixante ans du droit à la retraite, ainsi que quelques autres réformes sociales d'envergure. Suivait un sondage sur l'état d'esprit des Français après six mois de gouvernance socialiste, où il apparaissait que la majorité d'entre eux – 53 % contre 31 % – jugeaient ses résultats positifs, 57 % ayant même l'impression d'assister à un véritable changement de société. Un sondage optimiste immédiatement mis à mal par les derniers chiffres du chômage pour le mois de novembre qui, en données corrigées des variations saisonnières, frôlaient dangereusement 1 900 000 chômeurs et dont la progression ne semblait pas du tout sur le point d'être jugulée. Les pages de politique intérieure se concluaient d'ailleurs par une intervention de Jacques Delors, le ministre de l'Économie et des Finances, qui conseillait la plus grande prudence ainsi qu'une pause dans le bal des réformes auquel on avait assisté depuis le mois de juillet. On passa ensuite à la politique internationale avec un reportage assez complexe sur la posture offensive qu'entendaient adopter les États-Unis face à l'Union soviétique. Dans le cadre de son plan de modernisation des armements stratégiques américains, le président Reagan, en poste depuis le début de l'année, venait en effet de gonfler les dépenses militaires, les faisant passer de 281 à 409 milliards de dollars.

— *Avec le président Reagan, célèbre pour ses apparitions dans des westerns, faut-il le rappeler, la guerre froide, ce n'est pas du cinéma !*

C'est sur ces bons mots que le blond moustachu conclut son journal du soir. Puis, vers 20 h 35, il annonça d'une voix tranquille, où s'insinuait le scoop :

— *Dans le paysage plutôt morose de l'entreprise, il existe une comète, un homme à part. Fils d'ouvrier, passé aux Jeunesses communistes, compositeur de musique à ses débuts, il se taille aujourd'hui une réputation de sauveur d'entreprises. Il est jeune. Il a trente-huit ans. Il a des méthodes souvent rudes mais il parvient à sa manière à réanimer des sociétés moribondes. Il voyage beaucoup, il parle franc, il s'appelle Bernard Tapie. Voici son portrait.*

Sur une musique assez angoissante – un air de messe joué par des orgues tonitruants – apparut un type d'abord filmé aux commandes de son jet privé, puis dans une maison luxueuse – qu'on imaginait assez bien sur la Côte d'Azur – et enfin dans les rues de Paris aux environs de ses bureaux. Il portait une veste claire, bien coupée, assortie d'une cravate de bon goût. Une raie divisait en deux ses cheveux mi-longs. Sur toutes ces images, un commentaire était débité d'une voix caverneuse :

— *Les patrons menacés par ce récupérateur d'épaves ne l'aiment guère. Mais il est incontestable qu'il a le génie du management et qu'il sait admirablement trouver son chemin dans les zones de tempête. Ce qui frappe surtout chez cet homme, qui fait son miel de la déconfiture d'autrui, c'est un formidable appétit, généralement masqué, mais que lui affiche avec une sympathique franchise.*

Cut. Fin de l'introduction.

Apparut alors le visage du type, filmé en plan serré dans sa berline avec chauffeur. Une journaliste, à ses côtés, l'interrogeait sur ses motivations.

— *Ce qui me fait avancer ? C'est le challenge. Un mot qui ne veut plus dire grand-chose parce qu'on a oublié qu'il existait. Pour moi, il signifie tout. Dès qu'on fait le moindre truc, il faut savoir ce que ça cache. Mais pourquoi je cacherais quelque chose ? J'ai rien à cacher, rien du tout. J'ai peur de rien, moi, j'ose oser, c'est tout. En France, il faut fermer sa gueule et tout planquer. On a la trouille d'entreprendre. D'ailleurs, ici, ce mot est presque une insulte. C'est pour ça que j'adore les États-Unis. Je vais vous dire une chose, Patricia. Patricia, c'est bien ça, hein, vous me corrigez ?*

— *Oui, oui, c'est bien ça.*

— *Eh bien, Patricia, y a rien de plus redoutable que de vivre dans un système capitaliste avec des gens qui ne le sont pas. Or l'unité de mesure d'un système capitaliste, c'est l'argent. Si vous ne l'acceptez pas, c'est comme dire à un sportif : tu oublies le chronomètre. Ou à un mec qui écrit : tu te fous des prix littéraires. Peu importe... Moi, mon unité de mesure, c'est l'argent. J'entreprends toutes mes affaires avec une volonté farouche de gagner beaucoup, beaucoup, beaucoup, beaucoup d'argent.*

Tanguy n'en revenait pas. Cette franchise incroyable. En plein boom socialiste ! Et puis cette bonhomie. Pas du tout l'image du chef d'entreprise classique en costume étriqué qui se contente de déverser ses plaintes, de licencier son personnel et d'encaisser en douce le pognon. Un visage neuf, ouvert, une bonne gueule ! Surtout, cette manière de parler du fric comme si enfin ce n'était plus une grossièreté. Un aventurier du pognon, voilà ce qu'il était. Tanguy était sous le charme.

Suivait un dernier montage d'images : série de zooms rapides sur les logos des entreprises qu'il avait déjà récupérées, plans sur ses ouvriers trimant en général sur des chaînes de montage miteuses et d'un autre âge, judicieusement entrecoupés d'autres images du jet privé de Bernard Tapie, de son opulence, de sa fortune ouvertement affichée. Le tout arrosé de ce commentaire :

— *Qui est donc cet homme et jusqu'où ira-t-il ? Le succès lui monterait-il à la tête ? Il semblerait qu'il caresse le rêve d'appliquer ses méthodes à une plus grande échelle... et, pourquoi pas, d'entrer un jour dans l'arène politique.*

Fin du reportage.

Tanguy était littéralement cloué contre son dossier de formica. Quel mec extraordinaire ! se dit-il. De sa vie, jamais il n'avait entendu de telles choses proférées avec autant d'aplomb. Un sens inné du spectacle et de la mise en scène mêlé à une franchise absolue sur des sujets comme l'argent ou l'engagement du manager ; franchement, voilà qui changeait des discours lénifiants des dirigeants de tous bords. Oui, vraiment, ce type-là devrait faire de la politique. C'est même à des hommes comme lui qu'il faudrait confier les rênes du pouvoir !

Il remonta dans sa chambre, épuisa ses mâchoires contre un sandwich sans beurre – tout en potassant le cours de macroéconomie du lendemain – et se coucha vers minuit. Il mit du temps à trouver le sommeil. Mille pensées traversaient son esprit. Des images de son père s'entrechoquèrent, noires, cauchemardesques, et au milieu d'elles, d'autres images, paisibles, colorées, lumineuses celles-là, comme des plans de cinéma, de l'homme dont un journal télévisé venait de lui révéler l'existence. Les phrases qu'il avait prononcées résonnaient dans son cerveau. Entreprendre. Viser haut. Regarder en avant. Oser. Ne jamais avoir peur. Gagner de l'argent. Beaucoup, beaucoup d'argent...

Ce soir-là, Tanguy avait rencontré sa nouvelle idole.

13 décembre 1981

Ses orteils en appui sur la chaise du bureau, les quatre-vingt-dix kilos de Rodolphe – additionnés aux cent trente grammes de son short – reposaient uniquement sur la force de ses membres supérieurs. Trente et un... Trente-deux... Trente-trois... Lentement, sous l'effet de la pression des paumes, de la résistance des poignets et d'une sollicitation continuelle des biceps, les bras se raidissaient puis se pliaient à angle droit, le torse montait et descendait, l'effort arrachant de petits jappements à la bouche déformée par la douleur. Quand il atteignit le nombre de cinquante pompes, il s'affala d'un bloc sur la moquette en expirant de manière bestiale. Une pause de courte durée. Encore à bout de souffle, il se releva d'un bond et coinça ses deux pieds sous le sommier de son lit d'étudiant. Il croisa ses mains derrière la nuque et entreprit un nombre identique d'exercices destinés à raffermir sa ceinture abdominale, qui tenait à l'époque d'une baudruche ramollie dont les mouvements flasques évoquaient une gelée mal prise au bord d'un récipient.

Pendant tout ce temps, une radiocassette hurlait en boucle une chanson propre à le soutenir dans ses efforts : *Physical*, par Olivia Newton-John :

« *Let's get physical... Physical... I wanna get physical... Let me hear your body talk... Your body talk...* »

Cela faisait presque trois semaines que Rodolphe s'efforçait chaque matin de dominer ce corps informe par des exercices de musculation.

Tout avait commencé dans la salle d'attente d'un dentiste universitaire qu'il avait été contraint de consulter à la suite d'une gingivite particulièrement tyrannique. Feuilletant sans entrain les pages Société du magazine *Paris-Match*, il tomba sur un reportage qui allait bouleverser ses habitudes. L'article en question consistait en une longue interview de l'épouse d'un jeune loup de la politique, qui occupait malgré son âge une position enviable au sein du Parti socialiste et dont on imaginait qu'il allait briller sans tarder dans les ors d'un cabinet ministériel. Une fois évoquées les difficultés à vivre dans l'ombre d'un mari perpétuellement exposé à la lumière, les confidences de la dame prenaient un tour plus intime, où il apparaissait en particulier que, même s'il avait été – et continuait d'être – un ardent défenseur des 39 heures, son mari travaillait près de 20 heures par jour pour ne s'accorder que trois à quatre heures de sommeil par nuit. Lui, l'ex-gros dormeur, s'astreignait désormais à une discipline de fer et à une hygiène de vie irréprochable. Pas la moindre goutte d'alcool. Une heure de jogging chaque matin dans les allées des jardins du Luxembourg. Ce qu'elle résumait en citant Juvénal : « Un esprit sain dans un corps sain » et en comparant classiquement le jeu politique à la préparation forcenée d'un marathon. Sollicitée par la journaliste sur la gêne probable de « se sentir femme à part entière » avec un tel époux, elle concluait par ces mots : « Il faut, je crois, s'oublier tout à fait quand on se tient aux côtés d'un tel homme. Ce que je peux penser ne vaut rien comparé à la mission magnifique dont il a la charge. Mon unique but est de lui faciliter la vie. Je ne suis qu'un rouage dans une machine qui me dépasse et sur laquelle je ne peux ni ne veux avoir la moindre emprise. Malgré cela, croyez bien que je suis la plus heureuse des femmes. »

Cette douce conversation de canapé agit comme un détonateur. Quand il referma le magazine, deux choses s'imposèrent à l'esprit de Rodolphe :

Primo : tôt ou tard, il lui faudrait à ses côtés une femme de cette trempe.

Deuzio : il allait entamer un régime sévère, histoire de corriger un laisser-aller qui n'avait que trop duré.

Tout le long du chemin qui le mena du cabinet médical à son cours de droit pénal, il essaya d'oublier le mal persistant qui défiait ses gencives pour réfléchir à la manière dont il pourrait mettre en pratique les enseignements qui venaient de lui être révélés. Trouver une femme prête à se sacrifier pour lui faciliter l'existence requerrait beaucoup d'efforts qui risquaient de ne pas être récompensés avant longtemps. Il décida donc de s'attaquer au second volet de ce programme : se forger une discipline de vie exemplaire. Du jour au lendemain, il s'astreignit à des exercices de musculation quotidiens et, à défaut d'un grand parc municipal arboré, se retrouva chaque matin à arpenter en tenue légère les tours désolées du campus de Beaulieu pour un jogging qui ne durait jamais moins de 45 minutes. Résolu à se conformer jusqu'au bout au modèle décrit par *Paris-Match*, il cessa dans la foulée de boire la moindre goutte d'alcool, entama un régime alimentaire draconien et ne dormit plus que cinq heures par nuit. Il ne s'arrêta pas là. Peu à peu, il se mit à organiser son emploi du temps, à le découper en tranches si serrées qu'il lui fut bientôt impossible d'y glisser aucune fantaisie. Entre l'exercice, l'étude, la lecture assidue des journaux de toutes tendances, les réunions syndicales et politiques, tout son temps y passait. Lui qui n'avait jusqu'alors connu qu'une vie molle et sans contraintes, se prit peu à peu au jeu de cette discipline inflexible. Mieux : il en redemandait. Sans le savoir, Rodolphe devint un drogué de l'effort.

À 6 h 55 ce dimanche 13 décembre 1981, au milieu d'une série d'assouplissements supposés conclure la séance, on tambourina à sa porte. Rodolphe s'arrêta en plein exercice et poussa un grognement. Sans doute un de ses crétins de voisins venait-il une fois de plus lui ordonner de baisser sa musique. Il ignora le vacarme et continua. Les coups persistèrent. On n'allait décidément pas le laisser en paix. Il enfila à la hâte un débardeur XXL, puant et informe, et se dirigea vers la porte, les nerfs en pelote et les deux poings crispés. Il eut à peine le temps de tourner la clef que Gabriel s'engouffrait dans la minuscule chambre d'étudiant. Son visage, rose d'excitation, émergeait du col en fausse fourrure de son élégant blouson d'aviateur. Ses pupilles étaient dilatées et ses grands yeux bleus brillaient d'une lueur d'extase. Il jeta des regards effarés sur le désordre de la pièce.

— Qu'est-ce que tu foutais, bon sang ?

Il était surexcité. Rodolphe imagina qu'il s'était défoncé toute la nuit. Mais cette agitation cadrait mal avec ce personnage ordinairement si pondéré. La drogue aussi d'ailleurs.

— Tu ne t'es pas shooté, dis-moi ?

Gabriel se mit à hurler et se précipita sur Rodolphe.

— Shooté ? Bordel, mais tu n'as pas écouté la radio ?

Au passage, son genou heurta un amoncellement de journaux qui s'écroula sur le sol. Il poussa un petit juron mais ne fit rien pour remettre de l'ordre dans ce chaos.

— La radio ? Quelle radio ?

Rodolphe déplaça négligemment du bout du pied la montagne d'informations typographiées que son camarade venait d'anéantir. De son côté, Olivia Newton-John n'en finissait pas de faire rugir l'animal qui s'était emparé d'elle. On pouvait à peine s'entendre. Gabriel beugla.

— Tu peux baisser cette merde, s'il te plaît ?

Rodolphe était encore tout rouge de ses efforts et transpirait abondamment. Sur son T-shirt, deux triangles de sueur obscurcissaient les omoplates et le bas du dos. Il se dirigea vers la radiocassette.

Une odeur rance empuantissait les douze mètres carrés, que Rodolphe prenait rarement la peine d'aérer, mélange de graisse fraîchement éliminée, d'un dépôt de pâtes gélifiées sur le Butagaz et d'autres exhalaisons putrides, difficilement identifiables mais franchement nauséeuses. Gabriel eut un haut-le-cœur.

Rodolphe fit pivoter de trente degrés le bouton de la radiocassette.

— Ou même carrément l'éteindre ?

Rodolphe se retourna sans tenir compte de ce conseil, donné à son goût avec beaucoup trop d'arrogance.

— C'est quoi cette histoire de radio ?

L'excitation de Gabriel, un temps assoupie, recommença de l'agiter.

— Jaruzelski a décrété l'état d'urgence cette nuit.

— Merde...

— L'armée a coupé toutes les communications. Les routes sont entièrement bloquées. Ils ont arrêté des tas de mecs de Solidarność. C'est le bordel. On se réunit dans deux heures pour décider des mesures à prendre. Ça va barder, mon vieux. Apparemment tout le monde est chaud bouillant.

Rodolphe s'empara à deux mains du bas de son débardeur pour éponger son visage ruisselant, découvrant du même coup une cascade de plis sur son ventre bouffi.

— Putain, ça va être la fête aux cocos..., dit-il avec un petit sourire malveillant.

Gabriel esquissa un léger rictus et se dirigea vers la sortie. Du bout de son mocassin à double pompon, il repoussa adroitement une paire de baskets avachies qui encombrait son passage.

— Tu devrais ouvrir un peu, mon gros. Ça pue le chenil ici !

Il sortit sans même se donner la peine de refermer la porte. Dans son dos, Rodolphe lui fit un doigt d'honneur.

L'amphithéâtre contenait une centaine de personnes qui, elles, avaient du mal à contenir quoi que ce soit. Effectivement, comme l'avait prédit Gabriel, l'ambiance était survoltée. Le président de la section locale de l'UNEF-ID s'agitait comme un beau diable au micro.

Depuis l'été 1980, avec la naissance d'un formidable mouvement protestataire dans les chantiers navals de Gdańsk, les événements de Pologne étaient au cœur des préoccupations de tous ces jeunes syndicalistes anti-communistes, épris de liberté et de justice sociale, qui voyaient dans l'émergence de Solidarność le premier coup de boutoir asséné à une domination soviétique rongée par la bureaucratie et de trop longues années de dictature. Impossible d'oublier ces images relayées par les télévisions du monde entier où un syndicaliste moustachu, Lech Wałęsa, hier simple électricien et aujourd'hui star planétaire, défiait à découvert une nomenklatura stalinienne qui apparaissait aux yeux du monde comme un objet d'un autre temps, rigide et dépassé. Depuis plus d'un an, une multitude de syndicats indépendants avaient fait leur apparition aux quatre coins de la Pologne, drainant les espoirs d'une vie nouvelle pour la majorité des classes sociales. Les adhésions pleuvaient. En août 1981, le jeune syndicat comptait plus de 10 millions d'adhérents. À l'intérieur comme à l'extérieur, le pays était devenu le symbole d'une folle liberté à reconquérir ; les plus téméraires se prenaient même à rêver d'un nouvel ordre mondial.

Aux yeux des militants de la deuxième gauche, ce phénomène avait une teneur particulière. Prendre fait et cause pour Solidarność, c'était l'occasion de marquer un peu plus une distance avec un gouvernement qu'ils percevaient déjà comme étatiste et sceptique à l'égard des syndicats, mais c'était surtout une manière de réaffirmer haut et fort ce en quoi ils avaient toujours cru. Pour les penseurs du mouvement, épris d'autogestion et idéologiquement méfiants vis-à-vis de l'État souverain, l'organisation même de Solidarność, mouvement indépendant et critique vis-à-vis des partis politiques, avec ses actions toujours caractérisées par un réel esprit démocratique, sa volonté d'offrir un contrôle direct de la base sur les négociations, l'incroyable enthousiasme populaire qu'il avait généré, était tout bonnement exemplaire.

Certains – Rodolphe en faisait partie – étaient bien conscients des limites du mouvement, qui se dessinaient dans le refus de Solidarność de faire évoluer son action syndicale vers un programme politique qui l'aurait amené à prendre la tête du pays. Il y avait aussi les intérêts économiques à peine dissimulés d'une petite bourgeoisie intellectuelle qui redoutait plus que tout une explosion sociale et n'avait en tête qu'un alignement sur les valeurs libérales et capitalistes occidentales. Il y avait enfin l'implication inextricable, dès les premières heures du mouvement, de la hiérarchie catholique dans ce processus d'éclatement du régime. Mais la plupart du temps – hormis chez les communistes –, ce bel élan d'un peuple asservi suffisait à faire taire la moindre opposition. Et ce n'était pas ce coup d'État militaire qui allait changer les choses ! Une magnifique vague populaire s'était brisée contre des chars de l'armée, il allait y avoir un hiver à Varsovie comme il y avait eu un printemps à Prague treize ans plus tôt et, pour que cela se produise, il fallait le crier sur tous les toits.

Vers midi, après avoir débattu d'un certain nombre d'actions à mener localement, il fut décidé qu'une délégation conséquente – à laquelle Rodolphe et Gabriel s'étaient spontanément associés – assisterait à la manifestation de soutien organisée le lendemain dans la capitale.

Il avait neigé toute la nuit. Rodolphe et moi marchions d'un pas prudent sur les trottoirs de la rue Saint-Dominique. Derrière nous, Gabriel offrait son bras à madame Ziegler, qui avait proposé d'héberger les deux garçons le temps de leur visite éclair. Moi par amitié, ma logeuse par conviction, nous avions décidé de venir grossir les rangs de la manifestation qui devait démarrer place des Invalides.

— Ça va, Paris ? me dit soudain Rodolphe.

— Ça va, ça va...

— Et médecine ? Toujours autant de cadavres à disposition ?

— Même pas. Des promesses... toujours des promesses...

Je n'avais pas le cœur à plaisanter. Deux jours plus tôt, je m'étais fait honteusement larguer par Maxime et depuis, je vivais mon premier chagrin d'amour. Rodolphe entoura mon épaule de son bras vigoureux, un geste que je ne lui avais jamais connu.

— En tout cas je suis super-content de te voir !

La voix de Gabriel résonna dans notre dos :

— Vous vous connaissez depuis longtemps ?

Rodolphe se retourna.

— Depuis toujours. On était déjà à la maternité ensemble.

Il mentait. Plus de six mois nous séparaient.

— Paul, c'est un peu comme mon frère jumeau.

Il resserra encore son étreinte. Je me sentais gêné par cette affection inhabituelle.

— Et vous ? demandai-je.

— Trois mois. Rodolphe a rejoint le groupe que j'ai formé à Rennes. Sa pensée naissante a enfin trouvé un berceau !

Il ricana. Je jetai un coup d'œil à Rodolphe, qui était piqué au vif.

— Pour l'instant, c'est une amitié purement intellectuelle. Nous n'en sommes pas encore au stade des confidences. D'ailleurs, ton frère ne parle jamais de lui. Je ne savais même pas qu'il avait une vie en dehors du campus. Et encore moins des amis.

Gabriel frictionna le crâne de Rodolphe pour le faire réagir.

— Rodolphe est un gros ours mal léché !

Il n'eut effectivement droit qu'à un grognement réfractaire. Pour moi qui connaissais Rodolphe par cœur, je voyais bien qu'un volcan en sommeil était en passe d'exploser.

En début d'après-midi, la foule composée de quelques milliers de personnes commença de converger vers l'ambassade de Pologne, qui était le point de chute de ce rassemblement. Des hommes politiques de tous bords, mais aussi des artistes et des intellectuels, s'étaient déplacés. Rodolphe ne quittait pas des yeux Jean-Christophe Cambadélis qui avançait dans les premiers rangs, à une dizaine de mètres de nous. Pas loin de là, dans un élégant manteau noir qui lui descendait jusqu'aux chevilles, le nouveau philosophe Bernard-Henri Lévy arborait un air contrit et semblait personnellement affecté par le drame du peuple polonais. Sur le parcours, une dizaine de manifestants reprirent en chœur *L'Internationale*, qui sonna comme une offense aux oreilles de certains – Rodolphe et Gabriel en tête – et fut immédiatement stoppée par un concert de sifflements. Bientôt une nouvelle tempête de neige s'abattit sur la ville. Une couche épaisse et glissante envahit la chaussée, assourdissant les pas, obligeant chacun à un silence de circonstance. Une paix ouatée, frêle et poignante, accompagna ce qui s'apparentait désormais à un long cortège funèbre. Ni curé, ni sermon, ni fleurs, ni couronnes, mais, pour la majorité des manifestants, le sentiment inavoué d'assister à l'enterrement de quelques décennies d'Histoire.

Deux jours plus tard, Rodolphe frappait à l'une des chambres voisines de celle qu'il occupait au quatrième étage de la Cité universitaire. Bertrand, un étudiant en sciences au teint fiévreux, les yeux rougis par on ne sait quelle fatigue, entrouvrit la porte en caressant les poils adolescents qui encombraient son menton. Tout autant que son visage, sa voix, traînante, signalait un épuisement inhumain.

— Salut, man...

Rodolphe poussa la porte mais resta sur le seuil.

— Dis donc, ça n'a pas l'air d'être la grande forme.

— On bosse comme des dingues, t'imagines même pas...

La moitié de la superficie disponible était occupée par un fatras de câbles et d'équipements électroniques – pour la plupart de monstrueuses bidouilles maison assujetties les unes aux autres par des kilomètres de gros scotch et qui clignotaient en vert et rouge. Sur la moitié restante – essentiellement l'espace autour du lit – étaient avachis deux autres énergumènes de la fac de physique qui n'arrêtaient pas de piocher dans un amoncellement de vinyles pour se les passer de main en main avec des borborygmes approbateurs ou désapprobateurs suivant le cas. La chambre de Bertrand était le quartier général de Beaulieu 95.3, une de ces radios libres qui avaient proliféré en masse depuis leur récente autorisation en novembre précédent. Bertrand régnait en tyran sur la programmation de cette antenne qui diffusait uniquement de la musique rock et pop, et de surcroît anglo-saxonne. Les deux autres n'étaient que des sbires qui se contentaient de lui mâcher le travail.

Rodolphe osa un pas en avant.

— Je vais avoir besoin de toi. Tu as un micro... enfin de quoi diffuser une interview ?

— Ça se pourrait... Mais une interview de qui ?

— Je voudrais que tu m'invites à ton émission.

— Quelle émission ? Il n'y a pas d'émission, man... Nous on ne diffuse rien que de la bonne musique.

Il tira avidement sur sa Gitane sans filtre pour la recracher des profondeurs de ses poumons en de langoureuses volutes bleu argent.

— De la bonne petite musique de derrière les fagots.

— Un petit billet politique, ça ne ferait pas de mal à tes programmes.

— Tu sais, moi et la politique...

— Eh bien ?

Bertrand frotta simultanément du pouce et de l'index ses deux paupières avachies de sommeil.

— Eh bien... C'est-à-dire que je m'en fous un peu de la politique. Moi mon truc, c'est la musique. La politique, ça fait chier mes auditeurs.

Rodolphe se dirigea vers le lit et arracha un disque des mains d'un des deux sbires. Le type poussa un petit grognement rebelle. Il lut la pochette et la fourra sous le nez de Bertrand en ricanant : c'était *End of the Century* des Ramones.

— C'est quoi, à ton avis, le punk, sinon de la politique à l'état pur ? Un refus des valeurs occidentales. Non au fric, au gouvernement, à leur putain de *Queen* ! *No future. Do it yourself.* Je te crache à la gueule, vieux monde pourri. Tout est politique ! Même les pires conneries de variétoches ! En 1973, Stone et Charden qui chantent *Il y a du soleil sur la France,* c'est déjà de la politique.

— Stone et Charden, sans blague ?

— Pas de soucis, gentils petits moutons français, dormez sur vos deux oreilles, tout va bien, il fait chaud et beau sous le soleil de papa Pompidou. Oubliez le krach pétrolier qui débarque et la fin des Trente Glorieuses. Bientôt vous n'aurez plus de taf, mais ce n'est pas grave, il y aura toujours quelque part un soleil à la con pour vous griller les neurones et vous empêcher de penser !

Il parlait de plus en plus vite, ses mains moulinaient sans arrêt dans le vide, ses jambes ne tenaient plus en place, il trépignait presque. À la manière d'une turbine, l'énergie mécanique accumulée par tous ses membres semblait alimenter directement le cerveau et s'y convertir en une énergie nouvelle, inventive et mobile. Il se rapprocha dangereusement du fouillis électronique. Bertrand recula d'un pas en écartant spontanément les bras comme pour protéger sa forteresse de cet exalté.

— Tu te rends compte du pouvoir que tu as avec ces foutus appareils ? Avec ça tu peux être le maître absolu si tu le souhaites. T'as entendu parler de *La Guerre des mondes*, évidemment ?

— La *quoi* ?

— Passons. Dans « radio libre », il y a quoi ?

— « Radio... »

— Et ?

— « Libre... »

— Exactement ! *Libre*, comme dans « Liberté, égalité, fraternité ». La devise de notre chère République ! Et si le mot « liberté » arrive en premier, ce n'est pas pour rien. Il n'y a pas de musique dans une foutue dictature. La radio et la zique, c'est même la première chose qu'on dégage. T'en connais beaucoup, toi, des rockers chinois ?

Devant une telle question, Bertrand eut un haussement d'épaules.

— Tu vois... Une émission politique a tout à fait sa place sur ton antenne musicale.

Bertrand poussa un soupir exténué.

— Tu m'embrouilles avec tes conneries...

La première retransmission eut lieu trois jours plus tard, le temps minimum exigé par Rodolphe pour préparer minutieusement son intervention et se lancer dans une vaste opération de propagande au sein du campus. Il avait également particulièrement réfléchi à l'horaire – 19 h 30 – qui correspondait au moment idéal pour toucher le plus grand nombre d'étudiants, de sorte qu'au jour dit, à l'heure dite, plusieurs centaines de personnes étaient au rendez-vous devant leur poste.

Pour l'occasion, Bertrand avait concocté un petit jingle assez retentissant – façon émission politique – qui lui avait été suggéré par Rodolphe lui-même, donnait à l'intervention un côté solennel et professionnalisait l'ensemble de la prestation. À 19 h 30 pile s'élevèrent les premières notes de la *Huitième Symphonie* de Beethoven, avec en premier plan la voix d'outre-tombe d'un des deux sbires de Bertrand, qui scandait le titre assez pompeux de l'émission : « *L'Heure de votre vérité sur Beaulieu 95.3...* »

— *Chers auditeurs, bonsoir.*

Bertrand toussota. Il était assez ridicule dans ce rôle de journaliste improvisé.

— *Nous recevons aujourd'hui Rodolphe, qui propose sur notre antenne un petit billet d'humeur politique hebdomadaire. Rodolphe, présente-toi, s'il te plaît.*

— *Je m'appelle Rodolphe Lescuyer. Je suis en première année de DEUG et je fais partie de l'UNEF-ID, un syndicat qui milite pour les droits de tous les étudiants.*

— *Rodolphe, venons-en directement au sujet de ce soir. Tu ne trouves pas un peu bizarre le silence du gouvernement sur la question du coup d'État polonais ?*

— *Il a quand même protesté...*

— *Plutôt pour la forme, non ? Enfin, on sent bien qu'il ne veut pas trop en faire !*

Naturellement c'était Rodolphe qui s'était chargé de l'ensemble des textes. Chaque phrase avait été soigneusement pensée et répétée des dizaines de fois, Bertrand se contentant de les redire sur un ton où devait poindre son agressivité.

— *Tu as raison, je te le concède*, dit sournoisement Rodolphe. *Pour la forme, malheureusement.*

— *Et pour quelle raison, à ton avis ?*

Rodolphe ménagea un silence gêné.

Il avait rédigé l'interview de sorte que ce soit Bertrand, et non lui-même, qui dévoile l'essentiel de sa pensée. De cette façon, on avait réellement l'impression que c'était l'intervieweur qui le poussait dans ses derniers retranchements et qui, des deux, était le plus virulent. Lui apparaissant à dessein comme embarrassé d'avoir à répondre à des attaques aussi frontales.

— *En vérité, je pense qu'il ne peut pas faire grand-chose d'autre.*

— *C'est une blague ?*

— *Il est coincé, tu vois.*

— *Coincé ?*

— *Par ses ministres communistes. Comment veux-tu qu'il agisse autrement dans un contexte pareil ?*

— *Le ministre des Affaires étrangères, Claude Cheysson, fait avec le plus grand sérieux du problème de ce coup d'État une affaire intérieure polonaise. Il y a de quoi rire, non ?*

Bertrand était devenu persifleur. Il commençait à se piquer à ce jeu de rôles radiophonique.

— *Effectivement, je trouve cela très dommage et, tu as raison, plutôt risible. Mais je te le répète, il est coincé.*

144

D'ailleurs depuis le début on le sent mal à l'aise. En fait, je crois que c'était une très mauvaise idée ces ministres... communistes... pour l'image générale de ce gouvernement et pour sa liberté d'action.

— *Il faudra bien qu'ils dégagent un jour, non ?*

— *Si tu le dis...*

Rodolphe avait prononcé ces dernières paroles sur un ton particulièrement ténébreux.

Rodolphe fut accueilli froidement par ses amis rocardiens au café *L'Espérance*. Tout le monde savait qu'il allait s'exprimer, mais sur quel sujet, cela restait un mystère. Il poussa la porte vitrée. Un sourire conquérant flottait sur ses lèvres et ses yeux sombres resplendissaient. Toutes les conversations cessèrent aussitôt. Gabriel fut le premier à l'attaquer. Il se leva d'un bond. Sa chaise se renversa sur le sol dans un vacarme insoutenable au milieu d'un tel silence.

— Putain, mais qu'est-ce qui t'a pris ?

Rodolphe le regarda avec un demi-sourire. Au fond il était ravi de déclencher une telle vague d'hostilité. C'était son premier quart d'heure de gloire, il le savait et il voulait le savourer. Il jeta un regard circulaire sur ses amis et entretint pendant quelques secondes supplémentaires un silence poisseux.

— J'ai dit tout haut ce que vous pensez tout bas, pas vrai ?

Gabriel était hors de lui.

— Faux !

— Alors tu n'es qu'un crétin.

Rodolphe s'efforçait de garder le plus grand calme. Il s'empara habilement de la chaise que Gabriel venait de renverser puis la retourna pour s'y asseoir. Du coup, Gabriel, contraint de rester debout, se présentait comme un accusé devant cette assemblée de censeurs dont il faisait partie une seconde plus tôt. Rodolphe venait judicieusement d'inverser les rôles, Gabriel en eut immédiatement conscience.

— Ma chaise ! Tu m'as piqué ma chaise.

Rodolphe allongea ses jambes et croisa ses mains derrière sa nuque en souriant.

— Tu n'es pas très partageur pour un socialiste.

Gabriel ravala sa hargne.

— Tu as complètement déraillé et tu le sais !

Il tendit un doigt accusateur vers Rodolphe.

— On aurait dû en parler, tu n'as pas à faire cavalier seul, en plus pour dire des choses aussi grotesques.

— Qu'est-ce que j'ai dit de si grotesque ?

— Tu fais juste le jeu de la droite et de tous ceux qui veulent nous coincer.

— Ce n'est pas ce que j'ai dit qui compte. Ce qui importe c'est la façon dont ce sera perçu et surtout *relayé*.

Il marqua un silence pour donner plus d'importance à la suite puis commanda un café serré au serveur qui passait à cet instant. Gabriel semblait attendre le moindre faux pas pour se remettre à rugir.

— Depuis le débat télévisé Mitterrand-Giscard, ce sont uniquement les petites phrases qui comptent. Les gens en ont soupé des grandes théories. Ce qu'ils veulent, ce sont de purs moments de vérité.

Rodolphe s'efforçait d'adopter un ton d'une parfaite neutralité, comme si la crédibilité de ses propos allait de pair avec sa manière de les exposer.

146

— «Le monopole du cœur» a perdu Mitterrand en 1974, «L'homme du passif» l'a sauvé en 1981. Les médias, c'est un formidable haut-parleur. Pas des idées, mais des mots. Si tu n'as pas compris ça, tu n'as rien compris du tout.

Un éclair de colère illumina le regard de Gabriel. Rodolphe se redressa sur sa chaise comme pour mieux théâtraliser sa thèse. Il pointa l'index vers son ami.

— Qu'est-ce que les gens auront entendu aujourd'hui ? Pas que le gouvernement ne veut rien faire pour le drame polonais, bien sûr que non, mais qu'il est *contraint* de ne rien pouvoir faire ! Ce n'est pas lui que j'attaque, au contraire, mais tous ceux qui veulent l'empêcher de faire proprement et dignement son boulot ! Est-ce que tu saisis la différence ?

À cet instant, deux beaux spécimens de la fac de lettres se dirigèrent vers leur petit groupe. Deux étudiantes inapprochables qui avant ce jour n'avaient jamais accordé à Rodolphe la moindre attention. Aujourd'hui, il semblait clair que c'était vers lui, et vers lui seul, qu'elles dirigeaient leurs pas.

La première prit la parole presque timidement :

— On a adoré ton petit billet d'humeur, tu sais.

La seconde renchérit avec enthousiasme :

— Un grand bravo... Vraiment. C'était... c'était juste ce qu'il fallait dire.

Rodolphe accepta le compliment en implorant intérieurement quelque dieu généreux de ne pas rougir, puis les deux jeunes filles s'en allèrent rejoindre un groupe d'amies. L'une d'elles – la plus jolie – se retourna soudain vers lui. Ses lèvres délicates s'arquèrent en un sourire calme et furtif. C'était la première fois qu'une fille le regardait de cette façon ou même lui souriait de cette façon. Presque par réflexe, il jeta un coup d'œil à Gabriel, qui le fixait d'un air bizarre et presque incongru. Rodolphe soutint le regard de son ami. Il y décela un sentiment inédit qu'il eut du mal à interpréter. Puis Gabriel se dépêcha d'aller quémander une chaise libre à un groupe voisin.

24 janvier 1982

Un homme d'à peine trente ans reposait, nu, sur un plateau en inox. Seuls ses pieds dépassaient du drap blanc qui le recouvrait. D'une ficelle grossière entortillée autour du gros orteil droit pendouillait une étiquette jaune où étaient déclinées quelques informations pratiques rédigées par l'administration légale. Cette mise en scène sinistre n'était rien comparée à l'odeur qui, elle, était insupportable. Des relents âcres et persistants diffusaient dans le moindre recoin de cette chambre froide, comme il se doit recouverte de carrelage blanc, située au cœur du laboratoire d'anatomie de la faculté de médecine, rue des Saints-Pères. Un mélange de formol et de sang séché qui vous rongeait la gorge et pénétrait la moindre fibre, humaine ou textile. Un masque sur le visage, une blouse blanche par-dessus nos vêtements, nous étions une quinzaine agglutinés autour du cadavre à ressentir le même écœurement. Notre professeur d'anatomie nous jeta un sourire qui hésitait entre savoir-faire et sournoiserie. De ses mains gantées de latex, il se mit à plier délicatement le drap, par lés successifs de dix centimètres, dévoilant savamment l'anatomie du jeune

149

homme, en y ajoutant une dose de suspense qui conférait à l'opération des allures de strip-tease macabre. Le corps était d'une beauté lunaire. Sous le gel de la mort, les muscles s'étaient rigidifiés et la peau avait pris une légère teinte bleu-gris, évanescente, qui l'apparentait bien plus à une statue dans un musée qu'à une dépouille dans une morgue. Ses muscles fins, sculptés comme dans du marbre froid, son visage, calme et impérial, tout chez lui convoquait l'admiration. Mes yeux se fixèrent sur son sexe lourd qui reposait sur deux renflements dodus et imberbes : deux couilles magnifiques. Un éclair glacé me transperça du crâne aux orteils. Bordel, je n'étais quand même pas en train de reluquer un cadavre ! J'entendis la voix de Rodolphe et ses sarcasmes sur le bizutage des étudiants médecins. Je sentis son ombre planer comme un esprit malin et j'eus soudain l'impression d'être au centre d'une vaste blague télépathique. Je me mis à trembler. Dans mon ventre, mes viscères partirent en guerre en lançant une sorte de *Banzai !* vertical. Mes poumons s'asphyxièrent et mes pupilles lâchèrent prise : je tombai dans les pommes. Quand j'ouvris les yeux quelques secondes plus tard, une douche de lumière blanche et hostile m'aveuglait. Des jets de bile me brûlaient la gorge, ma langue avait doublé de volume et collait à mon palais, mais j'avais réussi à m'évanouir sans me vomir dessus, ce qui en soi était déjà un miracle. Mon professeur surveillait d'un air crispé l'état de mon pouls. Quelqu'un – lui probablement – avait eu l'idée saugrenue de m'allonger sur un plateau identique à celui du cadavre, de sorte que je me trouvais côte à côte avec ce corps sans vie dont je convoitais inconsciemment le sexe quelques

150

instants auparavant. Je jetai un regard d'effroi tout autour de moi et bondis sur le sol. Quelques-uns ricanèrent. N'importe qui aurait déguerpi de ce frigo, mais moi, non, décidément, je n'osais pas. Au lieu de cela, je me dissimulai derrière le groupe des étudiants. Bientôt, plus personne ne fit attention à moi. Le professeur réajusta son masque et leva son scalpel. La lame jeta un éclat bleuté avant de s'abattre violemment dans la chair et de lui infliger une entaille profonde, nette, d'une barbarie inouïe. Le jeune homme allait mourir pour la seconde fois.

Rentré chez moi, je me précipitai sous la douche où je restai plus d'une heure en pleurnichant sans discontinuer, espérant que le jet brûlant me dédommagerait de ma colère et de mon humiliation. Encore tout dégoulinant, je me mis à fixer mon corps nu dans le miroir accroché au revers de la porte. Je détaillai ma maigreur adolescente, mes côtes saillant sous la peau blafarde, mes yeux rougis, mon pénis qui reposait sur ses deux testicules rendus flasques par l'excès de chaleur. Bientôt je ne pus détacher mon regard de l'excroissance de chair alambiquée que formait mon nombril. Des bourrelets de peau ourlée qui s'organisaient autour d'un centre menaçant comme un œil sombre qui grandissait pour atteindre des proportions douloureuses et semblait à tout instant vouloir me juger. Un flash pénible me traversa le crâne, et, par je ne sais quel raccourci mental, la vie m'apparut soudain dans son insupportable cruauté. J'attrapai mon sexe à pleines mains et commençai à le triturer avec une violence de dément, puis j'éclatai une nouvelle fois en sanglots. Au bout de quelques secondes, je jouis sans bander vraiment. Bientôt, je n'eus plus qu'une seule idée en tête : aller retrouver Maxime.

Il y avait plus d'un mois que je ne l'avais revu. Notre relation avait duré au total 477 heures. Si l'heure de son début restait imprécise – j'avais fini par considérer le moment du premier baiser comme un repère acceptable –, l'instant final était sans aucune ambiguïté : 17 h 50. Exactement dix minutes avant que ne débute la séance de *Certains l'aiment chaud* au cinéma *Action Christine*. 477 heures, soit un total de 28 620 minutes ! Tout de même, un pas de géant par rapport aux quelque 45 minutes de ma première expérience grecque. Une chose était sûre : je progressais.

— Je voudrais te dire une chose, Paul, avait lâché Maxime sur un ton inhabituellement badin. Il vaut peut-être mieux qu'on en reste là.

Il n'avait même pas tourné la tête pour me parler. J'accrochai ma main à son bras et le forçai à s'arrêter. J'étais fauché par la nouvelle sans la comprendre tout à fait.

— Là ? Où, là ?

Maxime jugea utile de reformuler sa phrase :

— Je veux dire qu'il vaudrait mieux qu'on ne se voie plus.

J'ai appris par la suite à me dominer, à me constituer un petit réservoir de formules et de comportements à utiliser dans l'occurrence de situations similaires. Mais là, disons que je faisais mon expérience des relations amoureuses et que je m'autorisais encore tous

152

les dérapages et toutes les erreurs de stratégie. Donc je me mis à le supplier, à lui déclarer que je l'aimais, que je voyais bien que lui aussi en pinçait pour moi – je vous jure que ce fut exactement le mot que j'employai ! –, qu'il était tout simplement impossible qu'il me fasse une telle chose. Le tout baigné de sanglots entrecoupés de petits jappements animaux et d'erreurs d'aiguillage de ma respiration qui donnaient à ma voix de ridicules envolées aiguës. Erreur fatale, vous vous en doutez. Maxime n'en finissait pas de se raidir sur le trottoir. Il était visible que, loin de l'apitoyer, mon comportement l'enferrait encore plus dans sa décision de larguer l'espèce de serpillière hystérique que j'étais devenu. Il finit malgré tout par prendre mon visage entre ses mains et, après m'avoir percé de son regard le plus insistant, me susurra à l'oreille une phrase que j'ai depuis mille fois entendue et moi-même souvent répétée :

— Tu es un mec bien, Paul. Tu mérites beaucoup mieux que moi. Au fond, je suis un vrai salaud.

Là-dessus, il m'embrassa délicatement du bout des lèvres et fila jusqu'au bout de la rue pour retrouver Marilyn Monroe, dont la compagnie à cet instant devait lui paraître incomparablement plus distrayante que la mienne.

Maintenant j'étais en train de sonner à la porte de son appartement et je me demandais si c'était franchement une bonne idée. Sa mère m'ouvrit.

— Bon... Bonsoir, Liliane...

Ces mots simples, je les ânonnai, et même une octave plus haut que je ne l'aurais souhaité.

Liliane de Bascher me scruta des pieds à la tête en tirant sur un fantôme de cigarette qui menaçait de lui rôtir les phalanges. Mais elle ne se décidait pas à me laisser entrer.

— Maxime ! Maxime...

Elle cria le nom de son fils à quatre reprises, chaque fois sur un ton différent, comme une comédienne qui souhaiterait épater le quidam par l'étendue de son registre de jeu.

— Maxime, mon ange, pourriez-vous venir, s'il vous plaît ?

Cette fois, elle avait hurlé pour se faire entendre jusqu'à l'autre bout de l'appartement qui – ai-je besoin de le rappeler – s'étalait sur des dizaines de mètres. Maxime finit par se pointer, mécontent, très mécontent même quand il réalisa qui réclamait d'entrer.

— Bon Dieu, Paul, mais qu'est-ce que tu fous là ?

— J'avais envie de te voir, c'est tout.

— Mais, Paul, je t'ai dit que...

— J'avais envie de te voir, pas de coucher avec toi... Ça, j'ai carrément fait une croix dessus !

Il me regarda avec l'air suspicieux d'un acheteur face au baratin d'un vendeur de voitures décidé à lui refourguer sa camelote.

— Eh bien entre ! dit-il dans un souffle et du bout des lèvres.

Le visage de Liliane marqua une profonde insatisfaction. Je n'étais pas le bienvenu, c'était certain. J'envisageai de déguerpir mais une intuition supérieure me commandait de rester. J'avançai de quelques pas et franchis le seuil de l'appartement. Maxime me dévisagea un long moment. Il fut pris d'une empathie réelle qui dégénéra en un rire musclé. Puis il serra son bras autour de mes épaules.

— Allez, viens...

Du bout du pied, sa mère repoussa violemment la porte qui se fracassa contre son huisserie. Elle rassembla l'encolure de sa longue robe d'intérieur dans un mouvement outré de sa main libre et se mit à nous suivre après quelques secondes d'une colère muette.

Dans le salon, un garçon de vingt-cinq ans était affalé au milieu du canapé. Ses pieds étaient croisés avec décontraction sur la table devant lui. Il ne me jeta même pas un coup d'œil. Maxime et sa mère prirent place à ses côtés et tous trois plongèrent dans la contemplation religieuse de l'image d'un téléviseur hors de proportions, une chose monstrueuse aux côtés arrondis comme des parenthèses. Sur l'écran, l'odieux JR Ewing était en train de fomenter quelque sale coup pendant que son épouse Sue Ellen en était aux trois quarts de sa bouteille de scotch.

Au bout de quelques minutes, j'étais toujours debout. Maxime finit par s'en souvenir et me désigna un fauteuil éloigné.

— Assieds-toi, Paul. C'est presque terminé.

Le jeune type s'appelait Didier, mais insistait pour qu'on le désigne par le pseudonyme plus atypique de Bubble. Il portait une casquette jaune équipée d'une visière énorme siglée *giants* en caractères majuscules, qu'il ne quittait jamais. Il venait du nord de la banlieue parisienne. De Mitry-Claye très exactement. Même s'il revendiquait une origine prolétaire, c'était en réalité le produit de deux entités d'une classe très moyenne. Il faisait profession de peintre, comme en attestaient les éclaboussures d'aérographe qui embellissaient son T-shirt, son jean, ses baskets gigantesques, dont les lacets traînaient constamment sur le sol et, à cet instant, à proximité de certains bibelots hors de prix sur la table basse de Liliane de Bascher. Un long séjour à New York et la fréquentation assidue de divers artistes locaux avaient définitivement consacré son choix de s'ériger comme graffeur. Lui préférait qu'on le définisse comme un *urban poet*. D'ailleurs, il parlait sans cesse en anglais et quand cela n'était pas le cas, il s'arrangeait pour glisser quelques idiomes anglo-saxons à la moindre occasion. Il était beau, décontracté, arrogant. Il crachait sur l'argent, les riches, le monde de l'art, le pouvoir en place, la suffisance de nos élites, l'étroitesse d'esprit parisienne, la France en général... Il était convaincu qu'il deviendrait une célébrité – et pendant beaucoup plus longtemps que le quart d'heure warholien auquel il avait droit. La mère de Maxime le trouvait bourré de talent et lui vouait une admiration sans limites.

Le générique de fin de la série retentit. Maxime se leva en applaudissant des deux mains.

— J'adore ce machin ! Pas toi ?

Le jeune prodige semblait sortir d'une léthargie animale. Je le soupçonnai d'avoir pioncé pendant tout ce temps. Mais avec cette casquette rabattue jusqu'au ras des cils, comment savoir ?

— Mec, tu sais, ça fait des années qu'ils passent ce truc débile aux *States*. À choisir, je préfère carrément la VO. Ces voix françaises à la con, ça me scie totalement. *Fucking depressing!*

Il sembla enfin remarquer ma présence et fit rouler ses globes oculaires d'un quart de tour, sans pour autant faire bouger son couvre-chef.

— C'est qui, lui ?

— Paul, un copain.

— Un ancien coup, s'empressa de préciser la mère d'un air entendu, en se penchant légèrement vers Bubble comme pour lui déverser une confidence.

Je sentis Maxime se raidir dans son fauteuil. En observant la tête de son fils, Liliane partit d'un éclat de rire intarissable qui, avec sa bronchiolite chronique, prit rapidement des allures de cataracte. Maxime était hors de lui.

— Je ne sais pas de quoi tu crèveras en premier : des clopes ou de ta putain de méchanceté !

Elle évacua le reproche d'un geste las de la main et proposa aussitôt à la cantonade une petite mixture génialissime qu'elle avait elle-même mise au point ! En plus d'être une grande fumeuse, c'était aussi une indécrottable assoiffée. Enfin, on allait boire et c'était l'essentiel. J'avais décidé de me saouler, ce qui m'apparaissait fort à propos en cette soirée où je sentais beaucoup d'hostilité envers ma personne ou bien un désintérêt total, ce qui est encore pire si l'on y réfléchit.

Liliane rapporta quatre petits verres de la cuisine. Elle les remplit pour moitié d'une mixture iridescente, légèrement visqueuse, qu'elle compléta par un jet d'eau de Seltz frissonnante. Avec sa paume, elle boucha le haut du verre, le cogna contre le bois de la table et avala cul sec son contenu. Hormis Bubble, qui exigea un Coca, tout le monde l'imita. Au bout de cinq verres quasiment consécutifs, j'étais dans un état d'euphorie électrique.

— Bubble prépare une expo démente, me dit Maxime.

— Pas une expo, mec. Combien de putains de fois il faudra que je te le dise ? Un *happening* !

— Ça, c'est vraiment une idée géniale.

J'avais dit ça un peu au hasard, comme j'avais sans doute entendu Maxime le dire des milliers de fois à propos de tout et n'importe quoi. En vrai, j'étais complètement ailleurs, très haut perché sur une éminence de coton mousseux dont je m'amusais à dévaler les flancs en poussant des hurlements de jubilation intérieurs. Je continuais de parler mais les mots semblaient ne pas m'appartenir.

Liliane me regarda avec un air narquois.

— Parce que tu sais ce que c'est qu'un *happening*, Paul ?

Maxime lui jeta un regard noir. Cette remarque condescendante destinée à m'humilier eut exactement l'effet opposé. J'éclatai d'un rire aérien qui la laissa sur le flanc pendant quelques secondes. Maxime me regarda puis éclata de rire à son tour. Une réaction qui malgré mon état de nébulosité me réchauffa le cœur. Je me mis à ricaner bêtement.

— Sérieusement, tu t'appelles Bubble ? Dis, c'est quand même pas ton vrai nom ?

D'une pichenette du pouce, l'intéressé dévissa légèrement la visière de sa casquette et me laissa deviner deux yeux verts et doux, aux cils singulièrement touffus. Il me dévisagea comme si je venais de violer un territoire à haut risque.

— Eh bien, dit Liliane, moi j'aime beaucoup votre nom.

Elle insista exagérément sur l'adverbe, et en rajouta :

— Je trouve qu'il vous va comme un gant.

Elle posa une main constellée de pierreries sur le genou du peintre.

— Pour moi, Bubble... c'est une bulle de champagne... Non ! Une bulle de savon... sans attaches... qui file sa route sans s'inquiéter de rien. Ça brille, c'est léger, ça vole ! Quand ça éclate, ça fait un petit *pop* magique qui vous éclabousse la figure sans qu'on s'y attende. C'est terriblement vous. Moi j'adore.

Et là, c'est sur le verbe qu'elle insista lourdement. Bubble la fixait, mi-goguenard, mi-satisfait.

— Pop... Pop... Pop..., fis-je en gonflant démesurément mes joues avant d'exploser de rire, cette fois sans pouvoir m'arrêter.

Maxime me fixa avec un regard curieux. Je crois qu'il commençait à douter sérieusement de ma santé mentale. Moi aussi d'ailleurs : je n'avais plus aucun contrôle sur mes réactions. Quant à Liliane, elle aurait pu tout aussi bien me cramer les deux yeux avec le bout de sa clope. Me voyant aussi hilare au milieu de tant d'animosité, Bubble se mit à faire sonner un rire sans équivoque, un rire huileux et rauque. Ici, revirement total de la situation. Le jeune maître ayant montré la voie, la mère s'autorisa quelques gloussements de moins en moins contrôlés et Maxime, que je sentais à cran depuis mon arrivée, se détendit lui-même un peu. Finalement, tout le monde eut soudain l'air assez satisfait de la tournure que prenait la situation. Du coup, on but encore. Beaucoup. Longtemps.

Jusqu'à ce que Bubble signifie qu'il était temps de quitter les lieux et de passer à autre chose.

Une centaine de personnes attendaient de pénétrer dans cet ancien théâtre qui, en l'espace de trois ans, était devenu le temple des nuits parisiennes et l'assurance d'une expérience inoubliable. Devant la porte, une jeune femme inflexible distillait savamment les entrées. D'une poigne de fer, elle distribuait d'aimables gratifications à ceux dont elle autorisait le passage et de terribles humiliations à ceux qui en étaient privés. Certains hurlaient continûment des *moi, moi !...* qui n'éveillaient chez elle que des haussements de sourcils dédaigneux. Une loi inique semblait présider à tous ses choix ; elle régnait comme un sphinx mutique sur une foule asservie à ses caprices. Par chance, elle reconnut Bubble en un clin d'œil et lui fit aussitôt un signe de la main. Nous entrâmes en croisant les regards de nombre d'envieux qui essayaient de décrypter ce qui, dans nos tenues ou notre attitude, justifiait un tel privilège.

La porte franchie, s'étalait un long couloir en pente douce, entièrement tendu de rouge, qui aboutissait à une immense piste de danse. Jamais je n'avais vu une telle profusion de lumières, d'effets, de fumigènes, de miroirs, de lasers, de néons, de décors. La musique, surtout, était proprement envoûtante. Le type aux platines était un vrai génie ! Impossible de résister à l'appel de ses remix disco qui étaient une invitation au sexe et à tous les excès. Rien à voir avec la débauche grecque que j'avais connue six mois plus tôt. Il régnait ici une ambiance mille fois plus électrique, mille fois plus violente, mille fois moins factice. Plus du tout l'insouciance d'une atmosphère de bord de mer. Tout était à la fois parfaitement calculé et parfaitement relâché. Jamais un théâtre n'avait aussi bien mérité son nom. Tous ces gens semblaient avoir érigé la nuit en mode de vie. Ils n'étaient pas simplement habillés, ils revendiquaient un style. On pouvait se vêtir d'un sac-poubelle et être aussi admiré qu'en portant n'importe quelle robe haute couture. On pouvait venir de la banlieue la plus reculée, mais si l'on dansait ou si l'on s'exprimait d'une certaine façon, on était autorisé à côtoyer les plus en vue. Il y avait des voyous, des traîne-savates aux allures de clochards, des aristos, des jeunes, des vieux, des bourgeois, des très riches, des très pauvres, des gens célèbres, des anonymes, des hétéros, des homos... La différence était partout mais, loin de creuser un fossé entre les gens, elle paraissait au contraire les unir dans une même jubilation. Chacun savait exactement quoi puiser en ce lieu. Ce pour quoi il était là et jusqu'où il pouvait aller. De très riches s'y faisaient escroquer en hurlant de rire, de très jeunes y atteignaient la célébrité en quelques secondes. C'était le règne de l'attitude.

Les barmen, thierry-muglerisés à outrance, régnaient en maîtres absolus. De toute la soirée je ne payai rien. Le nom de Bubble semblait être le sésame pour tout obtenir gratis. De plus, le seul fait de le fréquenter de près ouvrait à toutes les opportunités de rencontres. Maxime me présenta un type d'une trentaine d'années et lui glissa quelques mots à l'oreille. C'était un Polonais d'une beauté inouïe qui ne parlait que quelques mots d'anglais. Le type s'approcha de moi et m'embrassa sur la bouche pour me propulser peu après vers la piste de danse. Là, il se débarrassa de son T-shirt et découvrit un torse insensé, blanc, travaillé à l'excès. Plus je l'observais et plus me revenait le souvenir du cadavre de cet inconnu côtoyé le matin même à la morgue. Mais loin d'être une pensée morbide, cette image m'électrisa. Ma vie, celle des autres, nos peurs, nos angoisses communes m'apparurent brutalement comme un gigantesque canular métaphysique qu'il fallait impérativement conjurer. Mon danseur insista pour que je me mette torse nu, ce à quoi j'obéis sans hésiter. Je me fichais de ma maigreur. Je me fichais de Maxime. Je me fichais d'à peu près tout, sauf de profiter à fond de l'émerveillement de ces instants. J'avais des années de frustration à liquider dans la danse, l'alcool, le sexe.

3 février 1982

Benoît se tenait dans la chambre de ses grands-parents, figé devant le grand miroir. Il ne se reconnaissait pas. Il ne connaissait pas l'image de ce jeune homme aux cheveux brillants et aplatis, séparés par une raie impeccable, que lui livrait ce miroir. Pas plus qu'il ne connaissait cet air emprunté qu'il devait à un costume sombre et à une chemise immaculée, raide d'amidon et boutonnée jusqu'au col, qui l'étouffait presque. Derrière lui, sa grand-mère referma le tiroir d'une commode de chêne puis s'approcha. De ses mains calleuses, boursouflées par les excroissances d'une vilaine arthrose, elle glissa une cravate noire autour du cou du jeune homme. Benoît poussa un soupir d'agacement. La vieille femme fit semblant de ne rien remarquer. Se hissant sur ses pieds, elle tendit les mains et enchevêtra les deux pans du tissu pour former un nœud qu'elle fit délicatement couler le long de sa poitrine jusqu'à sa glotte, en l'étranglant encore un peu plus. Elle épousseta d'un revers de main deux ou trois grains de poussière, pinça timidement la joue de son petit-fils et s'écarta pour juger du résultat. Un petit sourire de contentement s'épanouit sur son visage ridé.

163

Benoît passa et repassa son index à l'intérieur du col en poussant de petits sifflements de douleur.

— Je vais étouffer avec ce truc...

— Tu arrêtes ?

— Je t'assure...

— S'il te plaît, Benoît...

Le jeune homme se tut. Il raidit ses bras le long du corps et s'observa attentivement. Son costume était trop étroit d'au moins deux tailles. Impossible de fermer complètement les deux boutons de sa veste sans risquer de les arracher à la première inspiration. Quant aux manches, elles lui arrivaient à peine aux poignets. Il essaya de les ajuster en tirant alternativement sur l'une puis sur l'autre, mais rien n'y fit. Il savait bien – même si cela ne fut jamais évoqué – que ce costume avait appartenu à son père. Un frisson le parcourut quand il réalisa que non seulement il porterait le costume d'un mort en ce jour symbolique, mais que si ce mort avait vécu jusqu'à aujourd'hui, Benoît serait sûrement beaucoup plus grand et sans doute beaucoup plus costaud que lui.

— J'ai l'air d'un... (Il hésita. Le mot « croque-mort » lui vint spontanément à l'esprit.) D'un clown !

— Oh je t'en prie, Benoît ! Tu n'as jamais été aussi beau. C'est un mariage, si tu l'as oublié.

— C'est un mariage, Constance, pas *mon* mariage.

— C'est important que tu sois bien habillé. Tout le monde sera sur son trente et un et toi tu veux débarquer en haillons ? Non, non, pas question...

— Je ne suis même pas invité. Je suis juste là pour la photo. Une photo. Juste une photo !

À cet instant, le grand-père entra dans la chambre.

— Albert, dis-lui, toi ! N'est-ce pas qu'il est beau ?

Le grand-père, l'esprit distrait par la recherche de quelque objet, jeta un œil et ce qu'il vit sembla le troubler. Un silence embarrassant envahit la chambre. Benoît fixa sa grand-mère avec un air de doux reproche.

— Tu vois, je te l'avais dit...

Constance ouvrit de petits yeux verts où brillait toute sa fureur. Elle croisa ses bras sous sa poitrine en se tenant ferme sur ses deux pieds.

— Albert, je t'en prie. Pour une fois, dis quelque chose de gentil. C'est vraiment trop te demander ? Quelque chose de gentil et quelque chose de rassurant.

Albert tenta d'évaluer dans l'attitude de sa femme le degré de danger qu'il y avait à l'affronter. Il passa une main épaisse et maladroite dans ses cheveux clairsemés.

— Albert, ce jeune homme a besoin d'être rassuré, ça ne se voit pas ?

Il se tourna vers son petit-fils. Ce qu'on lut sur son visage fut un éclair d'empathie à quoi se mêlait une peine réelle.

— Eh bien moi, si tu veux mon avis... je... je trouve que ce jeune homme a tout d'un croque-mort et rien d'un photographe. Je ne vois pas pourquoi tu insistes pour... le...

— Pour le... quoi ?

Albert força son regard à s'égarer dans la pièce.

— Tu n'aurais pas vu mon gros marteau par hasard ? Celui avec le poinçon rouge...

Constance poussa un profond soupir de découragement. Elle se tourna vers Benoît et lui caressa tendrement la joue.

— Tu es très beau. N'écoute pas ce que dit ce vieux singe !

Le grand-père fut soudain hors de lui.

— Ce jeune homme est très beau... surtout quand il n'est pas déguisé en garçon de café par une espèce de folle !

Il déguerpit à la recherche de son marteau.

Quand il fut à l'extérieur de la maison, Albert s'arrêta, le souffle à moitié coupé, et s'adossa contre le mur de moellons de la façade. Des champs gorgés d'eau, creusés de sillons de terre brune et lourde, s'étendaient à perte de vue. Une vache meugla. Il essuya d'un revers de manche les larmes amères qui brûlaient ses yeux chassieux et fixa le ciel. Un soleil diffus pointait derrière un régiment de châtaigniers décharnés. Leurs ombres menaçantes, pareilles à des griffures, s'accrochaient au terre-plein à l'entrée de la ferme. Il respira fortement et baissa la tête. Ce n'était plus son petit-fils qui lui était apparu dans ce costume sombre. C'était bel et bien un homme. Bon Dieu, un homme ! Dans moins d'un an, Benoît aurait vingt ans. Albert réalisa à quel point il avait redouté ce moment, à quel point, surtout, il s'était délibérément attaché à ne pas y penser. Combien de temps serait-il encore là pour le chérir, le protéger ? D'ailleurs, le protéger de quoi exactement ? Toute sa vie, ne l'avait-il pas préparé, justement, à devenir ce qu'il était devenu ? Des pensées sauvages et contradictoires ne cessaient de l'assaillir. Il fixa à nouveau le ciel et serra ses poings jusqu'à en avoir mal.

— Constance, oh ma pauvre Constance... C'est affreux ! Il est arrivé un malheur...

La voisine de Constance, une veuve de cinquante-cinq ans, ronde comme un hérisson et aussi piquante que l'animal, s'était précipitée dans la ferme sans y être invitée. Constance surgit des profondeurs de sa cuisine.

— C'est à la radio... Aux informations... Ton fils...

Constance sentait déjà le malheur suinter par tous ses pores.

— Mon fils ?

— Il est mort sur le coup, ma pauvre Constance. Au moins, il n'aura pas souffert ! C'est presque une chance de partir comme ça...

Le drame avait eu lieu aux premières heures de l'aube, un dimanche de juillet, sur une départementale aux environs de Brest, où la famille s'était installée depuis quelques années. Le couple revenait d'un mariage. Sans que personne puisse jamais l'expliquer, le véhicule se retrouva en plein milieu de la voie ferrée, prisonnier des deux barrières d'un passage à niveau. Le conducteur d'un train de voyageurs l'aperçut au dernier moment et freina juste à temps pour éviter la catastrophe qu'aurait provoquée le déraillement du train, pas assez cependant pour empêcher le choc, qui fut d'une violence irracontable. La voiture, broyée par les mâchoires de la motrice, fut traînée sur une centaine de mètres et ses occupants tués sur le coup.

Constance et Albert furent les seuls membres de la famille à réclamer la garde de l'enfant. Deux jours plus tard, ils recueillaient un gamin de sept ans déboussolé et mutique qu'ils connaissaient à peine et qu'ils mirent de longs mois à apprivoiser.

Constance, profondément croyante, vécut la mort de son fils comme une mise en garde d'un ordre supérieur et redouta pendant longtemps qu'un malheur similaire s'abatte sur son petit-fils. Superstitieuse comme le sont les esprits anxieux, elle se persuada que Benoît incarnait un lien occulte et magique entre la vie terrestre et l'au-delà où son fils avait brutalement disparu. Elle se mit à l'entourer d'un amour fébrile, tourmenté, où le gamin semblait parfois étouffer. Albert tenta aussi souvent que son travail le lui permettait de le sauver de ces débordements d'affection en l'éloignant de la ferme. Ensemble ils écumèrent les champs, les bois, les escarpements des bords de mer. Benoît apprit à différencier et à imiter le chant des oiseaux, à apprivoiser les noms latins des fleurs et des coquillages, à anticiper les fantaisies du ciel, à s'initier au cycle des saisons. Albert était profondément athée mais n'en avait pas moins développé une « mystique de la nature », qu'il transmit tout naturellement à Benoît.

Albert avait lui aussi quelque chose à réparer. De par son travail acharné entre ses bêtes et ses champs, il avait négligé le père de Benoît, qui avait abandonné la ferme familiale pour s'installer en ville à sa majorité. Il ne voulait surtout pas refaire la même erreur. Tout ce qu'il n'avait pas eu l'occasion de transmettre à son fils, il le rattraperait avec cet enfant.

Constance et Albert avaient tous deux de bonnes raisons de l'entourer d'une tendresse exorbitante.

En réponse à cet excès d'amour, Benoît devint paradoxalement un garçon solitaire. À la moindre occasion, il fuyait la ferme pour goûter au silence des forêts et des plages. Profitant des enseignements de son grand-père, il développa sa propre connaissance de la nature en même temps que s'aiguisaient en lui le goût immodéré de la liberté et un imaginaire hors du commun. Peu à peu, il se bâtit un monde fantastique où chaque arbre, chaque chemin de terre, chaque rocher, chaque étendue de sable avait un nom et une histoire, et sur lequel il régnait en maître absolu.

Albert ne voyait pas d'un très bon œil ce penchant pour la solitude et même s'en inquiétait. Il mettait sur le compte d'un caractère ténébreux ce qui n'était en réalité que la manifestation d'un esprit inventif et indépendant. Il maudissait, sans pouvoir y faire quoi que ce soit, la différence d'âge qui les séparait du gamin et dont il imaginait qu'elle créait entre eux un fossé infranchissable. À plus de soixante-cinq ans, il se sentait déjà trop vieux. Il aurait aimé que Benoît soit entouré de gens plus jeunes, mieux à même de l'écouter et de le comprendre sans doute.

Il eut alors une idée audacieuse.

Depuis quelques années, dans le sillage des profonds changements de mentalité qu'avait provoqués Mai 68, des communautés libertaires avaient éclos un peu partout dans les campagnes européennes : les hippies se mettaient au vert. Albert vit là une occasion inespérée de frotter son petit-fils à la compagnie des hommes. Il passa une annonce dans le journal local, dans laquelle il proposait un toit à ces familles en rupture de ban en échange de menues servitudes liées au travail de la ferme. Un premier couple débarqua en juillet 1973 pour prendre possession d'une grange qu'Albert avait réaménagée à la hâte. Une camionnette orange se gara à l'entrée de la ferme, sous l'œil émerveillé de Benoît. Patrick et Muriel avaient vingt-sept ans et s'étaient connus sur les bancs de la Sorbonne, où ils avaient fait des études d'histoire, longues et inabouties. Ils avaient le même visage ouvert, les mêmes yeux sombres, la même voix calme et rassurante. Ils auraient pu être frère et sœur. Dans leur sillage il y avait Vincent, un petit garçon de cinq ans, blond, rêveur, qui ouvrait sans cesse de grands yeux ronds sur la vie et ne pleurait jamais. Le soir de leur arrivée, tout le monde était réuni dans la cuisine de la ferme. Plusieurs bouteilles avaient déjà été éclusées.

— Pour nous, vous êtes un modèle, dit Patrick. C'est pour cette raison que nous sommes ici. Vous êtes libres, d'une certaine façon. Vous vivez au rythme de la nature. Le travail a éloigné l'homme de tout contact authentique avec elle. Nous sommes contre le travail tel que nous le connaissons et tel qu'il aliène l'individu.

— Notre devise, ce pourrait être : « Ne travaillez plus ! » dit Muriel, qui concluait sans cesse les phrases de Patrick par des slogans mais semblait toujours rétive à en former de sa propre initiative.

— Enfin, mes petits, il faut bien travailler pour vivre, dit Constance, inquiète.

— Dans une ferme, on ne se tourne pas les pouces, vous pouvez me croire, dit Albert, soudain perplexe.

Patrick le regarda avec un sourire d'une grande bienveillance.

— Nous ne sommes pas des fainéants, Albert. Nous sommes tout à fait prêts à participer à ton activité de production.

Le tutoiement fit sursauter le vieil homme.

— Toi, Albert, tu n'es pas aliéné. Tu travailles ta terre, tu élèves tes animaux dans un respect immense du cycle de la vie. Tu crois en la vie. Nous, nous ne voulons simplement pas servir la soupe aux marchands qui privilégient le profit au détriment de la vie.

— Nous sommes contre la dictature de la marchandise, ajouta Muriel.

Constance et Albert les regardèrent avec des yeux ronds. Benoît, lui, semblait complètement fasciné par la sérénité qui se dégageait de ces extraterrestres aux cheveux longs et aux idées neuves qui s'exprimaient lentement, sans jamais hausser la voix.

— L'idée de travail tue ce qu'il y a de plus beau en l'homme. Pour nous, l'activité de production doit nécessairement être rattachée à la réalisation individuelle, continua Patrick.

— Et à l'épanouissement de l'individu, précisa Muriel.

— C'est pour cette raison que nous sommes contre la société du spectacle et contre la société des loisirs, qui est sa sœur jumelle. Les loisirs écartent l'homme de sa vérité. Ils participent de l'aliénation en lui fournissant un prétexte. C'est comme une récompense, un os qu'on donnerait à un chien pour qu'il oublie un temps la chaîne qui le retient à sa niche. Nous ne croyons pas que l'individu ait besoin d'être diverti à partir du moment où il est en accord avec lui-même.

— L'art doit procéder de la même exigence, conclut Muriel.

Les grands-parents ne comprenaient pas un traître mot de ce discours compliqué. Albert était agacé. Surtout, il commençait à regretter sa petite annonce.

— Finalement, vous croyez en pas grand-chose. Pas de travail, pas de loisirs. On doit s'emmerder ferme avec vous !

— Albert !

Bien qu'elle partageât l'opinion de son mari, le ton de Constance se voulait menaçant. Patrick et Muriel laissèrent glisser l'ironie de la remarque. Deux beaux sourires s'épanouirent sur leurs lèvres au même instant. On aurait dit un couple de duettistes sous Tranxène.

— Nous croyons en l'homme, dit Patrick, de façon assez solennelle.

— Constance, elle croit en Dieu, dit soudain Benoît. Moi j'y crois pas. Albert non plus.

Puis, sans que personne comprenne vraiment pourquoi, il ajouta :

— Dans le village, on les prend pour des tarés. Ils n'ont pas d'amis.

Constance rougit et planta un regard gêné sur la nappe en toile cirée.

— Et toi, tu as des amis ? demanda Patrick, intrigué.

Benoît prit son temps pour répondre.

— J'ai plein d'amis. Mais ceux que je préfère, c'est la tortue, le marteau et la bouteille renversée, dit-il avec l'aplomb d'un adulte.

Albert se sentit obligé de préciser sa pensée :

— Ce sont des rochers...

Ils s'acclimatèrent peu à peu à la présence les uns des autres. Après un mois, un autre couple d'amis de Muriel et Patrick débarqua. Deux mois plus tard, ce fut le tour d'un deuxième. Le groupe était maintenant constitué de six adultes, de quatre enfants en bas âge, de deux chiens et de trois chats. Comme Albert l'avait espéré, Benoît vécut avec un grand bonheur l'arrivée de ces jeunes étrangers. D'une certaine façon, tout ce à quoi il s'était préparé, seul ou à l'aide de son grand-père, trouvait naturellement un écho dans cette communauté fraternelle éprise de nature, de liberté, à la recherche de sa vérité. À côté de ces jeunes gens, il découvrit les livres et les musiques qui allaient avec les idées. Il apprit à dessiner, à peindre, à jouer de plusieurs instruments, à utiliser un appareil photo. Mais il le fit de manière sensible. Tout apprentissage relevait d'une démarche qui, bien que nullement contraignante, devait être riche de sens. Benoît grandit dans l'idée que la vie d'un homme était un tout cohérent, que ses activités devaient répondre, non pas à des exigences de rentabilité, mais au contraire à l'urgence d'épanouir librement sa personnalité et la subjectivité radicale qui s'y rattache. Ses grands-parents, heureux de le voir aussi entouré, ne firent jamais rien pour le soustraire à cet amour absolu, sans la moindre velléité d'autorité, qui prenait parfois le pas sur le leur et dont ils auraient pu être jaloux. Bien sûr, il y eut de nombreuses frictions. Les mœurs libérées du groupe, les idées radicales que ses membres revendiquaient, leur usage immodéré de certains stupéfiants heurtèrent souvent les convictions religieuses de Constance et le bon sens paysan d'Albert. Mais l'attachement quasi viscéral de Benoît à ce groupe eut toujours raison de ces réticences. Aucun des deux ne souhaitait que leur petit-fils puisse une seconde fois devenir orphelin.

Et puis tout s'effilocha.

Les illusions d'une vie communautaire se heurtèrent aux exigences d'une société en plein chaos, qui peinait à sortir de la crise provoquée par le premier choc pétrolier de 1974. Les travaux de la ferme ne suffirent bientôt plus à nourrir la communauté. L'argent, qui avait jusqu'alors été accessoire, devint une priorité. Deux des couples partirent prolonger sur les routes d'Inde, de Turquie, d'Iran, la liberté qu'ils avaient expérimentée au cœur de leur asile breton. Benoît avait quinze ans et allait entrer en seconde au lycée quand la dernière famille quitta la ferme. Passé une période difficile où les trois «survivants» tentèrent de réorganiser leur vie, des liens d'un nouvel ordre se tissèrent entre eux. Constance et Albert avaient vieilli. Benoît avait grandi. Chacun était simplement heureux de la présence des deux autres. Tout était désormais calme et apaisé.

Benoît sortit de la ferme en pestant contre Constance. De tout temps, il avait plus volontiers suivi les conseils avisés de son grand-père que ceux, plus primesautiers, de sa grand-mère. Aussi, dès qu'il fut hors de vue, il s'empressa de garer sa 4L fuchsia au bord d'un fossé, sortit de son coffre un pantalon de velours noir élimé, une chemise de laine à larges carreaux, une paire de bons gros godillots et échangea le tout contre le costume de son père. D'un geste fébrile, il s'ébouriffa les cheveux. La brillantine lui colla aux doigts. Il étouffa un juron en observant l'état de ses mains, ébouriffa encore plus ses cheveux qui formèrent bientôt un jaillissement hirsute sur le haut du crâne. C'est dans cette tenue – que n'auraient sûrement pas désapprouvée Patrick et Muriel – qu'il partit réaliser le premier reportage de sa vie.

Des nuages sombres et joufflus, pareils à des poings vengeurs, s'agrippaient à la flèche du clocher qui penchait bizarrement en direction de l'ouest, comme si une rafale un peu trop violente l'avait un jour immobilisée dans cette position pleine de soumission. Les maisons alentour, humblement blotties les unes contre les autres, témoignaient du même état de subordination aux caprices du temps. Sur leurs pierres nues, rien ne poussait qu'un lichen gris sale et de larges bancs de mousse verdâtres et ventrus.

Sous le porche de l'église s'impatientaient une cinquantaine d'invités. Devant eux, l'œil collé au viseur, Benoît cherchait le bon cadrage. Après six mois en tant que stagiaire au journal, c'était son baptême du feu, sa première photo officielle, et il ne voulait en aucun cas la rater. Le marié, un garçon de trente ans emprisonné dans un costume trois pièces gris souris, le fixait sans comprendre. Le froid avait commencé de dessiner un entrelacs de veinules écarlates sur ses joues rebondies. Une bourrasque glaciale s'éleva. Plusieurs chapeaux se soulevèrent avant que des poings solides – de bons gros poings qui ne craignaient pas de remuer la terre – ne les retiennent en place. La mariée frissonna. Son long voile de tulle se gonfla et s'éleva dans les airs. Une nuée de femmes se précipita pour le rattraper au vol. Le marié jeta un œil compatissant à sa récente épouse. Elle pleurait de froid, d'impatience, d'énervement. De fines coulures de mascara obscurcissaient déjà le bord de ses paupières inférieures. Elle n'osait rien dire, de peur de ternir sa cérémonie de mariage par quelque mouvement d'humeur. Le marié se retourna et se mit à descendre les marches qui le séparaient de Benoît. Il était furieux.

— Alors ? Vous la prenez cette photo ?

Le visage de Benoît s'illumina brusquement. Il raidit son bras devant lui et projeta la paume de sa main en avant, les doigts bien écartés.

— Stop !

Le marié, terrifié, se figea.

Ensuite, tout alla très vite.

Benoît se rua sur le jeune époux et le força à reculer d'un pas. Il semblait en proie à une agitation intérieure majeure. Prenant le menton de l'homme entre son pouce et son index, il l'obligea à tourner son visage vers l'arrière, le regard braqué sur la foule agglutinée en haut des marches.

— Maintenant vous ne bougez plus !

Alors, il l'abandonna pour se précipiter sur la mariée. Ses gestes paraissaient à la fois fiévreux et parfaitement délibérés. Avec l'énergie qu'il mettait à construire sa scène, personne – même parmi les plus audacieux ou les plus irrités – ne semblait avoir assez de cran pour s'opposer à ce qui apparaissait comme un délire d'artiste. Benoît agrippa sans ménagement l'épaule de la jeune femme. Il l'engagea à descendre quelques marches, l'arrêta, souleva son menton et fit pivoter son visage jusqu'à ce que son regard se retrouve dans l'exacte direction de celui de son mari. Il se pencha alors, agrippa violemment le voile de tulle qu'il roula en boule et le fourra sans ménagement entre les mains des demoiselles d'honneur qui entouraient la mariée.

— Soulevez-le comme ça.

Il accompagnait ses ordres de mouvements ascendants et parfaitement réguliers des deux bras, comme un maître de ballet tyrannique indique la marche à suivre à ses petits rats effarouchés.

— Surtout ne le laissez pas retomber. Soulevez et gonflez !

Les deux jeunes filles, saisies de froid et de terreur, obéirent. De leurs mains grassouillettes, elles s'emparèrent du voile et se mirent à l'agiter dans de grands moulinets désordonnés et affreusement maladroits. Mais le tissu retombait toujours, pataud, comme un soufflé délaissé par un cuisinier négligent. On devinait Benoît à bout de patience.

— Soulevez-le, bon Dieu ! Il faut que ça gonfle ! Allez ! Toujours plus haut !

Le père de la mariée fit un pas de côté et osa enfin élever la voix, une voix pleine de reproche avec un accent à couper au couteau.

— C'est pas bientôt fini ce cirque ?

— Une minute, monsieur, rien qu'une minute !

Benoît moulina des deux bras pour encourager ses figurantes. Les deux jeunes filles soufflaient, leurs quatre grosses joues rosissaient, de petites gouttes de sueur perlaient sur le haut de leurs fronts, leurs boucles jumelles pendouillaient comme des ressorts fatigués le long de leurs tempes. À force d'efforts, le tissu finit par s'élever, se bomber, comme sous l'effet du vent.

— Parfait ! Parfait. Surtout n'arrêtez pas !

Benoît s'éloigna à reculons vers l'endroit où reposait le trépied de son appareil photo.

— Maintenant tout le monde sourit !

Il plongea son œil dans le viseur et activa le déclencheur.

— C'est quoi cette photo ? dit le rédacteur en chef, alors que Benoît lui tendait un tirage encore humide des bacs où il avait patiemment mijoté.

Le jeune homme le regarda sans comprendre. Il était assez fier de sa première photo. Il était même très satisfait de la tension qu'il avait réussi à créer autour d'un événement aussi simple. Le marié, vu de trois quarts et en très gros plan, occupait le tiers gauche de l'image. Benoît l'avait cadré de façon à ce qu'il semble proprement absorbé par la vision de la scène qui se déroulait derrière lui. La mariée, photographiée en pied, occupait le reste de l'image et paraissait, par le jeu des proportions, étonnamment proche de son époux. Son voile gonflé flottait majestueusement autour d'elle et occultait la présence de la plupart des invités qui n'apparaissaient qu'en transparence à travers le tulle. De plus, Benoît avait pris la photo quasiment au ras du sol, de sorte que la flèche inclinée de l'église, par un effet d'optique assez surprenant, semblait coiffer le haut du crâne de la jeune femme. Le tout créait une matière à la fois joyeuse et dramatique en parfait accord avec le mélange d'allégresse et de solennité qui entourait l'événement. Bien sûr, il n'avait pas réfléchi à tout cela, il avait agi par pur instinct, mais maintenant qu'il voyait le résultat, il savait qu'il avait obtenu à peu près ce qu'il avait cherché. Benoît était cependant inquiet :

— Tu n'aimes pas ? Il y a une vraie... une vraie tension quand même.

Son patron le regarda avec un air sévère.

— La prochaine fois, tu oublies la tension et tu penses aux lecteurs, mon gars. Les lecteurs, ils veulent juste voir des gens heureux à la sortie d'une église. Ils veulent voir à quoi ressemblent la robe de la mariée, le chapeau de la belle-mère, le costume du cousin. Ils veulent reconnaître des proches sur la photo, Benoît. Ils veulent voir les gens que tu as planqués derrière un putain de voile.

Le visage de Benoît s'assombrit. L'homme lui posa une main sur l'épaule et se fit plus doux.

— Pourquoi tu te compliques la vie ? Une photo de mariage, c'est tout ce qu'il y a de simple. Les deux mariés sont côte à côte. Ils sourient à l'objectif. Point barre ! Tu nous as fait une photo d'artiste, Benoît. Moi j'ai pas besoin d'un artiste, j'ai besoin d'un PHO-TO-GRAPHE !

— C'est quoi la différence, Alain ? Pourquoi tu fais cette séparation... stupide ?

Malgré son dégoût, Benoît n'avait pas élevé la voix. Le rédacteur en chef se redressa, vexé et énervé.

— Stupide ? Je t'interdis de me parler sur ce ton... Espèce de... de petit con.

Benoît laissa glisser l'insulte mais sentit la nécessité d'insister :

— J'ai juste besoin de comprendre, Alain. Pourquoi tu fais cette séparation ?

Fut-ce ce calme, cette assurance inébranlable, qui agaça le bonhomme ? Toujours est-il qu'il commença à farfouiller nerveusement dans les poches de son pantalon pour finalement sortir de celle de droite un billet de cinquante francs, roulé en boule, qu'il entreprenait maintenant de défroisser de ses deux mains fébriles. Il posa le billet en plein milieu de la photographie en l'aplatissant à plusieurs reprises avec sa paume, méthodiquement, dévisageant Benoît d'un air bravache.

— Voilà à peu près ce que je vais te payer pour ce boulot. Cinquante francs. Charges sociales déduites. C'est un bon petit salaire pour un apprenti photographe...

Un éclair infect passa dans son regard.

— ... mais avoue que ce ne serait vraiment pas cher payé pour une œuvre d'art.

Benoît eut un sourire désarmant. Il ne réfléchit pas longtemps. Il tendit ses deux mains vers le bureau et prit le billet entre ses doigts. Sans un regard pour son rédacteur en chef, il le déchira en deux et laissa retomber les morceaux qui voletèrent jusqu'au sol.

— Évidemment la photo t'appartient.

Il l'avait dit avec si peu de malice que le type en face en resta idiot. On aurait dit une grenouille, avec ses gros yeux écarquillés et ses lèvres minces aplaties l'une contre l'autre. Benoît sortit de la pièce. En un clin d'œil, il avait pris une décision aussi brusque qu'irrévocable : il ne voulait plus jamais rien avoir à foutre avec cet enfoiré.

Sur le parking du journal, Benoît s'engouffra dans sa 4L en faisant claquer la portière. Il posa ses deux mains sur le volant, ferma les yeux et se mit à respirer très lentement, en inspirant et en expirant longuement pour se débarrasser des mauvaises pensées qui obscurcissaient son esprit. Au bout de quelques minutes, il se sentit mieux et put démarrer.

Il rejoignit le bord de mer et se gara sur un promontoire herbeux qui surplombait un paysage accidenté, chaotique, constitué d'éboulements de roches granitiques aux formes extravagantes. Il sortit de son véhicule et jeta alentour un regard de contentement qui avait tout de celui d'un propriétaire contemplant avec fierté l'immensité de son domaine. Malgré le froid hivernal, il se débarrassa de ses chaussures et les jeta au fond du coffre. Il descendit pieds nus un chemin terreux qui aboutissait à une plage de sable humide qu'il s'amusa à piétiner pour y creuser ses empreintes. Devant lui se dressa bientôt Moby Dick, un rocher rond et massif que son imagination avait depuis toujours associé au mystérieux cétacé que poursuivait inlassablement le capitaine Achab dans le roman de Melville. Il en escalada sans difficulté les parois dangereusement glissantes. Au centre de la roche, l'érosion avait formé deux alvéoles. Benoît mit sa tête dans la première et le reste de son corps dans la seconde. Même s'il avait grandi et que ces deux cavités n'étaient plus aussi accueillantes qu'elles l'avaient été pour son corps d'enfant, Benoît savait exactement comment s'y glisser entièrement. Bercé par la fureur des vagues et les sifflements du vent, il ne tarda pas à s'endormir.

22 juin 1982

Le café *L'Espérance* était bondé. Le soir même, l'université fermerait ses portes et un grand nombre d'étudiants avaient choisi cet endroit pour célébrer leurs ultimes retrouvailles avant les vacances d'été. Des sacs de voyage de toutes formes et de tous formats pendaient aux chaises et aux portemanteaux ou reposaient en tas sur le sol, formant de petits monticules colorés. Les derniers résultats venaient d'être publiés. Beaucoup auraient à revenir en septembre pour des sessions de rattrapage. Deux comportements bien distincts, identifiables au premier coup d'œil, émergeaient d'ailleurs de la foule d'étudiants. D'un côté, les victorieux, qui parlaient fort en agitant leurs mains, et de l'autre les recalés, bras ballants, regard amorphe embrassant régulièrement le sol. Les premiers réconfortaient les seconds en leur offrant – maigre compensation – des verres à tour de bras. Rodolphe avait décroché haut la main l'ensemble de ses UV. Il était satisfait, sans doute, mais rien dans son comportement ne le laissait deviner. Il faisait partie de ces gens qui n'ont jamais véritablement connu d'échec et qui, en conséquence, ne savent pas goûter à sa juste

mesure le plaisir d'une victoire. En réalité, il paraissait bien plus sombre que la plupart des personnes
présentes. Il s'y était pris trop tard pour décrocher un
job d'été à Rennes. Son père lui avait obtenu un poste
minable dans l'usine où il travaillait et la perspective
de passer les mois à venir chez ses parents le dépri-
mait. Gabriel, de son côté, avait échoué de peu à trois
examens essentiels. Son été, qu'il prévoyait radieux,
serait nécessairement studieux. Aujourd'hui ses grands
yeux bleus semblaient vides et délavés. Il s'approcha
de Rodolphe.

— Ne me dis pas que tu fais la gueule. Pas toi quand
même. Un minimum de décence, s'il te plaît !

— La gueule, non, pourquoi ?

Gabriel le regarda avec insistance et beaucoup
d'amertume.

— Tu vois, quand on y réfléchit... C'est injuste, tu
n'as pratiquement rien foutu.

— Rien foutu ? Tu exagères...

Rodolphe baissa la tête pour observer avec un sourire fabriqué l'état de ses ongles.

— Rien foutu. Je maintiens. Et... voilà..., dit Gabriel
en levant ses deux mains comme pour témoigner d'un
miracle.

— Je n'arrête pas de te le dire. Je suis un petit génie.

— Un génie ? Mes fesses. Tu es surtout un gros
chanceux.

Gabriel tapota la joue rebondie de Rodolphe.

— La preuve, c'est que tu m'as comme ami.

Rodolphe plissa les yeux comme il le faisait toujours
quand une pensée brûlante le traversait.

— Tu es sérieux, pas vrai ?

Gabriel se raidit. Un instant plus tard, il rosissait. Rodolphe le dévisagea pendant quelques secondes avant d'éclater de rire.

— Bien sûr que tu es sérieux ! Tu penses vraiment que venant de là d'où je viens j'ai une veine immense de t'avoir rencontré, qu'un pauvre plouc comme moi doit nécessairement avoir le cul bordé de nouilles pour être tombé sur une pépite comme toi !

— Arrête ton char, mon vieux. Ce n'est vraiment pas le moment.

Rodolphe sourit et pointa son index vers Gabriel.

— Au fond, tu as parfaitement raison. J'étais un obscur papillon de nuit. J'ai vu une lumière et cette lumière, c'est toi qui la tenais. Qui la tenais bien haut. Tu m'as ouvert les portes, Gabriel, et je t'en remercie. Du fond du cœur, je t'en remercie.

Impossible de savoir s'il était sérieux ou pas. Le visage de Gabriel s'était complètement refermé.

— Aujourd'hui, c'est grâce à toi et à tes amis que je sais m'exprimer avec les mots qu'il faut et les pensées qui vont avec. Mais contrairement à ce que tu peux penser, j'ai travaillé. Énormément travaillé.

Il marqua une courte pause en figeant son regard.

— C'est vrai, tu es mon ami, Gabriel, et j'en suis fier.

Là-dessus, il ouvrit ses bras qui se déployèrent comme deux grandes ailes menaçantes et propulsa Gabriel contre sa poitrine. Gabriel, qui n'avait pas vu venir le coup, se dégagea avec une mine dégoûtée.

— Tu ne peux pas t'en empêcher, hein ?

— Qu'est-ce que tu racontes ?

— Tu ne peux pas t'empêcher de faire ton cinéma de politicard à deux balles, hein ? Souffler le chaud et le froid. Toujours. Surtout ne jamais lâcher. Rien. Pas une miette. Bordel, mais desserre un peu la ficelle, mon gros ! Tu te méfies de tout et de tout le monde. Tu n'as confiance en personne. Sans doute que tu réussiras, Rodolphe, mais à quel prix ?

Gabriel éprouva le besoin d'asséner une nouvelle fois la question, comme s'il souhaitait marquer doublement son irritation et son mépris.

— Hein, à quel prix ?

Rodolphe se renfrogna. Gabriel sentait qu'il avait visé juste et commençait à s'en mordre les doigts. Quelqu'un cria son nom. Il détourna la tête une seconde puis fixa Rodolphe d'un air plus bienveillant.

— Passe de bonnes vacances, mon gars. Tu peux toujours téléphoner à ton ami, s'il te manque trop.

Dans son sourire perçait un arrière-goût de mélancolie.

— Mes parents louent une baraque à Carnac en août, c'est pas loin de chez toi, ça. Je pourrais toujours passer te voir.

Chacun des deux savait exactement quoi penser de la proposition. Gabriel baissa les yeux, prit la main de Rodolphe et la serra chaleureusement entre les siennes. Rodolphe eut un petit rictus gêné mais se laissa finalement aller à cette manifestation d'amitié.

Une heure plus tard, Rodolphe se frayait un passage parmi la foule qui encombrait le quai n° 2 de la gare Montparnasse. Il finit par apercevoir Tanguy et fut aussitôt soulagé. Il s'avança, gonflé d'optimisme. Retrouver son ami le lavait d'une certaine façon de l'épreuve qu'il venait de subir avec Gabriel.

Tanguy avait maigri et était d'une pâleur inquiétante. Ses paupières gonflées semblaient remplies d'un liquide aux reflets violacés. Le blanc de ses yeux était strié d'infimes veines rosâtres qui attestaient d'une grande fatigue et de nuits courtes. Il paraissait à bout de forces. Il avait été admissible aux trois grandes écoles de commerce parisiennes, mais il avait échoué à l'oral de chacune d'elles. Il rempilerait donc dès septembre dans le même lycée, dans l'espoir des mêmes conquêtes. Un camouflet dont il n'avait même pas cherché à atténuer la portée auprès de ses amis. Rodolphe se rapprocha, l'embrassa sur une joue et tenta de le serrer contre lui, mais Tanguy esquiva au dernier moment comme si cette étreinte lui était pénible. Il se dirigea vers le wagon en traînant derrière lui une valise renflée, ceinturée par deux épaisses lanières de cuir à boucles de métal, qui devait peser horriblement lourd. Ils prirent place sur des sièges opposés pour un voyage qui allait durer plus de cinq heures.

Le train traversa de vastes étendues de campagne apathique, que la lumière éclatante de ce jour d'été rendait encore plus moroses. Tanguy sentit monter du fond de son ventre une boule d'indignation qui irradia dans ses poumons et ne tarda pas à lui enserrer la gorge. Ses yeux se mouillèrent. Pas de chagrin, mais de honte. Rodolphe, mal à l'aise, détourna le regard vers l'extérieur, puis se souvint brusquement de ses devoirs. Il fixa Tanguy, se pencha lentement vers lui, posa ses deux mains sur les genoux de son ami et lui parla d'une voix douce :

— Je vais te dire une chose, mon petit Tanguy.

Tanguy se raidit comme si un courant de cent mille volts l'avait traversé.

— Putain, épargne-moi ce *petit Tanguy*. Bon Dieu, mais pour qui tu te prends ?

D'un mouvement sec, il força Rodolphe à enlever ses mains.

— Et arrête de me peloter, s'il te plaît !

Un frisson parcourut Rodolphe.

Pour qui tu te prends ?

Bordel, quand arriverait-il à se faire comprendre, et surtout de ses vrais amis ? Même quand il essayait d'être compatissant, tout ce qu'il pouvait dire ou faire était perçu comme une déclaration de guerre. Il se sentit envahi d'une immense empathie pour Tanguy. Il fut à deux doigts de se lever, de le prendre dans ses bras, de le consoler, de le bercer de mots chaleureux. Mais il ne fit rien de tout cela. Même s'il était devenu expert d'un certain type de langage, ce langage ne lui était d'aucun secours pour affronter la situation présente.

Tanguy, obnubilé par des pensées morbides, s'accrochait désespérément à la monotonie des poteaux télégraphiques qui défilaient. Rodolphe se pencha à nouveau vers lui. Il évita cette fois tout contact physique.

— Tanguy, tu as merdé, OK, et alors ?

Tanguy se mit à hurler.

— Et alors ? Oh, Rodolphe, ferme ta gueule, s'il te plaît ! Toi, tu as eu tous tes exams, espèce d'enfoiré de mes deux !

Une dizaine de visages se retournèrent sur eux. Tanguy se fichait absolument de ce que tous ces étrangers pouvaient bien penser. Rodolphe baissa la tête et se rapprocha de quelques centimètres.

— Tanguy, écoute-moi, dit-il sur un ton implorant.

Il se força à chuchoter pour calmer le jeu.

— Nous sommes dans des cursus absolument opposés. Moi, c'est *a piece of cake* pendant trois ou quatre ans. C'est juste après que viennent les galères. Toi, c'est exactement l'inverse. C'est le goulag pendant un ou deux ans et une fois que tu as intégré, c'est la vie de pacha. C'est archidur tes putains d'études, Tanguy ! Tu as été admissible aux trois parisiennes. Pour un bizuth, c'est un tour de force, et tu le sais mieux que personne. Je suis hyperfier de toi, connard.

Il se laissa aller à lui pincer la joue. Tanguy s'enfonça dans son siège pour échapper une fois de plus à ce geste pourtant plein de chaleur. Il fixa Rodolphe d'un air de défi où l'on décelait une part de colère blanche et froide.

— Je vais tous les niquer, mon gars. Tous. Est-ce que tu comprends ça ?

C'était dit si calmement et en même temps si méchamment que Rodolphe eut l'impression que la menace valait aussi pour lui. Tanguy détourna la tête vers l'extérieur pour retrouver le défilement vide de paysages secs et sans vie, des immensités herbeuses harassées de soleil. Rodolphe le regarda avec insistance. Il se sentait amer, incompris, injustement dépossédé de cette amitié qui, d'un coup, comptait tant pour lui. Alors, il se mit à détester Tanguy de lui avoir volé ce moment de grâce fraternelle. Il serra les poings, furieux, et eut envie de le frapper. Pour se calmer, il décida de lire. De son sac à dos ventru, il sortit un ouvrage qu'il commença à feuilleter négligemment. *Le Prince* de Machiavel.

Benoît attendait ses amis sur le quai opposé à celui où il les avait déposés neuf mois plus tôt. Lui aussi avait changé. D'abord, il y avait cette moustache sombre et clairsemée qui barrait sa lèvre supérieure. Et puis ses cheveux étaient très courts, presque rasés. Son visage, vif et osseux, était comme mis à nu. Il en ressortait une puissance pleine de grâce et de sévérité. Il portait des tongs et un pantalon de coutil bleu pétrole, retroussé au niveau des chevilles. Les muscles de ses épaules, de ses bras, de sa poitrine saillaient d'un débardeur trop large qui bâillait sous les aisselles. Un soleil mordant blondissait le duvet de ses avant-bras. Il se tenait droit, mains enfoncées dans les poches, plein d'une assurance rayonnante. Le train venait de s'arrêter. Benoît promena un œil vague sur les voyageurs qui avaient commencé d'envahir le quai. Il était légèrement hâlé – en tout cas plus que n'importe qui dans cette foule –, ses yeux n'avaient jamais paru aussi clairs. Il fit craquer une allumette et embrasa un petit cigarillo. Un filet bleuté s'échappa de ses lèvres et se vrilla dans l'air sec. Un groupe d'adolescentes le fixa avec convoitise avant de se mettre à glousser dès qu'elles l'eurent dépassé. Pas une seconde Benoît n'eut conscience de l'insistance de leurs regards.

Il se précipita sur ses deux amis dès qu'il les aperçut. Le visage de Tanguy était renfrogné. Il posa sur le sol sa lourde valise et se laissa aller dans les bras de Benoît, qui se mit à le serrer aussi fort qu'il le put, ce qui provoqua chez Rodolphe un petit pincement de jalousie.

Tanguy se libéra presque à contrecœur de l'étreinte de son ami et le prit par les épaules.

— Qu'est-ce que t'as fait à tes cheveux ? Et cette moustache, c'est quoi ?

— Bah, je sais pas, ça change, non ?

— Tu m'étonnes ! dit Rodolphe en s'esclaffant. On dirait... On dirait...

Il avait sans doute une vacherie en tête, mais au dernier moment il décida de la garder pour lui.

— Ça te vieillit.

— Moi j'aime bien, dit Benoît en tortillant sa maigre moustache entre son pouce et son index.

— Alors c'est ça qui compte, le rassura finalement Tanguy.

Benoît leva la main et tira une bouffée de son cigarillo. Tanguy le regarda faire. Il réalisa soudain combien Benoît s'était transformé en leur absence. Il y avait son physique, bien sûr, mais aussi cette espèce de liberté de ton, cette décontraction inédite qui sautait aux yeux. Il en fut troublé.

— Tu fumes maintenant ? dit-il avec un amusement qui semblait se nuancer d'une espèce de reproche.

Benoît prit un air dégagé et vaguement mystérieux.

— Vous verrez, il y a pas mal de choses qui ont bougé.

À la sortie de la gare, tous trois s'engouffrèrent dans la 4L. Pressé par ses amis, Benoît en vint bientôt à l'épisode du journal.

— Donc, si je comprends bien, tu auras travaillé une seule et unique journée dans ta foutue vie, dit Rodolphe, amusé.

— C'est déjà trop, si tu veux mon avis.

— Et tu fais quoi ? Je veux dire, pour gagner ta vie ?

— Pour l'instant j'aide Albert. Je fais les marchés. Il est trop vieux pour ça maintenant. Je survis. C'est toujours mieux que de ne pas vivre du tout. Et puis j'ai la photo.

— Tu continues à mitrailler tout ce qui bouge ?

Benoît prit un air évasif et fixa l'horizon.

La 4L s'avança sans bruit dans la cour. Le gravier gémit sous ses pneus quand elle se gara à deux pas du cabinet de mon père. Je jetai un coup d'œil à ma montre : 14 h 55. Je sautai de ma chaise et aperçus d'en haut mes trois amis comme ils disparaissaient sous la marquise vitrée. Curieux tableau que cette masse de ferraille fuchsia qui jurait avec l'alignement de buis taillés et ennuyeux. Enfin un peu de couleur dans cette baraque, pensai-je aussitôt. J'étais au deuxième étage, coincé dans ma chambre, d'où il m'était interdit de sortir avant 15 heures. Depuis une semaine, mon père y déposait tous les matins des QCM qu'il corrigeait le soir même. Il avait décidé qu'il en serait ainsi jusqu'à la rentrée ou jusqu'à ce que me rentre dans le crâne mon programme de l'année, ce qui risquait d'être encore plus long.

J'avais, vous vous en doutez, lamentablement échoué à l'examen d'entrée en première année de médecine. Il est vrai que hormis les deux dernières semaines où j'avais concentré une somme considérable d'efforts inutiles, je n'avais absolument rien foutu le reste du temps. Depuis janvier, guidé par Maxime, j'avais écumé tous les endroits où l'on s'amusait et où l'on pouvait rencontrer des garçons. Piotr, mon beau

Polonais, avait été le premier d'une assez longue série d'amants éphémères. En seulement six mois, j'avais expérimenté un large éventail de sentiments amoureux. Alors, bien sûr, retomber dans cette maison aux mœurs rigides, me retrouver coincé entre les murs de ma chambre d'enfant frisait l'insupportable. Pendant neuf mois, je m'étais évertué à me tenir au plus près de ce que j'étais vraiment, même si, au fond, je n'avais pas la moindre idée de ce que cela signifiait. Une chose était sûre : revenir ici, c'était régresser, mais surtout replonger dans la dissimulation, la honte, le mensonge. Je n'étais pas certain de pouvoir le supporter tout un été.

Ma mère se dirigea vers mes trois amis avec l'enthousiasme exagéré des snobs de province. Comme mes fréquentations lui déplaisaient, elle se sentait obligée d'en faire des tonnes pour témoigner le sentiment inverse. Elle leur proposa du thé – du thé ! – en joignant les mains dans son fameux geste de prière.

— J'ai du thé vert, du Lapsang aussi. Un vrai délice, ça ne vous dit rien, vraiment ? J'ai du thé noir, du thé de Chine, du thé d'Inde, du thé de l'Himalaya. De l'Himalaya ! Vous vous rendez compte du mal qu'ils se donnent pour aller le dénicher aussi haut ? Vous devriez essayer, c'est absolument pro-di-gieux ! J'ai plein d'autres thés. J'en ai même tellement que c'est pratiquement impossible de me souvenir de leurs noms !

Tous refusèrent plus ou moins poliment.

Rodolphe détestait mes parents et, j'en suis convaincu, ma mère plus particulièrement. Mon père représentait pour lui le prototype clairement identifiable du sale con réactionnaire. Rien dans son attitude ne venait contredire ce cliché, tout était donc limpide. Ma mère, au contraire, tentait de faire comme si, et à ses yeux, c'était encore pire.

Au bout de quelques instants, Rodolphe prit la parole sur un ton que les deux autres identifièrent aussitôt : celui du gamin bien décidé à tenter une bonne blague.

— Chère madame Savidan, sachez que mes amis et moi faisons désormais partie du CLEMROP. Une sorte de milice associative que nous avons mise en place il y a seulement quelques jours. Tanguy ici présent en est le trésorier. Benoît, à ma gauche, en est le secrétaire général. J'ai moi-même l'insigne honneur d'en être le président.

— Ah ! Bien, bien...

Ma mère, parfaitement mal à l'aise, sautillait d'un pied sur l'autre.

— Le... Comment dis-tu ?

— Le CLEMROP, madame Savidan.

Et il se mit à épeler, l'une après l'autre, les sept lettres de l'acronyme. Il le fit lentement, en détachant exagérément chaque lettre, comme il l'aurait fait pour un débile profond.

— C'est une sorte de Comité de salut public à but essentiellement humanitaire.

— Excellent, excellent...

— Je me doutais que vous apprécieriez. Vous savez ce que cela signifie, bien sûr.

— Le... ?

— Le CLEMROP.

— Non, vraiment, je n'en ai aucune idée.

Elle ne cessait de croiser et décroiser ses mains en les triturant à l'excès.

— Mais j'imagine que tu vas me le dire, n'est-ce pas ?

— Vous êtes certaine de n'en avoir aucune idée, madame Savidan ?

— Aucune, dit ma mère en tremblotant.

— Aucune ?

Il laissa planer un silence vicieux.

— Enfin, je t'assure, Rodolphe... Je te jure que je te le dirais si c'était le cas !

Rodolphe se décida enfin à lâcher le morceau :

— Le CLEMROP, madame Savidan, est le Comité de Libération des Étudiants en Médecine Retenus en Otage par leurs Parents !

Devant le sérieux inébranlable de Rodolphe, ma mère mit de longues secondes à réaliser la plaisanterie. Elle éclata d'un rire de fausset. Pauvre femme, elle ne méritait vraiment pas que ce salaud la maltraite à ce point.

Il conclut de façon assez militaire, en empruntant le ton du fonctionnaire assermenté :

— Madame Savidan... Nous sommes venus... libérer votre fils.

Tanguy et Benoît se retenaient d'éclater de rire, ce qui aurait représenté pour elle une humiliation inutile. Là-dessus, je me précipitai dans l'escalier. Ma mère tourna son visage vers moi en gloussant. Elle était dans un état de nerfs épouvantable.

— Ah te voilà, mon chéri ! Tes amis... Je me suis bien fait avoir, quand même !... Tes amis sont venus te chercher... Te libérer, dit-elle pour montrer qu'elle était du parti de ceux qui peuvent apprécier une bonne blague. Sacré Rodolphe ! Le CLEMROP ! Ah, ah ! Tu es un fichu numéro.

Elle tendit une main tremblante pour lui ébouriffer le haut du crâne. Rodolphe fit un écart malencontreux. Dans le geste qu'il eut pour échapper à la caresse de ma mère, son bras heurta un vase débordant de lys qui se brisa sur le sol dans un fracas horrible. Ma mère, trop contente d'avoir enfin quelque chose pour s'occuper les mains et l'esprit, se précipita à terre pour ramasser les débris. Benoît et Tanguy se baissèrent pour lui prêter main-forte.

— Laissez, laissez... mes enfants. Ne vous inquiétez pas. Ce n'est rien. Rien du tout...

Elle était au bord des larmes, je le savais. Rodolphe ne s'était même pas excusé et observait la scène d'un air radieux. Je n'avais pas compris toute l'histoire, mais j'en savais assez pour estimer l'ampleur des dégâts.

— Tu es un vrai connard, lui dis-je.

Nous roulions maintenant vers le bord de mer. Depuis septembre, nous nous étions à peine vus. En tout cas, jamais tous ensemble. Au bout de quelques kilomètres, nous avions oublié l'épisode du vase et retrouvé peu à peu les habitudes de langage et de comportement qui depuis des années régissaient la mise en scène de notre amitié. Rodolphe, assis à l'avant, fit pivoter le bouton de l'autoradio. *Ç'est vraiment toi*, le tube de Téléphone, se mit à rugir. Nous nous mîmes à chanter à tue-tête. Au bout de quelques instants, Rodolphe se retourna, hilare, en me montrant du doigt. Il hurlait les paroles de la chanson.

— «Quelque chose en toi... Ne tourne pas rond... Un je ne sais quoi... Qui me laisse con...»

J'eus du mal à ne pas me sentir concerné.

Nous arrivâmes chez Tanguy, où ses deux sœurs l'accueillirent avec des cris de joie. Tanguy se jeta sur elles et les prit tour à tour dans ses bras en les faisant valser. Sa mère l'observait à distance. Un voile d'amertume troublait son visage et ses yeux brillaient d'un amour inquiet. Lorsque son fils s'approcha, elle se haussa sur la pointe des pieds et l'enlaça. Tanguy se pencha pour enfouir son visage dans le cou de sa mère. Ses lèvres effleuraient le lobe de ses oreilles. Il lui chuchota des excuses :

— J'ai merdé, Maman... J'ai horriblement merdé.

Il se détacha d'elle, posa ses deux mains sur les bras de sa mère et la regarda bien en face.

— Je suis sincèrement désolé de t'avoir déçue.

Les pupilles de madame Caron étaient dilatées comme celles d'un chat flairant le danger.

— Ne dis pas ça, Tanguy. Il en faudrait beaucoup plus pour que tu me déçoives.

Tanguy se força à sourire. Ils restèrent encore un moment à s'observer, puis le jeune homme s'éloigna pour rejoindre ses amis. L'un comme l'autre savaient qu'un troisième personnage s'était insinué dans les coulisses de ces retrouvailles. Un personnage hors champ, que nul ne mentionnait jamais, mais dont le spectre, depuis ses sept ans, hantait la moindre de leurs pensées et le moindre de leurs actes.

Tanguy possédait un bateau. Une petite barque équipée d'un moteur et d'une paire de rames, au cas où.

Le temps promettait de tourner au vinaigre dès le lendemain. Il fut unanimement décidé qu'une balade en mer s'imposait le jour même.

L'océan, limpide, était d'un bleu glacé. Tanguy avait coupé le moteur. Ses rames relevées dessinaient un V contre le ciel. Le bateau dérivait par la seule force du courant à deux milles de la côte. J'étais à la proue et j'observais mes amis. À la surface de la mer comme à l'intérieur de cette embarcation régnait un climat de paix fragile et irréel. Rodolphe, à l'arrière, était allongé sur le ventre et caressait la surface de l'eau du bout des doigts. Tanguy s'était endormi, ses avant-bras en appui sur les rames. Benoît avait fermé les yeux, mais il ne dormait pas. Ses narines palpitaient sous le souffle du vent. C'était un de ces moments où le silence est tellement imposant, tellement enivrant, qu'il multiplie la proximité entre ceux qui s'en trouvent enveloppés. Je me sentais faire corps avec mes amis, lié à eux de manière éternelle et irrévocable. Une volée de mouettes affamées brisa le silence. Benoît ouvrit les yeux, Tanguy bâilla.

— Il faut que je vous dise quelque chose d'important.

J'avais parlé de façon assez véhémente pour que tout le monde sorte de sa rêverie et m'observe avec le plus vif intérêt. Il est vrai que ce genre d'intervention entrait peu dans mes habitudes.

— De... très important même.

Sauf que je n'étais plus très sûr de vouloir leur annoncer quoi que ce soit. Je ne sais combien de fois j'avais préparé mon discours. J'avais même élaboré plusieurs entrées en matière, tenté plusieurs scénarios, rodé plusieurs suites logiques de phrases, en réponse à ce que j'imaginais devoir être leurs questionnements successifs. Mais le moment venu, je me sentais nerveux et dépossédé de mes ambitions initiales.

— On t'écoute, me dit Tanguy.

Rodolphe l'interrompit en se levant d'un coup :

— Non, non, non, on ne l'écoute pas.

Même s'il avait perdu un bon nombre de kilos, son corps était toujours aussi imposant. La frêle embarcation tangua mais Rodolphe réussit à garder un équilibre satisfaisant.

— On va faire un petit jeu. On va essayer de deviner ce que tu as à nous dire.

Il me fixa puis réclama l'assentiment des deux autres. Tout le monde semblait amusé par cette manière de faire. Ce petit divertissement me parut assez approprié. Il rendrait sans aucun doute les choses moins théâtrales.

Ce fut lui qui commença :

— Tu vas arrêter cette connerie de fac de médecine ?

— Non, non, ce n'est pas ça.

— Rien à voir avec tes études ?

— Rien du tout.

Tanguy réfléchit.

— C'est forcément une histoire de cul, alors ?

— On peut dire ça comme ça, dis-je timidement.

Rodolphe sembla d'un coup enflammé par cette perspective inattendue.

— Une histoire de cul ? Bordel, tu n'es plus puceau !

— Bingo ! dis-je, encore plus timidement.

Rodolphe roula ses gros yeux vers le ciel.

— Bon Dieu ! Le petit zizi de Paul Savidan a enfin décroché la timbale !

Benoît sourit. Tanguy me regardait avec un mélange de curiosité et de fierté.

— Tu es amoureux ?

— Ça m'est arrivé de l'être, mais en général, il n'y a rien de très sérieux.

— En général ? Mais combien de fois tu l'as fait, Paul ?

Il était de plus en plus intrigué.

— Je ne sais plus. Quinze, vingt fois.

La barque oscilla dangereusement sous le poids de Rodolphe qui se mit à hurler aussi fort qu'il en était capable.

— Vingt fois !!! Je vous l'avais dit, ces putains d'études à Paris, c'est la dépravation à l'état brut. Vingt fois, vraiment ?

— À peu près.

— Mais qu'est-ce qui s'est passé ? dit Benoît, qui comprenait de moins en moins.

Impossible de trouver un début de commencement à une telle question.

— Et combien de cadavres dans le tas ? dit Rodolphe.

— Ils étaient tous très vivants, crois-moi.

Silence absolu. Regards figés comme des montagnes de glace. Mots qui gèlent entre les lèvres. Voile humide qui enfle et se répand en cataracte sur mon front, mes joues, mes lèvres. Seul Rodolphe osa :

— *Ils ?* Comment ça, *ils* ?

Pas besoin de continuer. Tous avaient compris. Le mot fatidique n'avait pas été prononcé. Chacun semblait veiller à ce qu'il ne le soit pas encore, comme pour s'accrocher quelques secondes supplémentaires à la réalité d'un monde destiné à disparaître l'instant d'après. Tanguy était interloqué. Benoît n'arrêtait pas de me questionner du regard. Rodolphe n'en pouvait plus. Il bouillait. Il rougissait. Il se mit à éclater d'un rire gras.

— Paul Savidan, ne me dis pas que tu es une tarlouze !

Mon visage se ferma. Mon silence était un aveu. Il commença à s'agiter.

— Une tarlouze ! dit-il en sautillant. Une tarlouze !

Je sentis les rayons du soleil me pénétrer comme un poignard. Ma gorge brûlait et je fus pris d'une fatigue écrasante. Rodolphe dansait toujours. Les vagues battaient contre les flancs du bateau dans de gros clapotis bruyants.

— Paul Savidan est une tarlouze !

Benoît se leva d'un bond et se mit à hurler :

— Ta gueule, pauvre con. Tu lui fous la paix, bordel !

Ce qui devait arriver arriva. Rodolphe, emporté par sa joie malfaisante, perdit l'équilibre. Il tomba à l'eau dans une gerbe d'éclaboussures qui inonda le bateau. Chacun se rappela assez vite qu'il était un médiocre nageur. Il se débattait en hurlant, avec des mouvements hystériques de la tête et des bras. Tanguy ne fit pas un geste. Un sourire méchant ternissait son visage. Alors, Benoît s'empara d'une rame et la plongea dans l'eau. Elle atterrit à quelques centimètres du visage de Rodolphe, manquant du même coup de l'assommer. Rodolphe la saisit de ses deux mains. Petit à petit, il se rapprocha de la barque, parvint à l'agripper, puis se mit à jouer de toute la force de ses membres supérieurs pour se hisser à l'intérieur du bateau. Quand son torse fut à moitié dégagé, Tanguy força Benoît à s'écarter et posa un pied sur le crâne de Rodolphe.

— Avant, tu t'excuses.

Ce fut dit sur un ton glacial. Un flot d'injures sortit des lèvres bleuies de Rodolphe mais Tanguy restait impassible. On sentait qu'il avait envie de lui faire du mal, pour une raison qui dépassait le simple fait de prendre ma défense.

— Tanguy, arrête, s'il te plaît, dis-je très bas.

— Il s'excuse ou il se noie. Ou *je* le noie !

Il appuya son pied sur la tête de Rodolphe, qui balbutia à contrecœur quelques excuses incompréhensibles.

— Plus fort !

Tanguy prenait un malin plaisir à humilier Rodolphe.

— On a rien entendu.

Rodolphe renouvela des excuses tout aussi peu audibles. Il ne voulait rien lâcher, visiblement.

Benoît attrapa Tanguy par le bras.

— Ça va maintenant.

Tanguy s'écarta. Maintenant qu'il avait eu son compte de maltraitance, il ne disait plus rien. Benoît aida Rodolphe à remonter dans le bateau. Il s'enfonça à l'arrière, dégoulinant et tremblant de froid. Benoît s'assit en face de moi et me fixa d'un regard doux.

— Tu vas tout nous dire. Et je te jure que si le moindre con se permet la moindre réflexion, c'est directement à moi qu'il aura affaire.

D'abord, je me tus. Benoît insista. Je bafouillai quelques idioties sans queue ni tête, truffées d'excuses minables.

— Raconte plutôt depuis le début. Et calmement, s'il te plaît.

Alors, je me mis à tout raconter. Les mots s'entre-choquaient entre mes lèvres. Peu à peu, je me sentis saoulé par mes propres paroles, avec la sensation de vivre un moment de pure vérité comme il en existe rarement dans une vie. Rodolphe ne disait pas un mot et m'observait avec l'œil ahuri d'un naturaliste qui découvre une espèce animale inconnue. Benoît et Tanguy se taisaient eux aussi, mais il y avait dans leurs regards l'assurance que rien de ce que je pourrais dire ne serait jamais retenu contre moi. Même si un excès de timidité me fit omettre les détails les plus crus, jamais de ma vie je n'avais autant désiré être sincère. Tout en parlant, je réalisai combien les mots, s'ils ne sont pas flétris par l'orgueil, le mensonge ou la honte, peuvent devenir apaisants et merveilleusement libérateurs.

7 octobre 1982

L'été fut un calvaire, bien sûr. Si, au cours de ces dix interminables semaines, je réussis chaque jour à échapper au rituel des deux premiers repas, le dîner demeura un passage tristement obligé. Il y flottait de sombres relents d'hostilité et de malveillance. Mon père était plus que jamais décidé à me mater, mon frère plus que jamais autorisé à m'humilier, ma mère plus que jamais geignarde et avachie. Mais le pire était le mensonge à tous leurs interrogatoires, un interminable inventaire de fausses déclarations où je ne trouvais plus le moindre plaisir ni à la tromperie ni à la falsification. Je vivais un enfer, à peine adouci par les rares rencontres avec mes potes. J'étais coincé. Avec une seule idée en tête : retrouver Paris.

Mi-septembre, je débarquai sur le quai de la gare Montparnasse. Je n'avais plus rien de l'explorateur timide, mais tout du conquérant enivré par l'imminence de ses victoires. Dès le lendemain, j'avais repris le ballet de mes petites habitudes. Sorties, drague – et plus si affinités. Cinéma à gogo au bras de madame Ziegler. Un ou deux polys vaguement survolés à l'occasion.

Avec tout ça, l'argent commençait à manquer sérieusement depuis quelques mois, et plus cruellement encore en ce début d'année. Il me fallait d'urgence dégoter un petit boulot. Maxime, comme toujours, me facilita les choses. Il avait eu vent qu'un bar homo du Marais recherchait un barman pour son service du soir et pensait que l'endroit me conviendrait. Il me présenta au couple de patrons. L'un était gros, l'autre long, et tous deux terriblement efféminés : Laurel et Hardy façon *La Cage aux folles*. Ils me reluquèrent des pieds à la tête en s'arrêtant – évidemment – au niveau de l'entrejambe. Je leur souris comme j'avais maintenant appris à le faire. Un sourire indolent, exactement à mi-chemin entre abandon de soi et mise à distance d'autrui. En deux coups de cuiller à pot, l'affaire était entendue. Je n'avais jamais travaillé de ma vie. Dans un bar homo encore moins.

Un bar homo ! Si ma mère me voyait !

Ce fut mon unique pensée en servant maladroitement mon tout premier verre à 7 heures du soir le lendemain. Ma pauvre mère en effet ! Elle qui ne cesserait jamais d'être encombrée de croyances dépassées, de réunions Tupperware ineptes, de thés aux noms imprononçables, que penserait-elle de son rejeton à cet instant ? Comment pourrait-elle comprendre cette transformation radicale qui, en l'espace d'un an, m'avait fait passer du lycéen puceau et empêtré dans une timidité maladive à l'étudiant oisif et dissimulateur, avide de plaisirs vite consommés, sur le point de distribuer à tire-larigot des demis pression à une clientèle d'homosexuels surexcités ? Je n'étais pas sûr moi-même d'avoir une réponse à apporter.

Trois semaines avaient passé. Je venais de prendre mon service quand un type d'une quarantaine d'années entra dans le bar. L'homme était affreusement maigre. Une épaisse mèche de cheveux lui barrait l'œil droit. Il passait son temps à la rectifier en y faisant glisser ses cinq doigts pour la plaquer ensuite sur le côté du crâne tout en balançant sa tête vers l'arrière. Les petites crevasses d'une acné ancienne grêlaient son visage aride et blanc. Son nez était proéminent, ses yeux ronds et inquiets comme ceux d'une poule. Un repoussoir. Il but une gorgée du demi que je venais de lui servir et se mit à me dévisager avec insistance. Mon statut de barman m'avait déjà valu quelques aventures faciles. Vous n'imaginez pas l'aura que conférait le simple fait de se retrouver de l'autre côté du comptoir dans ce genre d'endroit. Je fis donc comme si de rien n'était.

— Je recherche un garçon dans votre genre..., dit-il sérieusement.

Je lui décochai un sourire plein de dédain puis je disparus vers un couple de jeunes Australiens autrement plus avenants.

— Je suis producteur de cinéma, ajouta-t-il en repoussant sa mèche, sur un ton destiné à dissiper tout malentendu. Je suis sur un très gros film. Et, je vous le répète, je recherche un jeune homme d'une vingtaine d'années exactement dans votre genre.

Il parlait avec lenteur, d'une voix calme, pleine d'élégance et de sophistication. Il sirota délicatement une gorgée de sa bière.

— Ça ne vous tente pas ?

Je me rapprochai de lui.

— Un film ? Quel genre de film ? Un film avec des gens connus ?

— Un film tout ce qu'il y a de correct, rassurez-vous. Scénario en béton. Réalisateur inventif. Pas de vedettes mais des comédiens hors pair.

— Un traquenard, quoi !

Je m'efforçai de le provoquer avec la plus grande insolence.

— Rien d'un traquenard, dit-il d'une voix douce. Mais vous avez raison de vous méfier.

Il sourit et dévoila une série de dents légèrement écartées, salies par des années d'alcool et de tabac.

— Devant une si jolie petite bouille, j'en connais qui n'hésiteraient pas une seconde à profiter de la situation.

— Pourquoi j'accepterais ?

— Vous êtes étudiant, non ? Ça se voit. Vous n'avez rien d'un professionnel de la nuit. Vous avez juste besoin d'argent.

Il se pencha pour me parler à voix basse.

— Sinon vous ne seriez pas dans ce bouge.

Ses longues mains caressaient la surface de son verre. Ses yeux se perdaient dans le miracle du liquide ambré qu'il emprisonnait.

— J'ai remarqué vos manières, votre délicatesse... J'imagine que vous venez d'une famille très bien. Très... comme il faut. Un peu pingre, peut-être ?

Il eut un rire léger et frais.

— Donc vous avez besoin d'argent pour vos sorties. Pour vous offrir certaines petites folies que votre père n'est pas encore préparé à payer sans doute.

Cette dernière phrase, il la prononça d'une manière particulièrement insidieuse. Je n'en revenais pas d'être aussi facilement percé à jour.

Est-ce que je suis vraiment aussi transparent ?

— Voilà précisément ce que je vous propose. Un peu d'argent en échange de votre prestation. Mais de l'argent propre, mon cher ami ! Le genre d'argent qui ne fait pas monter le rouge au front.

Il se mit à fouiller dans la poche intérieure de sa gabardine et en sortit un portefeuille en pur croco, noir et luisant.

— Voici ma carte.

Il me tendit un petit carton couleur sable frappé de son nom, de son adresse et de sa qualité de producteur.

— Passez me voir quand vous le souhaitez. Pourquoi pas ce soir, après votre service ? Même très tard. Je ne dors quasiment jamais.

— Il faut... que j'aille chez vous ?

— J'ai besoin de photos. Le réalisateur les réclame, voyez-vous. Et puis je suis désolé de vous le dire, mais vous commencez sérieusement à m'agacer, mon joli.

Il éclata d'un rire aussi vaporeux que la fumée de la Benson & Hedges qui brûlait entre ses doigts.

Le type habitait à deux pas, rue des Archives, dans un hôtel particulier du XVIIIᵉ siècle. Comme la plupart des immeubles du quartier à cette époque, des siècles de suie et de pollution l'avaient complètement déglingué, il était noir de crasse. Il avait été réaménagé en neuf lots de taille importante, au nombre de trois par étage. Dix-huit fenêtres, hautes et étroites, donnaient sur un jardin à la française où s'ordonnançait un mini-labyrinthe de topiaires à l'abandon.

Je sonnai à l'interphone encastré dans une haute grille de métal. Une série de grésillements, et la voix du producteur s'éleva, nasillarde.

— C'est Paul.

Un petit clic plus tard, je parcourais avec appréhension une allée de gravier qui menait à une très lourde porte en bois, elle-même équipée d'un nouvel interphone.

— C'est toujours Paul, plaisantai-je à contrecœur.

La porte s'ouvrit sur un escalier d'apparat aux marches hautes et profondes, dont la plupart étaient fendues ou carrément fracassées. L'homme m'attendait au deuxième et dernier étage, une cigarette à la main, les avant-bras en appui sur la balustrade de fer forgé. Son cou maigrichon pointait d'une robe de chambre à imprimé cachemire. Il était plus de 2 heures du matin et il semblait parfaitement éveillé. Effectivement, l'homme dormait peu. Il me fit entrer chez lui, referma la porte et s'éclipsa aussitôt à la recherche de son appareil photo.

L'appartement était entièrement blanc. Les murs, le plafond, le sol de marbre, les meubles, tout, tout, absolument tout était blanc. Une blancheur d'hôpital, hostile, lugubre à force d'éclat. Des lampes – blanches – partout, mais pas un seul tableau aux murs, aucun objet hormis un gigantesque cendrier d'albâtre qui débordait de mégots et de cendre grise et apparaissait comme le seul élément visuellement perturbateur dans ce milieu aseptisé. Je m'impatientais. Le type ne revenait toujours pas. Au bout de quelques minutes, je criai son prénom. D'abord calmement puis de plus en plus fort. Aucune réponse. Je recommençai, en hurlant cette fois. L'homme apparut enfin. Il était complètement nu. Sa maigreur apparaissait dans tous ses excès : un véritable cadavre ambulant. Son sexe dur, de taille ridicule, saillait sous un ventre maigre et sec, lisse comme une peau fraîchement tannée. Il se jeta sur moi. Je l'arrêtai d'un geste violent de mes deux poings sur son torse. Son corps rebondit sous le coup et il s'effondra sur le sol, ce type ne devait pas peser plus de trente-cinq kilos. Il se releva avec lenteur.

— Oh Paul, tu m'excites tellement, tellement. J'ai tellement envie de toi !

Je me mis à hurler en agrippant la poignée de la porte.

— Tu es un putain de menteur.

Il se précipita sur moi. Je le repoussai une nouvelle fois, un peu moins violemment cependant. Il vacilla mais réussit à se maintenir d'aplomb. Bon sang, il fallait à tout prix que je sorte de ce traquenard ! Je tournai violemment la poignée de la porte. Le salaud avait eu le temps de la fermer à clef.

— Tu ouvres ça, bordel !

— Ne te fâche pas, s'il te plaît. Paul, ne te fâche pas.

Il restait prudemment à un mètre de moi. On le sentait décidé à aller jusqu'au bout de l'humiliation qu'il s'infligeait. Il me fixa avec un regard de chiot martyrisé et me supplia à voix basse :

— Une petite pipe. Juste une petite pipe.

Ses yeux étaient mouillés de douleur. Sa voix n'était que plaintes et gémissements. Elle avait perdu toute son élégance et sa sophistication.

— S'il te plaît, Paul. Je t'en supplie.

Sa maigre poitrine se souleva, faisant ressortir ses côtes que j'aurais pu compter une à une, si j'avais eu la tête à ça. Il haletait. Son visage se défigura et il se mit à pleurnicher comme un gosse pris sur le fait et contraint d'avouer sa faute. Ses phrases étaient entrecoupées de sanglots abominables. Quel foutu spectacle ! Moi, le dos collé au chambranle de la porte, tétanisé par cette douleur sordide, lui, à poil au beau milieu de cette avalanche de blanc. Trop blanc, lui aussi : un spectre livide dévoré par le désir, la douleur, le manque, avec sa bite minuscule, tendue comme un doigt mendiant, qui bringuebalait de droite à gauche de manière grotesque.

— Ça ne te coûte rien, Paul... Une petite pipe de rien du tout...

J'étais à la fois ulcéré et bouleversé par cette honteuse perte de dignité. Je ne sais pas ce qui me passa par la tête. Compassion chrétienne ? Culpabilité ? Je me mis à genoux devant lui. Il jouit au bout de trente secondes. J'ouvris les yeux et me levai d'un bond. J'étais hagard. Lui me regardait, à moitié chancelant, avec des yeux immenses, des yeux incrédules où brillait la flamme d'une reconnaissance hébétée. Trois secondes plus tard, je filais retrouver Maxime à qui je n'osai même pas confier cette sordide aventure.

Le type passa dans l'après-midi du lendemain, bien avant mon arrivée, déposer sur le comptoir du bar la feuille de service qui contenait toutes les informations utiles pour gagner le lieu du tournage. Au verso de sa carte de visite, d'une écriture chahutée, étaient inscrites les six lettres du mot « désolé ».

Les studios de cinéma, on se les imagine resplendissants, ocre sous un ciel d'un cobalt étincelant gavé de soleil, nichés au bout d'une très longue allée de palmiers débordant de chlorophylle. En cette mi-octobre, il pleuvait. Un ciel de plomb emprisonnait l'horizon, des étourneaux s'en allaient dare-dare rejoindre le continent africain, la banlieue nord de Paris n'avait rien des faubourgs d'Hollywood. Le lieu du tournage se présentait sous la forme d'une succession rébarbative de gigantesques hangars de tôle. Si quelques yuccas desséchés embellissaient la cafétéria, le concept de chlorophylle se concentrait essentiellement dans les chewing-gums mentholés que l'assistante du chef maquilleur mâchonnait à longueur de temps. Je dus patienter plus de trois heures dans une loge minuscule avant que l'assistante ne s'occupe de mon cas en m'infligeant le teint morbide et les yeux cernés que réclamait mon rôle.

Extrait du synopsis : *Un couple divorcé se retrouve, après de longues années de séparation, au chevet de son fils unique. Ce dernier, atteint d'une maladie incurable, vit ses derniers instants. Ces retrouvailles font naître chez les parents un sentiment de confusion qui se transformera au fil de l'histoire en un puissant regain d'amour.*

J'étais supposé être à l'article de la mort – dans le scénario je devais d'ailleurs y passer assez rapidement –, et donc incapable de prononcer un seul mot. Mes lignes de dialogue étaient par conséquent particulièrement minces et se limitaient à un faible *oui* en réponse à une question de mon père et à un *non* à peine esquissé en réponse à une question de ma mère.

L'assistant du chef costumier me fit revêtir un pyjama bleu ciel à fines rayures blanches avant que le second assistant réalisateur ne me conduise sur le plateau à travers un dédale de couloirs.

Sur plus de mille mètres carrés s'étalait un décor d'hôpital. Non, d'ailleurs, ce n'était pas un décor, nous étions *véritablement* dans un hôpital. Il n'y avait pas seulement cette chambre où mes parents de cinéma allaient se rencontrer, il y avait aussi la salle des infirmières attenante, avec ses rangées d'armoires métalliques et ses portemanteaux en inox où fleurissait une cohorte de blouses immaculées. Il y avait ces longs couloirs décorés d'aquarelles et pavés de linoléum moucheté. Il y avait la salle du médecin de garde, encombrée de matériel médical, avec son armoire à pharmacie remplie d'authentiques médicaments. Il y avait ce hall d'accueil plus vrai que nature, avec son comptoir en formica et ses banquettes de skaï. Tout était reconstitué avec une minutie obsessionnelle. Mais le plus impressionnant se révélait quand on levait les yeux. Sous l'immensité des vulgaires toits de tôle se déployait un arsenal électrique d'une complexité prodigieuse. Un agencement de dizaines et de dizaines de projecteurs, du plus petit au plus gros, qui éclaboussaient l'espace d'une lumière bleue et artificielle glaciale. Des kilomètres de câbles noirs épais comme deux doigts, certains comme le poing entier. Et aussi des réflecteurs, des poulies, des crochets, des pinces, des rotules d'acier en nombre incalculable. Le tout assujetti à un agencement de ponts métalliques argentés qui donnaient à l'ensemble un air de plate-forme pétrolière offshore. Au milieu de tout cela, une cinquantaine de personnes s'agitaient en tous sens en déplaçant échelles, décors, accessoires. Le miracle du cinéma ! Le champ et le hors-champ. Le visible et l'invisible. Un bordel insensé auquel l'objectif de la caméra, par le jeu des cadres et des mouvements, allait apporter une signification inspirée.

Moi, abandonné au milieu de cette incroyable machinerie, vêtu de mon pyjama bleu, les yeux et le cerveau éblouis, j'étais redevenu un enfant. Je revoyais la pénombre de mon ciné-club et je m'émerveillais d'être soudain propulsé de l'autre côté du décor, du côté où les rêves se fabriquent.

Le premier assistant réalisateur s'avança vers moi. Il était nerveux, essoufflé.

— Tu me suis ? On est super à la bourre.

Il marchait à grandes enjambées, je dus courir sur au moins deux cents mètres pour pouvoir le suivre. Sur le plateau, il me guida vers un lit aux montants de fer et m'invita à me glisser sous les draps.

À partir de là, personne ne fit plus trop attention à moi. Il me semblait que j'étais soudain devenu un élément du décor, au même titre que la table de nuit, la bouteille d'oxygène ou l'applique au-dessus de mon crâne. Un accessoire à la fois essentiel et banal. Le réalisateur discutait à voix basse – mais vivement, en remuant sans cesse les mains – avec sa scripte. Les machinos assuraient les derniers réglages d'une grue à bras articulé que couronnait une énorme caméra. Le chef opérateur hurlait ses ultimes instructions à son équipe. Je sentais régner une ambiance électrique, tout le monde avait l'air épuisé et à bout de nerfs. D'ailleurs, si la scène que nous nous apprêtions à tourner était l'une des toutes premières du film, le tournage durait depuis maintenant plus de dix semaines et d'après les potins de la maquilleuse, il avait été particulièrement éprouvant. Les deux comédiens principaux entrèrent sur le plateau, chacun de son côté, sans se jeter un seul regard. Un lourd silence s'abattit. Visiblement, ces dix semaines avaient suffi pour qu'une haine farouche les oppose. Ils rejoignirent le réalisateur qui se mit à leur parler à voix basse puis tous trois se dirigèrent vers le lit.

L'acteur me dévisagea pendant de longues secondes puis se tourna vers le réalisateur. Il se mit à hurler :

— C'est qui ce type, bordel ?

Il désigna du doigt sa partenaire sans la regarder.

— Dis-moi, tu l'as vue, elle ? Tu m'as vu, moi ? On est bruns tous les deux et tu me files ce rejeton blond comme un putain d'enfant de nazi. Personne ne va y croire à ton truc. Où est-ce que tu l'as encore dégoté ce minet ?

— C'est Jerry, dit le réalisateur, humblement mais fermement.

— Jerry ? Il est où ce connard de Jerry ?

Un assistant précisa d'une voix mielleuse que le fameux Jerry serait pas là aujourd'hui. Je n'arrivais pas à croire que je puisse être la raison de son absence sur son plateau. Bizarrement je me sentis soudain plein d'importance même si, j'en avais conscience, c'était parfaitement déplacé.

— Évidemment, si c'est Jerry qui l'a dégoté ! Ah ah ah... Le minet a dû bien le pomper.

Quelques rires étouffés éclatèrent. Ravi d'avoir déclenché une telle hilarité, il se pencha vers moi.

— Tu l'as bien sucé, pas vrai ?

J'étais liquéfié et, bien entendu, incapable d'aucune réaction. De son côté, le réalisateur commençait à pressentir le naufrage de sa scène.

— Fous-lui la paix, Alain, le gamin n'y est pour rien.

La bataille dura une bonne demi-heure. La chef costumière fut appelée à la rescousse. On m'affubla de plusieurs perruques dont aucune ne convenait car toutes me donnaient un air victorieux incompatible avec le côté maladif réclamé par le scénario. L'acteur ne voulait rien lâcher. Le réalisateur fumait clope sur clope. L'incident prenait des proportions dramatiques. À ce stade, on ne me considérait vraiment plus comme un être humain. Tout le monde avait les yeux fixés sur moi mais personne ne me voyait. Je tremblais, je suais, j'avais chaud, puis froid. J'en arrivais à en vouloir à ma mère de n'avoir pas cocufié mon père avec un Espagnol de passage.

Il fut finalement décidé de cacher mes cheveux sous une épaisse construction de bandelettes. C'est alors que le scénariste s'interposa :

— Pas d'accord. Pas d'accord du tout. Il n'a pas eu d'accident, il est malade. Genre leucémie, vous voyez. Ce garçon est juste malade. Mais j'imagine que tous, vous avez lu le script ?

Il s'exprimait de façon lente et appuyée en essayant à chaque mot de contrebalancer par le poids de sa propre intelligence l'insupportable connerie de tous les autres.

Ma mère eut alors une suggestion qui prit tout le monde de court, d'autant qu'elle la fit de manière assez évasive – presque au hasard, pour tout dire.

— Et si on ne voyait carrément pas son visage ?

Un éclair passa dans les yeux du réalisateur.

— Ça... c'est formidable !

Il emplit ses poumons d'une longue bouffée créatrice.

— On en parle tout le temps mais on ne le voit jamais... On ne voit que ses pieds et son corps sous les draps... Jamais son visage...

Il parlait avec affectation, en fermant de temps à autre les paupières, comme sous le coup d'une inspiration mystique.

— C'est l'enfant dans toute sa beauté et l'énigme de sa présence... L'esprit de l'enfant... La mort de l'enfant... Qui plane et qui obsède... Si on le voit, c'est foutu... Tout ce mystère cesse d'exister... Tu viens de me donner une idée superbe.

Il buvait des yeux le visage de son actrice.

Le scénariste, que l'on sentait agacé par cette nouvelle approche dont il aurait sans doute adoré être l'instigateur, éprouva la nécessité de s'exprimer là-dessus :

— C'est le MacGuffin hitchcockien par excellence... L'objet déclencheur du drame que l'on finit par oublier tout à fait. Excellent.

Le réalisateur ignora la remarque. Il commença à déployer lentement son bras pour mimer la scène à sa comédienne.

— Tu lui tends un verre d'eau... Sa main s'approche de ta main quand tu lui tends le verre... Sa main... Rien que sa main dans le champ... Comme s'il était invisible... inexistant...

Il parla soudain de manière exagérément lente.

216

— Comme s'il était déjà parti... Comme s'il était déjà ailleurs... Je cadre l'absence. Oh là là, c'est magnifique !

Cette nouvelle règle fixée, le tournage pouvait reprendre. La scène était pleine d'émotion et, pour autant que je pouvais en juger, assez bien écrite. Elle était cependant longue, éprouvante et réclamait des deux acteurs une concentration et un investissement continus. L'antipathie manifeste qu'ils se portaient entre les prises s'évanouissait comme par miracle dès que résonnait le mot « action ». Le découpage prévu imposait pas moins de sept angles de prises de vues et l'on dut recommencer la scène entière près de quatre-vingts fois. Chacun s'attendait tôt ou tard à un nouveau coup d'éclat de l'acteur principal, mais rien de tel n'arriva. Du coup, mon appréhension fondit peu à peu. On en arriva même à me regarder avec bienveillance et, au cours des neuf heures que dura le tournage, la comédienne m'adressa deux ou trois paroles réconfortantes. Le comédien ne me parla qu'une seule fois et ce fut amplement suffisant. À un moment donné, il se baissa et approcha ses lèvres de mon oreille.

— Tu l'as vraiment sucé, cet enfoiré de Jerry ?

Il se redressa, rempli d'une fausse indulgence.

— Tu peux tout raconter à ton papa !

Je lui renvoyai un grand sourire – toujours le même, entre abandon de soi et mise à distance – qui parut l'inquiéter et il me ficha le paix jusqu'à la fin de la journée.

Comme mon visage demeurait invisible dans le cadre, on décida de supprimer également mes deux maigres répliques. Qu'importe ! J'eus mon quart d'heure de gloire quand on en vint au plan du verre.

L'attention d'une cinquantaine de personnes fut soudain mobilisée sur le mouvement de ma seule main. Le machino en charge des annonces caméra cria soudain :

— Insert main Paul. Première !

Clac. La mâchoire du clap se referma dans un bruit sec.

Ma main fut immortalisée trois fois de suite.

Il était près de minuit quand je rentrai chez moi. Madame Ziegler avait insisté pour que je lui raconte par le menu ma première rencontre avec le septième art. Malgré l'heure tardive, elle m'attendait dans son salon.

— Alors, mon petit Paul, c'était comment ?

Je pris place dans un gros fauteuil. Les mots me manquaient vraiment. Je n'avais pas arrêté de réfléchir à tout ce qui s'était passé ce jour-là. Sur le plateau bien évidemment, mais aussi tout au long de l'interminable trajet qui me ramenait vers les Invalides. Mon visage devait marquer la plus profonde confusion. La vieille femme me regarda avec inquiétude.

— Alors, Paul, tu ne veux rien me dire ?

Je mis d'interminables secondes à convertir ma pensée en mots.

— Madame Ziegler... Je crois... Je crois que je veux devenir comédien, annonçai-je sur le ton le plus solennel qui soit.

31 décembre 1982

Plus d'un an d'exercices et de jogging quotidiens avaient affermi le corps de Rodolphe. Il avait perdu une bonne vingtaine de kilos et la graisse flasque qui cernait ses bras et sa ceinture abdominale s'était pour ainsi dire évaporée. Pour autant, ses rondeurs n'avaient pas totalement disparu, mais au moins elles ne tenaient plus de la chose avachie. Il aurait pu porter des T-shirt ajustés sans que personne trouve cela déplacé ou le traite de gros lard. Seulement voilà : rien dans sa garde-robe n'était adapté à ce nouveau gabarit. Rodolphe ne portait que des T-shirts informes en été et d'affreux pull-overs boulochants en hiver. Quant aux chemises, il n'en possédait pour ainsi dire aucune. L'invitation de Gabriel à célébrer le réveillon de la Saint-Sylvestre en tenue habillée le prit donc de court.

— Habillé ? Ça veut dire quoi habillé ?

Gabriel désigna de la main le sweater XXL de Rodolphe. Il était tellement large qu'il pendouillait bien en dessous des fesses et que ses doigts se perdaient parfois dans ses manches.

— Exactement le contraire de ça.

219

Deux jours plus tard, Rodolphe affrontait aux côtés de Gabriel un ennemi implacable, bien plus sournois et insaisissable que tous ceux auxquels il s'était frotté jusqu'alors : la mode et ses diktats.

La vendeuse du magasin où Gabriel le traîna portait une robe-pull d'un jaune violent, surdimensionnée au niveau des épaulettes, et semblait tout droit sortie de la pochette d'un album inédit des Cure, avec son regard charbonneux, ses lèvres noires et sa coiffure en pétard qui rejaillissait en éclaboussures de mèches aile-de-corbeau jusqu'au milieu de son visage.

— Sylvie, tu n'aurais pas une chemise et un futal un peu... Enfin tu vois, un truc qui lui irait. Un machin un peu habillé, quoi..., lui dit Gabriel en désignant son copain.

Tout en mâchonnant son chewing-gum, Sylvie se mit à détailler Rodolphe d'un regard torve qui s'apparentait à celui de l'éleveur avisé dans une compétition bovine.

— Sylvie a un talent dingue pour relooker les gens, dit Gabriel à l'intention de Rodolphe.

La vendeuse disparut subitement derrière un rayon d'où elle revint de longues minutes plus tard les bras encombrés d'un empilement de chemises. Elle tendit à Rodolphe celle qui se trouvait sur le haut du tas : une chemise vert émeraude agrémentée d'un large liseré de paillettes irisées sur les deux revers du col et autour des poignets. Rodolphe prit la chemise, la fixa d'un œil absent et la rendit à la fille, presque avec dégoût.

— Ah ouaaaais ? fit-elle très lentement, en s'adressant uniquement à Gabriel. Il aime pas ?

— Vous n'avez pas quelque chose de plus... de moins... Enfin... Comment vous expliquer ? Bordel, c'est quoi ces trucs au col et aux manches ?

— C'est tout ce qu'il y a de branché, dit la fille, placidement.

— Ça s'appelle de la mode, dit Gabriel, narquois. Sylvie connaît super-bien son job, fais-moi confiance.

— Pour ma part, je trouve même que c'est le sommet du branché, ajouta Sylvie, soudain étonnamment loquace.

— OK, foutez-vous de ma gueule si vous voulez, mais filez-moi un truc complètement en dehors de la mode, un machin super pas branché, je m'en tape, mais dans lequel je ne me sente pas comme un putain de sapin de Noël !

— Sylvie, au risque de heurter tes convictions... tu n'aurais pas quelque chose de plus... de plus classique ? dit Gabriel, confus.

Dix minutes plus tard, ils étaient affalés l'un et l'autre sur une chaise d'un café voisin. Gabriel sirotait une pinte de bière en observant le spectacle de la rue à travers la buée d'une grande baie vitrée. Malgré le froid cuisant, une énergie nouvelle agitait les passants, qui semblaient tous impatients d'enterrer cette interminable année 1982, ces douze mois douloureux tissés de désenchantement et de trahisons, et que surgisse enfin l'année 1983 qui à coup sûr, rien que par le fait qu'elle était neuve, apporterait satisfaction et optimisme.

Rodolphe n'en finissait pas de tourner sa cuiller dans sa tasse de café. Il releva soudain la tête.

— Elle était vraiment naze, cette fille, tu ne trouves pas ?

Gabriel ne releva pas. Rodolphe eut un demi-sourire.

— Je suis sûr que tu l'as sautée. Ou en tout cas, que tu rêves de le faire.

— Je ne saute pas toutes les filles, si tu veux savoir. Éventuellement celles qui m'intéressent, et Sylvie ne m'intéresse pas.

— Ah bon ? Moi j'aurais dit plutôt le contraire : « Sylvie a un talent dingue… Elle connaît super-bien son job… » Et bla, bla, bla… On dit ça d'une fille qu'on a pas envie de baiser ?

— Je te le répète, Sylvie ne m'intéresse pas. Même si c'est une gentille fille.

— Une gentille fille ? Tu plaisantes. C'est la vendeuse la plus abominablement prétentieuse que j'aie jamais rencontrée. Même Fanny Ardant a l'air moins snob.

— Tu ne comprends rien aux nanas, pauvre andouille.

Rodolphe fixa Gabriel. Évidemment, avec cette bouche carmin, ces iris transparents, cette sensibilité triomphante, cette aptitude naturelle à s'impliquer corps et âme dans n'importe quelle connerie proférée par une nana, Gabriel n'avait sûrement aucun mal à comprendre les filles et à s'en faire comprendre.

Mais lui, Rodolphe… Lui !

D'ailleurs, qu'impliquait le fait de comprendre les filles, sinon de passer du temps avec elles ? Qu'impliquait en retour le fait de passer du temps avec elles, sinon qu'elles acceptent de passer du temps avec vous ? Or aucune fille ne souhaitait vraiment offrir de son temps à Rodolphe. Les adhérentes de l'UNEF-ID – que, par vengeance de n'avoir pu en séduire

aucune, il s'entêtait à appeler les «UNEF hideuses» –
constituaient le seul vivier de filles qui consentaient
à lui adresser la parole pendant plus de trois minutes
d'affilée. Encore s'agissait-il de discussions sérieuses,
militantes, manœuvrières, où n'entrait jamais le
moindre signe de relâchement, le moindre trait
d'humour partagé, le moindre épanchement d'ordre
personnel qui aurait pu constituer un embryon d'ouverture, le frémissement d'un début de relation intime.
Quant aux filles du café *L'Espérance*, ces mystérieuses
créatures de la fac de lettres, malgré le succès de ses
épisodes radiophoniques, il n'arrivait tout bonnement
pas à imaginer avec elles un sujet de conversation qui
ne tourne pas, là encore, autour de la chose politique.
On en revenait toujours au même point : le sujet. Quel
sujet aborder avec ces filles ? De quoi désiraient-elles
parler ? Qu'aimaient-elles entendre de la bouche des
garçons ? Il n'y avait pas que le physique – bon, soyons
honnêtes, il est clair que de ce côté-là chez Rodolphe,
rien n'aidait –, il y avait l'art de la conversation et cet
art, il ne le maîtrisait pas du tout. Pour cela, il aurait
fallu lâcher prise et accepter d'être superficiel, du
moins dans les premiers moments, quand il s'agissait
d'établir le contact. Or Rodolphe n'avait rien de frivole. C'était même le garçon le plus sérieux qui soit.
Certes il était drôle mais il ne parvenait jamais à l'être
de façon légère. S'il faisait rire, c'était toujours par des
blagues cyniques, appuyées, outrancières, qui enchan-
taient les étudiants mais effaraient ses condisciples
de l'autre sexe. Son humour, froid et caustique, était
essentiellement masculin.

Rodolphe se pencha vers Gabriel.

— De quoi tu parles avec les nanas ?

Gabriel ne comprit pas la question, ou alors elle était si vaste qu'il ne se sentait pas le courage d'y apporter une réponse.

— Je veux dire… qu'est-ce qui les intéresse ?

Gabriel le regarda avec des yeux ronds et éclata de rire.

— OK, d'accord, tu en es là ?

Rodolphe entendit cogner son cœur en même temps qu'il donnait à sa voix une légère intonation moqueuse dont il imaginait parfaitement que Gabriel ne serait pas dupe.

— Je n'en suis pas là du tout, mon petit bonhomme.

— Mais tu me poses quand même la question.

Rodolphe laissa passer quelques secondes – tête baissée, air coupable – avant de se redresser.

— D'accord. Mettons que je débarque de la planète Mars avec mes petites antennes télescopiques, mon gros ventre tout vert, ma chemise blanche et mon pantalon à pinces. Je ne connais rien aux nanas mais il se trouve que, bon, j'ai hyper-envie de… Je lui dis quoi, bordel ?

Il avait parlé de plus en plus fort.

— D'abord tu ne cries pas. Tu parles doucement à une fille. C'est précieux, une fille. Ça se manipule avec douceur. Et puis je ne sais pas, moi, de quoi tu lui parles. Il y a des milliards de sujets qu'on peut aborder avec une nana.

— Donne-m'en un. Un seul.

Gabriel ne réfléchit que quelques courts instants.

— Tiens ! La cause des femmes, elles adorent ça.

Rodolphe plissa les yeux en le regardant de manière inspirée.

— Très bien. Donc je sors de ma soucoupe que j'ai garée, disons, sur le campus de la fac de lettres, je m'avance vers une fille, n'importe quelle fille... Je lui dis : J'ai lu *Le Deuxième Sexe* et j'adore... Vraiment j'adore... Quelle sacrée bonne femme cette Simone ! Quelle intelligence ! Elle aurait pu se dégoter tellement mieux que cet horrible binoclard à moitié aveugle qui la cocufiait à longueur de temps derrière le comptoir du *Café de Flore*... Oui, franchement... Et la fille me grattouille les petites antennes télescopiques qui se mettent à grossir, à grossir... Et on décolle dans ma soucoupe pour un petit tour au septième ciel. C'est tout ? C'est aussi simple que ça ?

Gabriel éclata de rire.

— Écoute, je serais une nana, je te roulerais un énorme palot. Là, tout de suite ! Et peut-être même que je coucherais avec toi.

Rodolphe recula dans sa chaise et eut une mine de dégoût terrible.

Je passerai sous silence les conseils que Gabriel donna à Rodolphe au cours de la conversation qui suivit. On n'y découvrirait que des recettes vieilles comme le monde, un catalogue d'idées toutes faites que les garçons qui couchent régulièrement avec des filles recommandent à ceux qui ne le font que rarement, afin de se convaincre eux-mêmes qu'ils connaissent comme leur poche le sexe opposé. Sachez seulement qu'on y parla approche, séduction, préliminaires, que Gabriel insista sur la nécessité d'être sensible et attentionné, constamment à l'écoute, un brin finaud et manipulateur, drôle sans être corrosif, entreprenant sans être envahissant, franc et sincère sans jamais commettre l'erreur irréparable de se livrer tout à fait.

Autant de qualités dont Rodolphe était, à cette époque, totalement dépourvu.

La soirée du nouvel an se déroulait au cœur de la ville, dans un hôtel particulier privé qui impressionna Rodolphe aussitôt qu'il s'en approcha. Ainsi des gens vivaient là-dedans, se dit-il. Des êtres humains y mangeaient, y dormaient, parcouraient à grandes enjambées les escaliers et les salons surchargés de mobilier ancien, allaient aux chiottes – bordel, aux chiottes ! – dans ce monument historique qui avait tout d'un musée et surtout rien d'une habitation. Il ne pouvait se résoudre à le croire. Il déplia le papier que lui avait remis Gabriel et vérifia plusieurs fois qu'il ne s'était pas trompé d'adresse. Aucun doute, c'était bien là.

Il observa la façade de style classique, parfaitement ordonnée – le règne absolu de la symétrie – avec ses corniches, ses pilastres, ses colonnes ; le jeu subtil que créaient les ombres des invités en passant derrière les voilages des vastes fenêtres ; la quantité impressionnante de photophores qu'on avait disposés dans le jardin, dont les lumières faisaient vaciller le contour des arbres et des massifs en leur conférant une dimension à la fois magique et inquiétante.

Puis tout à coup il se ressaisit. Une pensée irraisonnée le terrassa. Le cordon immatériel qui le reliait à son père se tendit à nouveau, charriant dans ses veines un puissant torrent de colère prolétaire devant l'indécente exposition de tant de richesse. L'argent ! L'argent de ceux qui possèdent et exploitent. Un argent nécessairement avili, le résultat obligé de malversations, de trafics ou de détournement de fonds. Le sale pognon du riche contre l'éternelle souffrance du pauvre. La vieille rengaine paternelle lui colla au crâne pendant quelques secondes au bout desquelles il se sentit révulsé par l'idée même que cette pensée puisse encore le traverser. D'abord, c'était le reliquat d'un embrigadement contre lequel il se battait depuis l'âge de seize ans. Ensuite, elle établissait entre lui et sa famille, entre lui et sa classe sociale, une filiation morale dont il souhaitait à tout prix se défaire. Or il ne voulait être victime des dogmes de personne, il ne voulait appartenir à aucun clan. Il voulait une pensée neuve, originale, débarrassée des poncifs. Il voulait être libre.

Gabriel arriva avec trois quarts d'heure de retard. Sous un long manteau de laine noire, il portait un costume de velours ras rouge grenat, une chemise noire et un charmant nœud papillon à pois jaunes. Il aurait pu poser pour la une d'un magazine de mode. Rodolphe, emmitouflé dans son éternelle parka verte, ne put s'empêcher de ressentir une pointe de dépit.

— Qu'est-ce que tu foutais, bordel ? Et puis c'est quoi, cette baraque ?

— Calme-toi, mon gros. Tout va bien se passer.

Gabriel s'avança vers le pilier d'une grille où était encastré un interphone. Il sonna, se présenta, la porte s'ouvrit avec un clic. Ils pénétrèrent dans le jardin. Une musique lointaine – le tempo lancinant d'une boîte à rythmes disco – leur parvint aux oreilles. Rodolphe posa la main sur le bras de son ami et le força à s'arrêter.

— Gabriel, c'est quoi ce piège ? Tu m'avais parlé d'une fête organisée par une de tes copines.

— Je n'ai pas menti.

— Une copine qui vit dans un putain de château ? Tu l'as encore trouvée où celle-là ?

— On s'est rencontrés à des réunions du parti. Elle a été secrétaire des Jeunesses socialistes il y a deux ou trois ans. Son père aussi d'ailleurs est socialiste. Il a même donné pas mal de fric pour la campagne de notre cher président. On est en terrain ami, rassure-toi.

— Le père sera là ?

Rodolphe semblait inquiet à cette perspective, on ne sait trop pourquoi.

— Bien sûr que non. Il n'y aura que des jeunes. Dont pas mal de canons de la fac de lettres. Tu l'as garée où ta soucoupe ?

Gabriel le gratifia d'un clin d'œil. Rodolphe, bougon, haussa les épaules. Ils s'avancèrent vers le porche d'entrée.

Ce truc appartient donc à un socialiste ? ne put s'empêcher de penser Rodolphe en fixant la porte avec une légère appréhension.

Celle-ci s'ouvrit et une musique tonitruante se déversa, accompagnée de dizaines de hurlements de joie. C'était *Thriller* de Michael Jackson que les radios assénaient sans discontinuer depuis un mois.

Alice, la fille du propriétaire des lieux, les accueillit. Rodolphe s'attendait à une beauté évaporée ou hautaine, ou affreusement poseuse. Il découvrit une jeune fille d'une vingtaine d'années dont le caractère joyeux et malicieux l'emportait au premier coup d'œil sur son physique ingrat. Elle plaisantait sans discontinuer et riait au moindre trait d'humour qu'on lui adressait, mais son rire n'avait rien de faux, de forcé ou de stupide. Elle vous embarquait littéralement dans sa bonne humeur, au point que vous lui pardonniez aussitôt ses cheveux secs et mal coupés, la maigreur de son visage, son corps osseux et gauche, le peu d'efforts qu'elle avait accordés à sa toilette en ce jour de fête, hormis un invraisemblable nœud rose fuchsia qu'elle portait sur le haut du crâne avec une audace déconcertante. Elle se précipita sur Gabriel, qu'elle prit dans ses bras, puis se dirigea vers Rodolphe qu'elle embrassa chaleureusement sur les joues.

— Tu dois être Rodolphe ! Gabriel m'a beaucoup parlé de toi et pourtant, Dieu sait s'il déteste parler de quelqu'un d'autre que lui !

Gabriel lui pinça gentiment la joue en guise de représailles. Même quand elle proférait des vacheries, elle le faisait avec tant d'allégresse qu'il était impossible de lui en vouloir. Rodolphe était abasourdi par ce tourbillon de vie. D'autres invités arrivèrent. Alice retourna à son rôle de maîtresse de maison. Rodolphe s'éloigna et se fondit dans la foule des invités. Il suivit un temps Gabriel, participa à des discussions convenues avec ses condisciples de la minorité rocardienne, alla jouer les pique-assiette à l'un des trois buffets dressés pour l'occasion puis, au bout d'à peine une demi-heure, il se retrouva seul, isolé au milieu de la nuée d'invités, sans personne à qui s'adresser, soit par manque d'opportunités, soit par déficit d'assurance : une situation on ne peut plus classique. Rodolphe jeta un œil à sa montre. Il était 23 h 40. Il ne souhaitait pas attendre les douze coups de minuit et leur cortège d'embrassades.

Qui pourrait-il embrasser ce soir en toute sincérité ? Personne, hormis Gabriel. Et encore... Il s'apprêtait à partir quand il sentit qu'une main se posait sur son épaule. Alice était derrière lui. Un couple d'une trentaine d'années l'accompagnait.

— Ne me dis pas que tu pars ? Je te signale que je vais me mettre à pleurer si c'est le cas. Et tu n'as aucune idée de ce que cela implique, crois-moi. Ça peut prendre des proportions horribles et ça peut durer des heures ! Oh non, pas ce soir, je n'ai pas envie de pleurer ce soir !

Elle parlait vite, trop vite, les mots se télescopaient entre ses lèvres. On sentait qu'elle s'efforçait à chaque seconde d'être drôle et vive de crainte de paraître ennuyeuse.

— Je te présente Charles et Natacha. Ils sont grands reporters pour Antenne 2. *(À ses amis.)* Rodolphe est étudiant mais il est un peu journaliste aussi. *(À Rodolphe.)* Tu sais que je n'ai pas raté un seul de tes petits billets d'humeur !

— Ah, c'est gentil...

— Il paraît que c'est toi qui écris tous les textes.

Elle s'adressa à ses amis en laissant fuser un rire léger.

— Même ceux du journaliste qui est supposé l'interviewer !

Puis à Rodolphe :

— En tout cas, je peux te dire que Gabriel est jaloux à en mourir.

Rodolphe sentit une petite pointe de plaisir titiller son bulbe rachidien. Sa respiration s'accéléra. Il tenta de s'exprimer de la manière la plus neutre possible.

— Sans blague ?

Comme sur un coup de tête, Alice se tourna brusquement vers le couple.

— Ce garçon est beaucoup trop solitaire. Je vais lui présenter du monde.

Là-dessus, elle prit dans la sienne la main de Rodolphe, qui fut tellement surpris par cette proximité inattendue qu'il n'osa rien dire ou faire. Il se laissa entraîner. Ils avancèrent encore de quelques mètres puis Rodolphe s'arrêta.

— Alice, je ne crois pas que j'aie envie de rencontrer du monde.

Elle répondit sans réfléchir :

— Même des filles ?

Rodolphe la regarda sans comprendre.

— Je peux te présenter à des tas de filles si tu le souhaites. Tous les garçons cherchent des filles, non ? Surtout ce soir !

Elle l'embarqua à nouveau dans son sillage. Ils s'approchèrent d'un groupe majoritairement constitué d'étudiantes. Rodolphe en connaissait deux ou trois de vue. Une fois encore, il s'arrêta net.

— Eh bien pas moi.

— Pas moi, quoi ?

— Je ne cherche pas de filles.

Alice fronça les sourcils et le regarda avec une expression qui hésitait entre moquerie et affolement. Rodolphe jugea rapidement qu'il était inutile de bluffer avec elle. Il se surprit même à penser qu'il n'en avait pas la moindre envie.

— En fait, je ne sais pas quoi dire aux filles. Je crois qu'elles m'impressionnent trop.

Le regard d'Alice eut quelque chose de suppliant.

— Alors, moi aussi je t'impressionne ?

Rodolphe mit quelques secondes avant de répondre.

— Toi, non, je ne crois pas.

Il avait dit cela un peu trop sérieusement et déjà il commençait à le regretter. Elle éclata d'un rire sonore qui avait maintenant une autre teneur. Il avait perdu de son assurance, il était devenu fragile, nerveux.

— Je comprends, je comprends. Viens, on va se saouler alors.

Elle le poussa gentiment pour le faire avancer. Il tourna sa tête et la regarda.

— Alice, est-ce que j'ai dit quelque chose de mal ?

Avec une petite grimace comique pour le rassurer, elle enroula son bras autour du sien. Quelques secondes plus tard, ils marchaient bras dessus, bras dessous parmi les invités en se jetant de temps à autre des coups d'œil complices. À les voir ainsi, on aurait pu croire qu'ils se connaissaient depuis des années, qu'une connivence les unissait, en même temps qu'elle les protégeait de la foule et les isolait d'elle. Certains observèrent avec amusement ou surprise le couple qu'ils formaient. On fit même de méchantes remarques sur le thème «qui se ressemble...» Rodolphe eut conscience que certains regards se portaient sur lui, sur eux, et en fut embarrassé. Alice, elle, rien ne semblait pouvoir la troubler. Elle évoluait avec un bel aplomb, en saluant d'un signe de tête ou d'un sourire la plupart des gens qu'elle croisait. Enfin, elle s'arrêta devant un buffet, s'empara de deux flûtes de champagne, en tendit une à Rodolphe et trinqua avec lui.

— À part mon père, je n'ai jamais impressionné qui que ce soit.

Sa bouche se rapprocha de l'oreille du jeune homme.

— Je suis moche, je le sais, je l'ai toujours su, mais maintenant je m'en fiche complètement.

Un sentiment étrange illumina son visage. Peut-être n'avait-elle pas conscience qu'elle souriait, et surtout qu'elle le faisait de cette façon-là. Elle le regardait droit dans les yeux et semblait attendre une réponse. Non pas l'assurance du contraire de cette vérité un peu triste qu'elle venait d'énoncer, mais le témoignage d'une compréhension débarrassée de toute indulgence à son égard. À cet instant, Rodolphe comprit que quelque chose de profond – mais aussi d'infiniment dérangeant – le liait à cette fille. Sans doute étaient-ils tous deux constitués de la même matière, brute et sensible, façonnés par des années de souffrance et de questionnement jumeaux. Avec d'autres, cela aurait suffi à Rodolphe pour qu'il déguerpisse aussitôt. Il fuyait les gens dont les faiblesses pouvaient faire écho aux siennes et les mettre en lumière. Avec elle c'était différent. Elle mentait, il en avait pleinement conscience. On ne peut pas – une fille surtout ne peut pas – oublier le sale physique que l'on trimbale sans cesse aux yeux du monde. Il le savait, lui, c'est comme un boulet accroché à votre cheville qui vous empêche d'avancer et vous entraîne vers le fond, toujours.

Il eut un sourire en coin parfaitement entendu, raisonnablement engageant, où se dessinait la meilleure réponse qu'elle pouvait espérer. Alice vida d'un coup sa coupe et reprocha à Rodolphe de tarder à l'imiter. Avec entrain, elle fit remplir leurs verres par le serveur, un bellâtre à l'air suffisant, raide comme un piquet dans sa veste amidonnée, qui n'arrêtait pas de les observer avec un mélange de hargne et d'indifférence.

Soudain des cris de joie explosèrent un peu partout. Ensemble, plus de cent personnes se mirent à décompter les secondes qui les séparaient de l'année à venir. *Cinq... Quatre... Trois... Deux... Un...* Un dernier hurlement plus fort que les autres, et tout le monde se mit à embrasser ses voisins. Alice approcha timidement son visage de celui de Rodolphe. Elle déposa un baiser sur une joue puis sur l'autre. Alors elle le regarda avec un drôle d'air, un air inquiet et plein d'espoir, attendant que Rodolphe réagisse, la conforte par un rien – un sourire, un imperceptible mouvement des paupières – dans son intention d'aller un peu plus loin. Le jeune homme était aussi pâle et immobile que peut l'être une statue. Alice ferma brusquement les yeux, colla ses lèvres contre celles de Rodolphe, puis très vite fourra sa langue dans sa bouche.

Son baiser avait un goût de champagne et de rouge à lèvres.

Rodolphe se réveilla vers 8 heures le lendemain matin. Il ouvrit les yeux et, pendant quelques secondes, il fut effrayé de se retrouver dans cette chambre aux proportions colossales, aux moulures dorées, aux murs entièrement tendus de soie bleu pâle. La mémoire lui revint d'un coup et il tourna la tête. Alice dormait paisiblement à ses côtés. Elle était allongée sur le dos, ses bras au-dessus de sa tête, dans une position d'abandon presque indécente. Son corps était plus blanc encore que son visage – presque phosphorescent dans les premières lueurs du matin –, les aréoles de ses seins minuscules dessinaient deux taches foncées, inquiétantes. Il fit doucement glisser le drap le long des cuisses d'Alice et découvrit le triangle sombre de son sexe. Rodolphe tendit le cou, les yeux fixes, comme s'il tentait de percer un mystère. Une longue traînée blanche et sèche éclairait le buisson des poils. Rodolphe s'étonna de voir son propre sperme aussi irrémédiablement lié à un sexe féminin. C'était la troisième fille avec qui il couchait, mais c'était la première qui ait accepté de passer une nuit entière avec lui. Les deux autres – deux Parisiennes en vacances – étaient l'une et l'autre tellement imbibées d'alcool et la chose s'était faite en un temps tellement record – dans des conditions également désastreuses – qu'elles ne comptaient pratiquement pas et que, de toute façon, mieux valait les chasser de sa mémoire. Oui, Alice était bien sa toute première fille. Celle qui compte et dont on se souvient toute son existence, pensa-t-il avec douceur en observant le corps fragile de sa nouvelle petite amie. Sa petite amie ! Une vague d'autosatisfaction typiquement masculine monta de son ventre pour mourir sur ses lèvres.

Rodolphe se leva sans un bruit. Il s'approcha de l'amas de vêtements dont Alice et lui s'étaient à la hâte débarrassés la veille, avant même que n'aient disparu les derniers invités. Il enfila son caleçon et s'échappa de la chambre. Il trouva un long couloir bordé de portes hautes, toutes identiques. Il les ouvrit les unes après les autres, sans ménagement ni appréhension. D'après Alice, personne à part eux ne dormait cette nuit dans la bâtisse et les domestiques qui devaient s'occuper du ménage ne viendraient pas avant midi. Il découvrit d'autres chambres, un bureau, une salle de télévision équipée d'un matériel dernier cri. Tout cela respirait une opulence maîtrisée, sans faute de goût. Une des portes s'ouvrit sur des toilettes carrelées de losanges monochromes. Rodolphe souleva la lunette noire et se mit à pisser. Un jet dru atterrit dans l'eau stagnante de la cuvette et Rodolphe s'amusa, avec un rictus de contentement, à en tirer le plus de bruit possible, pendant le plus de temps possible.

Puis il descendit le grand escalier qui menait au rez-de-chaussée, calmement, comme il eût parcouru la nef d'une cathédrale. Le froid du marbre lui picotait les pieds. Sa main glissait le long de la rampe métallique en l'effleurant à peine. Il faisait attention à ce que chacun de ses gestes soit plein d'une espèce de gravité martiale. Il ne voulait surtout rien brusquer qui dérange le silence fragile de l'endroit. Dehors, le soleil venait à peine de se lever. Pénétrant par les portes vitrées qui ouvraient sur le jardin, une violente lumière orange éclaboussait les murs. Rodolphe avança lentement au milieu des restes de la fête, dans l'enfilade de trois salons gigantesques. Il piétina par pure malice quelques serpentins de papier qui jonchaient le sol. Dans un miroir, il surprit l'image de son corps à moitié nu, ce corps qu'à force d'efforts et de volonté il était en partie parvenu à dompter. Son torse se gonfla et sa poitrine se remplit d'un air neuf. Il avait pleinement conscience que cette nuit, il avait fait bien plus que de coucher avec une fille. Cette nuit, le lien maladif qui l'attachait encore à son père s'était brisé pour de bon. D'être enfin passé *de l'autre côté*, d'avoir en quelque sorte commis un acte de trahison à l'encontre de sa propre origine sociale le remplissait d'un sentiment confus de mélancolie et d'orgueil. Tandis qu'il arpentait les salons, un indescriptible sentiment de puissance accompagnait le moindre de ses pas.

5 janvier 1983

L'air était glacé. Le vent charriait des pelletées de cristaux de givre, brillants comme des éclats de verre, qui s'épaississaient en un brouillard dense et empêchaient d'y voir à plus de cinq mètres. Albert avançait dans le froid. La bise lui cinglait le visage. Une fine pellicule de glace raidissait ses sourcils broussailleux, et ses joues étaient violacées. Par deux fois déjà, il avait ressenti une violente déchirure au creux de sa poitrine et s'était mis à tousser. Une sale toux, sèche et piquante, qui lui écorchait l'intérieur. Il avait bravement – bêtement ? – décidé de faire à pied le chemin qui le mènerait de l'arrêt du car à la ferme – six bons kilomètres –, mais il était loin de penser que ces foutues bourrasques le cueilleraient de la sorte. Il n'avait pas voulu déranger Benoît, qui aurait sûrement proposé de venir le chercher d'un coup de voiture. De fait, il ne l'avait même pas prévenu de cette sortie en ville qu'il avait entreprise pour lui dénicher un cadeau d'anniversaire.

Tout à coup il se mit à neiger dru. En quelques minutes, le sol fut recouvert d'une couche glissante, épaisse d'au moins trois centimètres. Le jour sembla plus sombre, la lumière fut comme aspirée en même temps que les reliefs alentour, les arbres se profilèrent tels des fantômes, avec leurs bras tout blancs hérissés vers le ciel. Maintenant on n'y voyait pratiquement plus rien. Albert ralentit le pas. Lui-même avait l'air d'un spectre. Des flocons saupoudraient son visage, sa barbe, son épais bonnet de laine et l'aveuglaient. Malgré le froid cuisant, une bouffée de chaleur s'insinua jusqu'à son front. Albert sentit une douleur violente fuser dans ses poumons et il se mit à tousser une nouvelle fois. Puis il s'arrêta pour reprendre son souffle.

Il faisait presque nuit quand Benoît, inquiet de son absence, se mit en route et le trouva assis sur le bas-côté, épaisse masse sombre toute piquetée de neige. Sur ses genoux reposait un paquet enrubanné qu'il enserrait de ses deux mains raides et glacées. Albert respirait à peine. Il n'avait pu couvrir les deux kilomètres qui le séparaient de la maison. Des râles inquiétants s'échappaient de sa cage thoracique. Ses lèvres et ses ongles avaient pris une légère couleur bleuâtre. Il frissonnait et transpirait en même temps. Le médecin fut appelé aussitôt mais n'arriva qu'au milieu de la nuit. Il détecta une infection sérieuse des voies respiratoires supérieures, ordonna des antibiotiques et un repos total.

Le lendemain matin, Albert paraissait en meilleure forme, bien que la toux, sèche au départ, se soit transformée en quintes grasses qui lui arrachaient des grimaces de douleur. À sa demande, Constance l'installa dans un fauteuil au milieu de la véranda qui prolongeait la cuisine. Albert voulait voir ses champs, ses vaches, les mouvements du ciel, la blanche immensité de l'horizon. Toute la journée il resta immobile, sans prononcer une seule parole, une couverture sur les genoux, une autre sur les épaules. Ses deux mains calleuses étaient posées bien à plat sur ses cuisses. Ses yeux étaient fixes, sans envie. Il semblait ne plus rien attendre.

Juste avant la tombée de la nuit, Constance sortit pour aller faire des courses. Albert attendit qu'elle se soit éloignée pour se lever. Il avança à petits pas et fit glisser la clenche qui retenait la porte d'entrée. La neige avait cessé de tomber mais l'air s'était épaissi. La campagne paraissait comprimée dans une masse filandreuse et lactée d'où n'émergeaient que les spectres inquiétants des bâtiments et quelques arbres à l'allure moribonde. Albert se dirigea vers le hangar où ses vaches étaient rassemblées. Quelques beuglements s'élevèrent quand il poussa la lourde porte à claire-voie. Albert sourit. Il tapota nerveusement la croupe de chacun des bestiaux, sans en oublier un seul, puis resta un long moment à les regarder mâchonner leur fourrage. Ses yeux se posèrent sur d'infimes détails. Un crochet rouillé qu'il s'était toujours promis d'enlever, la tache noire en forme de croissant sur la croupe d'une génisse, le museau humide d'un jeune veau, la lampe tempête qui oscillait au plafond dans un déchirement de métal... Benoît entra, une botte de luzerne dans chaque main. Il les lâcha aussitôt pour se précipiter sur son grand-père et se mit à le réprimander comme on fait d'un enfant. Le vieil homme leva la main pour le faire taire, puis tourna les talons et repartit lentement vers la maison.

Le soir, l'état d'Albert avait empiré. Il mourut trois jours plus tard, exactement le jour des vingt ans de son petit-fils. Benoît ne put s'empêcher de penser que son grand-père avait tenu jusque-là pour établir entre eux un trait d'union symbolique. La fin d'une vie d'homme, le début d'une autre vie d'homme. Puis il chassa cette idée, qui lui était vraiment trop pénible.

Benoît fut certainement dévasté par cette disparition soudaine, mais il n'en laissa rien percevoir. Pendant les heures qui suivirent, il se montra distant, froid, insensible. Il organisa avec la plus grande application la veillée mortuaire, convoqua les pompes funèbres, se chargea de toutes les formalités administratives. Il fut seul avec le curé à décider du déroulement des funérailles.

— Autant vous le dire tout de suite, je ne crois pas en Dieu. C'est Constance qui a souhaité un enterrement religieux. S'il n'y avait eu que moi...

Il se renfrogna et, parce que ce qu'il venait d'affirmer ne lui semblait pas suffisamment convaincant, il ajouta :

— Albert non plus ne croyait pas en Dieu.

Le curé, un vieux bonhomme très grand, tout sec, le connaissait depuis des années. Il lui avait enseigné le catéchisme et, plus tard, avait dirigé sa communion solennelle. Entre-temps, la route de Benoît avait croisé celle des hippies. Il avait lu, beaucoup, il avait discuté, il s'était forgé une attitude vis-à-vis de la religion et ses dogmes. Il avait décidé une fois pour toutes que Dieu n'existait pas et que l'origine du monde, le souffle miraculeux qui animait les êtres et les choses depuis des milliards d'années, relevait d'un mystère encore plus insondable que celui de la foi.

— Trop de malheur, c'est ça ? Toi aussi tu penses que Dieu t'a abandonné ?

— De quoi vous parlez ?

— Tes parents... Et maintenant ton grand-père. Je comprends.

— Mon grand-père avait soixante-dix-neuf ans. Il a bien vécu.

— Il me semble que tu croyais en Dieu, avant.

Benoît fixa ses pieds puis les godillots noirs du curé. Il nota qu'ils étaient tachés de boue et, sur le moment, il trouva ce détail attendrissant. Il releva la tête et sa voix se fit moins arrogante.

— J'ai toujours fait semblant. J'ai menti pour faire plaisir à Constance.

Le curé, dont le visage traduisait la plus sincère affliction, posa une main sur l'épaule de Benoît. Le jeune homme tressaillit. À cet instant, il était incapable de recevoir la moindre démonstration de compassion. Le vieil homme fit retomber son bras, et son visage marqua encore plus de tristesse.

— Au fond je t'envie, Benoît. C'est magnifique de n'avoir aucun doute. Magnifique, vraiment ! Qu'est-ce que j'aimerais pouvoir en dire autant. Qu'est-ce que j'aimerais me dire : Seigneur, je crois en Toi, j'ai toujours cru en Toi et je continuerai à le faire jusqu'à ce que je Te rejoigne. Ma foi pour Toi est indéfectible. Ah oui, ce serait tellement bien, Benoît.

Le curé le regarda bien en face. Son regard formulait une question à laquelle le jeune homme s'empressa de répondre.

— Moi je crois au mystère de l'homme.

Cette phrase, il la prononça d'une façon curieuse, d'une voix traînante, comme s'il se contentait de répéter sans conviction une leçon bien apprise.

Constance, elle, n'arrivait à rien faire du tout. Elle restait de longues heures prostrée sur une chaise, étourdie par son chagrin et les manifestations d'affection – parfois maladroites et souvent envahissantes – que le village venait lui témoigner.

Le soir précédant l'enterrement, elle veillait la dépouille de son mari qui reposait sur deux tréteaux dans un cercueil de bois sombre. Il faisait froid et les braises d'un feu mal entretenu s'éteignaient dans la cheminée. Benoît s'avança et pria sa grand-mère de le laisser seul quelques instants. Il ne chercha pas à dissimuler aux yeux de la vieille femme l'appareil photo qu'il tenait dans sa main. Elle examina l'appareil, cligna des yeux puis fixa son petit-fils avec un sentiment très particulier où n'entrait ni jugement ni colère. Peut-être avait-elle décidé que Benoît était désormais assez grand pour faire ce que bon lui semblait sans avoir à fournir d'explications sur sa conduite. Peut-être aussi l'autorisait-elle à apaiser son chagrin de la façon qu'il avait choisie. Elle se leva et sortit.

Commença alors un étrange rituel.

Benoît ouvrit lentement le tiroir supérieur d'une lourde commode. Il y plongea la main et finit par dénicher, au milieu d'un fatras d'objets inutiles, un paquet à peine entamé de bougies translucides. Après en avoir compté exactement vingt, il replaça le reste dans le meuble. Il se dirigea vers un vaisselier d'où il extirpa avec soin vingt soucoupes dépareillées. Sur chacune d'elles il fit couler une larme de cire dans laquelle il plongea une bougie et disposa méthodiquement ces vingt chandeliers de fortune tout autour du cercueil. Quand il eut terminé, il sortit une petite boîte d'allumettes de sa poche et en craqua une. La bille de soufre s'embrasa dans un crépitement aigre. Benoît alluma la première bougie, souffla sur la flamme de l'allumette et la replaça dans sa boîte. Il s'éloigna et répéta l'opération avec les dix-neuf bougies restantes. Il procédait avec une lenteur extrême, comme s'il souhaitait sacraliser le moindre de ses gestes et lui conférer un éclat particulier. Enfin il éteignit le plafonnier. Il s'approcha du cercueil et fixa un très long moment le cadavre de son grand-père. Des lueurs vacillaient sur la tête du mort qui faisaient comme un masque vibrant sous tous ces lumignons. Benoît souleva lentement son appareil photo et plaça son œil contre le viseur. Un premier flash inonda la pièce d'un blanc violent.

Depuis sa douloureuse expérience d'apprenti journaliste neuf mois auparavant, Benoît partageait sa vie entre le travail de la ferme et sa passion pour la photographie, pour laquelle son sujet de prédilection était devenu la nature. Il s'intéressait uniquement aux paysages : les arbres, les champs, les rochers, l'étendue infinie de la mer, les formes que le vent sculpte dans la matière des nuages... Dans les premiers mois, il mitrailla tout ce qui se présentait devant son objectif, de façon compulsive, désordonnée, sans presque réfléchir, comme s'il lui fallait accumuler, absolument. L'œil littéralement collé à son viseur, il ne tenait pas en place, craignant de gâcher des instants précieux s'il ne les immortalisait pas en rafales. Bientôt, sans doute fatigué par autant d'agitation, son regard devint plus acéré et son esprit s'ordonna. Peu à peu, il ne photographia que ce qui lui semblait essentiel, en espaçant à l'extrême les moments où il se décidait à activer le déclencheur de son appareil photo. Sa physionomie, elle aussi, changea. Son visage, d'affolé et inquisiteur dans les premiers temps, quand il mitraillait à tout-va, se fit plus grave. Quiconque l'aurait surpris dans ces moments-là l'aurait pris pour un fou à le voir ainsi raide d'immobilité, le regard à la fois lointain et hypnotisé.

À un moment donné, il décida de procéder par thème. Plusieurs jours d'affilée, il s'attacha à capturer, à l'horizon d'un paysage toujours identique, ce fameux rayon vert qui naît avec le soleil couchant et dont Jules Verne a fait un roman, à figer l'instant précis où la vague d'une marée montante éclate contre la roche en une poussière d'écume, mousseuse et volatile. Comme un peintre, il pouvait prendre dix fois, vingt fois, cent fois le même cliché du même paysage ou du même objet à différentes heures du jour et sous différents climats, uniquement pour en apprécier les infimes variations de lumière.

Mais jamais il ne faisait de portraits.

Ce soir-là, pourtant, il ne put résister à l'urgence de fixer sur la pellicule le visage de son grand-père. Qu'espérait-il de cet exercice ? Comme souvent, ce fut une décision irraisonnée. Une impulsion inexplicable avait transformé en nécessité ce qui aurait pu apparaître comme une lubie de mauvais goût. Benoît fit vingt clichés du mort. Pas un de plus, pas un de moins. Chacun d'eux selon un angle de vue et une focale différents. Il prenait son temps, de sorte qu'il mit près de deux heures à les réaliser. Quand il eut terminé, il souffla les vingt bougies l'une après l'autre. L'obscurité fut totale et il marmonna d'une voix caverneuse, inaudible. Au bout de longues minutes, il tâtonna dans le noir, rendit la pièce à la faible lumière des lampes et sortit presque hagard du salon. Sa grand-mère veillait dans la cuisine et l'attendait. Benoît échangea avec elle un regard gêné mais aucune parole ne fut prononcée. Il posa son appareil photo sur un guéridon et sortit dans le froid. Des flocons maigres et blancs peluchaient dans la lumière d'un réverbère à l'entrée de la ferme. Au loin, tout était noir, la nuit avait avalé contours et reliefs. Alors Benoît se mit à courir le plus vite qu'il put, sur plusieurs centaines de mètres. Il s'arrêta en plein champ et là, pour la première fois depuis la mort de son grand-père, il s'agenouilla sur la terre glacée et se mit à sangloter.

L'enterrement fut bref. Certains dirent expéditif. Le curé aurait bien continué le discours qu'il avait préparé, mais au bout de quelques minutes, Benoît toussota si fort que le vieil homme comprit et conclut presque aussitôt. Après les condoléances d'usage, la foule se dispersa tristement, frustrée sans doute que les célébrations aient été écourtées.

Rodolphe, Tanguy et moi avions fait le déplacement, même si Rodolphe – qui avait en horreur ce qu'il appelait «la délectation morbide des promeneurs des cimetières» – avait failli renoncer au dernier moment.

Tanguy et Rodolphe se parlaient à peine et quand ils le faisaient, leurs paroles étaient pleines d'une douce prévenance qui était pire que les constants sarcasmes auxquels ils nous avaient habitués. Depuis l'épisode de la barque, quelque chose s'était grippé dans la mécanique de leur amitié.

Benoît s'avança vers nous avec un grand sourire. Rien, sur son visage ou dans son comportement, ne pouvait laisser deviner l'état d'affliction dans lequel nous nous attendions à le voir plongé. De toute la soirée, il n'évoqua pas un seul instant la disparition de son grand-père, son attention se concentrait uniquement sur le récit de nos aventures d'étudiants qui paraissaient le captiver réellement. Il ne semblait pas vouloir éviter le sujet, comme le font certaines personnes submergées de chagrin et qui parlent trop, insistent sur certains mots, en évitent d'autres, tandis que leur regard ne peut s'empêcher de se ternir ou de s'envoler vers des pensées indistinctes. Chez Benoît, il n'y avait rien de tout cela. Il faisait comme si l'événement n'avait tout simplement pas eu lieu. Même Rodolphe, qui n'arrivait pas à extérioriser le moindre sentiment, était consterné. Moi-même, je finissais par lui en vouloir de ne pas nous gratifier d'au moins une petite crise de larmes dont j'aurais évidemment profité pour lui renouveler toute l'étendue de mon affection. Bref, chacun de nous attendait qu'il craque et le simple fait qu'il ne le fasse pas devenait soudain suspect : un manquement à notre amitié, un déficit de confiance injustifié. Une chose me frappa plus que tout : pendant les deux heures que dura notre petite réunion, pas une fois Benoît ne prononça le mot « cool », comme s'il l'avait désormais banni de son vocabulaire, enterré avec son aïeul et qu'il appartenait maintenant à une époque révolue.

À la fin du repas, Rodolphe, n'en pouvant plus, attaqua de la manière la plus inélégante qui soit :

— Dis donc, mon gars, je vois bien que tu évites de la ramener, sans doute pour nous épargner une scène pénible – je reconnais là ta grandeur d'âme qu'en d'autres circonstances j'aurais pu largement plébisciter – mais tu dois quand même être dévasté par la mort de ton grand-père.

— Je l'ai été, oui.

— Tu l'as été ?

— Oui, je l'ai été.

— Et donc, trois jours après, tu ne l'es plus.

Le visage de Benoît prit une expression particulièrement douce.

— Je sais que vous allez trouver ça étrange, mais... d'une certaine façon... il est toujours là. Je sens qu'il est à mes côtés en permanence. Il m'arrive même de deviner sa présence. Il est mort et pourtant je ne suis plus triste. Je ne sais pas comment vous l'expliquer. Je crois qu'il m'accompagne.

Rodolphe nous regarda avec un air tordu signifiant quelque chose comme : Hé les gars ! On est en train de le perdre !

— Tu es sûr que tout va bien ? dit Tanguy.

— On est là si tu as besoin de parler, ajoutai-je.

Benoît eut un petit sourire de dépit.

— Vous me prenez pour un taré, je le vois bien.

Rodolphe s'amusa à tapoter les bouts de ses doigts les uns contre les autres.

— Un taré ? Mmm... Voyons, mais pas du tout.

— Même moi j'ai du mal à comprendre, ajouta Benoît.

Il nous regarda en souriant et sortit de la poche de son manteau un petit appareil réflex, étonnamment compact. C'était un R4, le dernier modèle de la marque Leica.

— Je l'ai eu pour mon anniversaire. C'est le cadeau que m'a fait mon grand-père pour mes vingt ans.

Il se mit à tripoter divers mécanismes sur l'appareil.

— D'une certaine façon, on peut dire que c'est à cause de ce cadeau qu'il est mort, ajouta-t-il tête baissée en continuant de jouer avec les boutons de réglage, sans volonté de s'expliquer davantage.

Aucun de nous ne chercha à en savoir plus. Benoît nous demanda alors de nous serrer les uns contre les autres et de fixer l'objectif, ce à quoi nous obéîmes sans aucune conviction. Il appuya son œil contre le viseur et pendant des secondes qui nous parurent interminables, rien ne se passa.

— Fixez l'objectif et concentrez-vous sur l'instant, dit-il soudain très sérieusement.

Rodolphe et Tanguy laissèrent fuser un petit ricanement. Benoît ne bougea pas, l'œil indéfectiblement collé à son Leica. Les moqueries se calmèrent d'elles-mêmes. Peu à peu, sans que nous l'ayons calculé ou même souhaité, nos visages devinrent graves et concentrés. Au bout de quelques secondes tout aussi interminables, Benoît appuya enfin sur le déclencheur. Quand il écarta l'appareil, son visage rayonnait. Il remit avec soin le réflex dans la poche de son manteau. La conversation reprit, avec une sorte d'apathie dans les premiers moments, puis bientôt avec enthousiasme.

Comme à son habitude, Benoît parlait peu et écoutait beaucoup. Je ne pouvais m'empêcher de l'observer. Il avait encore maigri. Un sourire qui n'avait rien de léger ou de moqueur s'épanouissait sur son visage osseux. Il paraissait calme, posé, en paix avec le monde entier mais surtout avec lui-même. Parfois il fermait les yeux pour ne les rouvrir que quelques instants plus tard. Peu à peu s'affirma dans mon esprit la conviction que Benoît s'était irrémédiablement éloigné de nous. Pas de notre amitié – il était toujours aussi compatissant, charmant, bienveillant –, mais désormais il semblait, non pas distant – ce qui aurait été une fausse appréciation – mais à distance. Je ne sais pas pourquoi s'imposa à moi l'image de ces religieux possédés par leur foi qui semblent flotter au-dessus du monde sans jamais y poser les pieds totalement. Quelque chose manquait pour que Benoît puisse être complètement, totalement, avec nous. Il était ailleurs.

Le lendemain soir, un dimanche de janvier froid et vide, Benoît nous raccompagna à la gare. Juste avant que le train n'arrive à quai, il remit à chacun d'entre nous un exemplaire en noir et blanc du cliché qu'il avait pris la veille dans le restaurant. De toutes les photographies que Benoît avait accumulées depuis des années, c'était la première qu'il avait souhaité nous montrer. Sur la photo, nous étions tous les trois serrés les uns contre les autres. Nos visages exprimaient une telle intensité qu'aucun de nous ne voulut ou n'osa faire la moindre remarque. D'ailleurs, quel commentaire

aurions-nous pu émettre ? Je défie quiconque de trouver les mots justes pour décrire la grâce qui émanait de
ce fichu bout de papier glacé. Je sais que c'est banal
à dire mais Benoît avait réussi à capter quelque chose
de profondément mystérieux en chacun de nous. Nous
ne posions pas devant l'objectif, c'était comme si nos
trois personnalités tout entières avaient été aspirées par
lui. Cette sensation d'intrusion mit d'ailleurs Rodolphe
assez mal à l'aise. Benoît souriait en observant nos
têtes d'ahuris et ses yeux brûlaient de reconnaissance.
En observant tour à tour ce cliché tombé des nues et
le visage radieux de Benoît, j'eus une nouvelle fois le
sentiment désagréable qu'une distance infranchissable
nous séparait désormais de lui. Et si ce type, là, en face
de moi, que depuis des années j'appelais mon ami,
m'était finalement aussi étranger que n'importe quel
autre type sur le quai de cette gare ?

21 janvier 1983

Le bâtiment grisâtre surplombait la Seine aux environs du quai des Grands-Augustins. À l'intérieur, c'était un enchevêtrement archaïque d'escaliers tordus, de bureaux ridiculement étroits, de salles de cours qui suintaient le rance et la poussière. La pièce où nous étions enfermés ne disposait d'aucune fenêtre et son mobilier était réduit au strict nécessaire : une volée de chaises sommaires, une table minuscule, une estrade en bois tendre défoncée par endroits.

Nous étions une vingtaine, réunis en arc de cercle autour de monsieur Georges, notre professeur d'art dramatique. C'était un étrange bonhomme d'une quarantaine d'années, jovial et persifleur, qui avait l'art et la manière de passer, en seulement quelques secondes, de l'autorité la plus affirmée à la désinvolture la plus débridée. Il soufflait sans arrêt le chaud et le froid, de sorte que nous ne savions jamais dans quelle disposition d'esprit il se trouvait ni quelle attitude – soumission ou légèreté – il convenait d'adopter.

Son cours commençait invariablement par un exercice de diction. « Didon dîna dit-on du dos d'un dodu dindon »... ou autre virelangue bourré d'allitérations et de pièges phonétiques que l'on répéterait inlassablement à tour de rôle, pendant un bon quart d'heure, sur tous les tons – du chuchotement à l'aboiement – et de plus en plus rapidement, jusqu'à atteindre une sorte d'hystérie collective qui dégénérait le plus souvent en énorme rigolade avant que monsieur Georges n'intervienne en hurlant et nous fasse à nouveau filer droit. Je détestais particulièrement cet exercice qui obligeait à sortir de soi – ce qui m'était déjà pénible – mais surtout à s'exposer aux yeux des autres de la façon la plus ridicule qu'il soit possible d'imaginer.

Trois semaines plus tôt, j'avais entamé mes études théâtrales. Madame Ziegler avait balayé mes dernières incertitudes et s'était occupée de toutes les formalités. Elle avait renoué pour l'occasion avec le directeur de l'établissement, qui avait été l'un des meilleurs amis de son mari, bien qu'elle ne l'ait pas revu depuis plus de vingt ans. Elle avait obtenu de lui qu'il réduise considérablement les frais de scolarité – exorbitants – et le reliquat, elle le déduisait généreusement du loyer que mon père lui payait chaque mois. Pour moi, l'opération était blanche.

Le premier jour des cours, monsieur Georges avait formé les couples de comédie qui devraient s'exposer durant le trimestre devant l'assemblée des élèves. Je me retrouvai partager un texte de théâtre avec Sophie, une fille ravissante, le parfait prototype de la blondeur scandinave : vastes yeux transparents, peau souple et laiteuse, tignasse habilement décoiffée qui, dans l'extrême lumière, paraissait blanche à force d'être claire.

La scène que nous jouions était extraite de *Mademoiselle Julie*.

Monsieur Georges s'assit sur une chaise au milieu des autres élèves. Sophie et moi étions désormais seuls sur l'estrade. Elle commença, pleine d'ardeur et d'assurance :

JULIE. – *Avez-vous jamais été amoureux ?*

JEAN. – *Nous n'employons pas cette expression, mais j'ai été épris de plusieurs filles, et une fois, j'ai été malade de ne pouvoir obtenir celle que je désirais.*

Bien que nous ayons répété la scène des dizaines de fois, je me sentais dépossédé d'avoir à la jouer devant autant de monde. Je bafouillais.

Le prof nous arrêta au bout de quelques répliques seulement.

— Bon Dieu, Paul, où es-tu exactement ? Est-ce que tu es sur terre avec nous ou bien là-haut, très haut, perché sur ton petit nuage ?

Toute la classe se mit à rire. Mon corps fut parcouru de picotements de honte.

— Je ne suis pas dedans, je suis désolé.

— Tu n'y mets pas assez de sentiment, Paul, voilà le problème. C'est essentiel le sentiment. C'est même la seule chose qui soit intéressante dans tout ce cirque. Le théâtre, le cinéma, la plupart du temps, ce n'est rien d'autre qu'une affaire de sentiment. Que ressens-tu pour cette fille ?

Je jetai un coup d'œil affolé à Sophie.

— Vous voulez dire mon personnage ?

C'était mon malaise qui parlait, pas moi. On s'esclaffa dans les rangs.

— Évidemment, Paul, ton personnage. Ne fais pas l'andouille, s'il te plaît.

On s'esclaffa encore plus. On se serait cru dans un camp de vacances pour adolescents, et l'ambiance n'était pas sans rappeler mon école préparatoire de médecine, le côté insolent en moins. Monsieur Georges tapa dans ses mains et réclama le silence en hurlant. Tout le monde se tut d'un coup. Je fis un effort immense pour me ressaisir et apporter une réponse sincère et acceptable.

— Il a envie d'elle, je crois.

— Pourtant on dirait qu'il a peur de s'en approcher. Jean reste à un mètre de Julie alors qu'il est supposé répondre à ses avances.

— Je suis un domestique et elle la fille de mes maîtres. Il me semble difficile de...

— Tu es un homme, Paul, avant d'être un valet. Ce n'est pas ce que Jean dit lui-même ?

Il prit le recueil qu'il tenait à la main et se mit à lire :

— *Ne savez-vous pas qu'il est dangereux de jouer avec le feu ?* (Et plus loin :) *Il y a des matières inflammables pas loin.* « Des matières inflammables » ! *Ce serait peut-être vous ?* lui demande Julie, et à ça il répond : *Oui. Pas parce que c'est moi, mais parce que je suis un homme jeune...* « Parce que je suis un homme jeune », Paul, voilà ce qu'il dit. Il la met en garde. En somme, il la prévient que son désir est plus fort que tout, plus fort que sa classe sociale, plus fort que les conventions. En tout cas, à cet instant de la pièce. Et il en a sans doute une trouille bleue, de ce désir pour elle. Tu n'es pas d'accord ?

La peur du désir. N'était-ce pas ce qui avait toujours constitué la matière brûlante de ma sexualité ? Voilà donc où j'en étais, ce matin-là. À devoir m'exprimer, devant une vingtaine de parfaits inconnus, sur la frousse que moi aussi j'avais toujours éprouvée à dévoiler des sentiments inavouables.

— Je fais partie de ces professeurs qui pensent que l'acteur doit puiser en lui, au fond de sa mémoire affective, afin de trouver l'émotion et la vérité d'une scène. Je te pose donc la question, Paul : y a-t-il quelque chose en toi qui pourrait t'aider à nourrir ce que ressent ce domestique pour cette aristocrate ?

— Vous voulez dire m'aider à ressentir l'interdit de... de ce désir ?

— Oui, oui. C'est ça. C'est exactement ça.

Le prof me regardait avec insistance.

J'eus soudain l'impression d'être embringué sur une embarcation fragile, ballottée par une mer en furie, à deux doigts de s'écraser contre des récifs. Ce cours me sembla tout à coup être une vaste blague, un immense pied de nez de la Sainte Destinée !

— Je ne vois pas, monsieur.

Je mentais, évidemment. Des images troubles, venues du fond de mes pensées – de ma mémoire affective précisément –, avaient commencé de m'envahir.

— Moi je crois que tu vois très bien et que tu n'oses pas l'avouer. D'ailleurs, tu as raison. Tu n'as rien à nous dire, Paul, tout cela se joue entre toi et toi. C'est ta petite cuisine personnelle. Nous on doit juste le voir, on s'en fiche de le comprendre et surtout de savoir comment tu le fabriques. Mais il faut impérativement que tu le fabriques. Sinon, tout cela sera vide. Un jeu sans conséquence, il n'y a rien de pire.

— Vous pensez qu'il faudrait... que je me souvienne de... de situations similaires ?

— Cela pourrait t'aider, en effet. Excuse-moi de te poser une telle question mais, d'une certaine façon, c'est Julie dans la pièce qui te le demande... As-tu déjà été amoureux, Paul ?

D'Erwan Le Dantec en quatrième. De Philippe Corneville en troisième. De Yann Le Courtois, surtout – mon immense et pathétique amour de première. Et, plus récemment, d'une dizaine d'autres types.

— Oui, monsieur. Plusieurs fois.

Petits gloussements dans le public. Je jetai un coup d'œil à mes camarades. Chacun venait de sortir d'une adolescence plus ou moins bien digérée. On la voyait bien, leur gêne à tous à aborder ce sujet délicat de l'amour et du désir.

— Qu'est-ce qui, pour toi, caractérise le sentiment amoureux ?

Je répondis sans réfléchir.

— La terreur.

Chacun s'arrêta de ricaner. Monsieur Georges me regarda d'un œil neuf.

— La terreur ? Pourquoi pas ? Alors, joue-moi cette scène avec ce sentiment-là.

Je tentai de regagner le souvenir de ce fameux jour où j'avais frappé à la porte des parents de Yann Le Courtois. De l'espèce de terreur – il n'y a pas d'autre mot – que j'avais ressentie à me retrouver dans l'intimité de sa chambre quelques minutes plus tard. À bout de forces, j'avais prétexté ne pas comprendre un exercice d'algèbre pour pouvoir me rapprocher de cette espèce de génie des mathématiques dont la figure me hantait jour et nuit.

Sur l'estrade, Sophie se tenait raide, attendant que j'agisse. Une impulsion nouvelle m'animait. Je me rapprochai, lentement, sans doute aussi gravement que je l'avais fait quelques années plus tôt au seuil de la chambre de Yann.

JULIE. – *Avez-vous jamais été amoureux ?*

JEAN. – *Nous n'employons pas cette expression, mais j'ai été épris de plusieurs filles, et une fois, j'ai été malade de ne pouvoir obtenir celle que je désirais.*

Je tentai de ne penser à rien d'autre qu'au calme insensé dont j'avais dû faire preuve pour ne pas tomber, ce jour-là, alors que la trouille la plus irraisonnée se propageait dans chaque cellule de mon corps.

JEAN. – *… malade, remarquez, comme les princes des* Mille et Une Nuits, *qui ne pouvaient ni boire ni manger tant ils aimaient.*

JULIE. – *Qui était-ce ?* (Jean garde le silence.) *Qui était-ce ?*

Le prof nous interrompit encore. Il se leva et se rapprocha de l'estrade. Il semblait avoir oublié les autres élèves et ne plus s'adresser qu'à nous deux.

— C'est mieux, c'est beaucoup mieux, mais il y a encore tellement de distance. Tu dois te lâcher, Paul, tu dois absolument te lâcher.

Bon Dieu, me lâcher ! Oui, bien sûr, il fallait que je me lâche. N'était-ce pas là toute l'histoire de ma vie ? J'étais prêt à tout pour y parvenir, pour aller jusqu'au bout. Mais au bout de quoi, est-ce que je le savais seulement ? Mon cerveau était en ébullition. Je me sentais, comment vous dire, profondément épris de la scène et en totale empathie avec elle.

— Qu'est-ce que cherche ce type, au fond ?

J'étais devenu nerveux, je me faisais l'effet d'un câble électrique écrasé sur le sol, crachant des gerbes d'étincelles.

— Il a une envie dingue de coucher avec cette fille.

— Tu sais très bien que ce n'est pas aussi simple que ça. Tu as toi-même parlé des barrières, des interdits qui l'en empêchent.

— Il a une envie dingue de coucher avec elle, même s'il sait que ça ne pourra lui apporter que des ennuis.

— Et donc ?

Yann Le Courtois m'avait fait asseoir à sa table de travail et s'était assis à mes côtés. Je me souvins du sentiment de profond abattement qui m'avait envahi à cet instant. Je me souvins aussi d'avoir eu envie de fuir.

— Il est en colère.

— Ah, ah ! Et contre quoi ?

Je mis quelques secondes à répondre.

— Contre le désir qu'elle provoque chez lui ?

Il eut l'air intéressé par ce nouvel angle que je suggérais.

— Reprenez où vous en étiez.

Sophie me regarda dans les yeux et se cambra, dans une attitude pleine de provocation.

JULIE. – *Avez-vous jamais été amoureux ?*

Je me rapprochai de ma partenaire, avec au ventre une espèce de rage cette fois.

JEAN. – *Nous n'employons pas cette expression, mais j'ai été épris de plusieurs filles...*

Je pris Sophie par la taille, sans doute un peu plus violemment que je ne l'aurais souhaité. Elle eut un léger raidissement au niveau des omoplates que moi seul dus percevoir.

JEAN. – *... et une fois, j'ai été malade de ne pouvoir obtenir celle que je désirais...*

Je glissai ma main libre le long de son bras. C'était un geste caressant mais ferme, un geste abusivement sensuel. Sophie était sur ses gardes, mi-curieuse, mi-inquiète.

JEAN. – *... malade, remarquez, comme les princes des* Mille et Une Nuits, *qui ne pouvaient ni boire ni manger tant ils aimaient.*

JULIE. – *Qui était-ce ?*

Sophie ne bougeait plus et me fixait avec intérêt. Ma main poursuivait, du bout des doigts, sa lente ascension vers son épaule.

J'étais traversé par le souvenir de l'excitation que m'avait procurée le plus infime contact avec la peau de Yann. Chaque fois que cela m'avait été possible, je m'étais efforcé de me placer à ses côtés pour pouvoir, ne serait-ce qu'un instant, le frôler de mon coude, de mon épaule, d'un cheveu. Je me souvins de la chaleur accablante qui irradiait de son corps. Je me souvins de ce maillot d'une indécente teinte bleu ciel qu'il portait à la piscine et dans lequel j'avais eu tellement souvent envie de plonger les mains.

JEAN. – *Vous ne me forcerez pas à le dire.*

D'un geste plus brusque encore, j'obligeai Sophie à se coller contre moi. Elle ne résista pas. Je pouvais sentir le poids de ses seins volumineux contre mon torse. Son cœur aussi, me semble-t-il, je le sentais. Les battements de son cœur à travers le tissu de son T-shirt. Mon bassin était collé au sien. J'appuyai un peu plus mon sexe contre son sexe pour mieux la posséder. Jamais je n'avais tenu une fille dans mes bras de cette façon-là.

260

Yann Le Courtois était penché sur le cahier d'exercices que j'avais apporté. Il me parlait matrice, triangulation, polygones, mais je n'écoutais pas. Je n'entendais rien que la musique de sa voix. Je ne percevais rien que la brûlure de son souffle contre mon visage. Alors, millimètre par millimètre, j'avais approché mon coude du sien.

Sophie se mit à caresser lentement ma joue, de la tempe jusqu'au menton. Ses longs doigts étaient chauds et invitants.

JULIE. – *Si je vous le demande comme une égale – une amie ! Qui était-ce ?*

Mon bras était maintenant pratiquement collé à celui de Yann. S'en était-il aperçu ? D'ailleurs, son silence ne valait-il pas toutes les invitations ? Tout à coup, mon cerveau fut traversé d'une douleur ignoble. Je plaquai ma main contre sa main et j'enroulai mes doigts autour des siens. C'était un geste insensé.

JEAN. – *C'était vous !*

Je plaquai mes lèvres contre les lèvres de Sophie comme j'avais voulu, trois ans plus tôt, les plaquer contre celles de Yann.

Je tentai – je ne sais même pas comment j'osai – de faire pénétrer le bout de ma langue dans la bouche de ma partenaire. Sa mâchoire s'ouvrit puis se referma. Elle recula sa tête et me repoussa du bout des doigts. Il n'y avait aucune animosité dans son regard, plutôt un agacement de diva qui cadrait parfaitement avec le rôle qu'elle était en train de composer.

JULIE. – *Impayable !*

Yann, lui, était devenu comme fou. Il avait agrippé méchamment le col de ma chemise puis il m'avait poussé en arrière pour m'écarter de lui le plus possible. Son geste avait été si violent, si plein de bestialité haineuse, que j'en étais tombé de ma chaise. Je m'étais relevé sans prendre la peine de ramasser mes affaires et je m'étais enfui, plein de honte et de dégoût de moi-même.

Monsieur Georges nous regardait avec un sourire complice.

— On reprendra la semaine prochaine.

Je me décollai de ma partenaire, m'aperçus que mon sexe avait durci et, chose absurde, j'en fus presque fier.

À la sortie des cours, Sophie me rattrapa dans la rue. Nous marchâmes quelques minutes côte à côte sans rien nous dire. Ce fut moi qui parlai le premier.

— Je suis désolé pour tout à l'heure.

Elle s'arrêta pour me questionner du regard.

— Ma langue...

Elle eut un joli mouvement de la tête. Un éclat de lumière blanche zébra la masse de ses cheveux.

— Ce n'est pas ce que tout mâle digne de ce nom aurait tenté avec une jolie fille ?

Il n'y avait aucune espèce de prétention dans sa voix. La simple affirmation de quelque chose que chacun admettait et dont elle pouvait s'amuser librement. Je ne sais pas ce qui me passa par la tête.

— Justement, je ne suis pas un mâle digne de ce nom, Sophie.

Elle me regarda d'un air intéressé.

— Je... Je suis homo.

— Ah !

Elle se remit à marcher. J'accélérai le pas pour me mettre au diapason du sien.

— Ça te dérange ?

— Même pas.

Elle avait l'air de s'en fiche royalement, même si je crus percevoir un petit pincement qui n'avait rien à voir avec de l'animosité ou de la rancœur. Elle reprit sa marche puis s'arrêta de nouveau en me fixant.

— Enfin si. Disons que j'aurais bien aimé faire crac-crac, tu vois. Tu m'as l'air plutôt doué.

Une heure plus tard, nous nous caressions sous les draps de son lit minuscule, où mes mains tritu-raient avec délices ses deux gros seins blancs. Nous dûmes le faire quatre fois au cours de la nuit. Tout cela fut simple et joyeux, exonéré de pudeur encom-brante. Même si je sentais bien que son corps de fille m'intéressait bien moins qu'un corps de garçon, je ressentis un plaisir absolu, entièrement décomplexé. Il entrait probablement dans cette jouissance une part non négligeable de satisfaction ancestrale, normative, d'avoir enfin possédé une fille, d'avoir enfin tenu le rôle de mâle que chacun s'était toujours attendu à me voir endosser. *D'y être arrivé*, en quelque sorte ! Le visage extatique de ma mère dut même m'appa-raître à quelques reprises.

Le lendemain matin, je sortais guilleret de chez Sophie. Jamais je ne m'étais senti aussi léger, aussi disponible, aussi ambitieux. Je me surpris même à siffloter, ce qui était rare. La vie m'apparaissait dans son incroyable et réjouissante complexité. Je pou-vais décider de coucher avec un garçon ou avec une fille. Je pouvais décider de mentir ou de dire la vérité.

Je pouvais décider d'être heureux ou de ne pas l'être. Je pouvais vivre mille vies en une seule, les possibilités et les combinaisons étaient infinies. Surtout, j'allais me nourrir de ces expériences humaines pour enrichir des personnages de fiction. La vie et le théâtre me semblaient procéder d'un tout cohérent, être constitués de la même matière, factice et enivrante. Franchement, est-ce que je n'avais pas choisi le plus beau métier du monde ?

30 avril 1983

En 1924, au lendemain de la victoire du parti fasciste aux élections législatives, Vittorio Costa – le grand-père d'Alice – quittait la région de Campanie, où il avait vu le jour, dans le but de fuir le danger que représentait l'appareil de répression mussolinien pour le jeune opposant qu'il était devenu. Poussé par une colère muette et une sacrée rage de vivre, il débarqua par le plus grand des hasards dans la région de Roz-sur-Couesnon, à quelques encablures du Mont-Saint-Michel et pas très loin de la ville de Rennes. Il n'avait rien à perdre, il le savait, et cette terre-là, cette immensité de champs cultivés battus par les bourrasques salées de la Manche, valait bien la terre chaude et désolée plantée d'oliviers et de citronniers qu'il avait abandonnée au sud de l'Italie. Il se présenta comme journalier au premier venu, un paysan sympathique, certainement pro-européen avant l'heure, qui l'engagea malgré les conseils de ses voisins qui pestaient contre l'invasion de ces *Ritals*, fainéants par conviction, voleurs par tradition, inconstants par nature. Vittorio s'accoutuma en un temps record aux rigueurs du climat, apprit le français en un temps non moins record et conquit le cœur de la fille aînée du paysan au premier regard. Ils se marièrent trois ans plus tard. De leur union naquirent trois enfants, auxquels il fut décidé de donner des prénoms exclusivement bretons : Erwan, Kristel et Artus. Un hommage que Vittorio tenait à rendre à la terre qui l'avait sauvé de la misère et des milices mussoliniennes. Quinze ans plus tard, il défendait l'honneur de sa patrie d'adoption en s'engageant activement dans la Résistance et, par un triste retour des choses, il mourut en 1943, à l'âge de trente-sept ans, sous les coups d'une autre milice, française cette fois.

Artus Costa, le père d'Alice, fut le seul de ses trois enfants à faire des études. Il n'apprit jamais l'italien et ce ne fut qu'une fois riche qu'il se décida à visiter le pays de ses ancêtres. Il descendit à Naples au *Grand Hotel Vesuvio* – un palace où aucun membre de sa famille n'aurait jamais eu assez d'argent pour s'offrir ne serait-ce qu'un Campari –, qu'il ne quitta quasiment pas de la semaine, estimant, après une sérieuse altercation avec le chauffeur de taxi qui l'avait convoyé depuis l'aéroport, que les Napolitains étaient une race de fieffés voyous et qu'il valait mieux s'abstenir de les fréquenter de trop près.

Sa fortune, Artus la devait à une imagination et à un courage hors normes mais en tout premier lieu à son épouse, dont les parents moururent dans un accident d'avion deux ans après leur mariage, de sorte que le couple put très vite disposer d'un pactole considérable, dont une bonne part fut aussitôt investie dans l'entreprise de travaux publics qu'Artus avait décidé de mettre sur pied. Ses études à l'École centrale lui avaient fourni un réseau d'amitiés sincères qui se révélèrent par la suite hautement lucratives. Les relations de sa femme lui permirent de renforcer ce cercle de connaissances en le doublant d'un autre, plus souterrain mais non moins essentiel à son activité : celui de la classe politique. Le beau-père d'Artus avait été sénateur SFIO et sa fille Émilie – la mère d'Alice – avait été bercée dès son plus jeune âge par les bras d'une bonne vingtaine de maires, d'au moins sept députés et sénateurs et de deux ministres du gouvernement socialiste de Vincent Auriol, dont l'un était par ailleurs son parrain. Ces bonnes fées l'entourèrent, à la mort de ses parents, de toute l'affection et de tout le dévouement possibles. Artus, qui tenait de son père un toupet qui lui aurait fait déplacer des montagnes, n'hésita pas à insister auprès de tous ces pères de substitution pour que leur bienveillance s'étende naturellement à la famille tout entière, c'est-à-dire à lui-même – puisque Émilie était fille unique –, ce que ces responsables politiques entérinèrent avec, il faut le reconnaître, beaucoup de souplesse et de bonne volonté. Le pays se reconstruisait, la plupart des pays européens s'acheminaient vers une économie de plein emploi, la production industrielle connaissait un accroissement annuel en constante progression et les bébés naissaient en masse. Désormais, chacun se prenait à rêver d'un avenir éclatant, débarrassé à jamais des scories d'une guerre qui avait atteint des sommets dans l'horreur. On voulait oublier, on voulait vivre enfin, et qui disait vivre signifiait consommer. C'était les Trente Glorieuses, un vaste théâtre d'opérations pour des hommes de la trempe d'Artus Costa. Lui ne se contenta pas d'échafauder des rêves sur les ruines de la nation, il leur donna forme. À tour de bras, il bâtissait des usines, des immeubles, des routes, des écoles. En moins de vingt ans, il devint un homme riche et influent. Si, malgré sa fortune confortable, il cultivait des amitiés de gauche plutôt que de droite, c'était essentiellement lié à son histoire personnelle et aux connaissances de sa femme. Il votait socialiste – il l'avait toujours fait – mais cela ne répondait à aucun penchant idéologique, plutôt à une réalité qui lui faisait préférer tel député avec lequel, par ses réseaux d'influence, il serait plus aisé de faire des affaires que tel autre avec lequel il y aurait tout à mettre en place. En réalité, il n'accordait à la chose politique que peu de crédit. Avec le temps et la fréquentation régulière d'élus peu scrupuleux, il en était même arrivé à penser que la politique n'était vraiment pas une question d'honnêtes hommes et il n'y voyait qu'un simple terreau – il est vrai particulièrement fertile – pour faire prospérer ses affaires privées.

Artus n'était pas seulement fortuné, il l'était outrageusement. Il tenait à ce que cela se voie et il s'y prenait de manière assez ostentatoire pour qu'on le remarque comme le nez au milieu de la figure, pourrait-on dire. De par les multiples arrangements que lui avaient autorisé ses études et son mariage, il n'avait finalement jamais vraiment eu de problème pour gagner de l'argent, il ne voyait donc pas pourquoi il devrait se gêner pour le dépenser.

Ce jour-là, Artus fêtait donc avec un faste visible les cinquante ans de sa femme Émilie. Il avait convié dans son fief rennais tout ce que la région comptait de notables et de personnalités, ainsi qu'un nombre incalculable de pique-assiette qui s'étaient pratiquement invités d'eux-mêmes. Un ministre du gouvernement Mauroy – qu'Artus avait connu personnellement quand il s'était agi pour le Parti socialiste de lever des fonds privés en vue de la campagne présidentielle – avait promis de faire le déplacement mais, au dernier moment, il se fit remplacer par son directeur de cabinet, ingratitude qui mit Artus dans une rage folle. À cette foule se mêlaient quelques représentants influents du milieu de l'art – en général des directeurs de galeries privées parisiennes – auquel sa femme accordait une attention et un dévouement de véritable groupie, ainsi que quelques centaines de milliers de nouveaux francs annuels destinées à l'acquisition d'œuvres d'artistes reconnus – ou en passe de l'être – qui finissaient par encombrer le moindre recoin de leur hôtel particulier. Artus avait sur cette population une opinion assez divergente de celle de son épouse mais – lui-même le reconnaissait – il fallait bien qu'elle aussi possède un terrain où sa fragile nature d'esthète puisse s'exprimer à son gré.

Ce soir-là, quand Rodolphe pénétra dans l'enfilade des salons de la famille Costa au bras d'Alice – qu'il connaissait depuis exactement quatre mois –, il eut le sentiment, du simple fait de se mêler si intimement à cette foule peuplée d'hommes et de femmes importants, d'être lui-même un jeune homme plein d'importance et d'avenir. Si la fréquentation de cette foule ne lui avait pas procuré ce sentiment de grandeur et de rassurance sur ses projets futurs, Rodolphe n'aurait eu qu'à tourner légèrement la tête vers sa compagne pour s'en convaincre de manière définitive. Alice le regardait d'une façon pour laquelle l'expression « dévorer du regard » prenait tout son sens. Elle était amoureuse et cela se voyait de manière indubitable et, au dire de certains de leurs proches, presque gênante. Rodolphe s'était habitué à ses airs énamourés, à l'omniprésence de ses petites caresses et de ses attouchements furtifs, à ses innombrables questionnements sur son état du moment (« Tu vas bien ? Tu es sûr que ça va ? »). Même si ces assauts répétés l'exaspéraient parfois, en général il appréciait les petites attentions qu'elle s'ingéniait à lui prodiguer. Son orgueil en était largement flatté. De plus, il avait connu suffisamment de moments de disette affective pour ne pas apprécier, malgré ses excès, l'extrême bienveillance dont il était l'objet. Il y avait même un domaine où cette soumission quasi aveugle à son bien-être prenait pour Rodolphe une dimension particulièrement enivrante, celui du sexe. En la matière, Alice se montrait très coopérative, accomplissant sans trop rechigner la plupart des fantasmes qui semblent hanter tout mâle hétérosexuel depuis sa préadolescence jusqu'à la presque fin de son existence.

Quand elle réussissait à s'affranchir un tant soit peu de cet esclavage amoureux, aussi étouffant pour elle que pour les autres, Alice redevenait ce qu'elle était au plus profond d'elle-même : une fille formidable et étonnamment drôle.

Sa mère se jeta sur elle dès qu'elle l'aperçut :

— Oh, c'est merveilleux de vous avoir là !

— Mais, Maman, il n'a jamais été question que nous n'y soyons pas ! Je ne sais pas ce que tu as encore pu imaginer, répondit Alice avec une pointe d'agacement, en caressant mollement la joue de sa mère.

Émilie était un petit animal inquiet qui rattrapait par un coûteux savoir-faire vestimentaire une constitution maladive et dépourvue du moindre sex-appeal. Elle était d'une maigreur pathétique et semblait sans cesse aux aguets, comme étranglée par une peur diffuse et sans nom. Ce sentiment d'insécurité et de terreur se remarquait particulièrement quand elle était aux côtés de son mari, qui était en plein ce qu'elle était en creux : un être rond, volubile, charmeur, plein d'humeur et d'humour, capable des colères les plus froides comme des attentions les plus chevaleresques.

Rodolphe hésita à embrasser Émilie. Il se sentait empli de prévenance pour cette femme mais il avait peur de lui faire mal en la serrant trop violemment contre lui. Il lui tendit une main chaleureuse et maladroite dont elle s'empara de manière non moins maladroite entre ses deux mains frêles. Alice eut un petit sursaut de colère.

— Vous pourriez vous embrasser, quand même !

Rodolphe tendit ses joues rebondies qui accueillirent par trois fois les lèvres sèches et glacées d'Émilie.

Alice enroula fermement son bras autour de celui de son petit copain.

— Tu as vu comme il est beau ? dit-elle avec fierté, en caressant du bout des doigts le col de la chemise immaculée de Rodolphe.

Voilà un point à mettre au crédit d'Alice : après quatre mois de relooking soutenu et acharné, Rodolphe avait l'air un peu moins plouc. Ses sweaters XXL et ses pantalons quatre pinces avaient été avantageusement remplacés par de sobres polos Lacoste, des pull-overs cintrés aux cols en V ou ras du cou, des jeans 501 à la coupe droite, le tout dans des camaïeux de couleurs tendres qui donnaient à sa personne un aspect plus amène, plus approchable, même si ses manières restaient au fond inchangées et qu'il demeurait l'indécrottable bougon révolté qu'il avait toujours été. Pour ces achats, Rodolphe n'avait même pas eu à débourser le moindre centime, Alice payait pour tout. Elle ne payait pas seulement ses fringues, elle payait aussi le petit café du distributeur automatique quand elle l'accompagnait le matin jusqu'à la fac de droit, elle payait le cinéma et les restaurants, elle payait les week-ends dans des auberges de charme, elle payait les tournées au café *L'Espérance* où elle se mêlait joyeusement à la conversation des amis rocardiens de son petit copain. Dès qu'elle pouvait se glisser dans la vie de Rodolphe, elle le faisait. On aurait pu penser qu'une telle omniprésence, une telle insistance à occuper un terrain éminemment privé, finirait par énerver Rodolphe. Apparemment il s'en fichait. Il aimait Alice à sa façon. Une façon nébuleuse qu'il aurait bien été en peine d'expliquer mais qui tenait en grande partie à la façon dont il était désormais perçu par les autres et, en conséquence, dont il se percevait lui-même. Alice et lui formaient un couple, un vrai. Avec elle, Rodolphe se rapprochait du rêve qu'il avait un jour clairement entrevu dans les pages Société d'un magazine à grand tirage dans la salle d'attente d'un dentiste universitaire : celui d'avoir à ses côtés une femme forte et dévouée, capable de l'aider à affronter le monde, d'écarter d'un sourire ou d'une attention particulière les tempêtes qui pourraient surgir sur sa route et, bien sûr, de l'aider à se bâtir un nom. Effectivement, de ce côté-là, il est clair que Rodolphe avait tiré le bon numéro.

La soirée fut sans grand intérêt. Chacun faisait à peu près ce que l'on attendait de lui. Les pique-assiette volaient de buffet en buffet. Les snobs ignoraient superbement la majorité des invités et complotaient à l'intérieur de petites bulles compactes d'où s'échappaient régulièrement des gloussements artificiels destinés, à la manière des balises lumineuses sur l'océan, à signaler leur présence mais aussi le danger à s'en approcher de trop près. Les galeristes galéraient au milieu de cette faune de terroir qui semblait mépriser l'art en général, et l'art contemporain par-dessus tout. Certains ne se contentaient pas de confondre Monet et Manet, ils ignoraient totalement l'existence d'artistes aussi incontournables que Jasper Johns, David Hockney ou Jackson Pollock. Les choses prirent un tour plus intéressant – enfin pour Rodolphe – quand un de ces marchands haut de gamme eut à répondre aux attaques frontales d'un hystérique progressiste. L'homme s'était mis à agiter devant lui le spectre infâme de l'art contemporain qu'il dénonçait comme le mur le plus lamentablement et insidieusement élitiste qui ait été érigé entre l'individu lambda et les classes supérieures, ce à quoi l'interpellé réagit assez violemment :

— Vous pensez que l'art est essentiellement de droite, c'est ça ? Vous croyez que la politique culturelle actuelle est essentiellement de gauche ? Bon sang, mais vous êtes aveugle ou quoi ? Jack (qu'il prononça

Djaque) est le ministre le plus violemment élitiste de tous les gouvernements de la Ve République !

— *Djaque* ? Vous avez dit *Djaque* ? dit le socialiste enragé sur un ton narquois.

— Par pitié, regardez où vous êtes ! Regardez un peu autour de vous, monsieur, s'il vous plaît !

Le hasard voulut qu'Artus se trouve à cet instant non loin du marchand, à vrai dire juste derrière, ce qui fait qu'il n'eut qu'un léger demi-tour à exécuter pour se retrouver très exactement en face de lui.

— Et il y verrait quoi, le monsieur, s'il regardait attentivement autour de lui ? demanda Artus avec un calme tapageur, le genre de calme qui présage assez bien l'imminence d'une tornade.

Le dealer pâlit. Artus le prit doucement par le bras, comme s'il s'agissait d'entamer avec lui une petite promenade digestive, et le força à se rapprocher d'un mur voisin. Tous les membres du petit groupe les suivirent, Rodolphe en tête. Chacun s'attendait à un pilonnage sérieux du marchand avec une jubilation intérieure pas si éloignée, je suppose, de celle qu'avaient pu ressentir les témoins d'une exécution publique au temps de la Terreur.

Artus désigna un moyen format, quasiment blanc sur toute sa surface, hormis quelques sauvageries rouges et mauves qui semblaient avoir été vomies sur la toile dans un accès de rage ou à la suite d'une beuverie particulièrement traumatique.

— Ça m'a coûté combien, cette petite chose ? Vingt mille ? Trente mille ?

Le marchand avait retrouvé sa contenance de vendeur d'élite.

— C'est Lambert qui vous l'a cédé... Demandez-lui, il doit être dans le coin.

Il se hissa sur ses talons et remua la tête dans tous les sens à la recherche du fautif. Artus lui prit l'oreille entre le pouce et l'index comme s'il réprimandait un ado qui aurait fumé un joint en cachette.

— Quarante mille ?

L'homme repoussa d'un geste affirmé mais prudent la main du maître de maison.

— Je ne sais pas, Artus.

— Cinquante mille ? Soixante mille ? Soixante-cinq mille ? continua mécaniquement Artus, sur le ton d'un commissaire-priseur pris dans la tourmente d'une salle des ventes.

L'homme plissa les yeux et fixa méchamment la toile comme s'il voulait la déchirer du regard. D'ailleurs, c'était sans doute exactement ce qu'il aurait souhaité en faire, de ce format somme toute assez moyen.

— Je dirais soixante-quinze. C'est un Adamsky, quand même.

— Un quoi ?

— Witold Adamsky. Un Polonais. Il n'a même pas trente ans. Tout le monde se l'arrache. Dans six mois, il vaudra déjà le double.

— Le double ? C'est un bon petit placement en somme. Hautement spéculatif en quelque sorte ?

— Effectivement, si vous souhaitiez le revendre...

— Bien plus intéressant que le Livret A qui est à... que je ne dise pas de connerie... à 8,50, quelque chose comme ça ? dit-il en jetant un regard circulaire à la recherche d'un assentiment quelconque.

— 8,50 %, exactement 8,50 %, aboya le petit roquet progressiste qui ne perdait pas une miette de la déconfiture du marchand.

— Le problème, évidemment, c'est que la plupart des détenteurs de Livret A ne foutent jamais les pieds dans votre galerie.

— Ma galerie est ouverte à tous, vous savez.

Artus se rapprocha dangereusement du marchand. Avec son mètre quatre-vingt-cinq bien sonné, il le dominait d'une tête.

— Je vais vous dire une chose, mon ami... La difficulté pour les détenteurs de Livret A en particulier et les pauvres en général n'est pas tant l'accès à l'argent que leur incapacité à porter une réflexion intellectuelle sur des objets abstraits, ce qui est le fondement même de la spéculation.

Artus se pencha vers son oreille.

— *Speculatio* en latin... Le lieu où l'on observe...

Rodolphe était béat d'admiration devant ce type au tempérament et aux mains de lutteur, qu'on imaginait bien mieux aux commandes d'une tractopelle que s'épanchant sur les racines latines d'un mot du dictionnaire. Artus lui avoua bien plus tard qu'il avait toujours à sa disposition un petit carnet où il notait la définition et l'origine de certains vocables plus ou moins sophistiqués – comme «vernaculaire, arachnéen, pusillanime, thaumaturge, valétudinaire, nyctalope, procrastination» – qu'il apprenait par cœur et qu'il agitait régulièrement devant tel ou tel représentant de l'autorité quand celui-ci révélait une fâcheuse tendance à le prendre pour le dernier des couillons. L'effet était garanti. Le marchand le regarda en effet avec un air idiot où culminait une sorte de rage étonnée.

— Car ce dont les pauvres manquent cruellement, enchaîna Artus, c'est bien d'une réelle capacité d'observation. Parce que s'ils observaient le monde, s'ils observaient vraiment le monde, s'ils se posaient ne serait-ce qu'une seule minute pour tenter de décrypter la manière dont est organisé le système, mais surtout la façon dont il permet à quelques-uns de s'enrichir, ils comprendraient très vite qu'il est impossible de le faire en se contentant uniquement de travailler. L'injustice de la doctrine capitaliste ne tient pas tant à une mauvaise répartition des richesses qu'à un manque flagrant d'information. Le problème des gens pauvres, c'est qu'ils sont mal informés et, par là même, mal conseillés. Et c'est là que je me tourne vers vous...

Artus prit les mains de l'homme dans les siennes d'une manière à la fois tellement délicate et tellement ferme que l'autre fut dans l'incapacité totale d'y échapper à moins d'y opposer un geste violent qui n'aurait pu être perçu autrement que comme une déclaration de guerre.

— Parce que c'est à vous, ceux que je nommerais les intermédiaires en quelque sorte...

À ces mots, le marchand sentit un petit picotement lui irriter les deux poings.

— ... c'est à vous de faire ce job. C'est à vous d'informer, c'est à vous, les marchands, d'ouvrir en grand les portes du Temple pour que les ignares y pénètrent, c'est à vous d'effectuer un véritable travail de terrain pour faire comprendre aux mal lotis tout l'intérêt qu'ils ont à investir dans un peinturlu-reur polack afin de doubler au bout du compte leur SMIC en moins de six mois. Voilà une vraie mission de gauche qui concilie commerce et justice sociale dans un même élan !

Le marchand, tout à fait conscient du double lan-gage d'Artus, sautillait d'un pied sur l'autre. Quant à l'exalté socialiste, il aurait léché les pieds, les mains, les oreilles d'Artus.

— D'ailleurs, tout le monde y gagnerait, reprit Artus. D'abord, les pauvres, puisqu'ils le seraient beaucoup moins. Vous, vous y gagneriez, évidem-ment, les peintres y gagneraient, le gouvernement et le patronat y gagneraient puisque les revendications salariales s'épuiseraient d'elles-mêmes, les pauvres étant, soit déjà trop riches, soit bien trop occupés à chercher des combines spéculatives pour trouver en plus le temps de protester ou de faire grève.

— Excusez-moi de vous contredire, cher Artus, mais vous avez du domaine de l'art une vision... une vision... (il hésita longtemps sur le terme le plus juste à employer) ... saugrenue. L'art ne tient que par la rareté de l'offre. Un objet ne devient cher que parce que peu de gens peuvent l'acquérir et se battent pour le faire.

— Ah, c'est donc pour cela que ça ne peut pas mar-cher ? fit Artus, faussement étonné.

— Un objet que tout le monde peut se payer n'est pas une œuvre mais un produit, ajouta le marchand sur le ton le plus abominablement dégoûté qu'il put.

— Les pauvres risquent donc de le rester pour l'éternité ?

Le marchand laissa échapper un rictus de contentement qui déforma son visage pendant quelques secondes. Il y eut alors un silence tendu où chacun se demanda si la bataille allait se poursuivre. Artus était conscient de ne pas avoir remporté une grande et belle victoire. Il avait juste réussi à faire naître sur le visage de son adversaire une expression détestable, tissée d'insolence et d'hostilité, qui exposait au grand jour une âme parfaitement antipathique. Mais peut-être était-ce l'unique but qu'Artus s'était fixé : arriver à lui faire afficher cette mine hideuse. D'un coup, il parut fatigué. Un gros chat que la souris aurait cessé d'amuser, tandis que le marchand continuait de camper sur son bon droit, sur ses prérogatives, sur son importance de dealer.

— C'est trop déprimant. Il faut que je boive quelque chose, dit Artus en soulevant son verre vide.

Il jeta un regard vers Rodolphe.

— Tu n'as pas soif, toi ?

Artus prit Rodolphe par le bras. Alice, qui s'occupait en maîtresse de maison de toutes les tâches que sa mère était par nature incapable d'effectuer, les vit s'éloigner d'un air inquiet.

Les deux hommes parcoururent plusieurs dizaines de mètres de couloirs et d'escaliers – l'un derrière l'autre, sans qu'aucune parole soit échangée – avant de s'arrêter devant une porte lambrissée de chêne presque noir. Artus isola une clef d'un trousseau encombré, ouvrit la porte sans prendre la peine de la refermer et invita Rodolphe à pénétrer dans son bureau, qui se présentait, au deuxième étage de l'hôtel particulier, sous la forme d'un petit salon modeste, sombre, étonnamment spartiate en comparaison de l'opulence déployée dans les autres pièces. Les murs étaient nus – aucun tableau d'artiste n'avait réussi à s'y imposer – à part quelques photographies de chantier où Artus exposait de manière visible la satisfaction qu'il éprouvait à poser pour l'objectif en compagnie de ses équipes, devant des constructions qui venaient d'être fièrement achevées.

Rodolphe était la proie d'une terreur souterraine qu'il espérait imperceptible. Pourquoi Artus, qui n'avait jamais échangé avec le jeune homme plus de deux phrases d'affilée, avait-il insisté pour quitter cette fête et choisi ce moment pour s'adresser à lui, de surcroît en tête à tête ? Rodolphe était fortement attiré par son intelligence, sa personnalité, son aura, mais il craignait, sans trop vouloir se l'avouer, de se confronter réellement à cet être puissant, invulnérable jusqu'à en paraître arrogant, qui n'avait nul besoin d'élever la voix pour asseoir son autorité.

Artus s'affala dans un fauteuil au cuir avachi où s'étaient déchaînées les griffes de générations de matous. D'ailleurs, dès qu'il fut assis, un des cinq chats de la maison se glissa dans la pièce et sauta sur sa table de travail. Artus adorait les chats au point qu'il en avait fait le symbole de son entreprise, sous la forme d'un gros matou rouquin à l'air vorace et aux moustaches raides comme des poignards. L'homme se mit à le caresser de façon très douce, enfouissant ses gros poings dans la fourrure de l'animal, lui flattant du bout des doigts le ventre, l'entrejambe, les oreilles, la queue, déposant avec sa bouche épaisse de tendres petits baisers sur la truffe humide de la bête. Tout en le caressant, il lui parlait aussi, lui susurrant des mots doux – « mon petit Brioche, mon gentil Brioche, mon Brioche adoré » –, et Brioche prenait des poses d'une langueur savamment calculée en ronronnant de contentement. Rodolphe observait avec un mélange d'appréhension, de gêne et d'attendrissement ce gros bonhomme qu'il savait par ailleurs si dangereux. Il s'écoula de longues secondes avant qu'Artus ne lève la tête vers lui.

— Un dur à cuire, ce salopard de marchand.

— Vous l'avez mouché quand même. *Speculatio*... C'était bien joué.

— Même pas. Il me prend pour un con. Avec ces gens-là les jeux sont faits d'avance. Peu importe ce que tu peux leur balancer, ils te prennent toujours pour un con.

Artus ouvrit un tiroir et sortit une pochette beige qu'il déplia en deux. Elle contenait quelques fiches qu'Artus se mit à feuilleter négligemment.

— J'ai fait ma petite enquête sur toi... J'espère que tu n'y vois pas d'inconvénient.

— Une enquête ? dit Rodolphe en s'enfonçant un peu plus dans son fauteuil.

Artus ne tenta ni de s'expliquer ni de se justifier.

— Il y a plein de trucs passionnants là-dedans, continua-t-il, les yeux rivés sur les pages dactylographiées. Élève aux capacités hors normes. Famille ouvrière. Ton père en particulier mérite le détour.

Il laissa passer un silence.

— Mon père à moi aussi méritait le détour, dit-il sur un ton qui se voulait distant, tout en continuant de consulter le dossier, toujours aussi négligemment. Arrive la fac de droit, le repaire privilégié de la jeunesse dorée et des fils à papa sans envergure. Sans envergure mais tellement chics, tellement plus chics que toi, n'est-ce pas, Rodolphe ?

Artus releva la tête et le fixa pendant quelques secondes. Rodolphe n'en croyait pas ses oreilles. Bon sang, sur quel terrain l'amenait-il ?

— Et ces gens-là, tu les fréquentes, bien évidemment.

Sourire pincé de Rodolphe, qui ne pouvait s'empêcher de se sentir pris en faute.

— Eux aussi se comportent de la façon dont ce petit marchand n'a cessé de se comporter ce soir...

— Je ne pense pas, non, dit Rodolphe en bégayant presque.

— Évidemment qu'ils se comportent exactement de cette façon-là, Rodolphe, dit Artus en haussant le ton. Et c'est bien la raison pour laquelle tu leur en veux autant.

Rodolphe aurait pu croire qu'une longue lame lui transperçait les entrailles. Artus le dévisagea.

— C'est même devenu ton cauchemar, pas vrai ? Ta petite torture de prolétaire. Ce mépris que ces foutus snobinards ne peuvent s'empêcher d'afficher, cette façon insupportable qu'ils ont de te toiser, de te renvoyer constamment, rien que du regard, à tes origines, à cette foutue classe sociale dont tu as intimement si honte et dont tu cherches à tout prix à te démarquer.

Rodolphe eut un petit frémissement de stupeur d'être percé à jour de façon aussi exacte.

— Nous sommes faits du même bois, mon garçon. Pour moi aussi, même après toutes ces années, même après tous mes succès, il y aura toujours quelque part, où que je me trouve, le regard haineux d'un sale petit marchand qui voudrait que je retourne à la terre où je suis né.

Il brandit ses deux poings crispés par l'exaspération.

— Qui voudrait que je me salisse les mains pendant que lui se pavanerait dans mes salons avec sa chemise blanche, ses mains blanches, ses putains de dents blanches, en se moquant ouvertement d'un luxe qu'il ne pourra pourtant jamais s'offrir.

Il s'arrêta de parler et porta ses mains à la hauteur de ses yeux. Il se mit à les examiner en les faisant pivoter. C'étaient deux grosses pognes velues, fortes, terriblement vivantes mais dépourvues de la moindre grâce. Rodolphe le regardait, pétrifié, avec le souvenir cuisant de l'observation de ses propres mains, dans le sous-sol crasseux d'un café, quelques mois auparavant. Le visage de Gabriel s'imposa brutalement à lui. Il sentit que la même colère qui animait Artus se diffusait maintenant dans ses propres veines.

— Et nous, à cause de ces enfoirés, à cause des jugements infects qu'ils n'ont cessé de porter sur nous, nous n'avons jamais pu nous considérer autrement que comme des moins que rien.

Artus laissa bruyamment retomber ses poings contre le bois du bureau.

— Voilà ce qu'ils ont fini par nous faire croire, ces salopards : que nous étions des incapables. Et nous, innocents petits prolos, nous sommes tombés dans le panneau. Oui, Rodolphe, nous, par ailleurs si forts, si intelligents, si opiniâtrement résistants, nous les avons crus. Au point de ne plus désirer qu'une chose :

obtenir un peu de leur putain de reconnaissance, même si nous savons pertinemment que ces gens-là ne nous l'accorderont jamais.

Artus se calma d'un coup et referma avec soin la chemise de papier.

— Tu n'as pas d'autre choix que de réussir, mon garçon. Il ne faut pas laisser ces enflures t'humilier.

— Je n'ai vraiment pas l'intention de me faire avoir, dit Rodolphe avec de l'aigreur dans la voix.

— Tu n'arriveras jamais à éteindre leur mépris, mais tu pourras au moins te sentir vengé de les savoir indignés de tes victoires.

Artus projeta son torse massif contre le dossier du fauteuil. Avec un feulement plein de récrimination, le chat sauta sur ses genoux et exigea des caresses. Artus se remit à le tripoter.

— Je peux t'aider si tu le souhaites. On m'a aidé à mes débuts, je peux le faire à mon tour.

Le jeune homme entrevit aussitôt des perspectives ouvertement optimistes quant à son avenir. Évidemment, il n'en était pas dupe. Avec ce genre de type, cette aide impliquait nécessairement une contre-partie. C'était un marché que cet homme-là voulait conclure avec lui.

— Alice t'adore, je le vois. Un père sent ces choses-là. Je dis ça mais il faudrait être le dernier des crétins pour ne pas s'en apercevoir. C'est la première fois que ma fille est amoureuse. En tout cas de manière aussi... visible. J'en suis à la fois content et... comment dire... inquiet. J'aime ma fille, Rodolphe, plus que tout au monde, ajouta-t-il en chuchotant presque.

Cet aveu devait être particulièrement éprouvant pour un homme doté d'une personnalité aussi vigoureuse.

— Moi aussi j'aime votre fille, Artus, répondit Rodolphe sur un ton où pointait une vague révolte.

Il n'est pas certain qu'Artus ait eu plaisir à entendre Rodolphe l'appeler par son prénom. Il y eut même sur son visage une imperceptible grimace de dégoût que Rodolphe fut assez sensible pour noter et assez fin pour interpréter à sa juste valeur.

— Alice serait capable de déplacer des montagnes pour obtenir ce qu'elle désire. Elle tient ça de moi. Elle serait tout aussi capable d'en crever si elle s'apercevait que ce qu'elle a autant désiré ne valait pas un coup de cidre. Ce côté-là, elle l'a malheureusement pris de sa mère.

— J'aime votre fille, monsieur, je vous le répète.

— C'est quand même la moindre des choses, mon garçon. Mais tu vois, ce n'est pas cela qui me tracasse. Votre amour est une histoire privée qui ne regarde que ma fille et toi. Par contre, ce qui m'inquiète et que je supporterais mal, ce serait que tu la *déçoives*.

Artus avait insisté sur ce mot, que Rodolphe n'était pas certain de bien comprendre.

— Pas que tu la *trompes*, enchaîna Artus. Avec le métier que tu envisages, il paraît difficile que cela n'arrive pas un jour ou l'autre. La politique et le cul font malheureusement bon ménage. Non, non, j'insiste : que tu la *déçoives*, il n'y a pas d'autre mot. Parce que si tu la déçois, elle, je crains fort que tu ne me déçoives, moi, et mille fois plus, précisa-t-il avec dans la voix un ton de menace pas du tout

285

rassurant. Est-ce que tu comprends ce que je veux te dire, Rodolphe ?

Pour donner une puissance encore plus dramatique à ce qu'il s'apprêtait à répondre, Rodolphe se crut obligé de se lever.

— Je ne vous décevrai pas, monsieur. Si je n'étais pas aussi franchement agnostique je serais même prêt à vous le jurer, annonça-t-il gravement.

Artus eut un sourire entendu – assez ouvert mais pas franchement sympathique, un sourire d'homme d'affaires, si vous voyez ce que je veux dire – et se leva à son tour. Il tendit une main vers Rodolphe, qui se pressa de s'en emparer. Alors, dans le plus grand silence, les deux hommes échangèrent une longue – une très longue – poignée de main.

11 juillet 1983

Tanguy ne se définissait pas à proprement parler comme un capitaliste pur et dur. De par son éducation, c'était l'enfant du petit commerce, de la libre entreprise et de l'épanouissement des échanges marchands traditionnels : travail contre argent, argent contre produit. Il avait en horreur tout ce qui pouvait ralentir, voire entraver, le bon déroulement de ces actes d'échange – interventionnisme outrancier de l'État, accumulation des charges et des impôts, étranglement des initiatives individuelles. D'un autre côté, il aurait vu d'un très mauvais œil une déréglementation échevelée du marché, qui n'aurait profité selon lui qu'aux grands conglomérats qui étourdissaient déjà bien assez les petits entrepreneurs par des marges éhontées et une concurrence déloyale. De par son histoire familiale, il se situait au centre droit, se réclamant l'héritier d'une longue tradition humaniste et libérale. D'ailleurs, de son propre aveu, et bien que de droite, il aimait les gens, mais il les aimait libres de leurs pensées comme de leurs actes et, aujourd'hui plus que jamais, il les aimait *travailleurs* et *républicains*. En pratique, il se sentait proche des démocrates américains, dont il vantait constamment l'incroyable esprit pionnier, l'amour immodéré, teinté de fierté, qu'ils portaient à leur nation, et surtout leur franchise totale vis-à-vis de l'argent.

Ces opinions, il eut l'occasion de les défendre de vive voix devant le jury de l'ESCP, l'École supérieure de commerce de Paris, après qu'il y eut été admissible à l'issue des épreuves écrites.

Ils étaient trois face à lui, deux hommes et une femme. Tanguy se tenait à trois mètres d'eux, sur une chaise de bois dur, avec dans son attitude un curieux mélange de décontraction et de raideur. Il était engoncé dans un costume sombre et sa cravate lui meurtrissait la gorge. De longs cernes violets marquaient son visage, dont la peau était devenue sèche et sans éclat, de sorte qu'il donnait l'impression d'avoir totalement cessé de dormir depuis des jours. Pourtant une rage dévorante, presque folle, illuminait son regard. Pendant deux ans, il avait sacrifié sa vie à ses études. Il avait tout avalé, tout supporté dans le seul but de vivre le moment qu'il était en train de vivre. Dans la semaine qui avait précédé cet oral, il avait répété son rôle pendant des heures entières, se forçant même à endosser son costume-cravate pour mieux s'y accoutumer. Aujourd'hui, il se sentait prêt.

— Et la solidarité de l'État ? lui demanda l'un des trois membres du jury, un ancien élève de l'école qui s'était hissé jusqu'au poste assez enviable de directeur des ressources humaines d'un grand groupe pharmaceutique.

— Je n'ai rien contre. Il faut simplement limiter les abus. L'État n'a pas à entretenir ses concitoyens et à créer des situations fausses où un individu pourrait profiter du système en en lésant un autre.

Il réalisa brusquement qu'il s'était mis à parler trop vite. Il décida de ralentir son débit en créant des pauses qu'il tenta de faire paraître le moins artificielles possible.

— Chacun devrait se poser la question de la limite des bénéfices... qu'il peut attendre des institutions. Je n'aime pas beaucoup l'idée... d'assistanat.

Un autre membre du jury, une femme souffreteuse à la chevelure abondante et teinte à outrance, eut un froncement de sourcils réprobateur.

— «Demandez-vous ce que vous pouvez faire pour votre pays...», commença-t-elle.

— «... et non ce que votre pays peut faire pour vous...» Discours d'investiture du président John Fitzgerald Kennedy en 1961, pérora Tanguy avec un petit sourire satisfait qui déplut à la fausse blonde.

— En réalité Khalil Gibran trente ans plus tôt, rectifia-t-elle.

— Ah?

— Peu importe. Dites-moi, monsieur Caron, comment voyez-vous votre avenir?

Tanguy s'était préparé à cette question qui, il le savait, finirait par tomber tôt ou tard. Il avait long-temps pesé le pour et le contre sur l'attitude à adopter. Soit se conformer à ce que l'on attendait de lui, faire le dos rond, jouer la prudence, au risque de passer, au mieux pour un type pondéré, au pire pour un indé-cis. Soit la jouer franc-jeu, esprit libre, au risque cette fois de paraître plein d'arrogance. Il planta son regard dans les yeux du jury, et plus précisément dans ceux de la femme blonde qui lui semblait être son pire adversaire à cet instant.

— Je viens d'une famille de commerçants. J'ai, je crois, un sens inné des affaires. J'ai aidé ma mère à maintenir à flot son entreprise. À quatorze ans déjà, je mettais mon nez dans les comptes.

Tanguy se raidit dans son siège et laissa passer un silence plutôt mélodramatique.

— D'une certaine façon, on peut dire que c'est moi qui ai sauvé la boîte.

Les deux hommes du jury ne purent s'empêcher d'esquisser un sourire devant tant de prétention.

— Un Bernard Tapie en herbe, dit la blonde d'un air caustique en cherchant du regard l'assentiment de ses acolytes.

Tanguy ne se sentait pas particulièrement vexé d'être comparé à son idole. Il sourit.

— J'aime me battre, reprit-il. La compétition m'excite. La libre entreprise m'excite. Les lois du marché m'excitent.

— *Here comes the killer!* reprit la blonde en éclatant de rire.

— Je ne suis pas un tueur, rectifia Tanguy un peu offensé. Dans toute compétition, il y a des règles et je tiens à les respecter. Pour moi, il n'y a rien de plus enivrant que de battre un camarade de classe dans une épreuve la journée et de lui taper dans le dos le soir au café. C'est ma nature, je n'y peux rien.

— Vous avez donc le temps d'aller dans les cafés ? persifla le troisième membre du jury qui s'était tu jusqu'alors.

290

Tanguy laissa filer la remarque. Le trait d'humour tomba à plat. La blonde eut même un petit frisson d'agacement, sa chevelure s'avachit en masse sur son front et elle la replaça d'un geste maniaque. Pour se donner une contenance, Tanguy appuya sa main gauche sur le bois de la table et, de son autre main, commença à la caresser lentement. Un geste d'une douceur de stratège auquel le président en place avait systématiquement recours dans ses interventions télévisées. Cette posture impressionnait particulièrement Tanguy, qui y voyait le summum de la décontraction calculée.

— Permettez-moi de vous avouer quelque chose...

Il prit une longue bouffée d'air régénératrice et se lança, sans vraiment savoir où il s'engageait :

— Je suis de droite, par tradition familiale et par conviction personnelle. Je pense que le gouvernement socialiste a fait la pire bêtise en abaissant l'âge de la retraite à soixante ans et le temps de travail à 39 heures. Je peux vous assurer que, tôt ou tard, on s'en mordra les doigts. Il y a deux mois, le 25 mars exactement, notre ministre des Finances, Jacques Delors, annonçait ce qu'on ne peut nommer autrement qu'un plan de rigueur draconien, même si certains persistent à lui donner un nom plus flatteur.

Le sang de la blonde sembla s'évaporer totalement de son visage, ses yeux étaient devenus de petites meurtrières d'où l'on aurait pu s'attendre à voir surgir une volée de flèches empoisonnées. Tanguy apprit quelque temps plus tard qu'elle avait ses entrées à l'OCDE, l'Organisation de coopération et de développement économiques, au sein de laquelle elle avait fortement combattu les réformes sociales du gouvernement en place. D'une certaine façon, il ne s'était pas vraiment trompé d'interlocuteur.

— Je le cite, continua Tanguy en feignant de se concentrer pour retrouver les mots exacts du ministre : « Nous ne pouvons continuer à consommer plus que nous produisons, à acheter plus que nous ne vendons à l'étranger. Il nous faut diminuer les déficits publics, il nous faut acheter français, il nous faut acheter des produits français. Désormais notre priorité est de muscler l'appareil de production pour devenir de meilleurs exportateurs. »

— Je ne vois pas tellement où cela nous mène, dit la femme avec froideur.

Il était clair que ce jeune type, même si elle faisait tout pour le désarçonner, l'intéressait vraiment. Elle n'était pas la seule. Les deux autres fixaient l'énergumène avec de grands yeux étonnés. Tanguy cessa toute activé manuelle, ses mains se figèrent l'une sur l'autre. Il n'était, au fond, pas si sûr de lui-même que sa prestation le laissait supposer. Il avait fait un vrai pari, qui n'était pas sans risques. Maintenant il lui fallait continuer. Sa voix prit un ton d'un sérieux imparable.

— Ce discours de Jacques Delors, je peux vous avouer que je l'ai pris très personnellement. Comme un appel du pied, si vous voyez ce que je veux dire. Je suis un entrepreneur. Au risque de paraître un peu prétentieux, je crois très sincèrement que la France a besoin d'hommes comme moi. Elle a besoin de battants, elle a besoin de gens qui ont la tête bien faite, elle a besoin de dirigeants fiables, rigoureux, expérimentés. Elle a besoin de chefs d'entreprise solides.

Il s'arrêta une seconde, sans effet de théâtralité, plutôt pour reprendre son souffle.

— Et cette école devrait me permettre d'en devenir un, dit-il lentement.

Des trois membres du jury, personne ne réagit. Leurs visages étaient semblables à des masques opaques, vides de toute intention. Même s'il continuait d'afficher un sourire et un calme de prophète, Tanguy sentit monter une fièvre du fond de ses tripes. Il pensa à sa mère, à ses deux sœurs, il revit sa chambre d'étudiant, les bords de mer de son enfance, il revit la figure déchirée de son père la nuit de sa disparition, il revit le visage content de Rodolphe dans le train qui les ramenait chez eux, exactement un an plus tôt. Une rancœur sourde se répandit dans son cerveau. Avec sa grande gueule, ses foutus paris, il avait tout gâché. Il allait se ramasser, c'était certain. Son avenir n'était plus qu'un immense trou noir, une torture morne et douloureuse. Quelques gouttes de sueur se mirent à perler sur le haut de son crâne.

— C'est bon, je crois que nous en savons assez, conclut la blonde en mâchouillant le crayon à papier avec lequel elle se mit ensuite à griffonner quelque chose dans le carnet ouvert devant elle.

Bordel, qu'est-ce qu'elle est en train d'écrire ? se demanda Tanguy qui ne pouvait détacher ses yeux du petit calepin à la couverture noire.

Il ne bougeait toujours pas.

— Merci, monsieur Caron, insista le DRH d'une voix neutre.

Tanguy se leva enfin. Il rassembla ses affaires et sortit le plus calmement qu'il put. Ses jambes tremblaient et le portaient à peine. Les trois membres du jury s'observèrent en silence. Si Tanguy les avait profondément agacés, ils ne purent, lors des délibérations finales, que reconnaître le mordant et l'allant d'un tel candidat, de sorte qu'il fut reçu dans les vingt premiers du concours.

Évidemment, une grande fête fut organisée. À la plage, madame Caron préféra cette fois la salle des fêtes, gracieusement mise à disposition par la mairie. Rodolphe avait – à peine poliment – décliné l'invitation en prétextant un week-end prévu de longue date par Alice. Benoît arriva tard et, pour la première fois, sans son appareil photo. En tout, nous étions une vingtaine. La plupart étaient les amis – en majorité des garçons – que Tanguy s'était fait pendant ses deux années de classes préparatoires, et je n'en avais jamais rencontré aucun. Tous avaient réussi le concours d'entrée à au moins l'une des trois grandes écoles de commerce parisiennes, quand ce n'était pas aux trois à la fois. Éparpillés sur le carrelage blanc de cette salle mal calibrée pour si peu de gens, il n'y avait que des vainqueurs chez qui l'on sentait déjà l'impatience d'en découdre le plus vite possible avec le monde. Ils paraissaient inapprochables, isolés par une espèce de carapace qui leur conférait la grâce insolente des conquérants. Ils avaient vingt ans, ils étaient dans l'ensemble assez beaux, la plupart venaient de familles aisées. Ce soir, tous arrosaient leur triomphe sur la vie et rien n'aurait pu assécher le flot impétueux de leur satisfaction. Pourtant, il régnait dans cette salle municipale une atmosphère désagréablement molle et jamais l'ambiance ne décolla vraiment. Tous ces champions, ces battants, ne semblaient pas tant s'amuser que vouloir à tout prix en persuader les autres. Il y avait dans leurs paroles comme dans leurs postures une fausseté qui me sauta aux yeux. Ils riaient trop fort, ils buvaient trop vite, ils dansaient mal et gesticulaient comme des crétins en défiant à dessein les lois élémentaires du rythme, comme s'il était hors de question qu'aucune loi puisse jamais les contraindre à quoi que ce soit. Benoît, qui était affalé sur une chaise en formica à mes côtés, résuma assez bien ma pensée :

— Tous ces gens, me souffla-t-il, ils font semblant d'être en vie mais la plupart sont presque morts. C'est atroce.

Son regard se porta vers Tanguy qui se dandinait comiquement devant une brunette aux cheveux extrêmement longs, probablement anorexique, vêtue de noir des pieds à la tête, ce choix vestimentaire effaçant le peu de formes qu'il lui restait encore. Benoît et moi échangeâmes un regard entendu. Par un curieux synchronisme de la pensée, Tanguy tourna la tête vers nous à cet instant. Son sourire se figea et, en une seconde, son visage prit une expression univoque, à mi-chemin entre exaspération et mépris. Il nous en voulait, c'était certain. Il regrettait de ne pas nous voir célébrer plus librement, plus joyeusement ce qui s'apparentait à son apothéose.

Plus tard, alors qu'il était déjà bien imbibé, il s'approcha de nous. La conversation roula bientôt sur Rodolphe, dont Benoît regrettait l'absence.

— Il a prétexté un voyage pour ne pas venir, dit Tanguy presque joyeusement. Entre nous, on est aussi bien sans lui.

Puis il ajouta :

— De toute façon, ce type a un problème.

— « Ce type » ? Rodolphe est devenu un type maintenant ? Et quel problème peut-il bien avoir selon toi ?

— Il n'a jamais su s'amuser vraiment.

— Ah, s'amuser vraiment ? Comme l'année dernière sur la barque, par exemple, c'est de ce genre de divertissement que tu veux parler ?

Tanguy laissa échapper un petit sourire exécrable.

— Ferme-la, s'il te plaît. Je n'ai vraiment pas envie d'entendre ce genre de conneries ce soir.

Benoît fut choqué.

— Ce soir ? Précisément ce soir, n'est-ce pas ? Surtout pas devant tous ces gens ? dit-il d'une voix qui dénotait de la jalousie.

— Ces gens sont aussi mes amis, figure-toi, pérora Tanguy. Que tu le veuilles ou non.

Benoît marqua un temps d'arrêt. Il était excédé, ce qui n'était pas dans sa nature. Il faisait penser à un jeune taureau mis à mal par le torero et qui ne supportera aucune banderille supplémentaire.

— En fait, je crois que tu es furieux de ne pas le voir ce soir, non pas parce qu'il te manque, mais parce qu'il te met dans l'impossibilité de lui montrer combien tu peux parfois lui être supérieur. Rodolphe loupe la consécration du prince et ça, c'est une faute impardonnable !

— Ouah ! fit Tanguy, en feignant l'admiration. Tu verses dans la psychologie, maintenant ? Crois-moi, c'est une énorme erreur d'avoir arrêté tes études. Tu avais un sérieux potentiel, je peux te l'assurer.

Il avait dit cela calmement et sur un fond de mépris vraiment insupportable. Dans notre groupe, seul Rodolphe aurait pu se prévaloir d'un comportement à ce point détestable. Je n'avais jamais vu Tanguy réagir de manière aussi agressive ou s'exprimer sur un ton aussi ouvertement hautain, lui qui mettait un point d'honneur à ne jamais se départir de sa bonne humeur et de son caractère avenant. Peut-être avait-il décidé de faire concurrence à Rodolphe également sur ce terrain-là.

— La compétition finira par te bouffer, mon vieux, dit Benoît, affligé.

Le sourire s'effaça aussitôt du visage de Tanguy.

— Stop ! dit-il. Je n'ai vraiment pas envie de me prendre la tête.

Puis, plus bas :

— Surtout pas avec toi.

Tanguy s'approcha de Benoît, l'attira dans ses bras et le serra fort contre sa poitrine. Même si Benoît se laissa aller à cette démonstration d'amitié – un peu théâtrale, il faut bien le reconnaître –, il était visible qu'il ne pardonnait rien, gardant la tête froide et les yeux ouverts, résolument fixes. Tanguy relâcha son étreinte puis s'éloigna de nous. Il se dirigea vers le buffet où il se servit une grande rasade de vodka qu'il accompagna d'une montagne de glaçons et avala cul sec. Il resta un long moment à observer le mur qui lui faisait face puis se retourna en exhibant un sourire factice et victorieux, avant de rejoindre la piste de danse. Benoît et moi nous rassîmes, tous deux également atterrés. Benoît ne supportait pas cette facette nouvelle qu'il venait de découvrir chez Tanguy, ce côté acariâtre, cette mauvaise foi auxquels sa propre intransigeance dans les rapports humains ne pouvait opposer qu'un ressentiment mêlé de tristesse. De mon côté, je me sentais viscéralement atteint par les conflits qui assombrissaient leur amitié – et donc notre amitié à tous les quatre, car je me sentais faire corps avec mes amis et aussi meurtri par les attaques de Tanguy ou de Benoît que si c'était moi qui en eusse été directement la victime. J'en portais, à double titre, un lourd poids de chagrin. Tout le temps de cette discussion, je m'étais tenu à l'écart, aussi choqué par leur comportement hostile que par mon incapacité à les en tenir éloignés.

Voilà où nous en étions quand retentirent les premières mesures de la chanson *Last Night a DJ Saved my Life*, qui passait en boucle depuis plus de trois mois dans toutes les boîtes parisiennes.

Ce fut plus fort que moi, il fallut que je me lève. Benoît me dévisagea d'un air soupçonneux, comme si, d'une certaine façon, je m'engageais à son égard dans un acte de trahison en rejoignant les amis de Tanguy. Arrivé sur la piste, je mis à me trémousser. Comme vous vous en doutez, je connaissais par cœur les paroles de la chanson et je les fredonnais à voix basse, bien qu'assez distinctement, de sorte qu'il ne faisait aucun doute pour personne que je les connaissais effectivement par cœur. Je me sentais léger et regonflé par une confiance nouvelle. C'était comme un petit miracle. Aussitôt que je fermais les yeux, je me retrouvais propulsé dans un ailleurs chaud et humide, un cocon bienveillant, éblouissant de lumière. Toutes les personnes que j'avais croisées ces deux dernières années, tous les événements – heureux ou malheureux – qu'il m'avait été donné de vivre, tous les lieux que j'avais fréquentés se mirent à se bousculer sous mon crâne, jaillissant comme sous l'effet d'un stroboscope assujetti au rythme de la musique. En deux ans, j'avais vécu tant de choses qu'il m'aurait été impossible de les décrire à quiconque ici présent, y compris mes deux meilleurs amis. En deux ans, je m'étais constitué un petit panthéon d'émotions et de visages que je convoquais ce soir pour taire mes doutes et mes pensées grisâtres. En deux ans – j'en étais à cet instant intimement persuadé – j'étais devenu un autre, et cet autre, je n'en étais finalement pas si mécontent.

En rouvrant les yeux, je me sentis dévoré par une foule de regards inquisiteurs ou admiratifs, l'un excluant généralement l'autre. J'étais devenu le centre de l'attention, la petite attraction du moment. Cela m'arrivait assez peu souvent pour que je ne souhaite pas prolonger cet instant magique. Je notai le regard intéressé de trois ou quatre beaux gosses à qui je n'arrêtai pas de sourire. Je dus le faire de manière assez insistante pour que Tanguy se sente obligé de se rapprocher de moi et de me glisser à l'oreille ces petits mots qui, presque trente ans après, résonnent encore dans mon cerveau :

— S'il te plaît, Paul, ne me fais pas honte.

Je le dévisageai un moment puis lui éclatai de rire au visage. Par pure provocation, je me rapprochai d'Alex – le type idéal du petit blond incandescent, incontestablement l'apollon du groupe – pour me mettre à me tortiller à seulement quelques centimètres de lui. Alex m'accueillit avec la plus grande méfiance, si toutefois «méfiance» est le mot le plus juste pour décrire le malaise qui sembla se saisir de lui. Dans les faits, il s'arrêta presque aussitôt de danser pour rejoindre le buffet. Tanguy eut un petit haussement d'épaules vaguement amical que je mis quelques secondes à interpréter pour ce qu'il était vraiment, c'est-à-dire révoltant de condescendance. La chanson se termina. Je cherchai Benoît du regard. Il avait disparu. D'un seul coup, je me sentis horriblement seul et rejeté de tous.

Tanguy se réveilla avec un arrière-goût saumâtre dans la gorge. Julia, la fille anorexique, peu habituée à un traitement alcoolique aussi radical que celui qu'elle avait subi dans la salle des fêtes, avait passé la nuit en équilibre instable au-dessus de la faïence des W-C et, une fois son exploration achevée, ne se montra pas disposée à quoi que ce soit de plus pénétrant. Elle gisait maintenant à ses côtés, la tête agitée par ses propres ronflements, le visage exsangue et grotesquement déformé par les agressions éthyliques dont elle avait été la victime plus ou moins consentante. Tanguy en eut un hoquet de dégoût.

Mais il y avait autre chose.

Et si, au fond, cette soirée n'avait pas été aussi terrible que cela ?

D'abord il s'en voulait de s'être disputé avec Benoît. Il aurait voulu le voir heureux, sautillant, quand il s'était montré terne, affligé, jaloux. La nuit dernière, il aurait voulu que la planète entière partage sa joie. Cette soirée, il l'avait construite et reconstruite dans sa tête au point de l'idéaliser tout à fait. Il avait même prié pour qu'elle soit lumineuse, mémorable entre toutes. Bien sûr, elle achevait de le consacrer comme élève exemplaire – Benoît avait raison sur ce point –, mais surtout elle annonçait la fin d'un cauchemar qui le hantait presque nuit et jour depuis la mort de son père. L'idée de réussir était quelque chose qui sans relâche avait dépassé sa propre envie, une pensée à la fois dévastatrice et salutaire, une nécessité où n'entrait aucun choix éclairé par la raison ou guidé par la conscience. Ce matin-là, cette longue nuit arrivée à son terme, il aurait dû être un homme neuf. Seulement voilà, l'était-il vraiment ?

Il se leva, enfila un caleçon et un T-shirt propres et se dirigea vers la salle de bains, où il s'aspergea plusieurs fois d'eau glacée. En levant la tête, il surprit son reflet dans le miroir. Et, détaillant ce visage diaphane et presque transparent, ce corps – affligé d'une maigreur pitoyable – que ces derniers temps il avait fini par négliger complètement, il décida que l'été qui s'annonçait serait l'occasion de se refaire une santé.

Il descendit l'escalier à la recherche de sa mère. Après avoir fouillé tout le rez-de-chaussée, il la trouva dans le jardin, un sécateur à la main. Colette s'affairait autour d'un rosier grimpant dont elle dégageait l'une après l'autre les fleurs endommagées. Benoît recula d'un pas et s'abrita derrière un pan de mur pour l'observer. Les gestes de sa mère étaient nerveux et le contraire d'hésitants. Les pupilles repéraient l'élément défectueux et la main agissait aussitôt, vive et empressée. Elle sectionnait sec et vite, maniant l'outil aussi puissamment que s'il s'était agi d'une arme.

301

Son bob à bord tombant, ses larges gants de toile qui lui dévoraient les avant-bras, son tablier de jardin qui l'enserrait comme une armure lui conféraient l'air presque comique d'un samouraï en campagne. La lumière blanche du soleil frappait cruellement son visage. Tanguy nota au coin des yeux un écheveau de fines striures qu'il n'avait jamais remarquées. Ses joues, autrefois pleines et vivantes, s'étaient légèrement distendues et infléchissaient l'ovale du visage en lui donnant un côté amer. Sa mère avait vieilli, s'avoua-t-il, comme si cet éclatant soleil d'été éclairait brutalement une vérité inédite. Il en fut désolé. Colette sursauta à son approche.

— Bien dormi ? dit-elle avec un sourire entendu.

Tanguy savait ce que cette remarque impliquait à la fois de complicité et de désapprobation. Elle visait directement celle qui se trouvait à cet instant au premier étage, dans le lit de Tanguy. Le jeune homme lui renvoya une moue agacée. Colette comprit, poussa un soupir et se remit au travail.

— Elle n'a pas été un peu malade cette nuit ? dit-elle, les yeux posés sur la rose fanée qu'elle s'apprêtait à sectionner.

Clac. Les deux mâchoires du sécateur s'entrechoquèrent dans un gémissement de métal.

— Elle ne sait pas boire. Elle sait juste bosser comme un âne. C'est ce qu'on appelle une fille excessive.

— Tu la connais depuis… ?

Il la coupa net.

— S'il te plaît.

Colette leva les yeux au ciel. Tanguy s'éloigna pour aller inspecter une clématite qu'il affectionnait particulièrement pour l'avoir lui-même plantée sept ans plus tôt. Au bout de quelques minutes, il sentit la présence de sa mère dans son dos.

— Tanguy... Il faut que je te dise.

En se retournant, il constata que le visage de Colette s'était subitement affaissé. On aurait pu croire qu'elle venait de se prendre un coup de poing en pleine figure. Il prit ses deux mains dans les siennes.

— Maman... C'est quoi cette tête ?

— La boîte..., dit-elle en retenant ses larmes. Ça ne va pas très bien. J'ai eu une année horrible... Je ne sais pas dans quelle mesure je vais pouvoir continuer. Je n'arrête pas de perdre de l'argent. Les banques ne veulent plus rien entendre.

— C'est maintenant que tu m'en parles ?

— Tu avais tes concours. Il était hors de question de te mêler à ça.

Ils rentrèrent dans la maison où elle s'attacha à lui expliquer dans le détail comment les choses avaient progressivement pris le tour catastrophique qu'elles présentaient aujourd'hui. Comment elle s'était subitement retrouvée en compétition sur le contrat qui la liait depuis des années à un réseau de cantines municipales, alors même qu'elle n'avait, de sa vie, répondu à aucun appel d'offres et en ignorait de fait les mécanismes essentiels. Comment ce contrat lui avait été soufflé au profit d'une entreprise aux techniques marketing imparables, aux ressorts commerciaux indubitablement plus agressifs, financièrement plus solide aussi, plus prompte en tout cas à rogner sur les marges dans le but de remporter des parts de marché. Comment, dépossédée de ce marché vital qui pouvait certaines années représenter jusqu'à 40 % de son chiffre d'affaires, une partie de sa main-d'œuvre – parmi la plus qualifiée – s'était retrouvée en situation de chômage technique. Comment, le carnet de commandes diminuant d'un côté tandis que le prix de la matière première poisson augmentait de l'autre, les salaires et les charges de cette main-d'œuvre désormais mal employée s'étaient mises à l'étrangler. Comment elle s'était finalement retrouvée prisonnière d'un engrenage où les lignes débit/crédit, qui pendant des années s'étaient plus ou moins bien équilibrées, avaient fini par ne plus le faire du tout.

L'après-midi même, Tanguy mit son nez dans les comptes. Il y passa la soirée entière et une grande partie de la nuit. Julia, malgré une sévère gueule de bois, insista pour l'épauler. C'était, grosso modo, la même ambiance électrique qui régnait dans leurs thurnes d'étudiants quand ils se mettaient à potasser un examen blanc. Ils y employèrent le même sérieux, la même énergie, la même détermination. Sauf qu'au bout du compte – en avaient-ils seulement conscience ? – c'était de la matière bien vivante qu'ils modelaient du bout de leurs stylos en alignant amortissements, P & L et ratios. Une matière brûlante, humaine, évidemment irréductible à des alignements de formules, de courbes ou d'équations, si pertinentes et sophistiquées soient-elles. Au bout de quelques heures, après avoir assez clairement cerné la situation de l'entreprise, ses points faibles comme ses points forts, ce fut pour eux une évidence : il fallait licencier. Des trente-cinq ouvriers et ouvrières en poste, on pouvait au mieux en garder vingt. Quinze personnes allaient donc devoir être laissées sur le carreau.

Le lendemain, Tanguy se tenait debout à l'extrémité de la longue table, destinée indifféremment aux réunions ou aux repas du midi. Il avait tenu à revêtir le costume-cravate qu'il portait pour ses oraux, afin de lester sa figure encore juvénile d'un poids minimum de sérieux. Comme le jour de son oral à l'ESCP, il avait le cou raide et la gorge asséchée. Julia se tenait à ses côtés, debout elle aussi, les yeux rivés sur les pages de notes qu'ils avaient tous deux préparées. Elle avait enroulé son interminable chevelure pour en faire un chignon qui dépassait de tous les côtés de son crâne et lui donnait l'air d'un bonhomme Michelin. Colette était assise en léger retrait. Ses mains étaient la proie de tics nerveux et elle passait son temps à rectifier sa jupe en ramenant le tissu vers ses genoux.

À l'heure indiquée par la convocation expresse affichée à l'entrée de l'usine, les ouvriers entrèrent les uns après les autres. Ils arrivaient par grappes, en traînant les pieds, comme si leurs chevilles étaient entravées par un poids de mille tonnes. Personne ne souhaitait se retrouver dans les premiers rangs, de sorte que les derniers arrivés étaient contraints de pousser ceux qui étaient déjà présents pour pouvoir entrer à leur tour. Un troupeau qui flaire l'imminence de l'abattoir, voilà comment on aurait pu au mieux décrire leur entrée.

Les rayons du soleil, découpés par les persiennes qu'on avait abaissées à cause de la chaleur, emprisonnaient les corps dans des alternances d'ombre et de clarté. L'odeur du lieu, les visages, l'atmosphère, tout suintait le renfermé, jusqu'au silence opaque et poussiéreux, à peine troublé par le glissement des godillots de sécurité en caoutchouc que portaient les ouvriers. Tanguy les connaissait tous plus ou moins personnellement, et pourtant pas un sourire, pas une marque de reconnaissance ne fut échangé au cours des interminables minutes que dura cette triste procession. Les plus âgés avaient travaillé avec son père. Pour cette seule raison, le jeune homme leur vouait un respect teinté d'admiration. Les autres, les plus jeunes – enfin, ceux qui étaient là depuis moins de cinq ans –, c'était Tanguy lui-même qui avait conduit leur entretien d'embauche.

La mère de Tanguy avait baissé les yeux depuis longtemps déjà. Un sang glacé parcourait ses veines, son cœur cognait contre sa poitrine dans des palpitations douloureuses. Colette – et son mari avant elle – avait pour chacun de ses employés une affection authentique, profonde, exempte de la condescendance de certains chefs d'entreprise qui se la jouaient ouverts et paternalistes, essentiellement pour des raisons d'efficacité. En retour, les ouvriers s'étaient toujours sentis indéfectiblement solidaires de leurs patrons. Au plus fort de Mai 68, ce furent eux qui décidèrent d'abaisser les grilles de l'usine afin d'empêcher les syndicats extérieurs d'y pénétrer et d'y semer le doute ou un vent de folie. Ces gens-là formaient une famille, et Colette était, jusqu'à ce jour, la garante absolue de sa pérennité et de sa sécurité.

Au beau milieu de ce silence de plomb, Tanguy s'éclaircit la voix comme il avait vu des milliers d'orateurs le faire avant lui.

— Merci à vous tous d'être venus, commença-t-il sur un ton qu'il peinait à rendre détaché, même si c'était là son ambition. J'ai... Nous avons... quelque chose d'important à vous dire... Quelque chose qui va sans doute changer bien des choses... Et plutôt en mal, je le crains...

Des murmures étouffés si firent entendre. En cette minute, et bien que rien de définitif n'ait encore été formulé, chacun se sentait déjà trahi. Tanguy perçut au plus profond de lui-même cette vague hostile et continua de bafouiller lamentablement.

— Vous connaissez mieux que moi... cette... cette entreprise. Certains, je le sais, y ont mis toute leur âme pendant de nombreuses années... Certains étaient ici... bien avant ma naissance...

Julia le regardait d'un air où se lisait une sorte d'hostilité, mais d'une nature différente de celle des ouvriers. Elle le trouvait carrément nul.

— Beaucoup ont connu mon père, qui n'est malheureusement plus parmi nous... Je le regrette parce que... parce que... c'était mon père... tout simplement... et que cette entreprise, il l'avait créée... pour... protéger sa famille... mais aussi pour vous protéger, vous...

Il s'arrêta, submergé par une émotion trop forte, puis il reprit, avec encore plus de difficulté. Julia était hors d'elle. Elle aurait pu le terrasser de ses petits yeux intelligents et brillants, mais heureusement pour lui, il ne la regardait pas. Il fixait un point éloigné, situé bien au-dessus des têtes de ceux qui l'écoutaient, comme le capitaine d'un navire en perdition pointe sur la côte l'amer qui pourrait le sauver du naufrage.

— Lui aussi a beaucoup travaillé, personne ici ne pourra dire le contraire. Trop travaillé, peut-être... D'une certaine façon, même si cela n'a jamais été élucidé de manière... certaine... on peut sans doute affirmer que c'est cela qui l'a tué...

Il ne put ajouter un seul mot. Les ouvriers le fixaient, incrédules. Certains semblaient plus ou moins émus, mais la plupart refusaient de se laisser impressionner par ce chagrin inopportun.

— Ce que veut dire Tanguy..., commença Julia en ajustant son chignon et en redressant fièrement son buste squelettique, c'est que l'entreprise a besoin de restaurer sa viabilité.

Toutes les pupilles des ouvriers se tournèrent vers cette très jeune femme – presque une adolescente – tout habillée de noir, une sorte de spectre ambulant, tellement différente d'eux dans ses manières, dans son accoutrement, dans les modulations qu'elle imposait à sa voix.

Que venait-elle bien foutre là, cette petite pimbêche?

C'était, peu ou prou, ce qu'on lisait dans leurs regards hostiles.

— C'est qui cette fille? hurla d'ailleurs Minouche, la cinquantaine frappée et la langue bien pendue.

Julia poursuivit sans s'offenser de l'intervention ni même jeter un regard à Minouche.

— Aujourd'hui, les conserveries Caron sont dans la nécessité absolue de retrouver un cercle vertueux de croissance afin d'assurer leur dynamique de rentabilité.

Tanguy la regarda. Il y avait une part de reproche dans son regard. Mais aussi, c'est certain, une part d'admiration.

— Combien vous en foutez à la porte? C'est ça qui compte, bordel! hurla un jeune type.

Julia s'empara calmement de ses feuillets manuscrits.

— Effectivement, j'ai ici la liste de ceux qui devront partir. Nous avons fait ce choix en tenant compte de critères bien spécifiques dont nous sommes évidemment prêts à discuter avec vous. Des critères qui tiennent compte de l'ancienneté, cela va sans dire, mais également d'évaluations connexes comme la technicité du poste, la situation familiale, la...

— C'est ce qui nous a semblé le plus juste, coupa Tanguy, qui refaisait lentement surface et réalisait combien ce discours était déplacé.

— Combien ? hurla une voix sourde.

— Quinze, asséna Julia.

Un grand silence se fit.

— Pas quatorze... ni seize..., dit tout bas une femme à la voix ébréchée, presque honteuse de s'être exprimée.

— Ce sont les chiffres, chère madame. Les chiffres sont implacables, vous savez, dit Julia.

— Je ne sais pas ce que veut dire implacable, mademoiselle, répondit poliment la femme, s'en voulant déjà de prendre des gants avec quelqu'un qui n'en prenait pas à son égard.

— C'est qui ces quinze ? osa à nouveau Minouche d'une voix forte.

Julia plongea les yeux dans ses feuillets, y cherchant la liste que Tanguy et elle avaient élaborée avec Colette, contre sa volonté d'abord, mais suivant une logique et une nécessité qu'elle avait fini par admettre.

Julia se mit à énoncer les quinze noms, l'un après l'autre, sur un ton à la fois solennel et flegmatique d'expert-comptable. En réalité, on voyait bien qu'elle n'en avait rien à faire. À chaque nom prononcé – comme un verdict de cour d'assises –, on entendait un petit cri ou un petit grommellement, en fonction du caractère de la personne visée. Quand fut achevée la lecture de cette liste noire, un homme corpulent d'une quarantaine d'années – un des trois contremaîtres de l'usine – s'approcha.

— Colette, on ne peut pas accepter ça. Cette liste... je n'ai jamais rien vu de plus... de plus... injuste. (Il voulait sûrement dire con, mais il se retint au dernier moment.) Il y a sûrement d'autres solutions.

— Nous y avons beaucoup réfléchi, monsieur, à cette liste. Il nous semble qu'il n'y a pas d'alternative envisageable, dit Julia, sûre d'elle.

Mais le gros homme ne la regardait pas. Pas plus qu'il ne regardait Tanguy. Il fixait Colette, comme si toute cette histoire devait, au fond, être réglée entre elle et eux, et seulement entre elle et eux ainsi que cela avait toujours été le cas.

— On est prêts à baisser nos salaires, cria le jeune homme qui s'était déjà manifesté précédemment.

— Ouais, on est prêts à ça, dit l'homme, après un léger temps de réflexion.

Colette se leva et s'approcha du contremaître.

— Et moi je suis prête à écouter tout ce que vous avez à me dire.

Elle était moins tendue, Colette, maintenant qu'elle avait réussi à échanger quelques mots avec ses ouvriers. La discussion allait pouvoir s'ouvrir et ce fut réellement ce qui se passa. Personne ne se tint à l'écart, les plus timides en oublièrent leur terreur d'avoir à s'exprimer tout haut, les moins aguerris aux échanges de vues osèrent – sans doute pour la première fois – formuler des avis personnels et impliquants. Certains firent des propositions étonnantes, d'autres plus saugrenues. Si l'on sentait que chacun était là pour défendre sa peau, il ressortait de cet échange une chose qui, d'une certaine façon, émerveilla Tanguy : tous ces gens, pour des raisons bien supérieures au simple fait de se retrouver le lendemain aux portes de l'ANPE, ne voulaient absolument pas perdre leur travail tout bonnement parce que ce travail, ils l'aimaient et qu'ils s'y sentaient bien. Pourtant, ce job, Tanguy le connaissait pour s'y être frotté régulièrement pendant ses vacances d'été. C'était vraiment un sale boulot, dégueulasse, malodorant, répétitif. Le bruit des machines aurait pu vous briser les tympans, et il fallait des heures pour se débarrasser de l'odeur poisseuse qui empuantissait vos mains, vos cheveux et jusqu'à vos gencives. C'est sûr, vider des poissons à longueur de journée, leur arracher les entrailles dans des émanations pestilentielles pour finalement les aligner dans des bocaux de verre ou des boîtes de métal n'est pas précisément le genre d'activité dont on rêve quand on est gamin. Mais c'était un boulot, un vrai, et grâce à lui, ils avaient bâti un toit, construit une famille, élevé des enfants, échafaudé des projets d'avenir, mais surtout, et c'était là le plus important et ce qu'ils essayaient de faire comprendre aujourd'hui, ils s'étaient sentis fiers d'exister. Tanguy se demanda s'il pourrait un jour en dire autant. Il regarda Julia qui, vexée d'avoir été aussi peu écoutée et aussi maltraitée, s'était assise en retrait. De dépit sans doute, elle s'était délestée de son chignon et, tels ceux d'une reine bafouée, ses cheveux traînaient par terre tout autour d'elle, comme le témoignage ulcéré de son mépris. Tanguy savait au fond de lui que, quelles que soient les décisions qui seraient prises aujourd'hui, quels que soient les espoirs qu'elles pourraient faire naître, l'abrupte réalité des choses – du marché, du système, peu importe le nom qu'on lui attribuait – les ramènerait toujours à l'inexorable évidence que Julia et lui avaient tenté de résumer en quelques pages la nuit précédente. Julia portait sur son visage sa dureté de *killer*. Tanguy n'en était pas encore là mais pour combien de temps encore ? Si aujourd'hui il avait flanché, c'était uniquement à cause de l'émotion qu'avait provoquée le souvenir de son père. Placé devant une situation identique où ne serait entré aucun affect, pas certain qu'il n'ait pas réagi comme elle venait de le faire. Il se prit à penser que, pendant les trois années qui allaient suivre, on allait le former à devenir ce que tous ces ouvriers n'auraient pas une seconde hésité à désigner comme un monstre. Il observa sa mère, les employés, la vivacité de leurs échanges, avec l'impression amère d'assister aux ultimes soubresauts d'un monde archaïque, destiné tôt ou tard à être balayé d'un revers de main par des types de son espèce. Il caressa la joue de Julia et l'invita du regard à le suivre. Elle accepta et ils sortirent de la pièce sans que quiconque fasse attention à eux. Tanguy entraîna la jeune femme dans les toilettes de l'usine, où ils se mirent à baiser comme des cochons, afin d'expurger leur trop-plein de rancœur ou de découragement.

9 septembre 1983

— Paul, tu peux arrêter de bouger, s'il te plaît ?

C'était l'une de ces séances de pose que m'infligeait Marc, mon amant depuis six semaines, un artiste
peintre qui parachevait sa période saint Sébastien
– son *cycle préraphaélite*, comme il le décrivait avec
pompe –, de sorte que je me retrouvais régulièrement
à moitié à poil devant son chevalet, uniquement vêtu
d'une variation sur le thème du pagne, en général
un torchon de cuisine, une serviette de toilette, une
serpillière, tout tissu de longueur acceptable qui pouvait s'enrouler facilement autour des reins et entre les
cuisses. Pour des raisons pratiques, liées en grande
partie à la petitesse de la chambre de Marc, mon dos
était appuyé contre le chambranle de la porte, si bien
que, lors de ces séances déjà contraignantes par nature,
je m'exposais de surcroît à l'humiliation d'être reluqué
dans cette position par tous ses colocataires. D'ailleurs
Hugo, puis Franck, puis José, avaient émergé tour
à tour de leur chambre – il était à peine 7 heures du
matin quand Marc avait été pris d'une subite envie
de créer – et tous trois étaient passés successivement
devant moi en marmonnant un bonjour amusé auquel

je ne pus répondre que par un sourire forcé, puisque mes mains et mes pieds se trouvaient à cet instant entravés par des liens solides – en réalité de la ficelle récupérée chez le boucher en bas de l'immeuble, qui lui servait plus prosaïquement à ligoter ses rôtis.

Les quatre garçons partageaient ce vaste appartement pour des raisons tout autant économiques qu'éditoriales. Ils avaient en tête de lancer un nouveau magazine homo, une sorte de contre-pouvoir à la toute-puissance de l'hebdomadaire *Le Gai Pied*, qu'ils jugeaient, selon leurs propres mots, *infect, dégradant pour la cause homosexuelle, médiocrement parisianiste, puant de mercantilisme* depuis que le journal avait renoncé à son projet social pour des questions de fric et que les articles sérieux de Sartre ou de Foucault y avaient été remplacés par des textes chics et toc, pseudo sociologiques, mais surtout par des publicités aux antipodes des textes fondateurs et des petites annonces qui frisaient souvent la prostitution. Leur appartement était devenu le point de rendez-vous obligé de dizaines de militants de la cause homosexuelle. Moi, je ne me sentais pas vraiment concerné par toutes les discussions auxquelles je me trouvais mêlé. D'abord tous ces types – ces *mili-tantes* comme ils s'amusaient à se dénommer – étaient bien trop libérés à mon goût et, de ce fait, me foutaient la trouille. Leur détermination à combattre un système inégalitaire et à l'époque hautement répressif, la virulence de leurs attaques, le côté irréductible de leur engagement politique, cette manière terriblement folasse qu'ils avaient d'asséner leur bon droit en l'accompagnant de gestes grandiloquents, de féminisation à outrance du moindre mot, du moindre prénom, dans la colère comme dans la plaisanterie, tout, absolument tout chez eux, suscitait chez moi un double sentiment de terreur et de fascination. Il était clair que je n'avais rien en commun avec ces types extravertis. Contrairement à eux, je n'avais pas tellement envie d'exposer à la face du monde mon homosexualité ou de me draper dans mon irritation de tante exploitée par des siècles de bien-pensance et de machisme éhonté. J'avais réussi à coucher avec des mecs et rien que ça, c'était pour moi, dans ma topographie toute personnelle, une formidable percée à l'intérieur d'une zone jusque-là interdite. De là à crier sur les toits que « j'en étais » et à souffrir de l'injustice de ne pouvoir l'être encore plus, cela dépassait franchement les frontières de ma topographie. J'avais bien en tête les humiliations qu'à cette époque les « *pédés* » devaient encaisser, les violences policières dont ils étaient trop souvent l'objet, les libertés les plus élémentaires qui leur étaient déniées. J'étais également largement convaincu des droits qu'il nous faudrait, nous, homos, obtenir un jour, mais je déléguais à ces militants le soin de tout régler à ma place. Pour l'heure, je me contentais de m'envoyer en l'air aussi souvent que je le pouvais, sans avoir autrement conscience que cela constituait en soi un acte à résonance nécessairement politique puisque si je pouvais désormais le faire, c'était précisément grâce au combat forcené qu'avaient mené par le passé des gens comme eux. Mon attitude – parfaitement égoïste, je l'admets – révélait aussi l'angoisse que j'avais de me laisser dévorer par un milieu où je n'aurais pu me sentir autrement que dépossédé.

Avec le recul, cette manière de penser, flottante et totalement autocentrée, m'apparaît comme une constante assez significative de ma personnalité, un baromètre en quelque sorte du curieux état de semi-somnolence que j'entretiens encore aujourd'hui vis-à-vis du monde. Y être sans y être, ou plutôt, dans le cas présent, en être sans en être. Avancer nez au vent au beau milieu d'un paysage truffé de mines antipersonnel. Si je m'autorise, en toute honnêteté, à me pencher un peu plus sérieusement sur cette histoire de marge dans laquelle j'acceptais de mettre un pied sans jamais ni en franchir complètement les limites ni m'en éloigner tout à fait, je crois pouvoir dire que pendant de nombreuses années, même si je couchais avec des hommes, le plaisir que j'en retirais n'arrivait pas à absoudre entièrement la honte de le faire. Marc parvint un soir à trouver le mot juste pour dépeindre cette incurable ambivalence :

— Tu veux que je te dise, Paul ? Tu es le mec le plus abominablement coincé que j'aie jamais rencontré.

Il faut dire qu'au cours de la soirée il avait essayé à de nombreuses reprises de me convaincre de faire adhérer un troisième larron à notre duo, pourtant très récemment constitué. Malheureusement pour lui, je n'avais encore perdu aucun de mes réflexes petits-bourgeois. La fidélité en particulier – un concept vague et hautement aléatoire dans la communauté gay – restait pour moi le fondement de toute union, fût-ce entre deux garçons. Coincé, ça oui, je l'étais. Coincé, puant de culpabilité, d'accord, tout ce que vous voudrez. Écrasé par une éducation catho qui suintait par tous mes pores, c'était évident. Mais comment faire autrement avec les parents que je me trimbalais ? Prenez le cas de Maxime. Sa mère se serait presque sentie insultée si son fils ne s'était pas révélé homo. Marc était plus ou moins dans le même cas. Quant aux parents des trois autres, ils étaient soit superbement ignorés, rayés de la carte des sentiments filiaux, soit ils se la fermaient et filaient doux. Mais tous savaient. Tous. Mes parents, eux, ne savaient rien, ne se doutaient de rien – ils ne voulaient surtout rien imaginer de ma sexualité, du moins je suppose –, ma relation avec eux n'était qu'un long inventaire de tromperies et de mystifications.

En attendant, je posais en martyr devant un mec qui m'était infidèle et qui, du bout de son pinceau, s'ingéniait à percer mon corps de flèches bien moins imaginaires qu'il voulait bien le croire.

Le téléphone sonna dans l'après-midi et dérangea une réunion de la plus haute importance à laquelle avait été convoqué un petit régiment d'intellectuels à tendance gay assez cotés sur le marché de la pensée.

Hugo décrocha.

— C'est pour la Paulette, hurla-t-il pour se faire entendre jusqu'à l'autre bout de l'appartement.

J'arrivai en courant. Hugo me tendit l'appareil en émettant quelques grognements, une façon de me faire comprendre que ce coup de fil troublait leur belle assemblée. Le téléphone trônait sur la table basse du salon dont je m'éloignai le plus possible avant d'être arrêté dans mon élan par le câble qui le retenait au mur, de sorte que je me retrouvai assez loin du groupe pour ne pas gêner leur discussion, assez près cependant pour que chacun profite de ma conversation.

J'enroulai ma paume autour du récepteur et je me mis à parler à voix très basse.

C'était Maxime.

— Tu as vu ta tronche ? commença-t-il.

— Ma tronche ? Comment ça, ma tronche ? murmurai-je.

— Descends un peu dans la rue et tu verras. Je te jure que ça vaut le détour. Putain, Paul, dans quoi tu t'es encore fourré ?

Un mois plus tôt, j'avais pris part à un casting organisé par une agence de publicité. Punaisée sur le tableau d'affichage de l'école, une annonce dactylographiée invitait les garçons entre dix-huit et vingt-deux ans à se présenter le mercredi suivant au numéro 7 de la rue de Berri, dans le VIIIe arrondissement, afin d'y passer des essais pour une pub – la marque était passée sous silence – qui se révélerait hautement rémunératrice pour le candidat retenu. Évidemment, tout le monde sauta sur cette occasion de se faire de l'argent facile. À l'heure convenue la semaine suivante, une jeune femme à la limite de l'hystérie nous invita à tour de rôle à nous asseoir sur un tabouret haut et à la gratifier, non pas de notre plus beau sourire, mais au contraire de notre air le plus triste, le plus dégoûté, le plus affligé qui soit. Elle tint à nous montrer personnellement ce qu'elle attendait de nous et nous la regardâmes, bouche bée, enchaîner avec une rapidité déconcertante les airs les plus piteux, en les commentant à haute voix, sans doute pour mieux nous inspirer.

— Dégoût... Bouh... Tristesse, oui, grande, très grande tristesse... Triste, triste, triste... Pas content, pas content du tout... Non, non... Oh, qu'est-ce que je suis pas heureux... Mais vraiment pas heureux... Etc.

Pendant ce temps, son assistant – un blond chétif qui me donnait l'impression d'avoir entre douze et quatorze ans – nous mitraillait avec son Pola.

Au bout du compte, c'est moi qui fus retenu.

Je n'avais évidemment ni agent ni avocat pour relire le contrat que je signai les yeux fermés, trop fier d'avoir été choisi par des gens qui travaillaient dans des locaux aussi prestigieux, pour le compte de marques cosmétiques aussi renommées – les photos de mannequins célèbres associées aux campagnes auxquelles elles avaient participé s'étalaient partout dans le hall d'entrée –, j'étais surtout trop heureux que quelqu'un s'intéresse à ma petite personne et, de surcroît, contre rémunération, pour me soucier de problèmes légaux auxquels je n'aurais de toute façon rien compris.

La séance photo constitua en soi un petit miracle d'autosatisfaction. De l'aube jusqu'au milieu de l'après-midi, les attentions les plus bienveillantes se portèrent sur moi, et uniquement sur moi. On me maquilla, on me coiffa, on m'habilla. Les projecteurs s'allumèrent, l'équipe technique et artistique, la production, les clients, tous les gens présents sur le plateau disparurent, grignotés par la pénombre, tandis que moi je régnais au centre d'un halo lumineux focalisé sur mon visage. Je n'étais plus un simple figurant, je n'étais plus un acteur de seconde zone, j'étais l'élu, le centre de l'attention de vingt personnes dont la vie, le job dépendaient entièrement et uniquement de l'intensité dramatique qui allait se lire sur mon visage, de la justesse du sentiment d'affliction que j'arriverais à lui faire revêtir. J'étais la star.

Immédiatement après avoir raccroché avec Maxime – qui n'avait rien voulu me dire de plus, souhaitant me laisser découvrir par moi-même l'ampleur des dégâts –, je sortis dans la rue. Je me mis à marcher au hasard, dans un état d'énervement proche de la confusion mentale. Bientôt, en plein milieu d'un carrefour encombré de passants, de voitures, de poussettes, de gens qui continuaient paisiblement à avancer comme si de rien n'était, je me vis, moi, en quatre mètres sur trois, et je crois bien que je faillis mourir sur place. Je dus même porter la main à mon cœur pour vérifier qu'il battait encore. Planté au milieu de la ville, il y avait mon visage en gros plan, mais vraiment en très très gros plan. J'avais l'air abattu et minable mais ça, je m'y attendais et ce n'était pas le pire. Le pire était que sur ce visage de chien battu, déjà pitoyable en soi, un graphiste – un putain de champion de l'aérographe, il faut le reconnaître – avait habilement rajouté des rougeurs factices qui se mêlaient à d'affreux boutons d'acné purulents, dégueulasses – j'en étais criblé du front au menton, des joues jusqu'au bout du nez – qui me donnaient l'air d'un ado affreusement mal dans sa peau, auquel on avait juste envie de tendre un flingue pour qu'il disparaisse illico de la surface de cette planète. Non, en fait le pire ce n'était pas ça. Le pire, vraiment, si l'on cherche à identifier ce qui était le plus suprêmement insoutenable dans cette affiche, était encore le slogan qui barrait en énormes lettres capitales le haut de mon crâne :

Avec, en bas, la signature de la marque :

Acnétol, la solution aux petits désagréments de l'existence.

La campagne d'affichage, d'envergure nationale, fut relayée le même jour par une série d'encarts dans la plupart des grands hebdomadaires. Il était donc prévisible qu'un nombre conséquent d'exemplaires de ces hebdomadaires finiraient par atterrir dans les salles d'attente des médecins de l'Hexagone, et donc, bien évidemment, dans celle de mon père.

— Dites-moi, docteur, ce n'est pas votre fils, là, sur la photo ? déclara une patiente en ouvrant en grand le magazine *Marie Claire*, trop heureuse d'avoir enfin l'occasion de fendiller la carapace de ce gynéco pétri de morgue et d'indifférence. Il n'a pas l'air très en forme.

Ça y est, j'étais cuit.

L'appel téléphonique de mon père – le quatrième après trois tentatives infructueuses – tomba vers 8 heures du soir. Je l'attendais dans le salon de madame Ziegler qui, bien que choquée de me voir embarqué dans une histoire aussi lamentable et dégradante – « Tu es un acteur, Paul, un acteur se doit d'être irréprochable » –, m'avait d'emblée préparé un petit remontant alcoolisé, un whisky de vingt ans d'âge, auquel, soit dit en passant, elle avait elle-même recours régulièrement.

La conversation téléphonique fut des plus brèves. Un brillant petit record paternel de concision et de clarté.

— Paul, c'est ton père, commença-t-il. Je voudrais que tu viennes ce week-end à la maison et que tu nous expliques ce qui se passe avec cet étalage de ta personne. Je ne veux pas en parler au téléphone. Je t'attendrai vendredi soir au train de 23 h 20.

Il raccrocha. À part mon «Allô?» initial, je n'avais pas eu le temps d'en placer une.

Mes parents étaient convaincus que ce qui me retenait à Paris cet été-là était encore les quelques UV de médecine que je devais repasser à la mi-septembre, c'est-à-dire moins d'une semaine plus tard. Dans une lettre qu'elle leur avait envoyée, madame Ziegler s'était même portée garante de la qualité et du sérieux du groupe d'étudiants avec lequel j'étais supposé potasser. Elle haïssait mes parents, j'en suis convaincu, de m'interdire de faire ce pour quoi elle me croyait très doué. Elle n'hésitait jamais à contrefaire la vérité dans le but de les calmer et qu'ils me foutent la paix. Je crois surtout qu'en grande amatrice de fiction, et donc d'intrigues et de nœuds narratifs, elle adorait la situation dramatique et mensongère que j'entretenais à leurs dépens.

Le soir même, j'avais retrouvé Marc, qui, après s'être foutu de moi, avait fini par m'écouter et tenté de me remonter le moral en me proposant de baiser. J'avais l'esprit à tout sauf à ça. Il était 2 heures du matin et je n'arrivais pas à trouver le sommeil. Je n'arrêtais pas de me tourner et de me retourner dans son lit.

— Je peux venir avec toi ce week-end si ça peut t'aider, dit soudain Marc, que mes gesticulations répétées empêchaient de dormir.

— Rendors-toi, s'il te plaît.

— Non, non, c'est vrai, j'insiste.

— Je ne crois pas que ce soit une bonne idée, Marc. Tu en as eu de meilleures dans ta vie, je pense.

— Tu aurais honte de me présenter à tes parents, c'est ça ?

— Je ne veux même pas te répondre.

Il roula sur moi.

— C'est ça que tu penses, espèce de petit macho, dit-il en éclatant de rire. Que je suis une folasse insortable ?

— Tu penses vraiment que ce week-end, alors que je vais devoir expliquer à mes vieux ce que fout ma tronche sur une putain d'affiche alors que je suis censé bosser mes UV de médecine, tu crois que je devrais en profiter pour leur présenter mon petit ami ? Ce serait peut-être un peu *too much*, non, qu'est-ce que tu en penses ?

— Disons que ce serait l'occasion de tout clarifier... mais c'est vrai que notre Paulette n'est pas une spécialiste mondiale de la transparence.

— Disons que je t'emmerde, Marc.

Je me levai d'un bond et me dirigeai vers la fenêtre. Il avait plu une grande partie de la journée. La rue était déserte, les lampadaires jetaient une lumière jaunâtre sur le bitume mouillé. Un spectacle qui me désola. Marc se redressa contre son oreiller.

— Je suis sûr que je m'entendrai très bien avec ta mère. Je me suis toujours bien entendu avec les mères de mes maris.

Je haussai les épaules. Je détestais quand il me désignait par ce nom que je trouvais particulièrement idiot.

— Tu n'as aucune idée de ce que tu racontes, crois-moi.

— C'est une simple question de gènes. Ne serait-ce que d'un point de vue strictement biologique ou même sensitif, j'ai forcément des points communs avec des gens qui ont mis au monde quelqu'un que j'apprécie.

— Que tu apprécies, Marc ?

— Oui, que j'apprécie... Que j'aime bien, quoi !

Il eut un petit sourire en coin qui, chose assez rare, me fit sortir de mes gonds.

— Marc, je vois très bien que tu as envie que cette discussion finisse en eau de boudin et que la seule chose que tu souhaites réellement, ce n'est pas tellement de m'accompagner chez mes parents mais que l'on s'engueule ce soir pour que l'on puisse se réconcilier après, et donc baiser, puisque c'est à peu près la seule chose que tu attends de moi depuis que j'ai foutu les pieds dans cet appartement. Je te préviens, je ne rentre pas dans ce jeu-là.

— C'est de la psychologie à deux balles, ma chérie. Primo, je n'ai pas besoin de m'engueuler avec qui que ce soit pour baiser. Deuzio, ce que je vois surtout très clairement, même à 2 heures du matin, c'est que tu n'as toujours pas les couilles de dire en face à tes parents qui tu es vraiment et ce que tu fabriques à Paris depuis deux ans. Je ne parle même pas de leur avouer que tu as un amant régulier et de le leur présenter. Si tu veux mon avis, c'est juste inexcusable. Je ne peux même pas comprendre comment tu peux encore vivre ça à notre époque.

Je me rapprochai lentement du lit.

— Je me bats comme je peux. Je n'ai pas des parents *libéraux*, moi.

J'étais à bout de nerfs.

— Je viens d'une famille qui, le lendemain de l'élection de Mitterrand, a fait construire dans sa cave un putain de garde-manger qu'elle a entièrement rempli de bouffe au cas où les rouges reviendraient. Je viens d'une famille catho tellement arriérée que deux mille ans après elle en veut toujours aux juifs d'avoir dézingué leur idole. Je viens d'une famille qui pense que la musique s'est arrêtée au XVIIIe siècle et la littérature juste un siècle plus tard. Je viens d'une famille qui pense que le chômage est le refuge des assistés, et la Sécurité sociale un vaste trou creusé par des politiciens irresponsables, des millions d'Arabes et autant de *nègres*. Je viens d'une famille qui, d'une manière assez systématique, ne croit pas que la différence soit une très bonne chose et pense qu'il vaut mieux avoir un enfant leucémique que pédé parce que au moins, un cancéreux, on peut toujours espérer qu'il sera possible de le sauver un jour. Alors, présenter mon petit copain artiste peintre spécialisé dans des œuvres crypto-pédé à tendance préraphaélite qui écoute Barbara à longueur de journée et qui veut monter un journal homo pour combattre les préjugés ignobles de gens précisément comme eux, non, je ne pense pas en effet que ce soit la meilleure des idées que tu aies eues ces derniers temps.

— Je pourrais fermer ma gueule sur certains aspects de mes activités.

— Toi, tu pourrais fermer ta gueule ? Mais non, tu sais parfaitement que tu en es incapable. La seule raison qui puisse te pousser à rencontrer mes parents, c'est que ça te donnerait l'occasion de leur faire la morale. Pour casser du bourgeois comme d'autres cassent du pédé. Tu veux mon avis ? L'un est aussi méprisable que l'autre.

J'étais hagard, je n'avais de ma vie prononcé autant de phrases d'affilée. Marc se mit à applaudir des deux mains pour se moquer, comme il savait si bien le faire. Je sentis ma petite entreprise d'autodépréciation commencer à refaire lentement surface et à tracer de longs sillons douloureux sous mon crâne.

— Dis-moi, Marc, qu'est-ce que tu fous avec moi ? Qu'est-ce qui t'intéresse chez moi ?

— Plein de choses...

— Comme quoi ?

— Ton cul, par exemple. Tu as un très joli petit cul.

— Et puis ? Enfin moralement, je veux dire ? Qu'est-ce qu'un mec comme toi fout avec un mec comme moi ?

Il me regarda fixement. Il avait bien senti, lui aussi, la vaste opération de sabotage personnel qui venait de se mettre en branle.

— Et si tu renversais un peu la question ? Qu'est-ce qu'un mec comme TOI fout avec un mec comme MOI ?

Posée à l'envers, et surtout sur ce ton-là, la question était rien de moins qu'évidente.

— Je déteste quand tu prends l'avantage sur moi.

— Ah, parce que en renversant la vapeur, je prends l'avantage sur toi. Tu es complètement parano, ma fille.

— Parano et coincé, je sais.

— Alors ?

— Alors quoi ?

— Qu'est-ce que tu fous avec moi, Paul ?

Je n'avais, bien sûr, pas la moindre idée de ce que je fichais avec un type dont les préoccupations morales, politiques, esthétiques étaient à l'opposé des miennes, ou en tout cas très franchement éloignées. Et donc, c'était quoi, cette histoire ? Une simple affaire de cul ? Même pas. Mis à part la première fois, qui avait été éblouissante, le sexe avec lui se révélait de plus en plus décevant. Marc avait eu rapidement recours à des expédients de tous ordres – un godemiché, un porno bien dégueu, quelques bonnes rasades de coke, des litres et des litres de tequila tonic, parfois tout cela à la fois – pour pimenter nos performances sexuelles. Tous ces procédés me paraissaient relever d'accommodements désinvoltes avec le désir. Je rêvais, moi, de sexe simple, naturel, et si possible sportif et décontracté. Marc en concluait que j'étais un mec affreusement normal, ce qui pour lui constituait évidemment la pire des insultes.

— J'en arrive même à me demander si tu ne serais pas mieux avec une nana. En fait, tu es une grosse pédale mais avec des fantasmes hétéros de base. Il n'y a rien de pire. Je suis sûr qu'au fond de toi tu rêves d'avoir des gosses.

Effectivement l'idée de famille, l'idée de réparer ce qui, dès le départ, avait été cassé avec la mienne, même si je n'y pensais pas de manière continue, était quelque chose qui, quand j'y réfléchissais vraiment, me réchauffait le cœur, comme si le recours à un minimum de normalité était nécessaire à mon équilibre général.

Il y avait une raison objective au fait que je me retrouvais avec un type comme Marc et cela constituait probablement une réponse possible à la question qu'il me posait. Lui et tous les autres cinglés auxquels je me raccrocherais plus ou moins désespérément par la suite m'offraient une vision singulière du monde. Ni parfaite ni meilleure, simplement autre. Ils mettaient à mal des routines intellectuelles façonnées par des années de dressage parental. Ma première réaction était d'abord de m'effrayer d'avoir fait ce choix, mais inconsciemment – dans la petite salle obscure et solitaire qui abritait mon âme – j'éprouvais le besoin de les suivre, ne serait-ce qu'un petit bout de chemin, sans doute parce que je sentais que chacun d'eux me révélerait une part de cette vérité suprême que je désirais plus que tout obtenir de la vie. D'autres vous diront que j'étais complètement maso – que je l'avais toujours été – et que toute ma vie je n'avais cherché qu'une chose : me faire du mal afin d'expier quelque faute enfouie. Qui a raison ? Aujourd'hui encore, cette question continue de me tarauder.

Après un bonjour d'usage suivi d'une embrassade quasi avortée, mon père ne desserra pas les mâchoires de tout le trajet qui nous mena de la gare à la maison. J'observais en coin son visage sec, oblong, vide d'émotion, ses sourcils qui avec l'âge commençaient à devenir broussailleux et faisaient paraître ses yeux encore plus petits qu'ils ne l'étaient et donc encore plus cruels. Il avait un profil à la Badinter, le ministre de la Justice, l'humanité et la compassion en moins. Heureusement, je ressemblais à ma mère qui, bien que radicalement tarée, avait au moins un sourire franc et un brin de mansuétude dans ses rapports avec le monde. Même si j'avais hérité de ses gènes, comme disait Marc, qu'est-ce que je pouvais avoir en commun avec ce père d'une froideur de banquise ?

Ma mère nous attendait. Elle me serra contre elle comme la mère d'un condamné à mort doit sans doute serrer son fils quelques secondes avant son exécution capitale. Bien sûr, elle se mit aussitôt à pleurnicher.

— J'ai eu besoin d'argent, maman. J'ai accepté ce boulot uniquement pour...

Mon père me coupa la parole :

— Paul, je ne tiens pas à discuter de tout cela ce soir. Comme tu le sais, j'ai eu une semaine éprouvante. Nous nous verrons donc demain matin à la première heure, si tu n'y vois pas d'inconvénient.

Il traîna ma mère par le bras et ils disparurent comme deux fantômes d'un autre âge à travers le salon où je restai planté pendant de longues minutes.

Je ne dormis pas une seule seconde. Vers 6 heures du matin, je me levai. Toute la nuit j'avais ruminé ma décision. Je ne voulais plus subir aucune humiliation de la part de mon père, et c'était seulement maintenant et ici, dans cette maison, que je m'en rendais compte pour de bon. Le premier train pour Paris était à 7 h 37, et la gare éloignée de seulement quelques kilomètres. J'avais tout le temps nécessaire. Mon petit sac de voyage contre ma poitrine, je descendis le grand escalier familial dont je connaissais par cœur les moindres failles et les endroits où il aurait pu me trahir. À chaque marche grignotée, j'avais le sentiment de franchir une distance monumentale. J'arrivai enfin dans l'entrée. J'allais tourner la clef de la porte vitrée qui me séparait de l'extérieur quand j'eus soudain la vision précise de ce que j'étais en train de faire. Le mouvement de ma main se figea. La voix de Marc résonna dans ma tête et c'était comme s'il se trouvait là, à quelques millimètres de mon oreille.

Tu n'es qu'un putain de fuyard ! Un éternel menteur ! Magnifique, ma Paulette, vraiment magnifique !

Dans ces occasions, croyez-moi, on ne cherche pas à peser le pour et le contre. Je remontai l'escalier quatre à quatre et j'ouvris en grand la porte de la chambre de mes parents. Ma mère se redressa, affolée, et alluma sa lampe de chevet. J'étais dans un état de nerfs inracontable et ce qu'elle lisait sur mon visage avait sans doute de quoi l'effrayer.

— Paul, c'est toi ? Mon Dieu, mais qu'est-ce qui se passe ?

Mon père émit quelques grognements et se réveilla à son tour.

— Paul, tu peux m'expliquer...?

Je me rapprochai de leur lit. Un marteau-piqueur me fracassant le crâne n'aurait pas fait plus de bruit dans mon cerveau que le sang qui palpitait à mes tempes. Alors je me mis à bafouiller – sans doute aussi bas que je le pus – cette éclatante tirade, à considérer peut-être comme la plus brillante de toute ma carrière de saltimbanque :

— Papa, Maman... Je... Je veux être acteur... et puis... et puis... je crois que je préfère les garçons...

Je sortis aussitôt. Je n'avais plus de cerveau, plus de sang, plus de cœur, plus de jambes. Une mécanique déglinguée qui tenait debout par la seule force de ses réflexes vitaux. Je m'efforçai de descendre aussi calmement que possible l'escalier puis je me ruai vers l'extérieur. Pendant les minutes qui suivirent, et tandis que je parcourais frénétiquement les rues en direction de la gare, mon père fut victime d'une attaque cérébrale qui le laissa dans un état semi-comateux pendant plusieurs heures et dont il mit des semaines à se remettre complètement.

Autant vous dire que sa première décision, une fois ses sens recouvrés, fut de téléphoner à madame Ziegler pour lui communiquer son intention de me couper les vivres et donc, en particulier, de ne plus payer mon loyer. Ma logeuse aurait aimé profiter de l'occasion pour lui balancer quelques vérités bien senties mais malheureusement il lui raccrocha au nez avant qu'elle n'ait eu le temps de dire quoi que ce soit. De son côté, Marc trouva le moyen de me reprocher ce *coming out* brutal, qu'il assimilait à un coup de théâtre grotesque, « typique de mon rapport confusément obscur avec ma culpabilité » *(sic)*, l'ordre dans lequel je l'avais effectué – acteur, puis pédé – étant d'ailleurs « assez révélateur de ma névrose profonde et indélébile » (re-*sic*). Je décidai de lui claquer également la porte au nez, de sorte qu'en l'espace de quelques jours j'avais perdu mes parents, mon amant, la maison de mon enfance, et bien évidemment ma principale source de revenus, sans savoir quelle gradation exacte en termes d'importance je devais attribuer à ces afflictions simultanées. À part Maxime, il ne me restait que madame Ziegler, ma supportrice de la première heure et, il va sans dire, d'immenses et palpitantes perspectives de liberté dont, je dois l'avouer, je ne savais pas vraiment trop quoi faire.

18 novembre 1983

Vers midi, le père de Rodolphe en tête et pas moins de trois cents ouvriers à sa suite s'égaillèrent en silence dans les locaux administratifs de la CIT-Alcatel de Lannion. Ils étaient résolus à obtenir une réponse claire et sans ambiguïté de la part de leur P-DG sur l'avenir de leurs emplois. La veille, ils avaient estimé que la meilleure façon d'y parvenir était encore de provoquer un électrochoc en séquestrant le temps des négociations son représentant direct, le directeur général de l'établissement. L'homme accueillit somme toute assez courtoisement cette manière de délégation improvisée et tenta aussitôt, à la demande du syndica-liste, de joindre le P-DG au téléphone.

— Le président est au ministère, dit l'homme en raccrochant. Son assistante l'a prévenu. Il devrait nous rappeler dans peu de temps.

— Nous ne bougerons pas d'ici avant qu'il nous ait fait des propositions, dit Pierre Lescuyer, froidement.

Les deux hommes s'observèrent en silence. Ils se connaissaient bien. Pierre, en tant que représentant CGT du personnel, franchissait régulièrement les portes de ce bureau. Le directeur aimait son calme et sa pondération. Pierre, en retour, appréciait l'ouverture d'esprit de cet homme qui s'était toujours montré soucieux – dans le cadre exigu d'une politique patronale particulièrement offensive – de ménager les intérêts de l'entreprise comme ceux de ses salariés.

Pierre tourna son regard vers l'extérieur. Un paysage de lande aride s'étendait à perte de vue. La manche à air rouge et blanc de l'aérodrome voisin, gonflée à bloc, signalait un fort vent d'ouest. Tout autour, une multitude d'usines construites sur le même schéma architectural, essentiellement composé de parallélépipèdes métalliques, mornes et plats, défigurait ce territoire hostile et constamment battu par les vents marins. Depuis vingt ans, blotties autour du CNET, le Centre national d'études des télécommunications, des dizaines d'entreprises spécialisées dans la téléphonie s'y étaient installées. Plus de 5 000 personnes travaillaient déjà sur cette vaste friche industrielle. « Lannion sera l'un des plus grands centres du monde et nos premiers balbutiements dans l'électronique seront désormais historiques. Comme l'on parle aujourd'hui d'Edison, on parlera demain du CNET de Lannion », annonçait fièrement en 1963 le ministre des PTT. Une prophétie quelque peu emphatique, tout comme les milliers d'emplois promis. Cela faisait trois ans que la région entière vivait les premiers signes de la crise engendrée par le passage au numérique de la téléphonie traditionnelle.

Des hurlements de sirène provoquèrent des remous parmi les grévistes qui virent, au travers des baies vitrées, une compagnie de CRS se mobiliser autour de l'usine, empêchant dès lors quiconque d'entrer ou de sortir des locaux. Dans le couloir, des cris s'élevèrent. «CRS... SS... CRS... SS...», scandaient des dizaines et des dizaines d'ouvriers.

Bientôt, le téléphone retentit. Le directeur décrocha, écouta sans un mot puis, à l'issue du bref monologue de son interlocuteur, raccrocha. D'abord il balaya des yeux les papiers amassés sur son bureau pour éviter de croiser le regard de Pierre. Après quelques secondes, il leva la tête.

— Ils veulent que vous évacuiez l'usine. C'est la condition préalable à toute négociation, dit-il d'une voix pénible.

— C'est ça que vous voulez que je dise à mes gars ? Qu'il faut partir sans avoir rien obtenu ?

— Vous savez que cela ne servira à rien d'occuper cette usine, monsieur Lescuyer. À rien du tout.

— Tout est déjà plié, c'est ça ? Vous voulez bien parler salaires, comité d'entreprise, camp de vacances, mais dès qu'il s'agit de parler emploi, de parler de l'avenir de soixante-quinze ouvriers qui vont se retrouver sur le carreau, endettés jusqu'au cou, il n'y a plus personne, c'est ça que je dois comprendre ?

— Je regrette, monsieur Lescuyer. Je le regrette sincèrement, mais il n'y a rien que je puisse faire aujourd'hui si vous ne vous décidez pas à cesser cette occupation.

Pierre connaissait parfaitement la situation de l'entreprise pour se rendre régulièrement à Paris – deux fois par an – aux conseils d'administration présidés par Ambroise Roux, le P-DG, qui était généralement encadré pour l'occasion par un escadron d'actionnaires de haut vol. Pierre se souvint d'avoir été choqué par la fausse bienveillance, les faux scrupules, la fausse bonne conscience de tous ces décideurs aux jetons de présence si chèrement rétribués.

— Vous voulez que je vous dise une chose ? Vous avez été aveugle pendant toutes ces années. Vous avez balancé et balancé des centraux téléphoniques sans penser qu'un jour le marché allait être saturé. Et aujourd'hui, c'est exactement ce qui se passe, n'est-ce pas ?

Le directeur ne voulut pas répondre.

— Vous avez juste attendu que les plus vieux de tous ces centraux soient remplacés par d'autres, plus modernes évidemment. Le plus pathétique dans tout ça, c'est que ces nouveaux centraux numériques, c'est ici, dans les labos juste à côté, que vous les avez conçus, mais que c'est ailleurs, avec bien moins de personnel, que vous allez les assembler. Est-ce que je me trompe, monsieur le directeur ?

— Calmez-vous, je vous en prie.

— Vous ne trouvez pas qu'il y a de quoi être en colère ? Si un père de famille prévoyait avec autant de désinvolture l'avenir de ses enfants, vous seriez les premiers, vous et vos amis, à lui cracher à la figure. Vous-mêmes, qu'est-ce que vous avez fait d'autre pendant toutes ces années, sinon foutre en l'air notre avenir ? Je n'y connais rien à l'économie, mais je peux constater une chose : vous êtes une sacrée bande de clowns !

— Les choses ne sont pas si simples, monsieur Lescuyer, et vous le savez parfaitement.

— Pas si simples ? Bon sang, ne me dites pas que vous n'avez rien vu venir. Ne me dites pas que c'est du jour au lendemain que les carnets de commandes ont baissé. J'y étais, moi, à vos foutus conseils d'administration, et entre les lignes et derrière vos grandes phrases, j'ai bien compris ce qui se passait. Surtout ne me dites pas que je ne vous avais pas prévenu !

Le directeur, harassé par tant d'animosité, eut un malencontreux haussement de sourcils qu'il dut sincèrement regretter par la suite.

— Vous êtes responsable de centaines de jobs et on a l'impression que vous n'en avez vraiment rien à foutre !

— Je ne m'en fous pas, comme vous dites, monsieur Lescuyer. Loin de là. Je vous en donne ma parole.

Le directeur regarda en direction des CRS, qui commençaient à s'agiter.

— Il faut vraiment que vous évacuiez cette usine. Je vous le répète : c'est la base préalable à toute ouverture de négociations.

Pierre regarda son patron, qui n'avait visiblement rien à lui dire de plus. Il sentit monter en lui un pénible sentiment d'inutilité. Les mots qu'il venait d'utiliser pour tenter de le convaincre, combien de fois les avait-il répétés ? À combien de directeurs et à combien de collègues les avait-il adressés, inlassablement ? Ces mêmes phrases usées qui sonnaient désormais comme des ritournelles stériles au point qu'elles finissaient par lui serrer la gorge. Il avait cinquante-deux ans. Il se sentait vieux, trop vieux déjà. Autrefois – il n'y avait pas si longtemps – on pouvait encore espérer, on pouvait entrer plus ou moins librement dans le bureau du patron et grappiller un jour de congé exceptionnel parci, une petite augmentation de salaire par-là, on avait l'impression que le dialogue pouvait s'établir. Depuis trois ou quatre ans, c'était un mur que l'on avait en face de soi. Le patronat s'était durci et mettait sur le dos de la crise pétrolière une situation qui, au final, devait lui profiter largement. Mai 1981, Mitterrand, l'arrivée de la gauche, Pierre n'y avait pas vraiment cru, il avait flairé le piège. Malgré tout, il avait fait avec et voté comme il fallait. Désormais il sentait que le piège se refermait sur lui et sur des millions d'autres gens. Il sentait surtout que des jours sombres et amers s'annonçaient.

La veille, le patron, Ambroise Roux, évoquait dans le journal *Le Figaro*, à propos de l'arrivée des nouvelles technologies numériques, « l'émergence implacable de la troisième révolution industrielle ». PLUS DE MACHINES, MOINS D'EMPLOIS, avait pour sa part titré le journal *L'Humanité* en reprenant à son compte l'interview du P-DG.

Plus de machines et moins d'emplois. L'équation était simple, sûrement trop simple. Décidément, il fallait se battre coûte que coûte et oui, il le ferait une fois de plus. Dans toute l'usine, des ouvriers – des hommes et des femmes tous beaucoup plus jeunes que lui – s'impatientaient, criant des slogans hargneux. À l'annonce de la fin de l'occupation du bureau du directeur et de l'ouverture des négociations, il y eut un vaste mouvement protestataire, des meubles furent renversés et des dossiers volèrent. Les aînés tentèrent de calmer les plus jeunes, qui étaient bien sûr les plus révoltés. Tous finirent par repartir, certains affichant un air crâne, d'autres fixant honteusement le sol quand ils passèrent devant l'interminable cordon de gardes mobiles supposés « protéger leur usine ». Quelle ironie pitoyable ! Pierre regarda avec amertume s'éloigner les ouvriers. Parmi eux, il y avait les soixante-quinze salariés qui, malgré le combat qu'il était prêt à mener, allaient selon toute vraisemblance perdre leur emploi. Et parmi eux, il y avait Antoine, son propre fils.

Dans ces conditions, il n'est pas certain que Rodolphe ait choisi le moment le plus opportun pour présenter Alice à sa famille. S'il n'y avait eu que lui, il n'y aurait d'ailleurs pas eu de rencontre du tout, mais Alice avait tellement insisté que le jeune homme avait fini par accepter.

— Comment peux-tu sans cesse être invité chez mes parents et imaginer que je ne ressente pas la nécessité de rencontrer les tiens ? Ça me paraît relever d'un besoin élémentaire de réciprocité.

— Alice, rassure-moi, tu ne vas quand même pas t'exprimer de cette façon-là devant mes parents ?

Alice eut une moue de petite fille, un léger tassement de la lèvre inférieure accompagné d'un mouvement simultané de gonflement de la lèvre supérieure, une mimique assez difficile à décrire mais caractéristique du sentiment de malaise que provoquait la moindre réaction négative de Rodolphe à son égard.

— Mes parents sont des gens très simples, tu sais. Il y a des mots et des sujets qu'il vaut mieux laisser de côté.

Aussitôt elle picora les joues de Rodolphe de petits baisers d'excuse.

— Je ferai très attention à tout ce que je dirai, dit-elle tendrement.

— Alice, est-ce que tu comprends que tu représentes ce qu'ils détestent le plus au monde ?

— Ils m'aimeront, moi, dit-elle en redressant fièrement son maigre torse.

Malgré ses récriminations, on peut néanmoins soupçonner que Rodolphe avait un intérêt concurrentiel inavoué à introduire au cœur de sa famille une fille venant d'une classe totalement extérieure à la sienne. C'était pour lui une manière de leur donner une petite leçon de civisme. Regardez cette fille, notez bien qu'elle représente tout ce contre quoi vous vous battez – le patronat, le fric, le pouvoir, le socialisme rose bonbon, la collusion malsaine entre politique et affaires –, et pourtant c'est une fille formidable, drôle, attentionnée, magnifiquement humaine. Cela veut donc bien dire que si vous regardiez un peu plus loin que le bout de votre nez, si vous sortiez un peu des schémas dans lesquels vous êtes lamentablement englués, vous verriez que les gens riches ne sont pas TOUS des salauds malveillants et que votre fils en particulier, que vous avez éduqué selon des principes archaïques de rejet et d'exclusion systématiques de tout ce qui n'est pas VOUS, ne s'en est pas si mal sorti et est devenu un observateur scrupuleux et impartial de l'état du monde. Le sous-texte de cette proposition étant en réalité la trouille qu'il ressentait qu'Alice, en fille humaine et attentionnée précisément, puisse trouver à ses parents des qualités que lui-même avait jusque-là ignorées et, pire, qu'elle s'entende à merveille avec eux, ce qui viendrait infirmer des mois et des mois de sape systématique de sa propre famille et le ferait peut-être même redescendre de quelques marches du piédestal où elle l'avait confortablement installé depuis leur rencontre.

Alice prépara sa valise avec un soin particulier, évaluant la pertinence de tel ou tel vêtement, de tel ou tel accessoire, de telle ou telle paire de chaussures, imaginant par avance la façon dont ceux-ci seraient perçus de l'autre côté de cette barrière délicieusement étrange qu'elle s'apprêtait à franchir, son souci majeur étant, on s'en doute, d'éviter de paraître ostensiblement riche. Elle procédait en quelque sorte comme la première dame d'un pays occidental, attentive à ne pas choquer par l'opulence de ses tailleurs haute couture son homologue d'un pays du quart-monde ravagé par la famine. C'est ainsi qu'elle mit de côté les douillets petits cashmeres et autres pantalons de tweed dont elle ne se départait que rarement et privilégia les jeans et les gros pulls informes qui traînaient tout au fond de sa penderie. Elle ressortit pour l'occasion quelques chemisiers élimés qu'elle avait tenu à conserver – Alice avait du mal à jeter quoi que ce soit – et qui s'accorderaient parfaitement dans son esprit avec la rigueur et l'austérité dont elle entourait cette rencontre au sommet.

Que savait Alice de l'état réel du monde et surtout de l'état d'esprit de gens comme les parents de son petit ami ? Son engagement militant contre la pauvreté, la misère, l'exclusion sous toutes ses formes relevait d'une détermination qui, bien que parfaitement sincère, était avant tout le fruit d'une posture intellectuelle. Elle avait conscience d'être une privilégiée et passait son temps à tenter de le dissimuler, si bien qu'elle nageait constamment dans les eaux troubles de sa culpabilité et de ses contradictions. Elle détestait l'argent fou des affaires de son père comme l'argent facile des dépenses de sa mère, mais elle était aussi la première à profiter de leurs largesses et de leur somptueux hôtel particulier. Elle était convaincue que le poids de ses bonnes intentions suffisait à contrebalancer celui de ses mauvaises habitudes. Cependant, qu'elle le veuille ou non, elle restait une gosse de riche, indécrottablement. Sans y réfléchir, dans l'unique souci de bien faire, elle proposa par exemple que son père offre aux parents de Rodolphe l'une des meilleures bouteilles de sa cave – gigantesque, évidemment –, ce à quoi le jeune homme opposa un refus inébranlable.

— Je ne crois pas que cela soit extrêmement bien perçu, dit-il, une fois de plus affligé par l'idée que cette confrontation puisse s'apparenter à une véritable catastrophe.

Alice eut une petite mimique de dépit. En fille amoureuse et donc intuitive, elle comprenait qu'il lui faudrait un peu plus qu'un jean et un pull informe pour se glisser dans le rôle que Rodolphe, en grand ordonnateur de la souffrance et de la précarité familiales, souhaitait qu'elle endosse.

Rodolphe et Alice débarquèrent un vendredi, vers 2 heures de l'après-midi. Benoît était venu les chercher mais se trouvait en avance d'un bon quart d'heure. Il décida d'attendre à l'extérieur. Une bise terrible balayait les deux quais déserts. L'air glacial lui piquait les yeux, qui avaient du mal à ne pas pleurer. À quelques pas de lui, un sac plastique prit son envol, tourbillonna, s'éleva majestueusement de quelques mètres dans le ciel en se tordant, en se vrillant sous le souffle du vent, s'élevant toujours plus haut, comme s'il eût souhaité rejoindre les nuages et s'y accrocher pour de bon. Mais le sac heurta l'extrémité d'un poteau télégraphique de béton et redescendit en piqué pour finir sa course aux pieds de Benoît, qui regarda palpiter la fine membrane de plastique et considéra sa chute avec autant de tristesse qu'il s'était réjoui du petit miracle de son ascension.

Comme pour le distraire de cette pensée, le train entra en gare. Rodolphe et Alice descendirent sur le quai. Un sourire victorieux fleurit sur le visage d'Alice quand elle identifia Benoît au grand signe de la main qu'il leur fit. Elle posa sa valise à terre et se mit à courir vers lui. Le jeune homme observa avec un peu de curiosité cette fille mal attifée et aux longs cheveux raides qui se précipitait à sa rencontre.

— Je suis tellement contente de te voir, lui souffla-t-elle en posant ses deux mains sur ses épaules et en l'embrassant chaudement sur les joues.

Il la perça de son regard franc et lui sourit en prenant la peine de détailler son visage osseux et étonné, ce petit air de lune blanche – elle paraissait si pâle et si fragile – qu'il trouva prodigieusement attachant.

Rodolphe les rattrapa et serra son ami dans ses bras. Ils restèrent de longues secondes torse contre torse, épaules contre épaules, en échangeant des petites paroles d'amitié. Alice les fixait avec des yeux émus. Quiconque était aimé de Rodolphe à ce point devait mériter de l'être autant par elle, telle fut la première pensée de la jeune fille. Sur tout le chemin qui les menait à la voiture, Alice fut intarissable. Elle raconta leur périple par le menu, l'insistance – contraire à tous les usages – de Rodolphe à voyager dans le sens contraire du train, les œufs durs qui s'étaient écrasés au fond de son sac et avaient semé la pagaille parmi les pages du livre qu'elle avait emporté, sa terreur quand elle crut avoir oublié leurs billets et sa joie de les retrouver, au milieu de débris de blanc, de jaune et de coquille. Mille petits détails relatés avec une jovialité piquante et destinés – le plus souvent à ses dépens – à faire sourire l'ami de Rodolphe.

La chose peut paraître folle, inimaginable, mais il est certain qu'il ne fallut pas plus à Benoît que le chemin de la gare au parking pour tomber éperdument amoureux d'Alice.

La rigueur morale qui le caractérisait empêchait évidemment la moindre approche. Il voyait bien qu'Alice était follement éprise de Rodolphe. Il ne voulait par conséquent rien tenter qui aurait mis en péril leur amitié. Il évita de trop regarder la jeune fille mais c'était gros comme une maison : ces pupilles zigzagantes, cette respiration encombrée au creux de sa cage thoracique, cette nervosité singulière étaient indéniablement les signes d'un grand émoi intérieur. Benoît, qui avait connu peu d'aventures amoureuses dans sa courte existence, en était tout retourné. C'était principalement pour des raisons hygiéniques qu'il finissait par coucher avec des filles qui, de façon systématique, avaient elles-mêmes fait tout le boulot d'approche. D'une certaine manière, vous auriez pu le considérer comme un tombeur puisque les filles, suivant le principe classique du « Tu me fuis, je te suis », s'attachaient autant à lui que Benoît, par le principe exactement inverse, s'efforçait de les éloigner. Depuis la mort

343

de son grand-père en particulier, Benoît ne souhaitait s'encombrer de personne, ne voulait se sentir enchaîné par rien, comme si le sentiment, cette matière vibrante faite d'à-pics et d'abysses, constituait pour lui une perspective a priori exténuante. Par ailleurs, Benoît sentait d'instinct ce qu'une personne pouvait valoir. Ainsi, peu de gens trouvaient grâce à ses yeux. C'est la sûreté de ce même instinct qui lui fit entrevoir en quelques minutes combien Alice serait pour lui une fille idéale.

Alice voulut rencontrer sur-le-champ la grand-mère de Benoît, découvrir sa ferme, ses vaches, ses prés, l'accompagner sur ses marchés le lendemain matin. Tout, elle avait envie de tout connaître de sa vie. C'était autant pour satisfaire la curiosité naturelle qui la faisait s'intéresser au moindre individu que pour faire plaisir à son petit ami. Elle se trompait sur ce point. Rodolphe perçut cet appétit d'informations comme une intrusion dans une zone privée dont il essaya vainement, à plusieurs reprises, de la détourner. Il considéra aussi comme totalement déplacée l'insistance d'Alice à découvrir le travail photographique de Benoît. L'explication sous-jacente à cette attitude était le désir que ce travail reste aussi anecdotique que possible. De la même façon qu'il craignait qu'Alice détecte quoi que ce soit de merveilleux chez ses parents, il ne souhaitait pas que la jeune fille découvre chez son ami quelque chose que lui-même n'aurait pas eu l'intelligence de remarquer pendant toutes ces années d'amitié. Jusqu'alors, pour de sombres raisons de rivalité potentielle, il avait estimé plus prudent de ne rien savoir du tout du talent de son ami. Il sentait confusément que Benoît était un type à part, une sorte d'artiste vagabond aux idées étranges. Il était donc fier de le présenter à Alice, qui ne cessait de lui faire rencontrer quantité de gens hors du commun qu'il n'aurait probablement jamais approchés sans son entremise, mais il aurait tout autant détesté que son ami soit réellement exceptionnellement doué et puisse obscurcir – par on ne sait quel étrange processus – l'aura dont il jouissait auprès de sa petite amie.

Benoît – peut-être parce qu'il estima qu'Alice était la première interlocutrice valable qu'il ait jamais rencontrée ou tout simplement parce que, déjà, il ne pouvait rien lui refuser – se mit à farfouiller dans divers tiroirs pour en exhumer des années de travail. Dès son plus jeune âge, Alice avait baigné, grâce à sa mère, dans le milieu de l'art. La plupart des marchands affirmaient qu'elle avait l'œil sûr. Elle observa sans un mot les clichés qu'elle sortit les uns après les autres de grandes boîtes cartonnées au format A3. Benoît se contentait de fournir des dates, des noms de lieux en s'abstenant du moindre commentaire personnel ou artistique sur ce qui avait guidé ses choix. Que dire de ce qui se passa au cours de ces longues minutes ? À en juger par son silence et l'espèce de ferveur qu'on lisait dans son regard, Alice eut sans doute un sentiment similaire à celui de l'égyptologue Howard Carter en exhumant le tombeau de Toutankhamon dans les plaines du delta du Nil. Elle fut tout bonnement éblouie par le travail de Benoît.

Quand elle releva la tête, son émotion était si grande qu'elle avait la gorge nouée et les yeux chassieux. Rodolphe éclata d'un rire gras, embarrassé.

— Il faut absolument que quelqu'un voie ça, Benoît, dit Alice d'une voix à la fois inquiète et exaltée. C'est important que quelqu'un voie ça.

Benoît fronça les sourcils. Il semblait troublé par les paroles de la jeune fille. Était-il inquiet ? Gêné ? En tout cas, sûrement pas aussi flatté qu'il aurait dû l'être. Il réalisa brutalement, et cela lui arriva comme un revers en pleine figure, qu'il venait de se livrer tout entier à cette inconnue et mesura le danger qu'il y avait eu à le faire aussi spontanément – aussi stupidement ? Ces photographies, c'était le seul barrage qui le retenait encore d'être englouti par la bestialité du monde extérieur, un jardin clandestin et impénétrable où personne, faute d'y avoir été convié, ne s'était jamais aventuré. Il se sentit horriblement mis à nu, déprimé, dépossédé du mystère qui l'entourait jusque-là, non seulement dans le regard des autres mais, plus important encore, à ses propres yeux. Sans y avoir été préparé, voilà qu'il allait être jugé, voilà que sa pensée allait être interprétée et sûrement détournée. Ce n'était pas tant une affaire d'ego d'artiste que de préjudice moral. D'ailleurs, Benoît ne se considérait en aucun cas comme un artiste. C'était un mot sans résonance pour lui, un terme inutilement envahissant qui ne lui correspondait en rien et dont il avait certainement un peu peur. À l'époque, il ne pensait même pas que la photographie puisse constituer un art à part entière. Dans ses jeunes années, les hippies – autant que son grand-père – lui avaient appris à ne rien sacraliser, à ne rien placer au-dessus du miracle du monde. Il n'avait jamais vu une exposition – de photographies ou autre –, il n'avait jamais mis les pieds dans un musée, il était vierge de toute influence. Contrairement à certains artistes qu'il découvrirait plus tard, il ne voulait pas bouleverser l'ordre des choses et n'utilisait pas l'objectif de son appareil pour apaiser une colère ou vomir des revendications. Ce qu'il faisait, il le faisait par instinct, comme poussé par une force immuable et douce. De fait, ses clichés étaient d'une simplicité déconcertante. Au premier abord, ils n'exprimaient rien de bien original. Ce n'était qu'au terme d'un long examen que quelque chose apparaissait, qu'on y décelait un détail, un rien, mais dès que ce détail avait imprégné votre rétine, il était tout simplement impossible de s'en détacher et, par la suite, de l'oublier.

Malgré les réticences de Benoît, Alice finit par emporter une série de photographies qu'elle comptait montrer à d'«éminents spécialistes parisiens». Benoît se sentit violé.

Il était près de 7 heures du soir quand Benoît abandonna Rodolphe et Alice au numéro 8 de la rue de Kervasdoué. Les Lescuyer vivaient à l'écart du village, dans un lotissement constitué d'une trentaine de maisons quasi identiques, qui ne se différenciaient les unes des autres que par la couleur de leurs volets et un agencement plus ou moins inspiré de leurs jardins. Celui des parents de Rodolphe était désespérément vide d'ornement, plantes ou massifs. Il n'y poussait qu'une pauvre pelouse à laquelle se mêlait tout un assortiment de pissenlits, d'herbes folles et de caillasse. Alice remonta l'allée en jetant un regard attristé sur ce bout de terrain aux allures de friche.

— Je t'avais prévenue, lui murmura Rodolphe.

Alice lui sourit.

— Je t'aime, murmura-t-elle en retour, pour le faire taire.

Si l'on tient compte des différences fondamentales qui séparaient les divers membres de cette assemblée, on peut dire que le début de la soirée se passa étonnamment bien, chacun était visiblement décidé à faire preuve d'une extrême courtoisie et d'une grande ouverture d'esprit. On pourrait même aller plus loin et affirmer que l'apéritif se déroula joyeusement, de plus en plus joyeusement même, un résultat à mettre sur le compte du nombre incalculable de verres éclusés par les uns et les autres – sans doute afin de conserver intactes la courtoisie et l'ouverture d'esprit liminaires – et au dévouement infatigable d'Alice pour alimenter la conversation. La jeune fille posait les bonnes questions et écoutait les réponses en s'impliquant corps et âme. Elle utilisait des mots simples pour s'émerveiller de tout, de cette région qu'elle ne connaissait pas, de sa rencontre avec Benoît, du fait d'être enfin présentée aux parents de Rodolphe.

Antoine, affalé dans un fauteuil, ne cessait de reluquer Alice avec des yeux qui vomissaient de la colère. Il était ivre mort, cela se voyait.

— Il paraît que tu es la fille d'Artus Costa, dit-il en tâchant de donner à sa voix une intonation maîtrisée.

— J'en ai bien peur, répondit Alice en feignant de ricaner.

Rodolphe, lui, ne rigolait pas du tout. Il ne savait pas vers quoi cette simple question allait conduire, mais il n'aimait ni le ton ni la manière dont son frère l'avait formulée. En vérité, il craignait pour Alice.

348

— J'ai un pote qui travaillait pour lui sur un chantier.

— Ah ?

Antoine fit craquer plusieurs phalanges dans un geste brutal de sa paume contre son poing.

— Il s'est fait virer comme un malpropre.

— J'en suis vraiment désolée, dit Alice avec une sincérité que personne n'aurait pu mettre en doute.

— Tu sais pourquoi ?

— Antoine, c'est bon ! dit Rodolphe.

Alice secoua la tête. Elle n'osait rien dire qui aurait pu déchaîner la colère de ce monstre froid.

— Il avait juste refusé de se taper des heures sup.

— Je te dis que c'est bon ! cria Rodolphe.

— Qu'est-ce qui est bon, ducon ? dit calmement Antoine en se tournant vers lui.

Alice fut choquée de cette agressivité. Elle ignorait encore que « ducon » était le terme préféré d'Antoine pour désigner son frère cadet.

— Où est-ce que tu veux en venir ? Alice n'a rien à voir avec les affaires d'Artus. Et tu le sais très bien.

Rodolphe avait sciemment désigné le père d'Alice par son prénom. Il savait exactement ce que cela allait entraîner. Il avait toujours provoqué son frère de cette façon-là, dans le seul but de voir jusqu'où Antoine serait capable d'aller et de sentir à quel point lui, Rodolphe, par son calme et son indéfectible assurance, était supérieur à son frère, qui perdait son sang-froid dès la première seconde. En agissant ainsi, il voulait surtout faire en sorte que les invectives d'Antoine cessent d'être dirigées contre Alice mais le soient plutôt contre lui, qui savait toujours comment y faire barrage.

— Artus ? Oh, putain de putain ! C'est trop bon !
Sans blague, tu l'appelles par son prénom ?

Il éclata d'un rire mauvais, qui sembla résonner contre chaque mur du salon et se fracasser en
retour contre les oreilles de chacun des auditeurs.

— Antoine, tu cherches la bagarre et je ne crois pas
que ce soit le moment, dit Pierre Lescuyer.

En disant cela, il fit claquer son verre contre la
vitre de la table basse, dans un bruit qui s'apparenta
dans l'esprit de Rodolphe à la cloche qui annonce
l'ouverture d'un round de boxe. Il est certain qu'inconsciemment il s'en réjouissait à l'avance, ne serait-ce
que pour prouver à Alice à quel point sa famille était
cinglée et à quel point elle aurait dû, malgré ses conseils
avisés, éviter d'y foutre les pieds.

— Tu n'as pas à te venger sur ton frère.

— Oh, mais c'est qu'il s'y met aussi, le grand défenseur des opprimés de mes couilles ! dit Antoine en
jetant un regard abominable à son père.

— Antoine, tu sors d'ici, dit la mère en tendant vivement le bras et en désignant une porte, quelque part.

Son fils n'écoutait plus que sa propre hargne.

— N'empêche que malgré ta grande gueule et toutes
tes belles phrases, tu nous as sacrément foutus dans la
merde.

Pierre baissa la tête et appuya simultanément son
pouce et son index contre ses paupières, comme s'il
souhaitait se réveiller d'un mauvais rêve. Malgré le
silence de son père, Antoine s'acharnait tel un roquet.

— Cette fois-ci, ses petites magouilles avec le boss
n'auront servi à rien, dit-il en s'adressant à sa mère.

Pierre releva la tête.

— Mes magouilles ?

— Mais oui, tes magouilles ! Tes petits voyages à Paris, ton petit business avec la direction, qu'est-ce que tu crois, qu'on est tous des pauvres connards complètement aveugles ?

Antoine s'affaissa dans son fauteuil et prit une voix mielleuse.

— T'as quoi en échange, hein ? Qu'est-ce qu'ils te refilent pour t'allonger ? Tu dois bien en ramasser pour être le paillasson du boss ?

— Arrête, Antoine, s'il te plaît, supplia la mère.

— Je n'y suis pour rien dans ton licenciement. J'ai tout fait pour l'empêcher. Tout, dit le père qui, malgré son calme apparent, avait juste envie de se lever et de flanquer une bonne raclée à son fils.

— Il s'est fait virer ? dit Rodolphe en interrogeant sa mère du regard.

— Ne me dis pas que tu en as quelque chose à foutre ! cracha Antoine en se tournant brusquement vers son frère, à la manière de ces diables montés sur ressort supposés terroriser les enfants.

Il se mit à hurler :

— Qu'est-ce que tu en as à foutre de nous maintenant que t'es bien casé dans ta petite vie de bourge ! Tu nous as toujours méprisés. Tu t'es toujours cru supérieur et voilà que... tu... tu...

Il agita la main devant lui – même s'il ne la regardait pas, c'était clairement pour désigner Alice – mais il s'arrêta en pleine phrase et sans finir son geste.

— Je ne peux pas te laisser dire ça, dit soudain Alice.

Elle avait été absente de la discussion dès que celle-ci s'était envenimée et personne – à commencer par Rodolphe – n'imagina une seconde que son intervention puisse régler quoi que ce soit. Antoine se redressa sur son siège, les yeux injectés de sang.

— Tu es en colère et je le comprends. La vie est injuste, profondément injuste, continua la jeune fille en le regardant bien en face. Mais je ne peux pas te laisser dire ça de Rodolphe.

— Alice, s'il te plaît, supplia l'intéressé en posant sa main sur le genou de sa petite amie.

L'occasion était trop belle pour Antoine.

— Toi aussi, tu sais que la vie est injuste, dit-il avec un sourire féroce. Et comment tu le sais, tu peux me le dire ?

Elle réfléchit quelques secondes pour formuler sa pensée de la façon la plus juste qui soit.

— Je mène une action sociale, répondit-elle avec une assurance mesurée.

Rodolphe ferma les yeux quelques secondes. Il sentit monter en lui une vague amère de ressentiment contre Alice.

— Je vois tous ces déshérités, tous ces gens dans des situations on ne peut plus précaires. J'essaie de leur redonner de l'espoir, dans la limite de mes moyens.

— Ah bon, et tu fais quoi ? Tu leur files des thunes ? Tu les invites à la table de ton petit papa ?

Alice se raidit, vexée. Ses joues s'empourprèrent.

— Ils ont surtout besoin de chaleur humaine et de retrouver leur dignité. C'est ce que je m'efforce de leur donner.

— Leur dignité ? hurla le jeune homme.

Comment qualifier le rire affreusement sonore d'Antoine qui suivit cette réplique ? Il résonna comme le cri de rage plein du ressentiment accumulé depuis des siècles par les laissés-pour-compte de tous bords face à ceux dont ils s'estiment les victimes ou les souffre-douleur. Il se passa alors une chose extraordinaire que personne n'aurait pu anticiper. Antoine, étranglé par la violence de son propre rire, se mit bientôt à hoqueter, puis à suffoquer. Son visage se tordit de douleur pendant que de sa gorge perçaient des grognements d'animal. Son corps et son esprit, semble-t-il, l'avaient tous deux lâché d'un coup. Ses vociférations confuses n'étaient plus que des sanglots refoulés. Il pleurait bel et bien. Aussitôt, il se releva d'un bond et disparut en claquant la porte.

Pierre Lescuyer regarda longtemps la porte par laquelle son fils s'était enfui. Son regard était vide, affligé. Le bruit d'un vélomoteur retentit à l'extérieur puis s'éloigna peu à peu. Pierre passa une main fatiguée sur sa joue puis se tourna vers Alice, qui était rouge de honte et d'effroi. Elle tremblait. Le temps d'un instant, Rodolphe crut voir sa mère, Émilie, avec sa maigreur et sa tristesse d'oiseau meurtri.

— Je crois que j'aurais mieux fait de me taire, dit-elle en baissant les yeux.

— Alice, ne le prends pas mal, mais tu parles comme un livre, dit Pierre d'une voix douce, sans volonté de la blesser. Malgré toute ta bonne volonté, tu n'as aucune idée de ce qui se passe vraiment. Des types comme Antoine, il y en aura de plus en plus et tout le monde finira par n'en avoir plus rien à faire. C'est d'autre chose que de dignité qu'ils ont besoin. C'est sans doute ce qu'il a voulu te dire. Avec ses mots à lui..., précisa Pierre sur un ton sinistre, comme pour excuser son fils sans le dédouaner complètement.

Alice releva la tête et le fixa quelques secondes.

— Peut-être qu'avec Mitterrand...? osa-t-elle, avant de s'arrêter net comme sous le coup d'une intuition supérieure.

Rodolphe la fusilla du regard.

— *Mitrand ?* Il ne fera pas mieux que les autres. Il a les mêmes cartes dans les mains mais surtout il joue le même jeu. Si on veut que quelque chose bouge, c'est le jeu qu'il faut changer, pas seulement les joueurs. Et puis qui a encore envie que ça bouge vraiment, à part les extrêmes qui se foutent royalement de prendre le pouvoir ? On s'est fait trop avoir, Alice, personne n'a plus le courage d'y croire. Tu vois, ça me fait mal de le dire, mais la classe ouvrière, elle est en train de crever. La seule classe qui existe encore, tu sais laquelle c'est ? C'est celle des riches.

Alice eut un petit frémissement.

— Désolé de te dire ça, mais c'est la stricte vérité. Les riches au moins, ils savent protéger leurs intérêts, ils arrivent à s'unir pour se défendre, ils forment une vraie famille, solidaire et sacrément motivée. Eux, ils ont encore des rêves, et je peux te dire qu'ils ne vont rien lâcher pour pouvoir les réaliser. Rien. C'est tout ce qui nous manque, à nous autres. Les ouvriers feraient bien d'en prendre de la graine, ajouta Pierre avec un petit rire en coin qui était tout sauf léger.

Il attrapa la bouteille d'alcool. Les dernières gouttes de pastis, d'une couleur d'ambre jaune, s'écoulèrent lentement dans le fond de son verre. Alice s'empara du pichet d'eau et le servit, avec sur son visage une expression grave et un sourire compréhensif.

— Crois-moi, je suis bien placé pour savoir ce que veulent les gens. Ils veulent des cuisines encastrables et des chaînes hi-fi. Ils veulent les mêmes meubles et les mêmes avantages que les riches. Du pouvoir d'achat et des vacances, voilà ce qu'ils réclament. Plus de temps libre, comme on dit aujourd'hui, pour aller claquer leur pognon dans les grandes surfaces, pour se foutre sur le dos des crédits qu'un jour ils ne pourront même plus rembourser puisqu'ils n'auront plus de boulot. C'est triste à dire, mais pendant des années je me suis battu pour ça et uniquement pour ça. Pas pour des rêves, non, non, pour des cuisines, pour des postes de télé, pour du temps libre dont personne ne sait quoi faire. Ça a peut-être été ma plus grande erreur, conclut-il avec amertume.

Rodolphe prit une grande inspiration, ses yeux balayèrent le carrelage du salon. Pierre surprit l'air exténué de son jeune fils.

— Je sais ce que tu penses de tout ça, Rodolphe. Tu penses que je suis un vieux con aigri qui a loupé sa révolution. Moi aussi, figure-toi, je suis fatigué de répéter tout le temps les mêmes âneries. Aujourd'hui, on a séquestré notre patron. J'ai eu beau gueuler, on n'a rien obtenu. Des jeunes ont voulu tout casser. Et tu sais ce que j'ai fait ? Je les ai empêchés de tout foutre en l'air. Oui, moi, je leur ai interdit de mettre le bordel.

Il s'empara de son verre et répéta en murmurant :

— Moi qui y ai tellement cru, à cette foutue révolution, je leur ai interdit de mettre le bordel.

Pierre but une longue gorgée de pastis. Sa femme eut un sourire amer, où la tendresse le disputait à la compassion, mais dont il n'eut pas conscience. Rodolphe observa son père d'un air soucieux. Toute sa vie, il l'avait vu se battre pour des idées qu'il avait le plus souvent méprisées. Aujourd'hui, c'était un homme à bout de souffle qu'il avait devant lui. Un homme épuisé, déçu, honteux. L'aigreur que Rodolphe avait accumulée contre lui pendant des années venait insidieusement de se transformer en un sentiment encore moins avouable : la pitié.

— Je vous admire, monsieur Lescuyer, dit Alice. Je vous admire réellement.

Il devait y avoir dans les yeux et dans la voix de la jeune fille une telle sincérité, mêlée à une telle gratitude, que le père de Rodolphe en fut vivement ému.

— Tu es une fille bien, Alice.

Puis, après un long silence :

— Je suis content que Rodolphe t'ait rencontrée.

Alice regarda Rodolphe comme si le pape en personne l'avait canonisée de son vivant. Rodolphe baissa la tête vers ses chaussures. La seule chose dont il était sûr était que cette nouvelle donne familiale ne lui plaisait guère.

Le lendemain matin, Benoît leur fit faux bond, malgré la promesse qu'il avait faite à Alice de venir la chercher pour l'accompagner sur les marchés. La jeune fille s'était levée à l'aube, elle avait fait discrètement sa toilette en prenant soin de ne réveiller personne et attendu deux heures avant de finalement se recoucher sans pouvoir retrouver le sommeil. Elle se sentait blessée dans son amour-propre mais elle s'abstint de faire la moindre réflexion qui aurait pu heurter Rodolphe.

Ils se levèrent à 9 heures. La maison était vide, les parents, occupés aux courses pour le déjeuner. Quant à Antoine, il avait disparu depuis la veille au soir et ne semblait même pas avoir couché dans son lit.

Rodolphe et Alice se décidèrent à parcourir à vélo les quatre kilomètres qui les séparaient de la mer. Ils abandonnèrent leurs bécanes à l'entrée de la plage et le jeune homme entraîna sa petite amie sur un chemin escarpé. Par ce froid glacial de novembre, ils étaient les seuls à oser s'aventurer dans ce coin réputé dangereux en raison des lames de fond qui pouvaient vous happer à la moindre imprudence et vous fracasser contre les rochers en contrebas. Ils avançaient l'un derrière l'autre, au milieu des ajoncs sans fleurs et des éboulis de granit aux formes étranges. Rodolphe marchait en tête, avec son air buté des mauvais jours. La pluie et le vent leur cinglaient le visage. L'océan était déchaîné, parcouru par le frémissement de millions de vaguelettes, blanches et meurtrières comme des crocs. La mer tout entière paraissait vouloir batailler contre le ciel bas, d'un gris obsédant, et l'engloutir dans ses entrailles. Rodolphe et Alice atteignirent le promontoire où le jeune homme se plaisait autrefois à contempler l'infini de l'horizon. Il avança de quelques pas, ses pieds surplombèrent le vide de quelques centimètres et il ouvrit en grand ses deux bras. Alice poussa un petit cri d'effroi et le retint par la manche. Il l'écarta d'un geste brusque en ricanant.

— Qu'est-ce que tu crois ? Que je vais sauter ?

Alice, folle d'inquiétude, se résigna à l'observer. Rodolphe se mit à fixer l'immensité qui s'étendait sous ses pieds. Sa respiration s'apaisa et il ferma les yeux. Le vent hurlait à ses oreilles, rendant sans doute ses pensées et ses questionnements encore plus confus qu'ils ne l'étaient déjà. Une tempête d'un autre genre se déchaînait sous son crâne. Une part non négligeable de ses préoccupations résidait dans le fait de savoir s'il pourrait un jour se sentir complètement libéré de sa classe sociale, si les affreux petits snobs qu'avait évoqués Artus lui foutraient un jour assez la paix pour qu'il n'ait plus à inventer mille et une raisons d'assombrir le tableau de son existence et, par exemple, à redouter la rencontre de ses parents ou de son meilleur ami avec Alice. Réussirait-il là où son père avait échoué ? Réussirait-il sa petite révolution personnelle, et en particulier à être cool et détaché dans n'importe quelle situation, devant n'importe quel type de personne ? Pour toutes ces raisons, il est certain qu'à cet instant précis Rodolphe détestait Alice pour cette facilité déconcertante qu'elle avait à nouer contact avec tout le monde, une faculté qu'il mettait sur le compte d'une éducation entièrement décomplexée, dont lui n'avait évidemment jamais bénéficié. Il la détestait aussi pour cette manière joviale qu'elle avait d'accueillir le moindre événement de la vie en le dégustant comme s'il s'était agi d'un plat succulent à consommer sans modération, et de préférence en y plongeant les deux mains. Il la détestait enfin pour la simplicité de son caractère, pour sa gentillesse et son empathie boulimiques. En somme, il la détestait d'être, finalement, assez heureuse de vivre.

19 juin 1984

Maxime mourut un dimanche, qui est bien connu pour être le jour le plus triste de la semaine, surtout pour mourir, surtout quand on est enfermé entre les quatre murs d'une chambre d'hôpital et qu'on n'a même pas vingt-cinq ans. Les premiers signes de la maladie étaient apparus environ cinq mois plus tôt, vers la fin du mois de janvier. D'abord se dessina sur sa narine gauche une tache sombre et violacée que son médecin de ville eut du mal à identifier mais qui se révéla assez vite être une complication cancéreuse. Les premiers temps, Maxime ne changea presque rien au déroulement de ses journées en dépit d'un immense épuisement qui culminait vers le milieu de l'après-midi. Il continua de fréquenter la fac de lettres le matin, il continua de me donner régulièrement rendez-vous pour déjeuner dans le petit restaurant des Halles où il avait ses habitudes. Cependant, dès 3 heures, il se sentait envahi par une irrépressible lassitude qui le laissait inerte, étourdi par le moindre effort et l'obligeait à rentrer dare-dare chez lui pour se reposer. Les doses de Bactrim qu'il ingurgitait quotidiennement le maintinrent à peu près en état jusqu'au mois de mai – il y eut

359

même de véritables pics, euphoriques, où il ne ressentait pratiquement plus aucune fatigue – mais à partir de là, les choses empirèrent. La tache vineuse prit un aspect épouvantable, proliférant de la narine jusqu'au milieu de la joue, s'obscurcissant jusqu'à constituer un large hématome brunâtre qui le défigurait. En moins de deux mois, il perdit le peu d'appétit qui lui restait et près de vingt kilos. Lui, l'éternel séducteur, le beau gosse à la gueule d'ange, ressemblait maintenant à ces enfants atteints de progéria, qui gardent parfois leur bouille de bébé en ayant l'air d'être des vieillards. Dans le même temps, ses voies respiratoires s'encombrèrent, il commença à expectorer d'épaisses glaires jaunâtres dans lesquelles s'entortillaient de longues traînées d'un sang noir et visqueux. On diagnostiqua une pneumonie et il fut aussitôt hospitalisé. Le silence des médecins fut consternant. Aucun ne put ou ne souhaita signifier à sa mère le nom exact de son affection. Chacun semblait frappé d'une peur – d'une stupeur ? – qui faussait tout rapport avec la vérité. Maxime, lui, sut très vite le nom qu'il fallait lui donner.

— Tu devrais faire le test, me dit-il un jour en posant sa main cadavérique sur la mienne.

Je me souviens qu'un frisson violent me parcourut comme une décharge électrique. Jusque-là, j'avais inconsciemment écarté l'idée que c'était du sida qu'il était en train de mourir. Je dirais même pire : pour me rassurer, je tenais absolument à me persuader qu'il n'en était pas atteint. En ce mois de juin 1984, la maladie était encore un pur objet fantasmagorique, on en parlait abondamment mais rares étaient ceux qui, de près ou de loin, avaient connu quelqu'un qui en soit réellement affecté. Il y avait une sacrée disproportion entre l'attraction morbide et universelle que suscitait le sida et le manque flagrant d'informations que l'on possédait à son propos. Quant aux tests, ils étaient encore expérimentaux, artisanaux, fabriqués à la va-vite dans des labos hospitaliers et de toute façon, il était hors de question que je m'y soumette de quelque façon que ce soit.

L'enterrement se déroula au cimetière Montparnasse, où la famille possédait un caveau qui était comiquement placé à quelques pas de la tombe de la chanteuse du groupe Il était une fois, que Maxime affirmait – sans doute par provocation – tenir en très haute estime et, selon ses dires un soir de grande beuverie, « très exactement au même plan que l'œuvre symphonique de Beethoven ».

Plus de cent personnes étaient présentes et parmi elles, il va sans dire, une généreuse délégation d'homos. La plupart, je les avais croisés au moins une fois : dans un bar, dans une boîte, dans les saunas où Maxime insistait parfois pour me traîner, histoire d'agrémenter mon petit train-train sexuel de quelques péripéties spectaculaires.

Je reconnus Bubble à sa casquette siglée d'un des géants américains de l'industrie du sport. Il arborait encore ce petit sourire cynique, à la limite de la malveillance, dont il ne pouvait vraiment pas se départir. Même dans un contexte aussi pénible, il donnait encore une fois l'impression de vouloir s'imposer au monde. Même ici, dans ce cimetière pénétré par le plus flagrant chagrin, il semblait vouloir faire la nique au conformisme des conventions, fussent-elles funéraires. Cette suffisance d'artiste me sembla être une complète maldonne doublée d'une usurpation honteuse. J'éprouvais un tel ressentiment à son égard qu'une équation terrible s'imposa à mon esprit.

MAXIME = BUBBLE

BUBBLE = USA

USA = SIDA

Il fallait trouver un coupable et ça y est, je l'avais trouvé, c'était visible comme le nez au milieu de la figure. Peu importe qu'il le soit ou non, je ne pouvais m'empêcher de le désigner comme responsable de la mort de mon ami. J'avais juste envie de lui hurler à la gueule qu'après avoir fait crever Maxime il allait y passer lui aussi, qu'il fallait immédiatement qu'il efface de sa sale petite tronche cet air conquérant, indécent à vomir. Je ne souhaitais qu'une chose : lui arracher les yeux, les lèvres, le piétiner jusqu'à ce qu'il crève à son tour. Évidemment je n'en fis rien et me contentai de me placer aussi loin de lui que possible. À cet instant je regardai dans la direction de Liliane de Bascher. Elle-même me cherchait du regard et d'un petit signe de sa main gantée de cuir, elle demanda que je m'approche d'elle, ce que je fis sur-le-champ. Elle portait un ensemble pantalon gris perle et d'immenses lunettes noires qui n'arrivaient pas à cacher le chagrin qui dévastait son visage. Dans l'église Saint-Roch où avait eu lieu la cérémonie, elle avait interdit tous les discours personnels et tenu à imposer, entre les psalmodies d'usage, une série de chansons disco, qui allaient d'*Upside Down* à *Hot Shot* en passant par *It's Raining Men*. Le curé et pas mal de gens coincés firent la gueule. Les plus concernés – c'est-à-dire les gays – eurent la larme à l'œil en se remémorant les moments où ils avaient dansé sur ces airs, surtout si c'était en compagnie de Maxime. Pas sûr que ce fût la *playlist* la plus adaptée à l'événement, mais Liliane, même dévorée par la douleur, tenait symboliquement à ce que la vie de son jeune fils, qui avait été une fête, le soit jusqu'à la dernière minute.

Quand les employés des pompes funèbres amorcèrent la descente du cercueil, Liliane me prit violemment la main et ne la lâcha plus. C'est sans doute idiot, mais ce fut seulement à ce moment précis que je réalisai que plus jamais je ne reverrais mon ami. Je me mis à pleurer. Il me revint en tête que les premières minutes de ma rencontre avec Maxime avaient été elles aussi baignées de larmes. Mais en cet instant, il n'y avait personne pour agiter un mouchoir devant mes yeux et me sauver comme il l'avait fait ce soir-là. Cette pensée grossit en moi et devint insupportable. Je me sentis dépossédé, orphelin de son amitié. C'est certain, une partie de moi-même – ma naïveté, peut-être – venait de m'être brutalement arrachée. J'eus le sentiment qu'à partir de ce jour il me serait impossible de retrouver la paix, que le fantôme de Maxime serait toujours là, dans les replis de ma mémoire, à rôder comme un petit animal inquiet et affamé.

Pendant une semaine, je restai terré dans ma chambre de bonne à pleurer sur l'injustice que constituait la mort de Maxime, à hurler sans arrêt son nom, à compulser fiévreusement tous les bouquins qu'il m'avait offerts – bien qu'il m'ait été impossible de me concentrer sur la plus petite ligne –, à passer en boucle toutes les musiques qu'il aimait et dont il m'avait fait des cassettes, à chérir son visage sur les photos que j'avais de lui. Et puis, au bout du septième jour – autant qu'il en a fallu à d'autres pour faire définitivement le tour de l'existence –, je refis surface.

Ce jour-là, madame Ziegler frappa timidement à ma porte. Pendant une semaine, elle avait été le témoin muet de ma détresse, m'apportant des plats auxquels je touchais à peine, veillant comme une mère sur l'évolution de ma santé mentale.

— Il y a ton ami Benoît au téléphone, il a l'air très remonté, murmura-t-elle sur un ton craintif, en ayant vérifié au préalable si j'étais en mesure de comprendre ce qu'elle disait.

Mon ami Benoît !

J'avais complètement rayé de la carte de mes préoccupations ma promesse de le retrouver à la gare Montparnasse. Il avait insisté pour ce soit moi et personne d'autre qui le guide jusqu'à la galerie de la rive gauche où Alice avait organisé en grande pompe le vernissage de l'exposition qui lui était consacrée et où seraient présents, selon elle, « une flopée de gens de la plus haute importance ».

Grâce, ou plutôt à cause d'Artus, les choses avaient pris un tour exceptionnel. Ce qui aurait dû s'apparenter au vernissage classique d'un photographe inconnu revêtait des proportions colossales pour des raisons totalement extérieures à l'art. Artus avait soumissionné un gigantesque appel d'offres dans la banlieue est de la capitale, un ensemble architectural de trois barres d'immeubles de plus de trente étages chacun. Pour remporter ce marché pharaonique, il lui fallait compter sur de solides soutiens institutionnels et politiques. Lui qui mettait rarement les pieds dans une galerie, et encore moins dans un vernissage, avait décidé d'utiliser celui-ci comme plate-forme de propagande commerciale dans l'unique but « d'en foutre plein la vue » à tous ces décideurs. Artus avait exercé une subtile pression financière sur le plus éminent des marchands d'art qui fournissaient son épouse. Celui-ci s'était senti humilié mais, en homme d'affaires raisonnable, avait fini par accepter de libérer sa galerie pour l'occasion. Cet acte de lobbying se doublait ainsi – c'était même un petit plus non négligeable – d'une vengeance toute personnelle contre ces dealers qu'il méprisait profondément. Les carnets d'adresses d'Artus et de son épouse ainsi que celui du galeriste fonctionnèrent à plein régime. Épaulée par l'attaché de presse de l'endroit, Alice s'était personnellement occupée des milliers de détails qu'il restait à régler.

— Il y a beaucoup de monde, me dit Benoît en observant le lieu à distance.

Dans sa bouche, « beaucoup de monde » devenait *trop de monde*. Il se sentait déjà fatigué d'affronter une telle foule et de devoir s'expliquer sur ses intentions d'« artiste ».

Heureusement pour lui, sur les quelque deux cents personnes présentes, une très infime proportion s'intéressait réellement à la photographie et serait de ce fait curieuse de s'entretenir avec un photographe débutant qui n'avait de sa pratique qu'une vision empirique et donc nécessairement confuse. La plupart étaient là pour faire des affaires, exposer leur importance ou montrer qu'ils appartenaient au réseau sélectif des bons plans artistiques parisiens.

L'entrée de la galerie était barrée par un panneau où Alice avait accroché la reproduction de l'une des vingt photographies que Benoît avait prises à la mort de son grand-père – l'exposition était dédiée à l'intégralité de cette série avec, en bonus, quelques paysages de bord de mer et des gros plans de rochers, ceux-là étant d'ailleurs assez peu mis en valeur tout au fond de la galerie. Alice se précipita sur Benoît en le félicitant de son retard – elle était persuadée qu'un artiste digne de ce nom devait systématiquement faire attendre son public – et le jeta sans tarder dans les bras de la journaliste du *Matin de Paris*, une petite bonne femme très laide, avec des yeux globuleux qui lui sortaient littéralement du visage. Alice eut le temps de glisser ces mots à Benoît :

— Tu ne dis rien de sérieux. Tu l'écoutes surtout, elle adore parler. Tu verras, c'est très simple.

Fort de ces conseils, Benoît écouta donc et limita sa conversation à de courtes réponses peu impliquantes et à de nombreux sourires énigmatiques, qui étaient de toute façon le mieux qu'il pouvait donner. Sans le savoir, il se conformait très exactement à ce qu'on attendait de lui. Créer le mystère par le vide. Aviver l'intérêt par un désintérêt courtois. Son physique l'aidait, c'est certain. Cette fusion inhabituelle entre détachement et puissance, cette beauté brute dont il semblait ne pas avoir conscience étaient furieusement tendance en ces temps de surexposition d'ego.

Je décidai de faire le tour de l'expo.

Alice et son scénographe avaient bien fait les choses. Chaque photographie, d'un format 40 × 40, était subtilement éclairée par une rampe de néon blanc qui diffusait une lumière délicate sur toute sa surface. Le cadre qui l'entourait était à dessein disproportionné, de sorte que l'image semblait y flotter comme un mirage, et de ce fait y gagnait en profondeur. Les clichés eux-mêmes étaient surprenants. Simples, sans effets racoleurs, magnifiquement cadrés. Malgré leur aspect macabre, il s'en dégageait une infinie douceur, démultipliée par le recours à un faible contraste au moment du tirage. Il en ressortait, surtout, une humanité sidérante. Était-ce le choc de la découverte de l'univers artistique de mon meilleur ami ou la souffrance encore vivace de la mort de Maxime ? Je fus terrassé d'émotion.

— C'est beau, n'est-ce pas ? dit Alice dans mon dos.

Je me retournai, le regard ahuri et humide, incapable d'émettre le moindre son.

— Moi, j'adore, précisa-t-elle inutilement – ses yeux parlaient pour elle.

Elle ouvrit ses bras et me serra contre elle dans un geste plein de chaleur.

— Ça m'a fait la même chose à moi aussi, m'avoua-t-elle au creux de l'oreille.

À quelques pas de là, Benoît, qui venait de conclure une des phrases de la journaliste par un énième « Hum, hum... » flatteur, m'observait d'un air inquiet. Il était le seul à qui j'avais osé parler de la mort de Maxime, en omettant d'ailleurs d'en préciser la cause. Il m'avait fait remarquer que le thème de son expo n'était pas précisément idéal pour me distraire de mon chagrin.

— Tu es sûr que tu veux venir ? dit-il, alors que la rame de métro abordait la station Odéon.

— Crois-moi, Benoît, j'ai franchement envie de découvrir ce que tu fabriques depuis toutes ces années.

Une remarque qui provoqua chez lui une vague de tristesse inattendue.

On appela Alice et je me retrouvai seul. Je fis plusieurs fois le tour de l'exposition. J'avançais au hasard, avec l'impression de flotter comme un zombie, en m'incrustant régulièrement dans des groupes de discussion, avant d'être dévisagé comme un intrus par l'un de leurs membres et de devoir me tirer.

Évidemment, on parlait beaucoup du projet d'Artus. C'était visiblement la première fois que le directeur de l'office HLM de la Seine-Saint-Denis mettait les pieds dans un pince-fesses de cet acabit. Il avait tenté de s'habiller branché, sans grand succès, il faut bien l'admettre. Pour l'heure – et avant de s'attaquer à une autre victime –, Artus concentrait toute son attention et sa force de persuasion sur sa petite personne. Il n'arrêtait pas de lui resservir du champagne et de lui présenter des créatures exceptionnelles, haut perchées, porteuses de prénoms qui se terminaient systématiquement par un *a* et en général très blondes. Vu la taille des énergumènes et celle de leurs stilettos, les yeux du bonhomme se retrouvaient régulièrement au niveau de leurs généreuses poitrines, de sorte qu'il paraissait évident que les espérances d'Artus quant à l'aboutissement de son contrat grandissaient de rencontre en rencontre. Ailleurs, sur les cinq cents mètres carrés du plancher de chêne massif, s'affichait un échantillon de gens plus ou moins sophistiqués, traîne-savates arrogants, pseudo-artistes faussement déjantés, penseurs à lunettes, midinettes à large échancrure pectorale ou dorsale, blondes ou pas. Il y avait bien sûr un nombre important de politiciens, de députés et de magistrats, ainsi qu'une célèbre présentatrice de journal télévisé qui utilisait son temps de cerveau disponible pour étoffer son carnet d'adresses et deux ou trois comédiens vaguement connus qui s'exposaient plus souvent dans les dernières pages people du magazine *Paris-Match* que sur des écrans de cinéma. Quelques femmes avaient sorti leurs parures, les brushings bouffaient, les collections des couturiers s'étalaient, une faune « absolument dans le coup » s'agitait autour d'un buffet à la hauteur de l'événement derrière lequel s'alignait une pléthore de jeunes gens charmants et rigides, dont on pouvait se demander si les visages austères ne témoignaient pas de quelque drame intérieur insurmontable.

— Je ne peux pas penser un seul instant que la France soit d'extrême droite. C'est un vote de colère. L'embellie va se tarir aussi vite qu'elle est arrivée, prophétisait un énarque aux canines affûtées en évoquant les 10,95 % du parti de Jean-Marie Le Pen aux très récentes élections européennes.

— Les Français n'ont quand même pas été très clairs pendant l'Occupation, déclara de son côté une jolie brune dont la robe Azzedine Alaïa moulait les fesses de manière immodeste.

— Les Français sont de droite mais ils ont du cœur, Lydia, ils ne peuvent pas être pour le parti de l'exclusion, ajouta le député surdiplômé.

De dépit, il croqua avidement dans un canapé asperges-saumon que lui présentait sur un plateau d'argent un serveur probablement d'origine malgache, en tout cas fortement basané. Il jeta un regard acéré au pauvre homme, lui mettant sans doute sur le dos, en son for intérieur, la raclée que le Front national avait imposée à son parti dans sa propre circonscription. Tous ces gens s'empiffraient en discutant de la misère du monde, du sort des sans-papiers, du taux de chômage chez les plus démunis sans jeter un seul regard aux photographies qui se trouvaient autour d'eux et qui exposaient de manière à la fois si douce et si véhémente ce qui m'apparaissait être le seul remède à tous les problèmes dont ils avaient l'impression de débattre : beaucoup d'amour et d'humanité. C'était risible, vide, illusoire. Décidément, tout cela me semblait léger, beaucoup trop léger, surtout après les moments de pure souffrance que je venais de connaître. Je me décidai à rejoindre Rodolphe et Tanguy, qui étaient en train de se pinter au bar. Tanguy était accompagné d'une certaine Victoire, une fille aussi glacée que le papier des magazines dans lesquels elle aurait pu exposer sa beauté rayonnante. Rodolphe venait de réussir le concours d'entrée à Sciences po. L'un et l'autre avaient en poche un diplôme prestigieux et à leur bras une fille remarquable. Quoique pour des raisons absolument opposées, ils ne ressentaient pas le besoin d'exprimer outre mesure leur esprit de compétition et semblaient même s'amuser pas mal.

— Je te présente Victoire, me dit Tanguy pompeusement.

Victoire me tendit une main molle, à moitié ensevelie sous une couche de fine maille écrue siglée Jean Paul Gaultier.

— Elle a été reçue major de la promo, éprouva-t-il le besoin d'ajouter, on ne sait pour quelle raison.

— C'est bon, mon chou. La terre entière n'a pas besoin d'être au courant.

Elle se tourna vers moi.

— Et toi, tu fais quoi ?

— Je te l'ai déjà dit ! protesta Tanguy. Il est comédien.

— Apprenti comédien, me sentis-je obligé de nuancer.

— Super ! dit Victoire. Ma mère aussi a été comédienne mais il y a très longtemps. Elle est toujours aussi cabotine, mais ça c'est inscrit dans ses gènes, je suppose.

Elle rectifia d'une main habile la tenue de sa chevelure.

— Je connais plein d'acteurs. Entre nous, ils sont carrément insupportables. Ils ne parlent que d'eux, ne s'intéressent qu'à leur petite personne. Les pires, c'est les très vieux. Ou alors ceux qui ont tout raté et qui veulent encore y arriver, même s'ils savent que c'est foutu d'avance. Bouh ! Une sale race, de toute façon.

Ça n'avait pas l'air de la gêner de dire autant de conneries. Je réalisai qu'elle avait tout à fait sa place au milieu de tous les abrutis présents. Elle s'éloigna quelques secondes pour aller picorer un canapé.

— Alors, vous avez aimé ? demandai-je à Rodolphe et Tanguy.

— Aimé quoi ? demanda Tanguy.

— Ben... l'expo..., dis-je en jetant un regard circulaire aux murs de la galerie.

À leurs regards embarrassés, je compris que ni l'un ni l'autre n'avait encore pris la peine de s'intéresser au travail de leur ami.

— Ça mériterait que vous y jetiez un œil, dis-je.

Tous deux eurent l'air gênés de me voir aussi atterré. Benoît se libéra enfin de sa journaliste et se rapprocha de nous.

— Alors, c'est toi l'artiste ? dit Victoire, la bouche encore pleine de son canapé, en se jetant littéralement sur Benoît.

Tanguy tendit ses deux pouces à la verticale pour le féliciter.

— C'est vraiment super ! Bravo, mon gars.

Victoire regarda Benoît avec des yeux d'une intensité de cinglée, ce qu'elle était très certainement.

— C'est hallucinant ce que tu as fait.

Elle sirota une gorgée de sa flûte de champagne pour faciliter la descente du canapé vers son estomac qu'on imaginait sans peine extrêmement délicat.

— C'est vraiment hallucinant. Tu te fous carrément à poil devant la mort. On sent que tu l'acceptes, mais en même temps tu te hisses à une position supérieure pour ne pas qu'elle te lamine. Tu adoptes un regard omniscient où tu es à la fois acteur et juge de ta propre vie. C'est hyperpuissant, j'adore.

Au moins, elle, elle avait jeté un coup d'œil à l'expo.

Ce fut Rodolphe qui éclata de rire en premier, suivi de très près par Benoît et, je dois l'avouer, par moi-même. C'était une cascade de rires adolescents, méchants, incontrôlables. Victoire chercha de l'aide dans le regard de Tanguy, mais celui-ci haussa les épaules et leva ses deux mains dans un signe d'impuissance. Lui-même ne put se retenir très longtemps d'exploser de rire. Par pur esprit de compétition, il était ravi de rabaisser le caquet à sa major de promo, fût-elle sa petite amie du moment.

— Vous êtes de vrais connards, dit Victoire le plus dignement qu'elle put.

Elle s'enfuit comme une sirène effrayée, en bousculant violemment l'artiste au passage. Les rires décuplèrent, évidemment. Nous trinquâmes au succès de Benoît, sans pouvoir complètement cesser de rigoler de la bonne blague que nous venions de jouer à cette affreuse snobinarde. Je regardai mes potes qui riaient aux larmes. Notre hilarité, au départ malintentionnée, devint peu à peu l'expression de quelque chose de plus simple, de plus apaisé, constitué essentiellement de la joie de nous retrouver ensemble et de partager à nouveau, même dans l'outrance, cette complicité qui nous avait toujours unis et dont nous avions perdu le goût. À cet instant, comme aux plus beaux jours de notre adolescence, nous avions le sentiment d'être purs. Nous ne savions plus rien, ni de l'injustice de la mort, ni de la vacuité du pouvoir, ni de la puissance de l'argent, ni de l'absurdité du monde. J'aurais voulu que le temps cesse à jamais de s'écouler, qu'il se fige pour l'éternité sur l'intensité de ce moment que, ce jour-là plus que jamais, je savais éphémère. Et si le bonheur d'une vie était constitué, justement, de la fragile accumulation de secondes aussi merveilleuses que l'était celle-ci ? Nous avions tellement voulu grandir et nous frotter à la vie que nous en avions oublié de préserver la part la plus belle de nous-mêmes : notre innocence.

Bientôt, Rodolphe serait empêtré dans les rouages du monde politique, Tanguy dans ceux de l'entreprise, Benoît et moi dans ceux de l'art et de la culture. Chacun de nous devrait batailler, contre les autres mais surtout contre lui-même. Chacun de nous, pour tenter de survivre – pour tâcher d'être heureux ? –, s'efforcerait à sa façon d'enfouir les monstres cachés qui n'avaient cessé de nous poursuivre depuis l'enfance.

Pour le moment, nous étions morts de rire, et cela nous suffisait amplement.

DEUXIÈME PARTIE

6 juillet 2009

Tanguy se réveilla en nage et jeta aussitôt un coup d'œil affolé au réveil. L'image, d'abord floue, gagna rapidement en netteté. Sur le cadran digital, le 4 des unités se changea en 5 et il fut précisément 1 h 35. C'était, à la minute près, l'heure à laquelle il était né, quarante-six ans auparavant. La journée avait été accablante de chaleur et la nuit en portait encore les stigmates. L'air était lourd, suffocant. Tanguy s'assit dans le lit. Ses yeux s'accoutumaient peu à peu à la pénombre, les objets de la chambre lui redevenaient familiers, la vie – même nocturne – reprenait le dessus. C'était un fait désormais : il venait d'avoir quarante-six ans. C'est-à-dire exactement un an de plus que l'âge auquel son père était mort. Il était souvent arrivé à Tanguy de redouter – ces derniers temps, c'était même devenu une obsession – de n'atteindre jamais cet âge, et que dans les ultimes secondes où il serait supposé le faire, une malédiction familiale s'abatte sur lui. Il tourna à nouveau la tête vers le réveil. Il était 1 h 36 et rien de tel ne s'était produit. D'une certaine façon, il avait survécu à son père. Oui, il était toujours en vie, bel et bien en vie ! Son sexe, qui à cet instant jaillissait puissamment hors de son caleçon, n'en était-il pas la preuve authentique, indiscutable, admirable ? Il tourna la tête. Beverly dormait à ses côtés. Sa chevelure rousse, épaisse et permanentée, lui dévorait le visage, un chuintement doux s'échappait par à-coups de ses lèvres gonflées par le sommeil – ainsi que par de très légères injections d'acide hyaluronique. Tanguy se sentit agacé par autant de candeur apaisée. Un court moment, il eut envie de la déranger dans son sommeil, de la secouer, de lui transmettre violemment sa jubilation d'être encore en vie, mais il abandonna l'idée aussi vite qu'elle s'était formée dans son esprit. Alors, il agrippa sa verge et se mit à l'astiquer furieusement. Quelques secondes plus tard, il jouissait.

Il se leva et se glissa en silence dans la cuisine. Puis, comme il le faisait chaque nuit depuis plus de dix ans, il se prépara un savant cocktail anti-insomnie à base d'eszopiclone et d'une bonne rasade d'Absolut Vodka parfaitement glacée.

Tôt le matin, Tanguy prit possession de son bureau. Le soleil n'avait pas encore entamé son travail de sape, les équipes de ménage venaient de quitter les lieux, l'air était frais et saturé d'une douce odeur de détergent industriel. Tanguy aimait profiter de ce silence limpide, de ces minutes de calme blanc, avant que les bureaux ne se chargent des parfums et de l'énergie tumultueuse de dizaines et de dizaines de jeunes diplômés unanimement ravis d'avoir décroché un job – parfois un simple stage – dans l'une des divisions *fragrances* de ce grand lessivier américain.

La carrière de Tanguy au sein du groupe s'était essentiellement déroulée à l'étranger. D'abord en Australie, puis en Chine et enfin aux États-Unis, où il était resté en poste près de dix ans, gravissant l'un après l'autre les barreaux de la toujours plus étroite échelle de compétition sociale jusqu'à ce que se présente, il y avait six mois, ce poste de directeur général qui couronnait une carrière sans faute et sans surprise, et qu'il aurait été du plus mauvais effet de refuser. Tanguy aurait pourtant préféré ne pas revenir à Paris. Le lien qui le retenait à la France – sa mère et ses deux sœurs exclusivement – s'était peu à peu distendu avec le temps. Sa femme était américaine. Ses deux enfants étaient nés sur le sol américain. Lui-même, qu'avait-il encore de français ?

Vers 9 h 30, le directeur marketing frappa bruyamment à sa porte et entra dans la foulée. Costume et chemise Dior homme – sans cravate –, souliers italiens soigneusement lustrés, montre Chanel J12 Sport, porte-documents Hermès en veau noir finition box, la somme accumulée de ses fringues et accessoires devait représenter au bas mot l'équivalent de trois mois de SMIC avant abattement des charges. Camille apparaissait comme le parfait parangon de cette typologie d'individus que produit l'industrie du luxe en général, et celle des parfums en particulier. À peine âgé de trente-deux ans, il avait la dégaine d'un top model, le verbe haut, facile, empressé, un maniérisme des gestes et de la pensée qui aurait pu le faire passer pour l'héritier d'une très longue lignée d'aristocrates, même s'il avait barboté toute son enfance dans les eaux un rien stagnantes d'une petite bourgeoisie de province.

Dans son milieu professionnel, il passait pour un type brillantissime, bien que sa culture – essentiellement aiguillonnée par le côté glamour des divers modes de représentation du monde, qu'ils soient artistiques ou sociaux – eût pu paraître aux yeux d'observateurs plus scrupuleux comme intellectuellement douteuse et éthiquement ambiguë. Disons qu'il était particulièrement – exceptionnellement, il faut l'admettre – doué pour son métier de marketeur. Il savait comme personne vous concocter des concepts, les encapsuler dans des histoires plus ou moins crédibles et des flacons plus ou moins alléchants, mais il savait par-dessus tout – en échange d'une somme relativement modeste – saupoudrer de paillettes de rêve le quotidien du consommateur.

Bien qu'il ait été formé – conformé ? – suivant les mêmes règles, par les mêmes professeurs, au sein des mêmes écoles, Tanguy avait pour Camille et ses semblables une antipathie manifeste qui se doublait à l'occasion d'une méfiance intuitive. Il détestait leurs goûts, leur penchant pour la dramatisation excessive du moindre événement, ce côté « créatif » qui semblait leur autoriser toutes sortes d'extravagances de propos, de comportement, d'idées. Contrairement à eux, il n'avait pas rêvé depuis l'enfance de franchir les portes de ce monde enchanteur. Contrairement à eux, il n'aurait pas donné sa main gauche pour passer une soirée avec Julia Roberts, pas plus qu'il n'aurait trépigné de rage de ne pas être descendu au Château Marmont lors d'un *shooting* à L.A. parce que c'était « absolument l'endroit où tout se passe ». Contrairement à eux, il n'était jamais *overbooké*, *sous l'eau* ou *totally jetlag*, pas plus qu'il ne *mutualisait*, *draftait*, *donnait son go*, *shootait* des mails, n'était *force de proposition*, ne *provoquait* une réunion, ne *prenait le lead* ou ne rencontrait des *impondérables*. Même si leur pensée était structurée de façon assez similaire – c'était d'ailleurs grâce à cela qu'ils réussissaient finalement à s'entendre –, le langage de Tanguy était à mille lieues de celui de Camille, et ses préoccupations quotidiennes encore plus éloignées. En vérité, ce monde à la fois terriblement factice et magnifiquement lucratif, parce qu'il n'en détenait pas les codes d'accès, effrayait Tanguy encore plus qu'il ne l'agaçait. Lui qui n'avait aucune espèce de capacité à rêver avait un mal fou à se projeter dans le rêve des autres. Il restait un terrien, indécrottablement. Seuls l'intéressaient les chiffres et, parmi les milliers de chiffres qu'il manipulait au quotidien, un seul retenait toute son attention : celui du profit de l'Entreprise, «le bas de ligne» comme savent si bien le nommer les directeurs financiers dans leur langage fleuri. Après des années passées exclusivement au service de marques grand public qu'il avait décrassées de fond en comble – au propre comme au figuré –, sa direction souhaitait le voir appliquer ses méthodes à l'une de ses filiales du marché sélectif. Voilà ce pour quoi on l'avait engagé : pour faire le ménage et – par de judicieux amendements de ses dépenses actuelles – transformer cette entreprise rentable en une entreprise *encore plus rentable*. C'était la seule et unique mission qu'on lui avait fixée. Il est vrai que pour accomplir cette tâche de haut vol, il n'y avait, en tout cas dans le vivier de cadres supérieurs actuellement disponibles, pas meilleur candidat que lui.

— On va se mettre là, dit Tanguy en se dirigeant vers la table de réunion en verre fumé qui trônait à l'extrémité de la pièce.

Camille posa son ordinateur portable devant lui et s'assit aux côtés de son chef.

— Au fait, bon anniversaire, dit-il avec un sourire d'une suavité exorbitante.

Tanguy le fixa avec des yeux inquisiteurs qui réclamaient une explication. Au final, un regard pas vraiment sympathique.

— C'est ta secrétaire... Elle nous inonde de mails au moindre événement, expliqua Camille sans se démonter.

— Merci, dit froidement Tanguy, qui ne voulait visiblement pas voir s'insinuer le moindre affect dans ses relations avec son subordonné.

Camille sourit une nouvelle fois – quoiqu'un peu moins suavement – et se mit à dérouler un fichier PowerPoint qui explicitait de manière ramassée la stratégie d'approche qu'il entendait appliquer au lancement de leur nouveau parfum. Après avoir passé un long moment à fournir une appréciation circonstanciée du marché de la concurrence – les échecs et les succès plus ou moins patents des récents lancements des autres maisons – et donc de ce qui apparaissait de manière évidente comme étant ou n'étant pas dans l'air du temps, il se lança dans un long soliloque sur les valeurs de sa propre marque – son ADN, comme il se rengorgeait sans cesse de la nommer –, avant de conclure sur son positionnement réel dans cet environnement hautement compétitif.

— Nous avons actuellement trois piliers forts dans le portefeuille.

Il effleura une touche de son *laptop* et un triptyque d'images apparut, correspondant chacune à un des piliers en question.

— On a la femme romantique, ce que moi j'appelle l'amoureuse transie. On a la femme active, hyper à l'aise dans son corps et dans sa tête. Et puis on a la femme élégante, archi-sophistiquée, la quintessence de l'esprit parisien en quelque sorte. Le problème est que notre cible sur ces trois piliers s'est terriblement resserrée sur le segment des consos *middle age*.

— Et toi tu veux élargir le spectre ?

— Il faut ouvrir *from scratch* sur un quatrième pilier qui va *targeter* carrément plus jeune. Sans cannibaliser les trois autres piliers, cela va de soi, se crut obligé de nuancer Camille.

— Tu veux ouvrir sur les quinze/vingt-cinq ans, c'est ça ?

— Exactement.

Tanguy eut un sourire narquois. Recruter les consommatrices entre quinze et vingt-cinq ans était le fantasme absolu de tous les marketeurs de l'industrie du parfum.

— Ça fait dix ans qu'on essaie. Pourquoi ça marcherait mieux aujourd'hui qu'hier ou avant-hier ?

— Parce que aujourd'hui on ouvre sur un territoire non seulement inscrit dans le fond de marque, mais aussi furieusement tendance.

Camille leva bien haut son index et appuya sur une touche, avec un sourire en coin, sans doute pas si éloigné de celui du magicien au moment de faire surgir le petit lapin blanc de son chapeau haut de forme.

— La femme qui brûle de passion. Une femme libre et intelligente, débarrassée de tous les carcans bourgeois chiants. Une femme qui ose tout. Une femme qui ose... *oser*.

Sur l'écran, s'étaient mises à défiler une série d'images exposant des femmes dans des attitudes effectivement fiévreuses, des créatures guerrières, aguichantes, sans complexe.

— Une femme sexy, sulfureuse, très rock.

Il fit encore défiler d'autres images puis il ajouta :

— Notre marque est avant tout une marque d'*extrême passion*, on a peut-être eu trop tendance à l'oublier ces dernières années.

Le sous-texte de cette dernière phrase laissant entendre que, bien évidemment, avant que Camille n'accède à son poste – il était en place depuis seulement huit mois –, la marque s'était lamentablement engluée dans des échecs dont elle peinait à se remettre, aussi bien en termes de notoriété que de chiffre d'affaires. Tanguy le savait, le lancement de ce nouveau parfum était crucial pour la bonne marche de l'Entreprise. En observant son regard alarmé, Camille eut conscience que sa petite formule avait fait mouche, ce qui l'engagea à poursuivre de manière encore plus théâtrale.

— Et le parfum de cette femme a un nom...

Il appuya sur la touche Next de son logiciel PowerPoint.

— C'est : *Rouge*...

Les cinq lettres du mot apparurent à l'écran dans un jaillissement de particules scintillantes et sur un fond sonore constitué de riffs déchaînés de guitares électriques.

— *Rouge*..., dit pensivement Tanguy.

— *Rouge*, martela Camille.

Ce fut dit sur un ton péremptoire qui se voulait une sorte de point final à la discussion – la réponse du berger à la bergère – et où apparaissait en filigrane ce sur quoi leur relation était fondée : la condescendance du créatif vis-à-vis du comptable. *Je sais et toi tu ne sais pas. Je suis l'homme des idées et toi celui des chiffres.* Tanguy saisit immédiatement de quoi il retournait.

— *Rouge ?* insista-t-il à dessein.

— C'est un nom sublime pour un parfum. Il est explicite visuellement *ET* factuellement. C'est exactement la case vide qu'il nous restait à remplir dans le portefeuille. *Rouge*, c'est la joie, la sensualité, le désir, l'exubérance, la vitesse. C'est chaud, c'est excitant, c'est fort. C'est saillant. C'est la couleur du sang, donc c'est la couleur de la vie. C'est même la couleur du bonheur en Chine.

Tanguy regarda longuement sur l'écran les lettres qui continuaient d'éclater dans toutes les variations possibles de carmin et d'écarlate. Il venait d'un univers de crèmes et de shampoings, un univers grand public, rationnel, parfaitement codé, où il y avait relativement peu de place pour les divagations et les prises de risque. Il tourna la tête vers Camille.

— Ça ne veut rien dire, ce nom. Il faut que le nom dise ce que le parfum fait. Un parfum, il doit rendre la femme... quelque chose... Je ne sais pas, moi... Il doit la rendre sublime... Il doit la rendre heureuse...

— Il doit la rendre... *Shalimar* par exemple ? persifla Camille.

— En tout cas, il ne doit pas la rendre... rouge, dit Tanguy en se raidissant, vexé.

Il se pencha vers son subordonné, ses mains agrippant ses genoux.

— Dis-moi, Camille, c'est quoi le bénéfice produit de ton parfum ?

Le directeur marketing le regarda avec des yeux où le disputaient l'effarement et le dédain.

— Je te dirais bien qu'il est antipelliculaire, mais ça n'aurait pas beaucoup de sens. Un parfum n'est pas un produit *bénéficiel*, Tanguy. D'ailleurs un parfum n'est pas un produit tout court. Un parfum, c'est un imaginaire, c'est un fantasme. Un parfum doit faire rêver, point. Sinon, il n'a aucune chance de durer.

Tanguy tressaillit en entendant cette dernière phrase.

— De durer ? À ton avis, combien de parfums la concurrence va-t-elle lancer cette année ? Combien le groupe va-t-il lui-même en lancer ? Qu'est-ce qui va faire que madame Michu de Clermont-Ferrand ou miss Jane Doe de Cleveland, Ohio, va acheter ton produit plutôt qu'un autre ? Ton parfum, il est plus que probable que l'année prochaine tout le monde l'aura oublié. Entre-temps, on en aura lancé un autre. Et un an après, encore un autre. Ainsi de suite. C'est comme ça que ça se passe. Ne me dis pas que tu veux pérenniser quoi que ce soit. Dis-moi plutôt : Tanguy, je veux faire un coup, un coup magnifique qui va cracher 100 millions de dollars tout simplement parce qu'on aura foutu 10 millions sur la table pour que le monde entier en prenne plein la tronche. Ça n'existe plus les parfums qui durent, en tout cas pas chez nous. Personne ici n'aura les couilles de te le dire mais c'est la réalité. Je veux que tout cela sente le fric, Camille. Et *Rouge*, je suis désolé, mais ça sent surtout le flop.

Il se pencha encore un peu plus vers Camille, quitte à entrer dans une zone d'intimité particulièrement déplacée. Il était maintenant très remonté.

— Imagine une seconde ta cliente. Elle entre chez Sephora, chez Marionnaud, chez Nocibé, on s'en fout. Ses yeux, ses oreilles, son cerveau ont formidablement bien intégré les millions qu'on a crachés en achat d'espace un peu partout et donc, normal, elle se précipite pour acheter ta camelote. Elle va au comptoir, elle sort de soixante à cent euros de son portefeuille, ou bien elle les débite de sa carte de crédit, là encore on s'en tape.

Il s'arrêta pour observer son subordonné qui se faisait violence pour conserver un sourire altruiste sur son joli visage. Le mot « camelote » en particulier avait allumé un bref incendie intérieur dont on pouvait deviner les résidus ardents au fond de ses pupilles.

— Il provient d'où cet argent, Camille, tu peux me le dire ? Il provient du travail de quelqu'un. Le sien, celui de son mari, peu importe. Elle échange le prix d'un travail contre le prix d'une jolie bouteille de sent-bon. Ton parfum devient un *objet transactionnel* entre un acheteur et un vendeur. Tu as fait HEC, non ? Donc tu connais les rouages du commerce. Ton parfum, ce n'est rien d'autre qu'un produit, un produit d'échange, avec des coûts de revient, des coûts d'achat, des coûts d'approvisionnement, des coûts de production, des coûts de distribution mais surtout, surtout, une ÉNORME marge nette qui intéresse tout particulièrement les gens qui t'emploient pour, je te le rappelle, la modique somme de cent quatre-vingt mille euros annuels...

Finalement, il se laissa aller à poser la main sur l'épaule de Camille, qui en tressaillit d'effroi.

— Un bon conseil, mon garçon, si tu veux faire de la haute parfumerie, retourne à la concurrence. Même si tu trouves ça dégoûtant, ici on est des marchands.

Tanguy sentit qu'il était allé trop loin. Sous ses airs de diva, Camille était un travailleur acharné, qu'il n'était au fond pas si difficile de déstabiliser. L'essentiel de ce qui le faisait avancer résidait dans la très haute opinion qu'il avait de sa mission. Le cynisme d'une telle analyse – même si elle était sans aucun doute parfaitement fondée – n'était donc pas de nature à le stimuler. Dans son précédent job, Camille avait échafaudé deux ou trois lancements spectaculaires, de faible envergure en terme de business mais dont l'audace et le brio avaient été unanimement salués par la profession. Le groupe l'avait engagé pour cela précisément, pour « déringardiser » la marque et lui faire gagner en « désirabilité », selon les propres termes du grand patron de la division *Fragrances*, le boss actuel de Tanguy, qui l'avait érigé en star montante. Tanguy ne pouvait donc ouvertement s'opposer à lui. D'un point de vue strictement professionnel, il ne pouvait surtout pas prendre le risque de le perdre.

— Crois-moi, tout ceci n'a rien de personnel, Camille. Tu sais combien nous admirons ton travail.

Tanguy appuya sur une des touches du *laptop* de Camille. L'animation du mot *Rouge* repartit de plus belle, avec ses riffs de guitares enragés qui surchargèrent une nouvelle fois l'air du bureau d'une agressivité latente. Puis il se tourna vers Camille en affichant une mine savamment circonspecte.

— OK, pour l'instant on part sur *Rouge*... Je ne suis pas un grand fan, mais après tout c'est toi le créatif, non ? J'imagine que tu as dû pas mal réfléchir à tout ça.

Tanguy n'avait pas prononcé ces mots au hasard. D'une part, ils allaient calmer un temps son subordonné. D'autre part, ils le prémunissaient pour la suite des événements. Si la haute direction rejetait le projet, il pourrait toujours arguer de sa méfiance initiale. Si elle l'acceptait, il pourrait à l'inverse se vanter d'avoir favorisé son développement.

À cet instant son BlackBerry émit un son étranglé. Tanguy lut le SMS que Beverly venait de lui adresser.

Dear, ne rentre pas trop tard ce soir. B.

Il le savait, comme chaque année, sa femme lui avait concocté un anniversaire qui n'avait de surprise que le nom. Un frisson d'abattement le parcourut. Camille jeta un coup d'œil à sa J12 et se leva.

— Je vais chercher l'agence. Ils poireautent depuis une heure.

Il se dirigeait vers la porte quand Tanguy l'appela par son prénom. Camille se retourna, la main sur la poignée.

— Tout ce que je peux te dire, c'est de frapper fort, dit Tanguy. Très fort. Je suis bien placé pour savoir que la direction attend *énormément* de ce projet.

Le directeur de création de l'agence, suivi par une fille de taille imposante, les bras encombrés par un énorme portfolio de cuir noir, entra au moment où résonnait un autre signal étranglé en provenance du BlackBerry de Tanguy.

Enfin, pas trop tard ! Je sais que tu feras de ton mieux. B.

Un autre frisson désagréable lui caressa l'échine.

Tanguy avait décidé, pour la suite des événements, de ne déclencher aucune vague majeure d'hostilité, c'est-à-dire d'écouter avec le plus grand calme apparent les discours irritants de ces *pubards* qui, en réalité, l'agaçaient mille fois plus que ceux de Camille ou de ses confrères. Eux, au moins, relevaient de quelque chose qu'il pouvait, sinon entendre, du moins admettre. En général, il n'admettait rien des idées et des comportements des représentants des agences de com. Pas plus la façon qu'ils avaient de vous révéler les arcanes de leur story-board, avec la même préciosité et le même ton transpirant de mystère qu'ils auraient mis à vous dévoiler l'endroit exact où se planquait le saint suaire depuis vingt et un siècles, que la manière mielleuse et élitiste avec laquelle ils vous gavaient de mots comme « signifiant/signifié, sémiologie de l'acte de consommation, métalangage », qui, pour Tanguy, n'avaient pas d'autre signification que : Tu reprendras bien une rasade de vaseline, pour que je te pénètre encore plus profond et que je fasse cracher à ta boîte des centaines de milliers d'euros de commission d'agence. Des centaines de milliers d'euros qui – il en était intimement persuadé – n'avaient d'autre finalité que d'être engloutis dans la prochaine rénovation du somptueux hôtel particulier qui hébergeait leurs locaux, le prochain réveillon de fin d'année de leur boss à Buenos Aires ou le prochain règlement de leur facture champagne dans une boîte branchée de Saint-Tropez.

Connaissant le côté impatient de Tanguy et son peu d'appétence pour les longues entrées en matière, Thomas, le directeur de création, attaqua bille en tête par la présentation du visuel de la campagne qui devait accompagner le lancement du parfum.

Une fille entièrement nue – à l'exception de ses deux longs gants de velours écarlate – était langou-reusement alanguie dans un canapé – gris ou taupe, le visuel n'était pas très clair à ce sujet, en tout cas très foncé – et brandissait aux yeux du monde ce qui aurait pu passer pour un sex-toy mais qui n'était autre que le flacon lui-même : une espèce de poignet de force cylin-drique, entièrement hérissé de clous argentés et planté en son cœur de verre d'une lame métallique rouge que Camille lui avait précédemment vendu comme l'équi-valent parfum du très symboliquement sexuel pic à glace de l'actrice Sharon Stone dans *Basic Instinct*.

— C'est très chaud…, commenta Tanguy.

— Très…, confirma Thomas en baissant légèrement les paupières comme s'il confessait sa faute sans s'en acquitter vraiment.

— On est entre l'Olympia de Manet et la Gilda de Rita Hayworth, compléta Camille avec un sérieux impayable.

— Ce qui nous ouvre un éventail de possibilités assez vaste, ironisa Tanguy.

En réalité, à cet instant de la discussion, Tanguy accordait la moitié de son attention à la présentation de la campagne de communication et l'autre moitié à reluquer aussi discrètement que possible la ravissante chef de pub qui faisait office de passe-documents au directeur de création. Ravissante n'était d'ailleurs pas le mot. Elle n'était même pas exceptionnellement jolie. Elle était plutôt carrée, du genre sportif, avec de longs cheveux couleur ardoise et un air d'excellente santé – presque incongru dans ce milieu – dont on pouvait imaginer qu'étaient dotées les Amazones de l'Antiquité. Non, ce qui était notable – et que Tanguy repéra au premier coup d'œil – c'était qu'il émanait d'elle une puissance sexuelle hors du commun, voire légèrement terrifiante, même pour quelqu'un comme lui. Il se demanda d'emblée si elle portait ou non un soutien-gorge – sa poitrine volumineuse pointait très haut à l'intérieur d'un chemisier ivoire désespérément pudique, boutonné jusqu'à l'encolure, qui comprimait ses seins à l'excès et faisait presque mal à voir. Il chercha des indices dans les replis de la popeline de coton – un léger renflement, une compression explicite de la peau qu'aurait imposée une quelconque pression d'élastique – mais il ne décela rien de tel.

L'Amazone tendit un *board* format raisin à Thomas, qui l'exhiba à la vue de Tanguy. Une fille splendide, aux yeux profondément charbonneux, habillée d'une robe chinoise bariolée et ultramoulante, y surgissait du noir le plus absolu.

— Évidemment, on a tout de suite pensé à Natalie Portman, dit Thomas.

Tanguy – qui en était toujours à l'évaluation des potentialités de sous-vêtements de la chef de pub – fronça les sourcils en suivant du coin de l'œil le renflement mammaire provoqué sous la popeline par l'extension du bras et fit une grimace involontaire qui fut aussitôt interprétée dans un sens négatif par Thomas.

— Voyons, Tanguy... Natalie Portman, dit-il avec une douce véhémence qui puait le mépris.

Tanguy décida de rentrer dans le petit jeu qu'il affectionnait tout particulièrement.

— Natalie qui ? dit-il nonchalamment, en se redressant sur son siège.

— Natalie Portman... *Star Wars*... *Closer*..., insista Thomas en tentant de prononcer ces mots anglais avec un accent *midatlantic* appuyé et un sourire atroce.

— Connais pas, dit Tanguy dans une moue presque boudeuse.

Bien sûr, il connaissait cette actrice. Beverly l'avait un soir traîné sur Broadway, il y avait cinq ou six ans de cela, pour voir ce film, *Closer*, qu'il avait beaucoup aimé – il faut dire que cette histoire de couples à moitié échangistes était de nature à retenir son attention. Il se souvenait aussi de s'être branlé à deux ou trois reprises en réintégrant mentalement, dans un contexte tout personnel, la scène de *pole dancing* où Natalie Portman s'entortillait avec un minimum de pudeur autour d'un tube en acier inoxydable devant un Clive Owen au bord de l'apoplexie.

— Tu es certain que c'est une bonne idée de miser des millions sur une parfaite inconnue ?

Il s'arrêta et fit une grimace ironique à l'intention du directeur de création.

— Il est vrai que ce sont *nos* millions et pas *tes* millions.

— Natalie Portman n'est pas une parfaite inconnue, pontifia Thomas.

— Ce qui signifie qu'à part moi tout le monde la connaît..., reprit-il, plus joyeux. Y compris madame Michu et toutes ses copines de Clermont..., ajouta-t-il en faisant un clin d'œil appuyé à Camille.

En réponse, Camille lui sourit vaguement, sans énormément de conviction cependant. C'était souvent sa méthode – et parfois aussi toute son intelligence. Passer pour un con, exprès, se rabaisser au niveau du consommateur lambda parce qu'il venait de voir briller dans les yeux de son interlocuteur un réseau d'étoiles tissé de glamour et d'un insupportable snobisme et qu'il souhaitait lui arracher ce sourire béat, détestable, et le voir revenir sur terre au milieu des mortels. C'était exactement ce qui venait de se passer. D'une certaine façon, il venait d'atteindre son but. En face, on attendait désormais qu'il prenne le *lead*. Alors, Tanguy regarda longuement le *rough* du visuel et la photo de Natalie Portman comme il avait longuement regardé l'animation du mot «*Rouge*». Il admettait la cohérence de l'ensemble. Oui, vraiment, tout cela était parfaitement encapsulé et ferait sans doute une campagne remarquée. L'ennui était que l'angle d'attaque, le concept global, lui semblait parfaitement inadapté à une marque aussi plan-plan. Il décida de n'en rien dire, de les laisser s'enfoncer dans ce qui lui apparaissait comme une énorme maldonne.

— Et pour la photo, vous avez pensé à qui ? reprit-il, décontracté.

— Là, ça se corse, parce que le photographe que nous avons tous en tête et qui serait idéal pour donner à Natalie ce côté à la fois sulfureux, sexy et hypersophistiqué va probablement dire non.

— J'en mettrais ma main à couper, dit la chef de pub, soudain terrassée par une réelle affliction.

— On peut toujours essayer, renchérit Camille.

— On peut savoir de qui vous parlez ? dit Tanguy.

— Messager. Benoît Messager, annonça le directeur de création.

Tanguy sursauta. Benoît Messager ? Était-il possible que ce soit le Benoît de son adolescence ?

La pulpeuse Amazone venait de passer à Thomas une série de *boards* où s'alignaient des portraits de top models et de stars qui n'avaient rien des clichés tendance – certains parfois à la limite du racolage, d'autre limite tout court – qui inondaient les couvertures et les pages intérieures des magazines féminins. Même si leur nature restait fondamentalement commerciale, il s'en dégageait une force et un mystère magnétiques qui grandissaient à chaque seconde. Pour chacun d'eux, le photographe s'était bien moins ingénié à témoigner d'un environnement *fashion* qu'à capturer quelque chose d'essentiel dans le caractère de son modèle. Les couleurs empruntaient en majorité à une palette de bistres, de beiges, de gris. Tout y semblait à la fois calme et révolté. Oui, pour autant qu'il s'en souvenait, ces photos auraient pu être prises par Benoît.

Vingt ans que Tanguy ne l'avait revu, ni n'avait même entendu parler de lui et voilà qu'au détour d'une phrase il apprenait qu'il était devenu célèbre, adulé par tous ces gens qui lui ressemblaient si peu. Tanguy n'aurait pas misé un kopeck sur lui. Il avait toujours trouvé Benoît trop mou, trop humaniste, trop intègre pour avoir une chance de percer dans quelque milieu que ce soit. Non, décidément, il ne le voyait pas entouré de stars, de clients, d'agences. Que s'était-il passé ?

— Tu connais ? osa Camille.

— Eh bien oui, figure-toi que je connais, dit-il, sans toutefois s'étendre sur la nature du lien qui les unissait. Et pourquoi il dirait non, Benoît Messager ?

Tanguy s'amusa de cette dernière interrogation. Prononcer à voix haute le nom de son copain d'adolescence dans ce cadre si fermé, si éloigné du contexte qui avait déterminé leur amitié, le faisait jubiler. Il avait l'impression de jouer un sale tour de gamin à cet aréopage de blasés. D'ailleurs, la seule évocation de Benoît lui avait fait parcourir en pensée des années et des années de vie et basculer d'un seul coup dans l'optimisme et les chaudes espérances de son adolescence. Il se rendait compte que cela lui faisait un bien fou. Alors il répéta sa question en souriant :

— Hein, pourquoi Benoît Messager refuserait notre proposition de collaboration ?

— Parce que c'est ce qu'il fait à tout le monde depuis six mois, dit tristement Thomas.

— Sauf que son agent m'a fait comprendre à demi-mot qu'il allait peut-être accepter la prochaine campagne... Mango, dit à voix basse la chef de pub, en regrettant déjà d'avoir à annoncer une telle horreur.

— Oh non, pas Mango..., dit Camille, à la fois surpris et dégoûté.

Tanguy s'amusa à penser que son directeur marketing n'aurait pas réagi différemment si on lui avait annoncé que Francis Cabrel serait la vedette américaine du prochain concert de Lady Gaga.

— Je veux Benoît Messager, et personne d'autre, dit Tanguy de manière extrêmement virile. Je compte sur vous pour le convaincre.

Cette prise de position – qui s'apparentait à un véritable coup d'éclat de la part d'un homme qui avait habitué son monde à la retenue la plus excessive – surprit l'assemblée, à commencer par Camille. La presque ravissante chef de pub eut même pour Tanguy un sourire entendu, loin du conventionnel sourire d'acquiescement publicitaire, qui se prolongea pendant quelques longues secondes. Ce qui entraîna qu'une balise bien connue de Tanguy, jusqu'alors ensevelie sous la civilité des échanges, refasse surface à cet instant précis. Un petit transmetteur logé au fin fond de son cortex reptilien – celui hérité des premiers amphibiens et qui régule chez les oiseaux l'instinct de migration et chez l'homme la satisfaction de ses besoins primaires – était en train de lui envoyer de longs bips sensoriels qu'il ne mit pas longtemps à interpréter : il voulait cette fille et cette fille le voulait. Ce n'était aucunement une prétention de mâle, c'était un fait avéré. Il avait assez expérimenté le désir féminin pour ne pas sentir dans le sourire de l'Amazone une chaude et douce invitation à une partie de jambes en l'air régressive et frénétique.

Il sentit monter du fond de ses entrailles la volonté de la posséder illico, sur ce bout de verre fumé, au beau milieu de cette réunion de branchés. Son néo-cortex – une partie autrement plus rabat-joie de son cerveau – lui rappela qu'il serait déplacé de sauter cette femme en public, si bien qu'il se contenta pour l'heure de lutter contre la violente envie de se débarrasser de sa trique dans les toilettes hommes de l'étage. Une envie qu'il satisfit en l'occurrence dès que l'agence eut quitté les lieux, c'est-à-dire un quart d'heure plus tard, en ayant pris le soin préalable d'enregistrer sur son BlackBerry les coordonnées téléphoniques de la chef de pub, au cas où des nouvelles optimistes concernant l'affaire Messager lui parviendraient. Ce faisant, il eut un autre sourire encore moins équivoque, qui tendait une fois de plus à célébrer la sagacité du cortex reptilien et sa suprématie dans maintes situations du quotidien, fussent-elles les plus courtoises.

Dans l'après-midi, entre deux réunions schizo-phrènes, l'une avec le Département des ressources humaines – qui insistait sur la nécessité de continuer à réduire le nombre de ses salariés en contrat à durée indéterminée –, l'autre avec la Direction financière – qui se plaignait du caractère exponentiel du coût de son personnel intérimaire –, Tanguy *googlisa* le nom de Benoît Messager sur son ordinateur. Le moteur de recherche lui annonça quelque 2 730 000 entrées. Benoît était célèbre, sans aucun doute. Tanguy apprit qu'il avait été marié deux fois – sans qu'aucune de ces deux unions ait abouti à la naissance d'un enfant – et qu'il était aujourd'hui engagé dans une relation amoureuse avec une certaine Juliette Wolfenberg, qui jouait également auprès de lui le rôle d'agent artistique. Le site Wikipédia le décrivait comme « un explorateur audacieux et intransigeant de l'âme humaine, aussi bien dans ses portraits de célébrités que dans son travail personnel, où le thème de l'injustice sociale transparaissait de façon omnipotente ». En tapant sur le mode Image du navigateur, Tanguy déroula une quantité impressionnante de photographies – dont un grand nombre faisaient partie de la sélection de l'agence –, sans qu'apparaisse aucune image de l'artiste lui-même. Il tenta alors de reconstituer mentalement un portrait vivant de son ami et, inévitablement – comme s'il feuilletait contre son gré un album retrouvé dans la poussière d'un de ces greniers où il évitait généralement de mettre les pieds –, lui revinrent en mémoire certains événements – plus ou moins agréables –, certains visages – plus ou moins amis – qui allaient de pair avec cette évocation. Contrairement à ce qu'il avait ressenti plus tôt dans la journée – où le simple nom de Benoît l'avait renvoyé à une chaude et confortable vision de sa jeunesse –, il eut cette fois l'impression de renouer de façon déplaisante et presque anxiogène avec son passé. Le simple fait de raviver ces images déposait un voile de nostalgie encombrant sur un paysage mental qu'il s'était toujours efforcé de conserver net, d'une infinie clarté et principalement tourné vers l'avenir. Lui qui pensait être à jamais débarrassé des artefacts de son histoire personnelle – son inquiétude chronique, l'idée prégnante du vide, cette nécessité de se dépasser jusqu'à l'épuisement –, lui qui estimait que le poids de sa vie passée n'entrait que pour une part négligeable dans l'équilibre de sa vie présente et qu'il avançait en homme libre vers sa destinée réalisa à quel point – quoique de manière encore confuse – il persistait à entretenir un rapport sourd avec cette part enfouie de son existence antérieure. Il eut la pénible sensation que son esprit venait de lui jouer un méchant tour et se sentit profondément abattu. Puis arriva la réunion avec son directeur financier, qui le lava de ces pensées toxiques pour le reste de la journée.

Il était maintenant 20 h 36. À cette heure, Saint-Cloud était une ville morte. Le soleil, épuisé d'avoir trimé depuis l'aube, s'apprêtait à donner congé et flottait mollement dans un éther orange vif au beau milieu d'un écheveau de cirrus eux-mêmes alanguis. L'intention de Tanguy, comme il s'autorisait désormais à le constater en appuyant sur la télécommande qui déclenchait le mécanisme d'ouverture de son garage, avait été de rester au bureau le plus tard possible pour avoir à subir sa soirée d'anniversaire le moins long-temps possible. Dans un élan d'empathie irrationnel, il fit résonner son klaxon afin de prévenir son épouse de son arrivée et laisser aux invités le temps de se planquer dans la bibliothèque, ou tout autre endroit où Beverly aurait trouvé *hilarious* de les contenir jusqu'à son arrivée. L'Audi se glissa dans d'infimes soupirs de pneumatiques entre la Cinquecento vert céladon de Beverly et sa Ducati Monster 900 Special, un bolide surpuissant qu'il lui arrivait fréquemment d'enfourcher lorsque l'acuité de certains incidents domestiques ou un trop-plein de nervosité professionnelle viraient à l'obsession homicide – il pouvait alors rouler trois cents kilomètres d'une seule traite sous prétexte d'avoir besoin de prendre un peu l'air. Il fit claquer sa portière et inspira puis expira une longue bouffée d'air revigorante avant de s'engager dans l'escalier de béton ciré conduisant au hall d'entrée de la résidence qu'il louait pour la somme ridiculement astronomique de 12 000 euros mensuels. Sa femme l'attendait en haut des marches. Le corps de Beverly – trente-neuf ans – s'épanouissait harmonieusement dans une robe Prada noire à la coupe droite et au décolleté sagement audacieux. Elle accueillit Tanguy avec cette indéfectible bonne humeur et ce charisme héréditaire très *New York Democrat* – ce qu'elle était indubitablement et dont elle s'enorgueillissait à longueur de temps : d'être new-yorkaise ET démocrate –, qui avaient d'abord séduit Tanguy avant de l'ennuyer peu à peu, et aujourd'hui de l'agacer régulièrement.

Au printemps 1998, Beverly et Tanguy s'étaient mariés au cœur des Hamptons, où les parents de Beverly possédaient une résidence d'été. La cérémonie se déroula dans un faste, une affectation généralisée de bonne humeur, un déploiement insensé de couleurs pastel, de queues-de-pie, de fleurs en sucre et de colossales sculptures de glace identiques en tout point à ceux qu'Hollywood dépeint classiquement dans ses comédies sentimentales. Beverly était jeune, riche et jolie. Les divers membres de sa famille, tous culturellement pro-européens, bien que leurs opinions sur l'économie de l'Europe en général et de la France en particulier ne soient pas aussi dithyrambiques – ils avaient même une agaçante tendance à considérer la patrie de Tanguy comme un vaste parc d'attractions à vocation fondamentalement historique, vinicole et gastronomique –, avaient accueilli à bras ouverts ce jeune homme fougueux, drôle, terriblement *Frenchie* qui était promis – le père de Beverly, un ami intime du grand patron de Tanguy, était bien placé pour le savoir – à un avenir resplendissant. Les années passèrent, deux enfants naquirent. À la passion irrépressible des premiers temps succéda un amour flegmatique où entrait malgré tout une part notable de tendresse et de respect mutuels. Tanguy se mit rapidement – et assidûment – à tromper Beverly, mais Beverly préférait ne rien en savoir. Son mari, s'il ne lui était pas fidèle, était *merveilleusement* fidèle à leur famille – tout au moins à l'idée qu'elle se faisait d'un idéal de famille. Son propre père avait sans aucun doute possible passé sa vie à cocufier son épouse. Ses parents ne constituaient-ils pas malgré tout le couple le plus épanoui qui soit ? En conséquence de quoi – et pour des raisons si diamétralement opposées qu'elles finissaient par se rejoindre – Tanguy et Beverly s'habituèrent à se mentir sur le point de la fidélité, le mensonge à ce sujet étant devenu un mode de fonctionnement comme un autre et, si bizarre ou malsain que cela puisse paraître, un élément non négligeable de la complicité qui les unissait. Le couple se constitua peu à peu sur cette imposture, sinon acceptable du moins acceptée, en tout cas extrêmement vivable puisque, en dehors de ces coups de canif répétés dans leur contrat de mariage, Tanguy se montrait le plus compatissant des époux et le plus attentif des pères. Leurs échanges étaient de ce fait uniformément lissés par une politesse et une courtoisie de bon ton – qu'un observateur perspicace aurait pu qualifier d'excessivement artificielles –, de sorte qu'aucune dispute capitale ni aucun éclat de voix ne venait jamais les troubler. Beverly, en bonne fille de l'*Upper East Side*, les aurait d'ailleurs mal tolérés, son éducation la portant plutôt à une abnégation teintée de sacrifice qu'à un affrontement direct. Il était clair qu'elle se conformait sans le savoir au schéma patriarcal – à tendance phallocrate – de la bonne société new-yorkaise et reproduisait le rôle que sa mère avait elle-même toujours tenu au sein de son couple, à tel point que les deux femmes auraient pu sans problème s'approprier le célèbre mantra de la cour royale d'Angleterre : *Never explain, never complain*.

Beverly embrassa Tanguy sur les lèvres, enroula amoureusement son bras autour du sien et l'engagea à se diriger vers une porte anormalement fermée – elle était d'habitude *très* ouverte – où elle se targuait de lui avoir préparé un petit dîner en amoureux, *just for the two of us*. Tanguy feignit à merveille de ne se douter de rien. Se passa ensuite ce qui s'était passé les onze années précédentes. Beverly ouvrit la porte avec malice. Des lumières jaillirent en même temps que les cris d'une trentaine de personnes que Tanguy connaissait à peine, recrutées soit parmi les adhérents de l'association de lutte contre le cancer du sein dont Beverly était devenue en quelques mois un membre actif et incontournable, soit parmi les joueurs de la section Tennis du Paris Racing, soit encore parmi les parents d'élèves de l'école bilingue Montessori que fréquentaient à Saint-Cloud leurs deux enfants, Elliott et Margot, âgés de neuf et sept ans. Tanguy poussa un *Ah !* solide et crédible – des années de cohabitation avec Beverly et d'innombrables comités de direction l'avaient aguerri à ne jamais dévoiler quoi que ce soit de son état mental – qui déclencha un sourire extrêmement satisfait sur le visage de son épouse. Tanguy serra des mains, embrassa des joues, laissa échapper d'autres *Ah !* et d'autres *Oh !* étonnés et ravis au fur et à mesure qu'il découvrait les têtes des invités, tandis qu'il essayait péniblement de se souvenir du prénom de chacun d'eux et de se remémorer si telle personne était plutôt *cancer du sein*, plutôt *raquette* ou plutôt *primary school* afin d'échanger avec elle les bribes d'une conversation appropriée, en tout cas qui ne soit pas perçue comme totalement extraterrestre. Au bout de quelques échanges mineurs de cet ordre, Tanguy fut convaincu que de bonnes rasades d'Absolut Vodka l'allégeraient de l'angoisse qui commençait à lui tordre les entrailles. Il se dirigea vers la cuisine où se trouvaient une dizaine de personnes agglutinées autour du granit massif de l'îlot central, parmi lesquelles une brunette assez fortement sexuée qui avait jusque-là échappé à sa vigilance. Il la dévisagea avec tellement d'insistance qu'elle finit par se présenter.

— Bon anniversaire. Je m'appelle Charlotte, dit-elle en se dirigeant vers le congélateur, d'où Tanguy était en train d'extirper son nectar glacé.

Il l'examina de haut de bas. *Cancer* ou *raquette* ? En tout cas, beaucoup trop jeune pour *primary school*.

— On s'est déjà vus ? dit Tanguy en ignorant la main que lui tendait Charlotte pour lui préférer ses deux joues qui ressemblaient à de jolies pêches rebondies, gavées de jus et de vie.

Et puis, en s'écartant, il eut un sourire satisfait, trop appuyé pour être vraiment honnête. Charlotte eut un léger raidissement de bienséance. Il était certain que cette jolie jeune femme, sans doute coutumière des assiduités masculines, vit immédiatement et exactement à quel genre d'homme elle avait affaire. D'ailleurs elle répondit :

— Je travaille depuis peu avec Beverly. C'est une femme absolument remarquable. Tout le monde l'admire. Elle a le don de diffuser le bonheur autour d'elle, je crois.

Puis, en désignant le décor de la cuisine d'un geste vague de la main :

— D'ailleurs, tout est si joli chez vous...

Tanguy soupçonna que tant de politesse liminaire envers Beverly augurait mal de la possibilité d'un écart de conduite qui lui aurait été profitable. Il eut envie d'être désagréable.

— Vous savez, pour l'instant on loue cette maison et pour tout ce qu'elle contient, ma femme n'a pratiquement rien eu d'autre à faire que de mettre les pieds sous la table, si j'ose dire.

— Ah..., lança Charlotte, un peu choquée.

Beverly entra à cet instant. Elle reçut immédiatement un signal explicite en provenance de son cerveau mammalien – celui qui déclenche, entre autres choses, les réactions d'alarme liées au stress – en observant son mari papoter avec Charlotte et si visiblement épanoui par cette proximité.

— Vous avez fait connaissance ? dit-elle en se dirigeant vers eux.

— On parlait de toi, dit Charlotte, prise d'un besoin soudain de la rassurer.

— Rien que des choses adorables, évidemment, dit Tanguy en souriant aimablement à sa femme.

Charlotte s'approcha de Beverly et tendit ses deux mains vers les plateaux vides qu'elle portait.

— Tu as besoin d'aide ?

— Non, non, va t'amuser plutôt.

Charlotte l'embrassa furtivement sur une joue – à seulement quelques millimètres de ses lèvres – et sortit de la cuisine. Beverly se rapprocha du plan de travail et se saisit de deux plateaux débordant de canapés multicolores.

— Tu peux prendre ceux-là ? demanda-t-elle à Tanguy en désignant d'un coup de tête deux plateaux voisins.

Tanguy se rapprocha. Beverly en profita pour lui glisser à l'oreille :

— Je me demande si Charlotte ne préfère pas les femmes...

— Non, je pense que tu te trompes gravement, répondit-il avec une insistance inutile.

Beverly eut alors le sourire le plus *Upper East Side* qui soit. Tanguy l'observa, éclata de rire et se pencha vers ses lèvres pour l'embrasser, une attention à laquelle Beverly – qui avait horreur des épanchements en public – échappa dans un délicieux frémissement d'épaules.

406

Il y eut alors pour Tanguy une incessante série d'allers-retours entre la partie congélateur de leur combiné frigorifique et le fauteuil qu'il s'était approprié dans le salon, de sorte qu'à 22 heures il était déjà dans un état d'ivresse avancé. Les rires et les conversations des invités résonnaient à ses oreilles comme de lointains signaux de vie. Il ne connaissait rien de ces gens et aucun d'eux ne l'intéressait réellement. Il se sentait surtout comme un total usurpateur de leurs témoignages de cordialité.

Il était incontestable que disposer d'un cercle d'amis fiables et sincères – ce dont il paraissait par exemple inimaginable à Beverly de se passer – aurait été pour lui un fardeau plus qu'un soulagement. Avec les années, il s'était accoutumé à ne compter que sur sa famille pour la douceur de l'intimité, sur ses initiatives personnelles pour le plaisir du divertissement et sur son inépuisable gisement d'autosatisfaction pour y puiser une confortable indulgence. Au cours de son existence, il avait essuyé beaucoup trop de réunions assassines, s'était exposé à beaucoup trop de dîners dégoulinant d'hypocrisie et, d'une manière plus large, s'était fait le complice assumé de beaucoup trop d'individus insincères et superficiels pour trouver encore la force et l'envie d'entretenir un réseau extraprofessionnel. Il reléguait le frénétique besoin de fraternité qu'il avait ressenti autrefois à une partie révolue de sa vie et il n'était plus prêt aujourd'hui à aucun des petits arrangements – nécessairement régressifs à ses yeux – qui accompagnent les amitiés adultes.

Soudain, la chaleur qui régnait dans la pièce potentialisa l'extrême bouillonnement de ses pensées intérieures et, du fond de sa saoulerie mélancolique, il sentit un flot de colère le submerger. Tous ces gens de la fréquentation polie desquels il s'accommodait habituellement lui firent soudainement horreur. Il dirigea son regard vers Beverly et elle aussi – tout aussi soudainement et pour une raison qu'il n'arrivait pas encore à s'expliquer – lui fit horreur. En la regardant s'évertuer comme une diablesse à rendre cette soirée «inoubliable», il fut pris d'un violente animosité. Tel un boomerang qui finirait par resurgir des sombres limbes du passé, lui revint en mémoire la célébration de son succès à l'ESCP dans une très lointaine salle des fêtes de Bretagne. Il se remémora les efforts insensés qu'il avait fournis pour faire de cette soirée un moment lui aussi «inoubliable». Il mesurait, des années plus tard, combien ces efforts avaient été artificiels et grotesques, combien ils avaient été entachés par le désir pathologique de briller aux yeux du monde, quitte à se brouiller avec les seuls et véritables amis qu'il avait alors. Par un curieux raccourci de la pensée, il en voulait maintenant à Beverly de tenter elle aussi de donner à leur vie un lustre factice, de s'entêter de façon aussi névrotique à demeurer cet animal social que sa mère l'avait patiemment préparée à devenir. Comment pouvait-elle refuser de voir que tout cela n'était qu'un château de cartes, une similivie de couple ? À cet instant précis, au milieu de tous ces avatars d'amis, Beverly lui donnait l'impression de progresser avec une sérénité déplacée sur un fil tendu au-dessus du vide. Elle refusait de regarder vers le bas et avançait, royale, en évitant le moindre faux pas qui l'aurait précipitée vers l'abîme. En avait-elle conscience ? Était-elle uniquement cette poupée fraîchement sortie de sa boîte pour exposer aux yeux du monde l'illusion d'une vie parfaite ? Était-elle réellement aussi heureuse qu'elle voulait le laisser croire ? Ne souffrait-elle pas au moins un petit peu, Beverly ? On comprend bien qu'avec autant de pensées violemment antisociales en tête, il fut impossible à Tanguy de demeurer plus longtemps vissé dans son fauteuil. Alors il se leva en titubant et se précipita au premier étage, où ses deux enfants étaient endormis. Il prit tour à tour Margot et Elliott dans ses bras et les porta vers son lit. Il s'allongea à leur côté et les serra très fort contre lui. Il les serra si fort que les deux gamins finirent par se réveiller et l'observèrent avec un trouble angélique et des yeux bouffis de sommeil.

— Je vous aime tellement, leur murmura Tanguy en les inondant de baisers affectueux et inquiets.

Dans son sombre délire alcoolique, en proie aux élucubrations paranoïaques les plus irraisonnées, Tanguy se rassura peu à peu à l'idée que ses deux enfants constituaient encore la seule balise qui pouvait véritablement le sauver du naufrage de son mariage – et peut-être même de son existence tout entière.

24 septembre 2009

La session parlementaire fut exceptionnellement déclarée ouverte le 14 septembre 2009 par la présidence de la République, avec plus de deux semaines d'avance sur le calendrier traditionnel. La crise financière d'octobre 2008 semblait avoir cristallisé chez l'exécutif l'obsession d'une accélération notoire de la marche du temps, avec pour conséquence première qu'une série de propositions de lois, d'arrêtés, de décrets s'était abattue comme une tornade sur la vénérable institution. Depuis dix jours, les députés assuraient avec ardeur la bonne marche et le juste tempo du bal de ces réformes gouvernementales – et plus particulièrement, en cet automne 2009, du projet de loi portant sur l'Engagement national pour l'environnement, autrement dénommé projet Grenelle II.

Depuis dix jours, Rodolphe lui-même bataillait frénétiquement au sein du groupe socialiste pour faire entendre sa voix, échafaudant, de manière collégiale ou de sa propre initiative, amendement sur amendement aux propositions législatives en cours ; réclamant à son groupe – toujours avec âpreté et parfois avec succès – d'être entendu par tel ou tel ministre pour telle ou telle question d'actualité soumise au gouvernement; passant d'interminables heures à assister à des réunions de groupe, à des réunions de bureau, à des conférence de presse où il tentait chaque fois qu'il le pouvait de soumettre le plus éloquemment possible ses vues à la connaissance de ses collègues, et parfois d'un ou deux journalistes. C'était la XIIIᵉ législature de la Cinquième République et le tout premier mandat du député Lescuyer.

Le 20 juin 2007, il avait été élu avec un score presque illégitime de 50,5 % sur son adversaire UMP et depuis cette date il dépensait une énergie incommensurable, sinon à faire parler de lui, du moins à se faire repérer. Il le savait – on le lui avait mille fois répété –, un député novice, sans expérience du labyrinthe législatif, devait démultiplier ses forces, son énergie, sa capacité à saisir rapidement les enjeux liés à sa fonction pour avoir une chance d'être reconnu et – plus difficile – respecté par ses pairs. À la moindre occasion, son comportement pouvait être évalué, ce qui engageait à une vigilance sans repos. À l'intérieur de l'hémicycle, il se devait d'être exemplaire, exigeant, sérieux, assidu, mais surtout d'apparaître comme un travailleur acharné. Sur le terrain, il lui fallait se situer intelligemment et de façon créative sur bon nombre de problématiques locales et assurer de manière humaine son rôle de médiateur entre son territoire et la nation, entre ses concitoyens et l'appareil d'État. C'était exactement ce que Rodolphe avait entrepris pendant ces deux ans. Il était désormais effectivement toléré, parfois entendu, d'autres fois même écouté au sein de son groupe, mais il ne disposait d'aucun pouvoir de conviction durable et il était loin d'être respecté – au sens le plus noble que l'on donne à ce terme. À l'Assemblée, il demeurait un pion invisible, un franc-tireur sans attaches réelles, un obscur soldat dans l'armée des 577 législateurs légitimés par le peuple français. Une chose essentielle lui faisait défaut : il souffrait d'un déficit de notoriété. Pour avoir uniquement évolué jusqu'à sa députation au sein du réseau local des conseils généraux et régionaux, il s'était coupé des grandes luttes d'influence du parti et n'avait que trop rarement eu l'occasion de se positionner sérieusement vis-à-vis de l'une ou l'autre de ses sensibilités, et donc d'alimenter un réseau solide d'amitiés politiques ou de se construire une image au niveau national. Or, tout n'était qu'une question d'image, Rodolphe le savait, il l'avait toujours su, depuis son tout premier billet d'humeur diffusé sur une obscure radio libre de son campus universitaire.

Pour son anniversaire, six mois auparavant, Alice lui avait offert les services d'un conseiller très particulier. Pendant les trois mois d'été, un communicant – un ancien publicitaire reconverti dans le business en vogue du marketing politique et du conseil en image – s'était acharné à lui trouver un angle d'attaque qui augmenterait sa *surface de visibilité*, comme il la nommait.

— Il faut que tu produises de la *ligne politique*, Rodolphe. C'est le seul moyen de te faire un nom. Il faut absolument que tu te dégotes une putain de ligne *clivante* qui te démarque et sur laquelle tu puisses t'appuyer. Si possible une ligne très à gauche, ou alors carrément une ligne très à droite, on s'en fout, du moment qu'on est dans un positionnement extrême et original. Évidemment, ça implique de ta part d'assumer une position minoritaire au sein de ce foutu parti qui n'a jamais fait émerger autre chose que la voix de son centre, mais crois-moi, en politique, mieux vaut être minoritaire et remarqué que majoritaire et avalé par un consensus mou du bide. Quoi qu'on dise, il y aura toujours une prime à l'audace. Même si tu te mets à dos la direction du PS, tu t'offres une fenêtre de tir médiatique exceptionnelle et c'est absolument tout ce qui compte. Fais-moi confiance, aucun parti n'a envie de se séparer de quelqu'un qui intéresse la presse, dans le bon sens du terme évidemment.

Puis il conclut, en mâchouillant la corne de son Montblanc Meisterstück, les yeux ébahis par quelque mystère niché dans les moulures du plafond de son somptueux bureau de l'avenue Rapp :

— Il faut qu'on te définisse une putain de posture à l'intérieur du système, Rodolphe.

Dès lors, le député Lescuyer avait travaillé d'arrache-pied avec son conseiller pour dénicher cette fameuse posture, une cause capable de le propulser sur le devant de la scène socialiste et, plus largement, de la scène politique nationale.

C'était ce qui, ce matin-là, l'amenait à progresser avec une énergie débordante dans les couloirs lugubres de l'Assemblée nationale, un épais dossier sous le bras, suivi d'Hector, son attaché parlementaire, qui le filait en toute occasion comme un toutou apeuré et portait lui aussi, serrés contre sa maigre poitrine, tout son lot de dossiers. Rodolphe fit cogner son index contre une porte écaillée.

— Entre, cria une voix.

Gabriel s'était levé pour recevoir Rodolphe. Les années lui avaient assuré une stature et un sérieux institutionnels – augmentés par la qualité d'une garde-robe entièrement constituée auprès d'un tailleur du quartier de l'Opéra – mais ses yeux bleus étaient toujours aussi pénétrants et la main qu'il tendait à Rodolphe toujours aussi résolue. Les chemins des deux hommes s'étaient séparés à la sortie de Sciences po, au moment où Gabriel avait miraculeusement intégré l'ENA et où Rodolphe en avait – tout aussi miraculeusement – été écarté. Dans leur groupe, personne ne comprit vraiment ce qui était arrivé. Il apparaissait à tous – et particulièrement à Gabriel – que la simple logique aurait dû entraîner le résultat exactement opposé.

Par la suite, Gabriel occupa divers postes techniques à la direction d'importants cabinets ministériels, avant de se décider à s'exposer au jugement des électeurs et de conquérir en 2001 la mairie d'une ville de la grande couronne parisienne puis, l'année suivante, la députation de la circonscription qui allait avec. Sur le plan politique, il s'était fait brillamment remarquer au sein du parti par ses prises de position radicales – et, de l'avis général, plutôt droitistes – sur les questions de sécurité nationale et d'immigration, ce qui lui avait valu une couverture médiatique satisfaisante et dans la foulée – le communicant de Rodolphe n'avait pas tort sur ce point – une place enviable au cœur de l'appareil socialiste.

On aurait pu penser, comme pour l'ENA, que, des deux hommes, ce serait Rodolphe qui se serait taillé la part du lion, qu'il aurait été le plus solide, le plus résolu et finalement le plus à même de conquérir le pouvoir et d'attirer sur lui toutes les lumières de la renommée. Il était malin, astucieux, pugnace, doté d'une incroyable volonté, sa connivence avec celui qui n'avait pas tardé à devenir son beau-père lui assurait en outre une visibilité et un réseau exceptionnels. Ce fut l'inverse qui se produisit. La hargne adolescente de Rodolphe, qui autorisait autrefois des petits miracles sur les campus, fit des ravages dès qu'il eut franchi pour de bon la porte des universités et qu'il se fut agi de se frotter à l'implacable réalité du terrain. Où qu'il aille, il passait en force, négligeant les particularismes, l'état d'esprit et le tempérament de ses interlocuteurs. Il lui manquait ce qui était essentiel à tout homme politique : la finesse d'analyse psychologique. Il n'était pas avéré, de toute façon, que Rodolphe se fût jamais intéressé aux gens en général, et à leur caractère en particulier. De toute évidence, il avait aussi renoncé à saisir les subtilités du genre humain dans son ensemble. Il avait prospéré dans un milieu où les choses étaient toujours évaluées de manière simpliste et dichotomique, où le monde se divisait irrémédiablement en deux sous-mondes irréconciliables : celui des élites, qui possèdent, régissent, dictent les lois, les modes, les usages, et celui des opprimés, qui se conforment – le plus souvent avec abnégation et parfois avec la volonté indiscutable de leur ressembler – à ce que les premiers ont décidé et programmé pour eux. Il était légitime qu'il subsiste en lui quelque chose de cette dialectique familiale. Ainsi, son passé rattrapait Rodolphe sur un point essentiel : la rigidité de sa structure de pensée. Ses piètres capacités de négociateur en étaient la conséquence. Par ailleurs, quels que soient ses efforts pour tenter d'échapper à ce pénible constat, il n'était jamais parvenu à se sentir totalement satisfait d'être passé de l'autre côté de la barrière sociale et, de ce fait, à s'affranchir d'un sentiment de culpabilité souterrain. La voix de son père n'avait cessé de gronder en lui et de lui rappeler d'où il venait et l'acte de trahison irréparable qu'il avait commis. Cet écho du passé n'avait pas que des inconvénients. Pour Rodolphe, il avait toujours été un rempart contre la réputation de parvenu qui le précédait. À la moindre occasion, il agitait l'étendard de ses origines ouvrières – ce père communiste, délégué CGT, cette mère femme de ménage – dont il avait à tout prix essayé de se démarquer et qu'il utilisait désormais comme la preuve éclatante et irréfutable de son intégrité et de son ancrage dans la France « d'en bas », celle qui souffre et qui travaille. Avec le temps et la fréquentation de certains politiques particulièrement vaseux, Rodolphe avait d'ailleurs fini par admettre que certaines des valeurs que son père lui avait transmises n'étaient finalement, en comparaison, pas si mauvaises que cela. Il aurait pu, me direz-vous, adhérer aux idées de la très récente formation du Front de gauche mais, outre le fait qu'une alliance avec des gens proches des communistes lui restait strictement impossible, une partie de lui-même rejetait les excès et le côté grande gueule de cette coalition qu'il jugeait revancharde et économiquement irrecevable. Rodolphe était un réaliste, qui s'était toujours enorgueilli – comme à l'époque son copain Gabriel – de savoir tirer les leçons de l'Histoire. En conséquence de quoi il n'arrivait à trouver sa place nulle part, constamment écartelé entre son origine prolétaire, qui le poussait dans un sens, et ses convictions pragmatiques, qui le poussaient dans le sens exactement opposé. Entre ces deux extrêmes se déployait un immense maelström intérieur, où s'accumulaient pêle-mêle ses bonnes intentions vis-à-vis d'une gauche sociale, sa vision rationaliste du paysage économique, son goût immodéré pour le confort et l'aisance, son dégoût de l'*establishment*, ses vagues concepts d'honneur et de justice et son irrépressible ambition d'être reconnu. Rodolphe, s'il avait la puissance et l'imagination qui auraient pu faire de lui un homme politique exceptionnel, n'en possédait malheureusement pas le mental, cette force intime et inébranlable qui fait que quoi que l'on fasse, quels que soient les choix que l'on adopte, l'on reste intimement convaincu que ses actions sont toujours les plus indiscutables et ses choix les plus judicieux. Rodolphe ne possédait aucune conviction semblable, son esprit n'était que paradoxes, ambiguïtés, contradictions. Il était avant tout un homme en colère. Son éviction de l'ENA n'avait bien évidemment fait qu'accroître cette aigreur.

— Tu entreras à l'Assemblée par la petite porte, mais tu y entreras, fais-moi confiance, il n'y a pas de meilleur chemin, lui avait assuré Artus qui, en vieux briscard de la politique, avait toujours eu en horreur la suprématie des énarques. Fais-toi connaître ici. Fais-toi d'abord remarquer sur le terrain. Et puis travaille, travaille, travaille, c'est la seule façon d'y arriver. Ferme ta gueule et bosse. Un jour se présentera une occasion que personne ne pourra te refuser.

C'était, grosso modo, ce qui s'était passé. Rodolphe s'était, pendant vingt ans, forgé une réputation au niveau local. Il n'était pas vraiment parvenu à « fermer sa gueule » – sa réputation de râleur était établie de manière indiscutable – mais il était reconnu pour être un travailleur forcené et un sérieux analyste de quelques dossiers sensibles. En janvier 2007, quand le député vieillissant de la circonscription dont Rodolphe allait hériter décida de jeter l'éponge, le beau-père joua de toutes ses amitiés politiques et de toute sa force de persuasion pour que le nom de son gendre apparaisse en haut de la liste des sauveurs potentiels de ce bout de terre obscur traditionnellement promis à la droite. Rodolphe fit une campagne exemplaire, enchaînant comme un diable les réunions publiques, occupant toute la surface de terrain qu'il lui était humainement possible d'occuper. Son talent oratoire – accru par une opiniâtreté sans égale – finit par payer.

Longtemps, Rodolphe ne souhaita pas revoir celui qui, pendant leurs cinq années d'études, avait été son meilleur allié et peut-être son meilleur ami. Il le croisait parfois dans les congrès du parti ou les universités d'été, mais la plupart du temps il faisait tout pour s'épargner l'humiliation de le rencontrer d'homme à homme : Gabriel trônait le plus souvent à la tribune quand Rodolphe se retrouvait, lui, assis dans la salle au milieu du troupeau des délégués. Ce n'était que depuis peu – au moment où s'était présentée l'opportunité de ce poste de député – que Rodolphe avait trouvé judicieux de renouer avec lui. Depuis, ils entretenaient une amitié utile – chacun avait parfaitement conscience de la nature et des enjeux de ces retrouvailles – qui pouvait parfois, au détour d'une phrase, d'un sourire, d'un simple regard, s'épanouir dans de chaleureux mouvements fraternels où l'un et l'autre retrouvaient pendant de courts instants l'aisance et la complicité d'autrefois.

— Tu voulais me voir ? dit Gabriel en invitant Rodolphe à s'asseoir d'un geste chaleureux de la main.

Rodolphe s'assit et désengagea aussitôt de sa boucle de métal la langue de tissu qui comprimait les très nombreux éléments du dossier qu'il fit glisser sur ses genoux.

— Je n'ai pas besoin de te rappeler que nous sommes en plein Grenelle II, commença-t-il sur un ton inutilement batailleur.

— Tu n'as pas besoin, non, dit Gabriel avec un léger sourire.

Comme cela avait toujours été le cas, l'affabilité de Gabriel contrastait avec l'agressivité endémique de son interlocuteur. Rodolphe fit pivoter nerveusement la couverture cartonnée, laissant apparaître un fatras de mails imprimés, de coupures de journaux, d'articles de magazines, d'échanges de courriers officiels.

— Les algues vertes, tu as entendu parler, j'imagine ? dit Rodolphe.

— Effectivement, dit calmement Gabriel.

— Ce truc pourrit la vie de tout le monde. À commencer par celle de nos agriculteurs.

— Non sans raison, d'après ce que j'ai pu comprendre.

— Comme toujours, c'est en partie vrai et c'est en partie faux, mais le problème n'est pas là. Le problème, c'est qu'une fois de plus la droite est en train de récupérer le morceau. Tout ça parce que nous n'avons pas su trouver un positionnement acceptable sur le sujet.

Ce qu'on a majoritairement entendu à gauche jusqu'ici, c'est la voix des écolos et la voix des écolos, c'est : ces salopards d'agriculteurs bousillent les nappes phréatiques en raison des rejets de nitrates de leurs engrais azotés, d'où ces fichues algues vertes qui sont un désastre..., bla, bla, bla...

— Ce n'est pas le cas ?

— Bien sûr que c'est un désastre écologique, personne ne le nie. Sauf qu'évidemment c'est un petit peu plus compliqué. Seulement voilà ! Nous, au PS, on se place systématiquement *contre* les méchants pollueurs, comme on se place systématiquement *contre* les méchants flics, parce qu'on pense que c'est ça *LA* vraie pensée de gauche. En réalité, ce n'est pas du tout une *pensée* de gauche, c'est une *posture* de gauche, ce qui n'est pas exactement la même chose.

Gabriel, qui avait récemment clamé haut et fort son attachement aux valeurs sécuritaires et au respect dû par la Nation aux forces de l'ordre, ne put qu'opiner. Rodolphe s'empara d'une coupure de presse découpée dans la une du *Télégramme de Brest*.

— Écoute bien ce qu'a dit le Calife au cours de sa petite promenade en Bretagne de mai dernier.

Il se mit à lire les propos du président Sarkozy en prenant soin de planter un regard acéré dans les yeux de Gabriel à chaque fin de phrase ou à chaque mot qu'il estimait important :

— « Il y aura toujours les intégristes qui vont protester et on n'entend qu'eux. Plus c'est excessif et plus on leur donne la parole. Les victimes, ce sont les agriculteurs. Opposer agriculture et environnement, ça n'a pas de sens parce que les agriculteurs sont les premières victimes du non-respect des règles environnementales. »

» Il a mille fois raison, Gabriel. Il faut que nous aussi on arrête de prendre les agriculteurs pour des punching-balls. Je t'assure, je suis sans arrêt sur le terrain, je leur parle, aux éleveurs, aux paysans, je vois bien les efforts insensés qu'ils fournissent pour résorber leurs excédents d'azote. Le problème, c'est qu'ils sont pris à la gorge par toutes les directives européennes qu'on leur balance les unes après les autres avec la plus grande rigidité et, crois-moi, avec beaucoup d'acharnement. C'est une fuite en avant sans fin, Gabriel. On oublie les hommes au profit de décrets qui condamnent nécessairement à l'immobilisme. Personne, absolument personne ne peut suivre financièrement. Résultat, l'agriculture bretonne est en train de crever, conclut-il avec une conviction de tribun.

— Je ne vois pas très bien où et comment je peux t'être utile là-dessus, dit Gabriel en s'affalant contre le dossier de son fauteuil.

Rodolphe eut un sourire malin. Il se retourna vers Hector qui, obéissant à son mouvement de l'index assez méprisant, se rapprocha de lui. Ses bras étaient encombrés de quatre dossiers aussi épais que celui que Rodolphe était en train de défendre – au total quelque vingt-cinq kilos de paperasserie que le pauvre attaché parlementaire souffrait visiblement d'avoir trimbalé toute la matinée dans les méandres de l'Assemblée. Sur la tranche de chacun d'eux, en gros et en lettres majuscules, un libellé avait été inscrit au feutre noir. Rodolphe lut à voix haute les quatre intitulés :

— Énergie. Biodiversité. Mer et Littoral. Transports...

Puis il se tourna vers Gabriel.

— J'en ai au moins huit autres comme ça dans mon bureau. Si Hector était un peu plus costaud, il te les aurait tous apportés.

Le fragile attaché eut le sourire fautif d'un collégien surpris à tirer une taffe dans les toilettes. Gabriel eut soudain pitié de ce politicien en herbe – si chétif, si obéissant, si malléable – en imaginant les efforts qu'il aurait à déployer à son tour pour trouver sa place dans un monde aussi cruellement exigeant.

— Moi aussi, Gabriel, je suis pour une gauche décomplexée, reprit Rodolphe. Je m'en fous d'être traité de social-traître. Ce n'est pas ce pour quoi on est toujours passés, nous, les affreux jojos de la deuxième gauche ?

Rodolphe eut un petit rire étouffé venu du fond de la gorge. Il n'était pas évident que Gabriel ressente du plaisir à écouter son ex-compagnon d'armes lui rafraîchir la mémoire de façon aussi directe. Rodolphe en eut conscience et se fit aussitôt plus sérieux, presque menaçant.

— Gabriel, il ne faut pas laisser ces putains d'écolos nous enculer. Surtout pas en ce moment. Nous aussi, il faut montrer qu'on a des idées originales.

Un léger silence s'installa. Rodolphe referma son dossier d'un geste lent qui contrastait avec l'agitation dont il venait de faire preuve. Gabriel attendait. Il le savait, quelque chose devait maintenant se produire : l'élucidation de la présence de Rodolphe dans son bureau.

— La rumeur court que le secrétariat à l'Environnement va bientôt être disponible, dit Rodolphe sur un ton qui se voulait tellement détaché qu'il en devenait presque grotesque.

Il évoquait bien évidemment la place de secrétaire national à l'Environnement au sein du PS, qui avait été attribuée au cours du congrès de Reims de novembre 2008.

— Qui t'a dit ça ?

— C'est une rumeur. Tout le monde le sait mais personne n'est au courant.

— C'est archifaux, protesta mollement Gabriel.

— J'ai besoin de ton aide pour ce poste, implora Rodolphe.

Puis, après un temps :

— Martine t'a toujours écouté.

— Si tu ne le savais pas, sache que Martine n'écoute absolument personne.

Ils se regardèrent un long moment. Rodolphe venait spontanément de se placer dans une position qu'il détestait par-dessus tout : celle de qui réclame d'être entendu, aidé par quelqu'un pour qui il n'a, au fond, aucune espèce de considération. Un petit exercice d'autohumiliation inconcevable pour un homme aussi fier mais qu'il savait indispensable pour accéder là où il voulait. Il se sentait meurtri et dans le même temps incapable de ne pas s'exposer à une telle meurtrissure. De combien de compromis de la sorte était-il capable pour satisfaire ce désir de puissance et l'idée d'être admiré au-delà de toute raison ? La veille, au cours de la séance réservée aux questions au gouvernement, le président de l'Assemblée en personne l'avait désigné par son nom. Alors, Rodolphe s'était fièrement levé au milieu de la foule, pendant deux courtes minutes, il s'était adressé à un ministre et les regards de tous les députés s'étaient portés sur lui. Pendant deux minutes qui semblaient avoir été volées à la course du temps, il avait pris la parole devant un parterre suspendu à ses lèvres. Tout au long de la campagne précédant son élection, il avait ressenti le même picotement d'excitation lors des discours qu'il avait prononcés. Le sentiment unique et merveilleux de se sentir en vie. La salle était souvent à moitié vide. Peu importe. Seule comptait l'énergie qu'il employait à former ses phrases, à les scander de la même façon qu'un certain Jean-Christophe Cambadélis l'avait fait des années auparavant en lui montrant la voie. Rodolphe s'enivrait de sa propre parole, avec le sentiment grisant d'être un dieu antique planant du haut de l'agora au-dessus de la triste plèbe et que rien, pas même la mort, ne pouvait atteindre.

Gabriel se pencha vers lui. Son visage exprimait une douceur et une bienveillance inhabituelles.

— Je veux te parler franchement, Rodolphe. Quoi qu'il en coûte à notre... à notre amitié.

Rodolphe sentit immédiatement qu'une aile sombre et menaçante allait obscurcir son destin.

— Même s'il se libérait, tu n'aurais jamais ce poste. Même si je faisais un forcing d'enfer pour que tu l'obtiennes, tu ne l'obtiendrais jamais. Ce poste est trop stratégique et toi... Toi, tu...

Gabriel s'interrompit et regarda Hector un court instant. Rodolphe comprit.

— Hector, tu peux dégager, s'il te plaît ? dit-il sans même se retourner.

L'attaché parlementaire s'exécuta et disparut, aussi agilement qu'un colibri, derrière la porte écaillée.

— Moi, quoi ? demanda Rodolphe avec une inquiétude mêlée de mépris.

— Tu es trop visible.

— Je crois que c'est plutôt le contraire. Il est temps, justement, que je commence à l'être un peu plus.

— Ne fais pas semblant, Rodolphe. Tout le monde est au courant.

Rodolphe ne comprenait toujours pas.

— Le chèque...

— Le chèque ?

— Le petit cadeau fiscal que tu as reçu des Finances.

Rodolphe ne put s'empêcher de faire éclater un rire malsain.

— Ah, c'est ça ?

— Le chèque, Rodolphe, putain, le chèque !

— C'est Alice qui l'a reçu, tu le sais mieux que quiconque.

— Quatre cent mille euros sur le dos de ce foutu bouclier fiscal. Personne au Parti socialiste ne peut exposer à l'Environnement un type quasi inconnu qui a reçu un chèque de quatre cent mille euros du gouvernement Sarkozy.

— C'est Alice, bordel ! hurla Rodolphe.

— Peu importe qui l'a reçu, ce chèque. La presse va en profiter pour nous tomber dessus. On n'a pas vraiment besoin de ça en ce moment. Crois-moi, quand Martine entend le mot journaliste, elle sort son flingue.

— Est-ce que tu as demandé à Fabius, à Touraine, à Cahuzac, à Delaunay ce qu'ils ont payé cette année au titre de l'ISF ? gronda Rodolphe, plein de rage.

Il frappa à plusieurs reprises son gros poing contre sa poitrine en martelant ce qui aurait pu passer pour une profession de foi :

— Moi, Gabriel, moi, tu sais d'où je viens quand même ? Tu sais qui était mon père et ce qu'il défendait, non ?

Gabriel poussa un soupir.

— Le problème, ce n'est pas toi, Rodolphe, c'est ta belle-famille. Ta femme... Ton beau-père... Tout ce fric si... si ostensiblement affiché.

— Certains députés ne siégeraient pas ici si Artus Costa ne leur avait pas donné un léger coup de pouce, dit Rodolphe avec amertume.

— Les temps ont changé. Martine ne veut plus de ces sales histoires. Elle a déjà bien assez à faire avec sa propre fédé. Elle veut un PS propre. Elle ne supporte plus tous ces éléphants foireux qui décrédibilisent le parti.

— Je lui souhaite bon courage, ironisa Rodolphe.

Gabriel ne releva pas.

— Les élections, c'est dans trois ans, je te le rappelle. D'ici là, on fait peau neuve et on montre patte blanche. On va les gagner, ces foutues présidentielles, on n'a pas d'autre choix.

— Quitte à sacrifier quelques vieux amis au passage.

Rodolphe se leva d'un bond.

— Excusez-moi, cher collègue, mais je trouve ça particulièrement dégueulasse.

Gabriel se ratatina dans son siège puis annonça sur un ton affable :

— Je suis désolé, Rodolphe, mais il fallait que tu l'entendes. Quoi que tu puisses en penser, c'est un ami qui te dit ça.

Quel cruel retour de manivelle. Ainsi, celui qui avait favorisé l'obtention de sa députation était maintenant devenu celui qui l'empêchait de profiter de ses avantages. Saloperie d'Artus ! Rodolphe ne tarda pas à quitter les lieux. Son attaché parlementaire le vit sortir rouge de fureur du bureau de Gabriel.

— Putain d'enculé de salopard d'énarque..., marmonna Rodolphe entre ses dents en filant à bride abattue dans les couloirs mal éclairés de la prestigieuse Assemblée, suivi de près par un Hector totalement désemparé.

Rodolphe rumina toute la journée la conversation qu'il avait eue avec Gabriel, de sorte qu'il se trouvait dans une disposition d'esprit assez peu favorable vis-à-vis de sa belle-famille en général et de son épouse en particulier quand il poussa la porte vitrée de la galerie qu'Alice tenait rue de Seine, en plein cœur du fief germanopratin de l'art contemporain. Alice était en grande conversation avec un homme qui, bien que chinois, était grand, sec, avec des cheveux gominés, un imperméable ajusté à la taille et d'incroyables lunettes à monture métallique qui auraient pu le faire passer pour un inspecteur de l'ex-Stasi. Elle tourna la tête et identifia assez rapidement l'état mental de son mari. Immédiatement, elle s'excusa dans un mandarin impeccable auprès de son interlocuteur et s'avança à la rencontre de Rodolphe.

— Ça va, mon chéri ? dit-elle en anticipant déjà la réponse.

— Non, ça ne va pas, murmura Rodolphe du bout des lèvres. On peut même dire que ça ne va pas du tout.

— Tu m'accordes deux minutes ? dit Alice avec un sourire, en pressant l'avant-bras de son mari.

Rodolphe se contenta de pousser un soupir exténué et se mit à arpenter nerveusement les 500 mètres carrés de la galerie où se préparait l'exposition de celui qu'Alice avait déjà désigné comme le nouveau prodige de la jeune peinture chinoise : le fameux homme aux lunettes est-allemandes. Zizhong Chen était peintre, photographe et plasticien mais l'accrochage en cours se limitait à son œuvre picturale. Son art était à classer du côté du réalisme cynique, que revendiquaient une bonne partie des jeunes artistes de ce pays. Il exposait, avec un humour remarquable et affreusement sombre, les difficultés de la Chine contemporaine à digérer une croissance économique phénoménale qui avait eu pour premiers effets le quasi-démantèlement de ses repères spirituels, l'enrichissement extravagant d'une partie de sa population, une individualisation à outrance et l'envahissement des valeurs culturelles occidentales au cœur de la société chinoise. Ainsi, sur l'assise d'une chaise rouge, ornementée de motifs taoïstes traditionnels, apparaissait le logo du géant McDonald's avec, surgissant de son centre, une sorte de godemiché qui exposait clairement la conviction de l'artiste que la Chine était en train de se faire sodomiser par l'Occident. Les autres œuvres relevaient plus ou moins de la même intention. Les logos ou les produits des entreprises internationales les plus notoires étaient systématiquement associés de manière spectaculaire à un élément de la culture traditionnelle chinoise. La pomme de l'entreprise Apple se retrouvait coincée dans la gorge d'un moine bouddhiste tibétain qui en devenait rouge de colère, un jeune Chinois en costume d'apparat subissait avec une bouteille de Coca-Cola le même sort que lui aurait réservé la chaise McDonald's précédente s'il s'était avisé de s'y asseoir... Et ainsi de suite. Si les sujets étaient a priori choquants, leur exécution n'avait rien de vulgaire. À mi-chemin entre esthétique pop et hyperréalisme, Zizhong Chen utilisait une palette de couleurs acides qui apparaissaient comme le cri de désespoir d'un artiste face au délabrement des valeurs de la société dont il était issu tel qu'il l'avait vu se dessiner depuis 1975, l'année de sa naissance.

Si l'on excluait les artistes auxquels elle était liée par contrat, et dont Benoît Messager était la figure dominante, les choix d'Alice, depuis une dizaine d'années, s'étaient presque exclusivement portés vers cette nouvelle peinture chinoise qui était devenue très à la mode. Elle s'y était d'ailleurs intéressée bien avant que la cote de ces artistes ne grimpe subitement sur le marché international et n'atteigne des sommes proprement exorbitantes dans certaines officines spécialisées. Dernièrement, la toile nommée *Execution* du peintre Yue Minjun – un artiste qu'elle avait inclus dès 2001 dans une exposition collective – avait été acquise chez Sotheby's à Londres pour la somme record de 3,7 millions d'euros. Il serait ici légitime de reconnaître le flair insensé qu'Alice avait toujours eu pour dénicher ses artistes et la pugnacité dont elle avait fait preuve pour les faire prospérer au sein de sa galerie. La réputation internationale qu'elle avait gagnée en vingt ans attirait maintenant de nombreux conservateurs de musée ainsi qu'un grand nombre de collectionneurs privés qui réclamaient régulièrement son expertise pour l'acquisition de certaines de leurs œuvres.

Rodolphe observa avec des yeux admiratifs – enfin, avec ce qui chez lui pouvait passer pour des yeux admiratifs – la scénographie aménagée par son épouse pour mettre en valeur le cheminement artistique de son protégé, ce qui eut pour effet d'adoucir pour un temps ses ardeurs belliqueuses à son égard.

— Tu aimes ? demanda-t-elle en enroulant son bras autour de celui de Rodolphe.

— C'est gonflé, dit Rodolphe. Ils n'y vont pas par quatre chemins, ces foutus Chinetoques.

Sa remarque révélait un esprit en équilibre permanent entre enthousiasme et aigreur. Sans doute pensait-il à tous les énarques qu'il aurait lui-même volontiers étouffés en leur enfonçant le logo Apple au travers de la gorge ou propulsés sans égard sur la chaise McDonald's. Il tourna la tête vers son épouse et l'embrassa sur la joue. Sa manière à lui de signifier qu'elle avait fait du beau travail.

— On y va ? dit-il.

— On y va, répondit Alice.

Deux minutes plus tard, ils remontaient la rue de Seine, bras dessus, bras dessous, en direction du quai Conti où ils résidaient. Tout le long du chemin, Rodolphe s'acharna à décrire dans les détails les plus cruels pourquoi et comment sa belle-famille – et par ricochet généalogique sa propre épouse – venait une fois de plus de lui gâcher l'existence.

— Je suis désolée, mon chéri. Je suis vraiment désolée. Il faut absolument que tu en parles à Félix, ce soir.

Félix, le fameux communicant qui avait soufflé à Rodolphe sa stratégie de comportement.

— C'est ça ta réponse ? En parler à ce connard de Félix ? Au fait, merci de me l'avoir fourré dans les pattes, dit-il dans un mouvement crispé des mâchoires.

Il aurait été plus simple, et certainement plus sain, qu'au lieu de se laisser pourrir la vie Alice essaie de se défendre et, pourquoi pas, de manifester avec une hargne équivalente son indignation devant la mauvaise foi de son époux. Ce ne fut pas le cas, cela ne l'avait jamais été et il semblait, quoi qu'on puisse en penser, que cela ne le serait jamais. Alice opposait toujours le mutisme aux invectives de Rodolphe. Plus il se montrait violent, plus la femme forte et indépendante qu'elle était par ailleurs se montrait douce, soumise, amoureuse. Alice n'avait jamais cessé d'aimer Rodolphe malgré la vie parfois intenable qu'il lui faisait mener. C'était irrationnel, inexplicable, mais c'était ainsi. Sa notoriété, en particulier, qui attisait chez lui l'éternelle concurrence entre celui qui galère comme un chien pour de piètres résultats et celle à qui tout semble réussir, constituait un point sensible dans la relation mouvementée qu'elle entretenait avec son mari. Une histoire d'ombre et de lumière, vous l'aurez deviné. L'entourage d'Alice – ses très nombreux amis psychanalystes en premier lieu – finissait par penser qu'une femme aussi aimable – dans toutes les acceptions de l'adjectif – affublée d'un mari aussi revêche, inamical, ouvertement jaloux de son succès devait

431

nécessairement cacher au plus profond de son être une culpabilité entêtante. Alice ne se posait même pas la question. Elle n'était pas du genre à exposer ses problèmes, et surtout pas sur le divan d'un psy. Alice s'était habituée au caractère volcanique de Rodolphe comme on s'habitue, par exemple, à avoir les pieds plats. C'était certes désagréable, mais une toute petite misère comparée à l'incroyable malheur que représenterait le fait de n'avoir pas de pieds du tout. La logique de leur couple échappait donc à la plupart des gens – et peut-être à eux-mêmes. N'en est-il pas toujours ainsi ? N'est-il pas extrêmement difficile de saisir de façon rationnelle ce qui unit deux êtres humains, les arrangements multiples dont ils s'accommodent, ce qui au fond constitue leur petite cuisine particulière et intime et qui paraît toujours incroyablement exotique aux yeux des autres ? Alice était entièrement vouée à Rodolphe comme Rodolphe était entièrement voué à Alice. Ils étaient l'un et l'autre unis par quelque chose qui dépassait la simple entente entre mari et femme, et qui aurait pu trouver un début d'explication dans le fait qu'ils s'admiraient mutuellement. Alice, qui n'avait jamais eu à se battre pour s'imposer où que ce soit, s'émerveillait de l'énergie et de l'intelligence déployées par son mari pour progresser dans le monde hostile qu'il fréquentait. Rodolphe, quant à lui, se laissait régulièrement embarquer par l'élan de vie qui semblait porter son épouse. Sans Alice, Rodolphe serait sûrement déjà tombé. Or Alice n'avait qu'une mission : que Rodolphe ne chute pas. Elle était la garante de sa solvabilité intérieure et veillait à ce que les actifs de son époux – son courage, son obstination, sa force de caractère – ne soient pas dévorés par ses passifs – sa formidable propension à la colère, à la haine, à la destruction de soi. La puissance de vie qu'il y avait en Alice contenait la puissance de mort qu'il y avait en Rodolphe.

Rodolphe avait épuisé son lot de rancœurs contre son épouse quand celle-ci composa les quatre chiffres du code d'entrée de leur immeuble. Il était maintenant plongé dans sa phase classique de mutisme ulcéré, particulièrement notable dans le dessin de ses sourcils qui traçaient deux virgules broussailleuses et inversées au-dessus de ses yeux vraiment très noirs. La porte de chêne, assujettie à un système hydraulique, s'ouvrit d'elle-même. Le couple parcourut, dans un silence mortifère, un couloir orné de stucs ivoire qui débouchait sur une cour carrée agrémentée d'innombrables alignements de buis, où l'on avait disposé çà et là quelques meubles de jardin sophistiqués qu'aucun propriétaire de cet hôtel particulier n'utilisait évidemment jamais. Ils prirent l'ascenseur jusqu'au sixième et dernier étage toujours sans avoir échangé un mot, ce qui commençait à constituer pour Alice un supplice insupportable. La maîtresse de maison n'eut pas le temps de sortir sa clef que leur gouvernante leur ouvrait la porte avec un air affolé qui trouvait ses racines dans l'extrême et inhabituel retard qu'avait pris la maison Pierre Hermé dans la livraison de ses pâtisseries.

— Ne vous inquiétez pas, Lucie, ils vont bien finir par arriver, dit Alice d'une voix molle.

Elle posa négligemment son sac à main sur la console qui trônait dans l'entrée tandis que Rodolphe, en général indifférent à tout incident à caractère domestique, fonçait dans la chambre sans même saluer Lucie.

L'appartement des Lescuyer avait un côté à la fois décontracté et chic, deux qualités qu'il est toujours très compliqué d'associer, hormis pour ceux qui ont un peu de goût et beaucoup d'argent. L'endroit se présentait comme un exigeant mélange d'ancien et de design, de bois et de métal, de confort et d'ascèse. Évidemment de la peinture chinoise un peu partout mais aussi de la jeune sculpture, quelques pièces d'art aborigène et une intéressante collection de photographies dont un remarquable triptyque de Benoît Messager sobrement intitulé *Alice 1, 2, 3*, qui représentait la propriétaire dans trois attitudes identiques au premier coup d'œil mais qui se différenciaient de manière significative si on leur accordait un peu d'attention.

Alice se rendit dans la cuisine high-tech avec le sentiment pesant que son dîner se présentait sous de sombres auspices. Un petit ballet de marmitons et de serveurs y assurait l'animation. Elle s'enquit avec bonne humeur des préparatifs, du respect des consignes culinaires, mais, bon, le cœur n'y était pas. Elle se dirigea vers le grand salon, fit glisser la baie vitrée qui le barrait sur toute sa largeur et accéda à la terrasse qui surplombait la Seine à quelques pas du Pont-Neuf. Un air frais, porteur d'une douceur automnale, caressa son visage. Elle se sentit brutalement à bout de forces, comme si toute la vivacité et tout le courage qui coulaient d'ordinaire dans ses veines lui avaient d'un coup été retirés. Elle baissa lentement les paupières, crispa les poings en prenant une longue inspiration puis les relâcha complètement dans l'expiration qui suivit. Elle rouvrit les yeux et porta sa montre à ses yeux. Il était 19 heures. Elle avait deux heures pour calmer l'humeur massacrante de son époux et s'occuper de l'organisation de son dîner.

Car c'était désormais une règle : les Lescuyer recevaient chaque dernier jeudi du mois.

Un an et demi auparavant, Alice avait proposé à Rodolphe d'instaurer un rendez-vous régulier, une petite sauterie «mondaine et cool», qui leur permettrait, à elle, d'honorer certains de ses clients, à lui, de flatter certaines amitiés difficiles à conquérir dans le cadre strict de son travail législatif. Elle lui présenta les choses de manière claire :

— Je te préviens, pas question de se prendre la tête. J'interdirai toutes les discussions trop animées. On sera juste là pour s'amuser à la bonne franquette, pour boire, pour rigoler, pour rencontrer des gens passionnants qui ont des milliards de choses à raconter. Ce sera excellent pour ton réseautage, et le mien, évidemment.

Ainsi naquit ce qu'Alice avait trouvé politiquement incorrect de nommer «le dîner des 17 Frondeurs», en référence à l'adresse où il se donnait – le prince de Conti avait rejoint le mouvement antiparlementaire qu'avait constituée La Fronde quatre siècles plus tôt – et au nombre exact de convives qui y prenaient part et que la maîtresse de maison souhaitait – par pure superstition – invariable. L'usage le démontra, ces rendez-vous étaient surtout excellents pour son réseautage à elle. En comparaison des autres catégories socioprofessionnelles représentées, relativement peu de politiques acceptaient de se compromettre dans ce qui se présentait au premier abord comme un pince-fesses superficiel et léger, excessivement parisien. En vérité, ces dîners étaient bien plus que cela. Pour Alice, ils constituaient une sorte de baromètre de sa zone d'influence dans le monde de l'art. Pour les invités, c'était l'occasion de se divertir en exposant leur valeur marchande sur le plan intellectuel et évidemment d'alimenter leur propre réseau. Le côté business de ces réunions, bien que dissimulé sous un aspect antiprotocolaire, était bien réel : on n'y faisait jamais d'affaires à proprement parler mais on y créait des liens dont on pourrait toujours profiter à l'occasion. Les convives appartenaient au gratin de l'intelligentsia parisienne, avocats, grands patrons, journalistes, éditeurs, artistes, communicants et parfois même comédiens et chanteurs. Tous s'intéressaient de près ou de loin à l'art contemporain, et c'était sans doute là leur seul point commun. Ils n'étaient nullement choisis par Alice en fonction de leur étiquette politique, mais pour leur attrait intellectuel et leur potentiel commercial, de sorte qu'on y croisait des gens de droite comme de gauche, ce qui n'avait aucune espèce d'importance puisque les conversations partisanes étaient, on l'aura compris, strictement prohibées. On était là pour se distraire et réaffirmer son appartenance à une communauté volatile mais parfaitement codifiée, celle des élites.

— Les gens, même les plus influents, restent le plus souvent dans leur petit monde étanche, moi je décloisonne ces deux mondes, eut un jour l'occasion de dire Alice à un chef d'entreprise qui s'amusait de la présence à ses côtés d'un chanteur de rap reconnu pour ses positions violemment antilibérales et par ailleurs fin collectionneur de curiosités érotiques tous azimuts.

C'était la première fois que j'assistais à l'un de ces dîners. Benoît, qui était passé me chercher en taxi, en était, lui, presque systématiquement. J'avais toujours tenté de n'y voir aucune forme de ségrégation sociale ou culturelle mais franchement, j'avais du mal à m'en persuader. Je n'étais qu'un comédien de seconde zone qui galérait de projet en projet devant un public généralement épars, et Benoît était un photographe célèbre qui avait réussi au-delà de toute espérance et était admiré par un nombre incalculable de gens. Ceci expliquait quand même cela. Il aurait fallu être imbu de soi-même ou peu clairvoyant pour ne pas admettre que c'était par pure empathie qu'Alice me faisait l'honneur de m'admettre enfin parmi ses 17 Frondeurs. Elle l'avait appris – je l'en avais moi-même longuement entretenue par téléphone –, un des très nombreux feuilletons de ma vie sentimentale venait malencontreusement de trouver une fin abrupte et sans appel. À l'issue de ce long épisode de huit mois – établissant un record dans la longévité de mes relations amoureuses –, j'étais devenu une épave d'un point de vue strictement affectif et une éponge d'un point de vue strictement physiologique.

— Paul, est-ce que tu peux m'expliquer pourquoi et comment tu te fous systématiquement dans le pétrin avec les mecs ? commença Benoît alors que nous étions bloqués aux alentours du boulevard Saint-Michel et que je n'avais pas encore prononcé un mot.

Puis, après un silence :

— Je te signale que tu viens d'avoir quarante-six ans.

J'accordai toute mon attention aux mouvements de la foule pour ne pas avoir à affronter son jugement.

— Elle te sert à quoi, ta psy ? Je croyais qu'une analyse aidait précisément à se sortir de ses répétitions compulsives ? Tu joues à quoi avec elle ? À la belote ?

— Ça aurait peut-être pu marcher avec Jonathan, dis-je sur un ton timide et désolé, sans décoller mon front de la vitre.

— Non, Paul, ça n'aurait sûrement pas pu marcher avec Jonathan. Jonathan était un petit con de vingt-sept ans qui, en dehors des heures qu'il passait à son club de sport, employait le reste de son temps disponible à te pourrir la vie.

Il ajouta aussitôt :

— Et sans doute à te tromper.

Je me tournai enfin vers lui.

— Je sais, Benoît. Je suis un vrai con.

— Non, Paul, tu n'es pas un con, et c'est ça qui me fout autant en rogne. Qu'un type comme toi continue à se foutre en l'air pour d'affreux jojos qui n'en valent pas la peine mais dont tu tombes amoureux uniquement parce qu'ils ont un joli cul.

Le chauffeur de taxi se retourna et m'adressa un sourire qui me parut anormalement compatissant.

— Si seulement tu te respectais un peu, Paul...

Quand nous arrivâmes, Rodolphe était aux prises avec Félix – tennis Nike jaune fluo, casaque Lanvin couleur chocolat –, qui était en train d'enrayer la hargne de son poulain par d'énergiques réfutations.

— On s'en tape de ce mec. Tu t'es trouvé une posture originale, tu la gardes. Rassure-moi, Rodolphe, tu ne vas pas flancher ?

— Tu me connais mal, dit Rodolphe d'un air défait. Je suis une hyène. Je ne lâche jamais.

— Il y a un truc qui va te sauver...

Rodolphe attendait, figé dans sa mauvaise humeur.

— C'est la crise. CETTE PUTAIN DE CRISE. Les gens sont obnubilés par ça. Et pour cause, tous les journaux, absolument tous les journaux, ne parlent que de ça. Tous les gouvernements, absolument tous les gouvernements, n'ont que ça à la bouche pour justifier leurs conneries. Maintenant, Sarko, c'est Kaa, dans *Le Livre de la jungle*.

Félix ouvrit ses grands yeux bleus – qui ne furent pas sans rappeler à Rodolphe les yeux perçants de Gabriel – et les planta dans ceux de son *coaché* en imitant le serpent dessiné par Walt Disney :

— *Aie confiance, aie confiance... Je te sortirai de la criiiiise...*

Rodolphe repoussa cette intrusion en appuyant son index contre la poitrine de son communicant. Il n'était pas d'humeur et tenait à le faire savoir.

— Tu sais à quoi les gens pensent en ce moment ? reprit Félix, agacé par ce comportement asocial. Ils se demandent s'ils réussiront demain à sauver leur putain de job, s'ils pourront payer les études de leurs mômes et si ces mômes réussiront eux-mêmes à leur tour à grappiller de quoi bouffer ; ils se demandent si le système sera capable de leur fournir une retraite décente avant qu'ils ne crèvent d'épuisement ; ils se demandent jusqu'à quand ils seront capables d'alimenter le réservoir de leur bagnole avant que l'essence soit devenue aussi chère que le caviar. Voilà ce que se demandent les gens. Ils ne se posent sûrement pas la question de savoir combien d'éoliennes on va pouvoir implanter en mer du Nord, comment on va réussir à recycler un peu plus proprement nos déchets ou si la centrale nucléaire de Fessenheim va, oui ou non, nous exploser à la gueule un jour ou l'autre. Dans les moments de crise, les gens pensent à leur survie, pas à celle de la planète. Les écolos vont se planter en 2012 comme ils se sont lamentablement plantés en 2007, parce que la plupart des causes qu'ils défendent ne concernent que de très loin la population. Il faut avoir des réponses écologiques viables qui tiennent compte des enjeux et des réalités économiques *mais surtout* des angoisses des gens. C'est exactement ça, Rodolphe, que tu vas leur servir sur un plateau. En ce moment, il n'y a pas de place pour les mous de l'énergie propre ou les fanas des pandas.

Puis il ajouta, étonnamment affligé, comme s'il laissait s'épanouir une petite fleur fragile dans le paysage aride et rocailleux que plantait son discours :

— C'est sans doute malheureux, mais c'est comme ça.

Il se reprit et, pour compenser ce qui lui apparut vite comme un laisser-aller antiprofessionnel de sa pensée, il annonça :

— Je vais te dénicher une interview dans un canard de droite.

— De droite ? Mais je ne veux pas virer à droite.

— Qu'est-ce que c'est que ces conneries sectaires ? Communiquer dans un canard de droite ne signifie pas *être* à droite. Ça veut juste dire que les voix de gauche ne sont pas nécessairement toutes entendues et qu'il faut une plateforme différente pour qu'elles le soient.

— Je suis socialiste avant tout, dit Rodolphe avec ardeur, en s'enfilant une bonne gorgée du Ruinart blanc de blancs qu'un serveur en gants beurre frais venait de lui proposer.

Rodolphe eut immédiatement conscience – le vilain sourire de Félix le lui aurait utilement rappelé s'il l'avait négligé – du paradoxe et de l'ambiguïté politiques que dénotait la confrontation socialiste/Ruinart, et particulièrement dans ce vaste appartement de 400 mètres carrés avec vue sur la Seine. Il reposa sa coupe sur une commode d'époque.

— Je suis socialiste, Félix, et je tiens à le rester, putain de merde.

— OK, tu es socialiste. Comme ton copain Gabriel est socialiste. Socialiste et réaliste. Tu es un social-réaliste, Rodolphe, dit Félix avec le sourire du pubard qui a enfin déniché le slogan pour sa lessive. Tu ne crois plus à l'absolu politique.

Il s'arrêta et fixa Rodolphe.

— Tu crois à l'absolu politique, Rodolphe ?

— Je t'emmerde, Félix.

Félix sourit.

— C'est bien ce que je disais, tu es un pragmatique.

À ces mots, Rodolphe souhaita abandonner la partie et esquissa un demi-tour vers la cuisine. Félix l'attrapa par le bras et lui souffla à l'oreille :

— *Valeurs actuelles*, ce serait vachement bien.

Rodolphe fila en se bouchant les oreilles, ce qui est, bien entendu, une façon de parler.

Benoît, de son côté, avait rapidement été harponné par une célèbre rédactrice de mode, une femme longue et maigre, aux cheveux auburn, fins, frisottés, d'une certaine façon très botticellienne en dépit d'un visage saccagé qui aurait largement légitimé un procès à l'encontre de son chirurgien esthétique – ce qu'elle avait peut-être déjà engagé puisqu'elle était américaine et, de surcroît, californienne. Comme toujours, Benoît se montrait disert dans ses échanges d'informations. Comme toujours, ses yeux papillotaient sans repos à la recherche de la seule personne dont il recherchait l'attention et qu'il avait à peine eu l'occasion de saluer en raison des assauts de cette modeuse plastiquement embarrassante : Alice. Comme toujours, le seul regard qu'il souhaitait voir se poser sur lui – dont il ne pourrait malheureusement rien obtenir de plus que l'affirmation d'une amitié sincère – lui échappait une fois encore. Benoît, malgré son air d'éternel jeune homme, ses manières taciturnes qui affectaient un je-m'en-foutisme de bon ton et une liberté totale vis-à-vis des conventions et des stricts carcans mondains, n'en était pas moins emprisonné par une chose dont il n'avait jamais pu se défaire : l'amour qu'il portait à Alice depuis le jour où il l'avait approchée. J'étais le seul à avoir percé ce secret, un soir de beuverie cafardeuse où Benoît et moi fêtions son deuxième divorce dans la très nombreuse série de bars qu'offre la rue Oberkampf et qui, pour ceux qui la connaissent, était un choix déplacé pour des gens de nos âges.

Nous attaquions la troisième demi-heure consacrée à Alice et lui-même attaquait sa treizième Tequila Paf quand il conclut par ces mots :

— Le pro... Le problème avec... avec Alice, je vais te... te dire, le problème... avec Alice, mon petit Paul. C'est... c'est qu'elle ne m'aime pas.

— Tu plaisantes, Benoît ? Alice te bénit, Alice te vénère. Elle... Elle pense que tu es le plus grand photographe qui ait jamais existé. Je l'ai entendue parler de toi, je t'assure... elle t'adore.

— Oui, oui, elle... pour ça elle m'adore... Elle m'adore... mais elle ne m'aime pas.

Là-dessus, il enchaîna directement sur une quatorzième Tequila Paf et le sujet fut clos à jamais, en dépit de mes nombreuses instances.

Rodolphe évaporé, Benoît accaparé, je me mis à célébrer tous les modes possibles de fuite et d'abrutissement – m'acharnant de manière systématique sur les divers buffets, errant le long des murs, feignant d'admirer des toiles et des objets que je connaissais par cœur, fréquentant abusivement les trois toilettes du rez-de-chaussée – avant de réaliser, au bout du compte, qu'il m'était effectivement difficile de justifier ma présence à cette soirée par le moindre apport intellectuel significatif. D'une manière générale, les congrégations d'élites avaient toujours eu le curieux pouvoir de réveiller en moi un syndrome récurrent dont les diverses manifestations physiques et cérébrales aboutissaient à la détestation absolue de moi-même et la constatation que j'étais, malgré ce que pouvait en dire mon ami Benoît, le dernier des abrutis. Mis en face d'un individu qui disposait d'un certain savoir ou d'une certaine renommée – le pire étant, vous l'imaginez, quand l'individu en question cumulait ces deux qualités –, je sentais se défaire en moi le précieux échafaudage mental que des années de psychanalyse m'avaient patiemment permis d'élaborer et qui m'autorisait de temps à autre à grimper vers une toute relative estime de soi. Benoît avait mis le doigt sur le problème : je ne me respectais pas, ce qui, par un glissement naturel de la pensée, impliquait que je ne m'aimais pas. Je ne m'aimais pas, c'était certain. Je n'aimais pas la façon dont j'avais dit bonsoir à Alice en lui affirmant que j'étais «vraiment très impatient de rencontrer ses amis» ; je n'aimais pas la manière que j'avais eue de m'enfiler coup sur coup trois coupes de champagne pour me recomposer une attitude, un comportement qu'avait noté avec un certain mépris une créature blonde, haut perchée, par ailleurs normalienne et grande spécialiste du nouveau roman ; je n'aimais pas la façon que j'avais eue de mentir à un capitaine d'industrie fasciné par la chose théâtrale en affirmant que «j'étais en passe d'achever l'écriture d'une pièce déterminante qui intéressait déjà beaucoup de metteurs en scène» ; je n'aimais pas ma bouche qui n'était pas capable d'autre chose que de s'empiffrer au lieu de se consacrer, comme toutes les bouches présentes ce soir-là, à développer des points de vue singuliers sur le monde ; je n'aimais pas mes pieds qui dansaient l'un sur l'autre pour essayer de donner une raison d'être à ce corps que j'avais cru judicieux d'habiller de noir comme pour me rendre à une crémation ; je n'aimais pas la solitude que j'essayai de trouver sur une terrasse où, bien qu'il se soit mis à pleuvoir, je me réfugiai. Ce soir, je n'aimais rien, rien du tout de moi.

Et puis, soudain, le tableau qui était en train de se dessiner sous mes yeux révolutionna mon état d'esprit. Avec près de deux heures de retard, envoyant SMS sur SMS à l'aide de son iPhone 3G alors qu'il pénétrait dans le salon sous l'œil critique ou amusé des invités, le crâne affublé d'une large casquette en soie brillante siglée *Fuck* Dior dont la visière portée bas faisait ignorer au monde la moitié de son visage, s'avançait un personnage que je reconnus malgré la consommation probablement abusive, pendant vingt-cinq années, d'alcool, de nourriture à consonance américaine et de substances illicites en tout genre : Bubble !

Je mis un quart d'heure pour réunir toutes les forces nécessaires afin de l'aborder.

— Salut. Tu te souviens de moi ? dis-je en m'approchant nonchalamment avec à la main une énième coupe de champagne destinée à me réintégrer socialement.

Il conclut un SMS avant de me dévisager, sans évidemment apporter de réponse à ma question mais avec une moue qui ne signifiait pas autre chose que : Franchement, tu penses qu'un type comme moi peut se souvenir d'un type comme toi ?

— J'étais un copain de Maxime.

— Maxime ? Je connais aucun Maxime.

— Maxime de Bascher, tu ne connais pas ?

C'est pourtant toi qui l'as zigouillé, espèce de crapule.

— Tu étais à son enterrement, je m'en souviens comme si c'était hier, de son enterrement. Ça ne s'oublie pas, ce genre de sauterie, dis-je en étranglant le cristal de mon verre de mes cinq doigts.

Il dut cesser toute activité digitale sur son iPhone pour réfléchir pendant de longues secondes.

— Ah oui, Maxime. Ce pauvre Maxime. Il en a vraiment bavé.

Il replongea vers son écran. Alors, cette phrase bizarre tomba de mes lèvres :

— Apparemment, toi, tu es toujours en vie...

Il releva la tête et souleva d'un doigt la visière de sa casquette pour me dévoiler ses yeux, toujours aussi singulièrement doux mais qui, à cet instant, crachaient l'exaspération.

— Qu'est-ce que tu veux dire, *man* ?

— Tu en as réchappé, je veux dire. Moi aussi j'en ai réchappé. Bon, j'ai mon petit traitement quotidien mais je suis vivant. On peut dire qu'on a de la chance, contrairement à Maxime.

Il commençait à comprendre ce que je voulais dire quand une grande liane brune vint s'accrocher à son bras.

— Salut, je m'appelle Érika. Avec un *k*, dit-elle en approchant du mien son maigre visage.

— Salut, je m'appelle Paul. Avec un *a* et un *u*, dis-je en l'embrassant furtivement sur une joue.

Tordant le mec ! signifièrent ses grands yeux verts et ébahis.

— Tu fais quoi, P-A-U-L ? dit-elle en prononçant à la suite les quatre lettres de mon prénom.

— Je suis comédien.

Elle devait imaginer que, vu la qualité des hôtes, je devais nécessairement appartenir au gratin des acteurs français. Elle me scruta.

— Ton visage ne m'est pas inconnu.

Puis :

— Dans quoi j'aurais pu te voir récemment ?

— *Les Trois Sœurs*, de Tchekhov. Mais je n'avais pas le rôle principal, comme tu l'imagines.

Elle négligea ce trait d'humour, somme toute assez faiblard, et se redressa, malgré tout décidée à poursuivre le jeu.

— C'était où ?

— À l'Essaïon. Près de Beaubourg.

Son air inquiet témoignait clairement du fait que cette fille n'avait jamais mis et ne mettrait probablement jamais les pieds dans cet obscur théâtre. Alice s'approcha et nous sauva de ce qui allait forcément dériver vers un ratage d'envergure.

— Vous avez fait connaissance ? Je vais peut-être l'exposer prochainement, me dit Alice en tapotant du bout des doigts la casquette de Bubble, comme elle l'aurait fait avec un petit garnement qui, finalement, ne méritait pas tant que ça la faveur qu'on lui accordait.

— Dis donc, c'est chouette ! dis-je sur le ton le moins enjoué qui soit.

Chouette ? Je m'étais donc propulsé dans les années 1980. Pourquoi pas *bath* ? De surprise, Alice écarquilla les yeux.

— Je croyais que tu n'exposais que des Chinois ?

— Oh, Tranx sera une exception. Il a vraiment beaucoup de talent.

Tranx ? Seigneur !

— À l'époque tu t'appelais Bubble, non ?

— Écoute, mec..., dit-il en fourrant son iPhone dans une des nombreuses poches de son pantalon *streetwear*.

Un tel renoncement à son totem équivalait à mes yeux à une volonté de rébellion imminente. Alors, ce fut plus fort que moi, il fallut que ça sorte.

— Je me souviens aussi que tu crachais sur les galeries, sur le monde de l'art, sur les élites en tout genre. C'est vraiment marrant comme on peut changer.

Le visage de Tranx/Bubble fut alors déformé par un violent sentiment anti-Paul Savidan.

— Qu'est-ce que tu me veux, mec ? Qu'est-ce que tu cherches, BORDEL DE MERDE ?

Ce fut dit de manière assez sonore pour que toutes, absolument toutes les conversations s'arrêtent et que chacun tourne la tête vers nous. Tranx/Bubble s'éloigna en traînant sa liane, qui était maintenant fort mécontente du simple fait de m'avoir adressé la parole. J'étais – comment ne pas l'être ? – écarlate de honte. Alice me dévisagea et, tout en gardant son sourire très boulevard Saint-Germain, m'acheva dans un murmure :

— Paul, ici on n'insulte personne. Les seules crises qu'on peut avoir à la rigueur, ce sont des crises de rire, certainement pas des crises existentielles. Chez moi, on s'amuse. Est-ce que tu sais encore t'amuser, Paul ? Est-ce que tu sais lâcher prise de temps en temps et te détendre ne serait-ce qu'un tout petit peu ? Je t'adore mais je t'assure que des fois tu es vraiment trop chiant.

Elle repartit vers la compagnie d'hôtes plus légers, plus accueillants et par-dessus tout incomparablement moins névrosés. Je mis moins de dix secondes à quitter les lieux.

Alice avait, malheureusement, entièrement raison. Je ne savais plus, mais plus du tout, trouver le moindre sens comique à la vie.

22 novembre 2009

Le ciel était un grand vide glacial, une vaste toile éblouissante de luminosité tendue au-dessus d'une mer écumante et mélancolique. Tout paraissait plat, sans relief, les détails des choses semblaient avoir été aspirés par un excès de clarté. La silhouette de Benoît se détachait en contre-jour, unique point mobile dans une immensité figée. Il avançait obstinément, les mains enfouies dans les poches de son ciré, ignorant la pluie et regardait droit devant lui, toujours. L'exosquelette des semelles de ses gros godillots martelait le sable détrempé en y gravant des traces profondes et sans bavure. Il avait cueilli l'aube au plus profond de son mystère, quand les noirs et les vermillons jouaient encore à ce cache-cache cosmique dont il ne se lassait jamais. Aussi loin et aussi longtemps que son travail puisse le retenir, il retrouvait inlassablement ces paysages qu'il avait un jour décidé de ne jamais quitter, qui étaient son refuge, où il puisait ses forces et dont il supportait mal d'être trop longtemps séparé.

Lorsqu'il arriva à la ferme, Juliette était déjà assise à la table de la cuisine qui lui tenait lieu de bureau. Une théorie de documents en tout genre s'alignait devant elle, entre son MacBook Pro et son iPhone qu'elle avait toujours à portée de main. Une ribambelle de contrats de cession de droits à parapher et à signer, deux agendas – l'un pour les rendez-vous de Benoît, l'autre pour ses propres rendez-vous –, des *story-boards* ou des *roughs* d'agences, une profusion de notes de frais, de factures, de mails imprimés, de comptes rendus de laboratoires de tirage, de planches-contacts où certains clichés apparaissaient entourés de rouge et parfois barrés de commentaires à peine lisibles. Juliette avait un jour décidé de consacrer tout son temps et toute son énergie à la carrière de Benoît. D'ailleurs, était-ce bien ainsi que cela s'était passé ? Il semblait plutôt qu'elle se soit laissé happer – comme un insecte fragile se laisse attirer par les exhalaisons d'une fleur exotique, délicieusement sucrée – dans les méandres de la vie de cet artiste. Elle était tombée amoureuse de son travail avant de tomber amoureuse de l'homme lui-même.

Cela faisait seulement quelques semaines que Juliette assistait Alice dans sa galerie. À l'époque, elle ne connaissait presque rien à la photographie. Ses études d'histoire de l'art lui avaient toujours fait préférer la peinture, où il lui semblait que l'artiste entretenait un rapport plus charnel avec son sujet, où elle s'imaginait qu'entraient en jeu une plus grande implication, un corps-à-corps à la fois plus physique, plus résolu et plus intellectuel avec la surface blanche, en tout cas offrait une démarche plus en accord avec sa propre vision de la représentation picturale et de ses exigences. La photographie, elle, lui paraissait trop souvent relever de procédés et de techniques et laisser peu de place à l'imaginaire. Pourtant, en découvrant les portraits dont elle s'apprêtait avec Alice à exécuter l'accrochage, elle perçut d'emblée la force de travail, l'engagement moral – presque forcené – qui avaient présidé à la réalisation de n'importe lequel de ces clichés. Elle perçut le miracle de ce millionième de seconde où Benoît avait réussi à capter non pas un moment de vie – ce que font la plupart des bons photographes – mais un instant d'éternité. La question du passage du moment à l'instant était sans aucun doute un axe primordial dans la démarche de cet artiste. Elle apprit plus tard en le voyant travailler que Benoît avait d'ailleurs une sorte de rituel oratoire, une question qu'il posait systématiquement au sujet qu'il s'apprêtait à photographier : « Êtes-vous prêt ? » Oui, Juliette saisit immédiatement la radicalité de Benoît, la nécessité absolue qu'il avait de se débarrasser du superflu et de le dépasser de manière brutale et presque métaphysique ; elle entrevit clairement sa volonté de ne pas céder à la psychologie, de ne pas se contenter de faire le portrait d'un individu mais au contraire d'élever cet individu à un sens universel, de sorte que lorsqu'elle regarda ses clichés, elle n'y vit pas des visages, elle n'y trouva à proprement parler aucune beauté, aucune laideur, aucune jeunesse, aucune vieillesse, mais elle y décela un instantané de l'aventure humaine dans ce qu'elle a de plus énigmatique et palpitant. En guise de conclusion, elle estima que cet artiste – qui exposait dans son œuvre un souci d'humanité aussi flamboyant – valait sûrement la peine d'être fréquenté.

En le rencontrant pour la première fois, Juliette fut immédiatement séduite par le côté désinvolte et indifférent de Benoît, par cette manière flegmatique qu'il avait de ne s'impliquer dans rien, de voguer sans attaches au-dessus des choses sans jamais leur accorder une attention réelle, par sa simplicité aussi – contrairement à d'autres artistes, le succès ne lui était pas monté à la tête – et, bien évidemment, par son aspect physique qui avait conservé de l'adolescence ce surprenant mélange de sécheresse, d'élégance, de douceur et de robustesse paysanne.

Seule Alice eut conscience de ce qui se tramait.

— Tu veux que je te dise ? Cette fille est amoureuse de toi, lui confia-t-elle la veille du vernissage. Ça crève les yeux.

— Je t'en prie, Alice. Ne dis pas de bêtises.

— Non, sincèrement. Crois-moi, j'ai un don pour remarquer ce genre de choses.

Quelle cruelle ironie de la part de quelqu'un qui avait systématiquement ignoré – feint d'ignorer ? – les sentiments de Benoît à son égard. Il y avait longtemps que celui-ci avait cessé de souffrir dans sa chair de ne pas posséder celle qu'il avait si expressément désirée. Son amour frustré était devenu un petit cancer détestable dont il avait réussi à endiguer la prolifération mais qu'il lui était impossible d'éradiquer tout à fait ; une maladie chronique, tout juste stabilisée, qui se réveillait à l'occasion dans des élans de douleur sourde qu'il avait appris à calmer. Ce que Benoît réclamait par-dessus tout, c'était de voir Alice aussi souvent que possible et de continuer à entretenir avec elle cette amitié si particulière entre un homme et une femme qui émerveillait leur entourage. Alice était devenue la cause de son malheur et le seul remède pour le rendre supportable. Suivant ses conseils, Benoît s'abandonna modestement à la découverte de Juliette comme il s'était abandonné sans conviction à la découverte de ses deux précédentes épouses – qui s'étaient vite lassées de son déficit d'enthousiasme à leur égard. Benoît semblait avoir dilapidé une fois pour toutes l'essentiel de son capital passion dans le puits sans fond que représentait son amour pour Alice. De son côté, Alice observa la naissance de cette liaison avec un intérêt doublé d'une curiosité dont elle se reprochait intérieurement la vivacité. Cela faisait plusieurs années – en réalité depuis son dernier divorce – que Benoît restait muet sur ses aventures amoureuses, même si Alice insistait régulièrement pour lever un coin de voile sur ce mystère. Elle aurait été incapable de le formuler de cette manière, mais il était clair qu'elle ressentit vis-à-vis de Juliette les piques d'une jalousie irrationnelle et inavouable. C'était une jalousie de mère, mâtinée d'une jalousie de sœur aînée. Alice souhaitait avant tout le bonheur de Benoît mais elle redoutait de devoir partager avec cette nouvelle venue quelque chose qui serait nécessairement soustrait à leur amitié.

En propriétaire satisfait, Benoît fit découvrir à Juliette son territoire, sa ferme, ses plages, ses rochers. En seulement quelques semaines, Juliette tomba amoureuse de Benoît, tandis que Benoît faisait du mieux qu'il pouvait pour irriguer leur relation d'une tendresse acceptable. Juliette mettait sur le compte de la passion donnée ailleurs – dans la réalisation de son œuvre ? – la pâleur de l'affection qu'il pouvait lui témoigner.

Il lui fallut des mois de réflexion et d'investigation – et une sacrée dose d'intelligence et d'intuition féminine – pour comprendre ce qui clochait fondamentalement dans leur couple : la présence trop rapprochée d'Alice. Ayant compris cela, elle émit le désir de quitter la galerie sous le prétexte de s'occuper à fond des affaires de Benoît et de se substituer à son agent, qui était selon ses propres termes «un vautour neurasthénique et incompétent». Benoît, qui n'avait jamais très bien su gérer les aspects administratifs de son activité, trouva l'idée intéressante. Alice tenta de n'émettre aucune opinion définitive à ce sujet, se contentant de déplorer la disparition de cette assistante brillante et efficace. Huit mois après leur rencontre, Juliette s'installa en Bretagne, où elle se montra vite indispensable à la bonne marche des affaires professionnelles de Benoît comme à celle de ses affaires privées.

Il n'aurait dès lors pas été très étonnant que cette relation qui avait, dès sa naissance, pris un faux départ, continue de se construire sur une série de malentendus et de quiproquos de plus en plus irrémédiables. Pourtant il n'en fut rien et les choses évoluèrent à leur rythme, dans un sens parfaitement inattendu. Juliette se révéla une femme forte, indépendante, un fin stratège à l'esprit redoutablement affûté, et par-dessus tout dotée d'une inébranlable patience. Elle fit en sorte de ne rien déranger dans l'organisation de son récent partenaire qui aurait pu apparaître comme une volonté de s'incruster ou d'occuper une position usurpée. Si elle gagna du terrain, ce fut à l'initiative seule de Benoît qui, à force de la voir se cantonner à un rôle modeste et subalterne, échafauda lui-même une série de marches qu'il invita Juliette à gravir, si bien que la jeune femme se retrouva bientôt occuper dans leur couple une situation relativement élevée et dominer un territoire jusque-là en friche, d'où elle put contempler à son aise toute l'étendue des réserves naturelles de bienveillance, de tristesse et de culpabilité que recelaient le cœur et l'esprit de Benoît. Au bout d'un an de cette douce cohabitation, Benoît s'était non seulement habitué à sa présence discrète mais avait fini par l'apprécier et même la rechercher. Il se mit à aimer Juliette d'un amour complice et sans violence. Elle ne l'empêchait jamais de voir Alice – elle avait compris que la seule présence de Rodolphe était l'assurance que rien d'extravagant ne se passerait entre eux –, elle n'en était pas violemment jalouse, elle ne la fuyait pas plus qu'elle ne recherchait son amitié. Elle se maintenait à son égard dans un statu quo que Benoît eut l'intuition et l'honnêteté intellectuelle de ne chercher ni à questionner ni à réformer. Comme un oiseau, Juliette nourrissait sa vie de ce qu'elle pouvait grappiller autour d'elle et construisait son nid brindille après brindille, dans l'espoir que ce nid serait un jour assez grand et assez accueillant pour y héberger l'essentiel de l'attention dont Benoît – hormis celle qu'il accordait à Alice – semblait être capable avec les femmes.

Benoît se servit un grand bol de café noir et s'assit en face de Juliette, qui était occupée à décrypter les nombreux alinéas d'un contrat de cession de droits d'au moins trente pages. Benoît accordait, dans ce domaine, une confiance illimitée à sa compagne, lui-même ne jetant jamais qu'un œil distant aux contrats ou aux *boards* créatifs que les agences lui faisaient parvenir. Juliette savait résumer de façon claire et ramassée ce qu'il était essentiel pour lui de savoir et il se contentait de ses rapports concis. Elle leva les yeux vers lui et sourit.

— Bonne promenade ? dit-elle avant de replonger dans sa lecture.

— Excellente, répondit Benoît.

— Je ne t'ai pas entendu te lever, ajouta-t-elle tout bas, presque pour elle-même, comme on conclut une phrase musicale par un effet de résonance additionnelle.

Elle avait l'esprit ailleurs, occupée à la lecture de ces pages dactylographiées qui lui posaient visiblement problème. Benoît la fixa en sirotant son café du matin. Juliette était jolie mais sans ostentation. Un petit visage triangulaire couleur de craie tendre, à peine maquillé ; sur les pommettes et le nez, une constellation de taches de son très légèrement plus foncées que la peau ; et puis, retombant en cascades bouclées sur ses épaules, une abondante crinière brune qui constituait la seule fantaisie de son apparence extérieure. Juliette maniait l'art de la litote dans ses propos comme dans ses attitudes ou dans ses tenues. Benoît, qui n'était pas non plus du genre expansif, y trouvait son compte. Elle fronça les sourcils puis leva lentement la tête.

— Maintenant le service juridique souhaite que tes droits à l'image soient renégociés chaque semestre en fonction des résultats.

— Et alors ? dit faiblement Benoît, les yeux plongés sur le quotidien *Ouest-France* qu'il avait commencé de feuilleter avec attention.

— Et alors ? Mais c'est parfaitement inacceptable, dit Juliette d'une voix irritée où pointait un soupçon d'agacement.

— Ah !..., dit Benoît en découvrant la rubrique Informations locales du quotidien.

Et l'on ne savait pas si c'était les caprices du service juridique ou l'imminence d'un plan social dans une PME voisine qui avait provoqué cette réaction mitigée. Juliette eut une petite moue crispée et replongea dans son contrat. La demi-heure suivante se déroula, grosso modo, suivant le même principe. Juliette continua de s'émouvoir intérieurement des abus de pouvoir de ces multinationales du luxe tandis que Benoît s'informait le plus calmement du monde des récents événements heureux ou malheureux des villages avoisinants et, parmi eux, des péripéties de la très prometteuse équipe d'En avant Guingamp, qui venait de remporter la Coupe de France de football il y avait quelques mois. Dix heures sonnèrent à la vieille pendule, qui n'avait pas bougé d'un millimètre depuis au moins soixante ans. Benoît rassembla avec soin les feuillets de son journal puis se leva.

— Je serai de retour en fin d'après-midi, dit-il en embrassant délicatement le front bombé de Juliette.

Il sortit et se dirigea vers un bâtiment situé à près de trois cents mètres du corps principal, qui constituait la seule véritable amélioration qu'il avait apportée à la ferme que lui avait léguée sa grand-mère. C'était une construction austère, un parallélépipède fait de verre et de bois, estampillé bioclimatique et équipé d'un système hautement écologique d'approvisionnement en énergie. Il y avait installé un studio photo avec un plateau de prise de vue dont la surface utile frisait les cent mètres carrés. On y voyait parfois débarquer des rédactrices de mode et, dans leur sillage, un agglomérat de top models, de stylistes, d'habilleuses, de maquilleurs, de coiffeurs, qui, après avoir trouvé « délicieuse » l'idée de se retrouver en pleine cambrousse pour un shooting photo, finissaient par se lasser du caractère précaire de l'hôtellerie locale, du manque de diversité des activités nocturnes mais surtout des défaillances du réseau de téléphonie mobile qui les empêchait de rester connectés à la civilisation. On aurait pu supposer une volonté sadique de la part de Benoît de profiter de son extrême notoriété pour immerger dans un bain campagnard une population aussi peu préparée. En réalité – même s'il s'amusait des réactions paroxystiques de ce monde par nature enclin à l'exubérance et à la dramatisation –, il avait observé que, dans cet environnement peu conventionnel, la perte des repères géographiques et sociaux favorisait systématiquement la concentration de ce groupe assez prédisposé à la dispersion. Avec les uns et les autres, les choses devenaient naturellement plus simples parce que plus tangibles, et pour Benoît, même dans ce cadre si étroitement commercial, c'était la seule chose qui importait réellement.

Il composa un code sur le dispositif de sécurité d'une porte blindée – la seule concession non écologique dans tout le bâtiment – qui menait à sa réserve de matériel. Sur une volée d'étagères de bois brut s'étalait, suivant un agencement presque maniaque, sa collection d'objectifs et de boîtiers, dont le fameux Leica acheté par son grand-père pour ses vingt ans et qu'il conservait comme une précieuse relique. Il sélectionna une chambre 8 × 10 *Deardorff* – acquise à prix d'or lors d'une vente aux enchères à New York – datant de 1950 et en parfait état, ainsi que deux objectifs également d'époque : un Schneider Symmar-S 6,8/300 mm et un Fujinon-W 6,3/360 mm. Puis il s'empara de deux boîtes de 25 plans-films Kodak Tri-X 4164 TXT conservées à température, d'un rouleau de papier blanc de grande largeur assujetti à son châssis de métal, d'un sac fourre-tout et de deux valises remplies à ras bord de divers petits matériels, dont un posemètre pour la mesure de la lumière. Il entreposa délicatement le tout sur les étagères aménagées à l'arrière de sa camionnette Renault Master et se mit en route. En chemin, il s'arrêta par deux fois pour embarquer ses assistants, Erwan et Louis, qu'il formait depuis dix ans et qui l'auraient suivi les yeux fermés jusqu'au bout du monde – ce qu'ils faisaient d'ailleurs régulièrement.

Depuis deux ans, entre ses divers travaux commerciaux, Benoît avait entamé une série de portraits qu'il comptait présenter prochainement dans la galerie d'Alice et qui portait le titre de *Visages de l'Ouest*, une référence explicite au caractère local de ses modèles mais surtout un hommage rendu à l'imposante série de Richard Avedon – le photographe qu'il admirait le plus –, elle-même intitulée *In the American West*. Pour cette série, il avait également décidé d'emprunter à Avedon cette technique ambitieuse et astreignante de la photographie à la chambre. Le sujet, debout devant un fond uniformément blanc, était photographié – en extérieur et sans lumière additionnelle – à l'aide de plans-films grand format 20 × 25, exposés à 200 ASA, qui permettraient ultérieurement un tirage aux dimensions réelles du personnage, avec un piqué et une finesse de grain exceptionnels.

Benoît et ses assistants débarquèrent vers 13 heures devant une demeure modeste, une minuscule bâtisse à un étage construite en moellons de granit et blottie au fond d'un jardin ordonné et tristement impersonnel. Yves, un homme d'une trentaine d'années, les attendait devant la porte. Il s'était rasé de près et on sentait qu'il avait fait des efforts considérables pour s'habiller correctement, même si la consigne donnée par Benoît avait été de se vêtir exactement comme il l'aurait fait pour aller au travail. Benoît l'avait rencontré quelques semaines auparavant alors qu'il errait dans les allées de l'hypermarché Leclerc où Yves était en charge du rayon crémerie. Benoît avait tout de suite noté chez lui une énergie furieuse qui se dilapidait en gestes saccadés et imprécis. Il avait l'air d'être à son travail sans y être complètement. D'ailleurs, où était-il ? De quoi étaient composées les pensées de cet homme qui paraissait à la fois si abattu et si déterminé ? Comme avec tous ses autres modèles – qu'il avait également choisis au hasard de ses rencontres –, Benoît avait immédiatement entrevu chez Yves un quelque chose, un rien indéfinissable, la possibilité de fixer sur pellicule une matière humaine bouillonnante et inédite – un territoire illimité et inexploré – et ce fut ce qui le décida intuitivement à lui adresser la parole. Passé quelques réticences compréhensibles, Benoît sut trouver les mots pour le convaincre de participer à son projet, son argument majeur étant sans nul doute la somme de deux cents euros qu'il offrait en compensation du temps passé avec lui.

Benoît fit patienter ses assistants dans la camionnette tandis qu'il pénétrait dans la petite maison. Yves proposa du café, que Benoît accepta, et ils s'assirent de part et d'autre de la table de la salle à manger en face de deux bols à moitié ébréchés. Aujourd'hui le visage d'Yves était encore plus tendu qu'à l'accoutumée. Il fumait nerveusement cigarette sur cigarette.

— Merci de me recevoir, dit Benoît.

Yves sourit et écrasa sa clope dans un cendrier publicitaire. Les dix billets de vingt euros qu'il recevrait une fois la séance terminée valsaient déjà devant ses yeux. Un sixième de son salaire mensuel pour pratiquement ne rien faire, à part le pitre devant un appareil photo. Sourire, peut-être ? Est-ce qu'il allait devoir sourire ? Brusquement, il se sentit impatient d'en finir avec cette épreuve.

— On y va ? dit-il en appuyant ses deux paumes contre le bois de la table pour se lever.

— Ça vous ennuie si on discute encore un peu ?

Yves se rassit à contrecœur. Un silence pesant s'installa que Benoît n'avait apparemment aucune envie de combler de son propre chef. Yves n'arrêtait pas de tourner sa cuiller dans son bol. Puis il alluma une autre cigarette, leva la tête vers Benoît et lança, comme on lance un défi :

— Il paraît que vous êtes très connu.

— Qui vous a dit cela ? fit Benoît.

On sentait à sa voix qu'il n'aurait pas souhaité que leur entretien démarre de cette façon.

— Ma femme. C'est une fana d'Internet. Elle surfe, ajouta Yves avec un mélange d'amusement et de mépris. Moi je n'y comprends que dalle.

Benoît eut un sourire assez vague. Yves le regarda droit dans les yeux.

— C'est vrai que vous avez photographié Robert de Niro ? dit-il de manière appuyée.

Yves était un grand gaillard un peu bourru, qui ne devait pas se laisser impressionner par grand-chose dans sa vie quotidienne. Et pourtant, avoir en face de lui quelqu'un qui avait approché une star de cette envergure semblait le laisser rêveur.

— Oui, c'est vrai..., répondit Benoît du bout des lèvres.

L'homme le regarda avec un sourire plein d'admiration puis, après quelques secondes :

— Ça doit être un sacré type, non ?

— On peut dire ça..., dit Benoît avec dans la voix une espèce de détachement assombri par un peu de tristesse. Vous savez, Yves, je préférerais vraiment que l'on parle de vous.

L'homme regretta aussitôt de s'être laissé aller à ce qu'il considérait d'ailleurs lui-même comme des problématiques de midinette. Il tenta de retrouver une contenance de mâle adulte puis se raidit sur son siège et frotta ses deux grosses mains l'une contre l'autre.

— Je sais que vous m'en avez parlé l'autre jour mais j'ai toujours pas très bien compris... Enfin, votre série, là... Ça sert à quoi exactement ?

Son ton et ses manières étaient devenus volontairement agressifs, comme s'il se réappropriait une personnalité qu'il regrettait d'avoir précédemment dissoute dans un excès de flagornerie.

— Je ne suis pas une star, continua-t-il. Je suis juste un mec qui empile des yaourts et des fromages dans les frigos d'un hypermarché. Ça va intéresser qui la tronche d'un type comme moi ?

— Je ne cherche pas à vous piéger, Yves. Je sais simplement qu'avec vous je vais faire une bonne photo.

— Une bonne photo ? ricana Yves.

— Une photo sincère. Parce que vous êtes un homme sincère. C'est tout ce qui m'intéresse.

Depuis le début de cette série et de manière plus générale dans son travail personnel – qui le poussait à s'intéresser le plus souvent à des gens excessivement humbles –, Benoît était sans cesse renvoyé par la critique à la question de la diversité de ses sujets. En gros, comment pouvait-il passer des célébrités d'Hollywood et des top models à des gens au bord de l'implosion sociale ? Lui qui exposait avec autant d'insolence le bonheur apparent des privilégiés – lui qui gagnait autant d'argent sur le dos des riches –, ne trouvait-il pas indécent de se focaliser avec une telle insistance sur l'extrémité exactement opposée de la chaîne économique ? Une journaliste du magazine *Artpress* – tout en encensant les qualités de sa série sur le Samu social – avait même dénoncé dans un article particulièrement virulent «son appétit vampirique et déplacé pour la déchéance du monde d'en bas». Ce que Benoît souhaitait en vérité, c'était se frotter à la réalité intrinsèque des êtres pour pouvoir fixer les corps et les visages dans ce qu'ils avaient de plus fragile et de plus impermanent, à tel point que la présence de la mort, – qu'il avait lui-même côtoyée dès son plus jeune âge – paraissait constamment en filigrane de son travail. Le corps des uns et des autres, riches ou pauvres, reconnus ou délaissés, s'apparentait à une figure abstraite destinée à être engloutie dans la course irrémédiable du temps. Certains auraient sans doute souhaité que sa démarche représente un acte politique mais Benoît n'était poussé par aucune volonté revendicative. Il se contentait d'observer et de favoriser par son attitude en tant que photographe l'émergence d'un instant magique où l'être humain – quels que soient sa renommée ou l'état de son compte en banque – finissait par se dévoiler tout à fait. L'extrême dénuement le troublait, c'était clair, mais pour des raisons qui échappaient à la plupart des gens – et peut-être aussi à lui-même. Son intention n'était jamais de dénoncer ni de «faire réel» – il détestait ce mot. Il ne croyait d'ailleurs à aucune réalité possible, pas plus qu'il n'admettait que son travail puisse receler un aspect purement psychologique ou documentaire. Pour lui, il n'avait pas d'autre objectif que son propre désir de représenter le mystère de l'état du monde, en tout cas tel qu'il apparaissait à ses yeux. Pas plus qu'il ne faisait du social pour se conformer à une éthique utilitariste ou se décharger d'un quelconque poids moral il ne faisait de la mode pour vendre du rêve. À une rédactrice de *Vogue* qui l'avait particulièrement titillé sur le sujet, il avait répondu: «Je ne fais pas de photos de mode. Il se trouve que ce sont souvent les gens de la mode qui me demandent de faire des photos pour eux. Pour quelle raison, cela reste encore un mystère pour moi, mais en tout cas je peux observer que c'est leur souhait. Eux pensent que ce sont des clichés de mode. C'est leur problème. Ils doivent y trouver leur compte. Moi je pense que ce sont des photographies de gens. Je me contente de photographier des êtres humains en essayant de capter la pulsion de vie qui émane de chacun d'eux, en essayant de comprendre comment, riches ou pauvres, ils arrivent encore à tenir debout dans le monde qui les entoure. C'est vraiment la seule chose qui m'occupe. »

Benoît passa plus de deux heures à s'entretenir avec Yves. Parce qu'il fit passer dans leur conversation toute la capacité d'attention et toute la réserve d'humanité dont il était capable, la colère de l'homme s'éteignit peu à peu. Il accepta de parler de son travail – qu'il détestait –, de ses horaires indécents qui l'empêchaient de vivre au même rythme que sa femme et son petit garçon de deux ans, du harcèlement continuel qu'il subissait de la part de sa direction en échange d'un salaire presque choquant – en tout cas qui lui, le choquait –, de l'immense abattement qui le mettait à terre depuis plusieurs mois – qu'un médecin du travail avait diagnostiqué comme un début de dépression – et qui trouvait une vague rémission dans l'absorption quotidienne d'une dose effarante d'anxiolytiques et d'antidépresseurs. Au bout de ces deux heures, Yves avait oublié qu'il était un smicard surexploité et dépressif face à un photographe célèbre. Quelque chose de consistant s'était établi entre eux, une confiance mutuelle. Par-dessus tout – et c'était ce que Benoît recherchait en priorité –, Yves acquit l'assurance qu'il n'y aurait aucun acte de trahison possible dans ce qui allait suivre.

La séance photo proprement dite put alors commencer.

Sur un simple signe de Benoît, Erwan et Louis s'extirpèrent de la camionnette où ils s'étaient passablement assoupis et se mirent à déballer le matériel photographique dans le jardin. Erwan déroula avec soin l'encombrant rouleau de papier et, en actionnant avec précaution la manivelle d'un cabestan fixé à son châssis, parvint à élever le fond blanc jusqu'à une hauteur de plus de deux mètres cinquante, ce qui permettrait d'isoler complètement le modèle de son environnement extérieur. Louis, de son côté, commença à installer la chambre à la distance indiquée sommairement par Benoît et à préparer le matériel optique et argentique nécessaire à la prise de vue.

Pendant tout le temps que dura l'installation de ce studio éphémère, Benoît ne quitta pas Yves d'une semelle. Bien que le dispositif technique soit assez peu spectaculaire, il l'était néanmoins suffisamment pour que l'attention du modèle risque de se dissoudre dans l'appréhension ou d'inutiles questionnements d'ordre technique. Benoît posa délicatement ses mains sur les épaules d'Yves et rectifia sa pose devant le fond blanc.

— Surtout, vous regardez uniquement l'objectif. Comme s'il était en train de vous parler et que vous deviez absolument l'écouter, précisa Benoît en se moquant presque de lui-même.

Tout en continuant de converser, il recula pour vérifier l'image inversée qui lui apparaissait sur le dépoli au dos de l'appareil. Pendant dix bonnes minutes, il demanda à Louis de déplacer la chambre – centimètre par centimètre puis millimètre par millimètre – jusqu'à ce que l'inscription de l'homme sur la surface opaque lui convienne parfaitement. Il avait à dessein choisi un cadre coupé à mi-cuisse qui autorisait à Yves une relative liberté de son torse et de ses bras. Une fois ces limites fixées, Benoît s'empara du déclencheur souple qui le reliait à la chambre. Il le coinça entre son pouce et son index et se maintint vis-à-vis d'Yves – vis-à-vis de son sujet désormais – à la distance qu'il s'était fixée. Pour lui, il était essentiel que tout se déroule sans qu'il ait besoin d'intervenir en aucune façon sur la logistique. C'était ce à quoi il avait travaillé pendant des années avec ses assistants : réussir à créer un moment d'équilibre parfait, un instant de concentration intense où nul événement gênant ne viendrait troubler le bon déroulement des opérations.

Benoît leva les yeux une fraction de seconde. Le soleil se taisait derrière une formation de lourds cumulus gorgés de pluie qui devraient malgré tout les laisser tranquilles pendant au moins deux heures. Le ciel de traîne était vif, livide, d'une intensité blanchâtre et uniforme.

— Excellente lumière, dit Benoît, satisfait, en baissant la tête vers Yves. Il n'y a qu'en Bretagne qu'on arrive à avoir cette lumière-là.

Yves jeta à son tour un coup d'œil vers le ciel, mais des pensées sûrement moins optimistes lui vinrent en tête.

Louis chargea le premier châssis, qu'Erwan avait pris soin de dépoussiérer, et le débarrassa de son volet. À l'aide d'une loupe, il fit une mise au point délicate sur les yeux du modèle en utilisant les capacités de bascule de l'appareil. Puis il corrigea les artefacts de perspective à l'aide de la commande de décentrement. Il s'empara alors du posemètre, mesura la lumière, agit en conséquence sur le diaphragme et arma l'obturateur.

Yves était nerveux. Il dansait d'un pied sur l'autre et ne savait pas quoi faire ni de ses mains ni de ses bras, qui semblaient l'encombrer outre mesure. Dans les conditions critiques où Benoît travaillait, le moindre mouvement du sujet pouvait être fatal à la netteté du cliché. Pourtant, si techniquement la nervosité d'Yves était redoutable, elle allait maintenant dans le sens voulu par Benoît.

— Moi je crois que je suis prêt. Est-ce que vous l'êtes, Yves ? dit-il avec solennité.

— Allons-y, qu'on en finisse, répondit l'homme, comme si c'était d'abattoir qu'il parlait et non de photographie.

Benoît lui sourit. Il avait décidé de ne plus dire un seul mot, de s'imposer uniquement par son attitude, de faire face à Yves – fermement mais avec bien-veillance – comme on affronte un adversaire pour lequel on nourrit le plus grand respect. Cela s'appa-rentait à un duel de western classique, à un combat d'homme à homme – les yeux au fond des yeux – où tout était question de maîtrise et de volonté d'assujet-tissement. Benoît attendait que quelque chose naisse de cette tension paisible. Yves s'enferrait dans une appréhension légitime, qui grossit, déborda et finit par charrier sur son visage tout un flot d'émotions contradictoires révélant son extrême vulnérabilité et, ce que l'œil du photographe recherchait avant tout. Bientôt, Benoît sut qu'il pouvait opérer. À un instant précis, indéfinissable, dont l'émergence sur l'échelle du temps relevait du pur instinct ou bien de la pure magie, il sut qu'il devait appuyer sur la poire élastique du déclencheur. *Clac.* Yves eut un sursaut de surprise comparable à celui d'un enfant que le dentiste vient de débarrasser habilement d'une dent de sagesse et qui s'émerveille de n'avoir rien senti.

Aussitôt, Louis se rapprocha de la chambre et remit le volet sur le châssis en l'inversant. Le châssis exposé fut délicatement désolidarisé de la chambre et Louis le tendit à Erwan qui le rangea avec toutes les attentions qu'il aurait accordées à un trésor. La chorégraphie des assistants reprit, toujours aussi rigoureuse, toujours aussi discrète. Nouveau châssis, nouvelle mise au point, nouvelle mesure de l'intensité lumineuse, nouveau réglage du diaphragme, nouvel armement de l'obturateur. À chaque cliché, tout était à réévaluer et à réentreprendre. La session dura plus d'une heure trente au bout de laquelle furent exposés trente-sept des cinquante plans-films disponibles.

En progressant sur le chemin qui le ramenait à la ferme, Benoît remarqua à travers le pare-brise de sa camionnette qu'un homme l'attendait sur le banc de pierre à l'entrée de la maison. À la vue du véhicule, l'inconnu se leva et déroula un corps massif, de taille imposante, emmitouflé dans une gabardine de laine grise qui lui descendait jusqu'à mi-mollet et lui conférait l'air rigide d'un militaire en opération. Benoît ne le reconnut pas immédiatement. Il lui fallut rouler pendant encore quelques mètres pour réinscrire mentalement – parmi la très vaste collection de visages qui avaient jalonné son existence – ce sourire inoubliable, entre moquerie et bonhomie, qui était indubitablement la marque de fabrique de Tanguy. Benoît se gara brutalement, s'extirpa hors de véhicule tout aussi brusquement et fit claquer sa portière. Tanguy projeta ses deux bras en avant, paumes ouvertes, se contentant de continuer à sourire.

— Ça alors ! Tanguy Caron ! Je te croyais..., dit joyeusement Benoît en s'approchant.

La joie de revoir son ancien ami était tellement visible, tellement puissante que sa phrase resta en suspens dans l'air glacé. Des larmes vinrent brouiller les cils des deux hommes qui se jetèrent dans les bras l'un de l'autre et s'étreignirent violemment. Ils restèrent longtemps torse contre torse, joue contre joue, avant qu'un signal – qui relevait d'une rigidité sociologique ancestrale – ne résonne dans leurs cerveaux et transforme peu à peu en gêne ce qui s'était d'abord présenté comme une immense euphorie. Ils se séparèrent presque à regret. Pendant d'infimes secondes, chacun essaya de déterminer ce que le temps et les épreuves avaient imposé comme modifications majeures dans le visage de l'autre.

— Tu n'as pas changé, dit Tanguy.

— Toi non plus, répondit Benoît.

Ces mensonges étaient d'autant plus flagrants de la part de Benoît. Si lui avait conservé sa maigreur et son allure juvéniles, Tanguy, lui, était devenu un homme puissant, solide, assuré, avec un très léger embonpoint, particulièrement notable dans le galbe plein de ses joues qui faisaient paraître ses yeux encore plus vifs et pénétrants qu'ils ne l'étaient dans sa jeunesse.

Et puis, parce que à ce stade aucun des deux ne voulait se soumettre à une conversation d'usage, empêtrée de banalités qui auraient affaibli l'intensité de ce moment de retrouvailles, chacun ne sut plus quoi dire.

— Il faut que je range mon matos. Tu viens m'aider ? demanda Benoît pour les sauver de l'embarras.

— Je te suis, dit Tanguy.

Dans la camionnette que Benoît conduisit jus-qu'à son studio photo, pas un mot ne fut échangé, leurs deux regards se maintenaient résolument fixés sur un horizon lointain. Benoît se gara, descendit et ouvrit en grand les deux battants arrière du Master. Tanguy observa avec un air d'admiration le matériel entreposé.

— Pas de doute, tu es vraiment devenu photo-graphe, plaisanta-t-il.

— Personne ne voulait me croire, fit Benoît en souriant.

Ils débarrassèrent la camionnette et se retrou-vèrent bientôt au milieu d'une vaste salle entièrement blanche, où se répartissaient autour d'un cyclo égale-ment blanc une armée de *floods*, de Balcar, de trépieds en tout genre. Benoît prit soin d'entreposer les plans-films exposés lors de sa dernière session dans le labo de tirage aménagé au fond du bâtiment. Quand il revint dans le studio, Tanguy était assis sur un tabouret haut et observait l'endroit d'un air songeur.

— Tu n'es pas parti, toi...

— Non, je suis installé. Et bien installé ! Je voyage beaucoup mais c'est toujours ici que je reviens.

— Au fond, tu as de la chance.

Benoît le regarda droit dans les yeux.

— D'être ici, je veux dire, poursuivit Tanguy, gêné. D'être installé, comme tu dis. C'est vraiment difficile de sentir qu'on est installé quelque part, non ?

Il y avait tellement de tristesse et d'abandon dans ces paroles que Benoît en fut profondément affligé. Bon Dieu, comme les gens changeaient, se dit-il. Où étaient passés l'aplomb, la fierté et l'insolence légendaire de Tanguy ? Il observa le visage de son ancien copain. Il le trouva changé, bien évidemment, mais en même temps tellement plus consistant. Benoît avait déjà noté cela, son œil de photographe l'y aidait. Les années vous débarrassaient de l'inconstance et de la précarité naturelles de l'adolescence. Elles vous sculptaient un visage neuf qui n'était pas tant l'empreinte du temps que la véhémente affirmation de ce qui se dissimulait sous les apparences et l'abandon de l'inutile au profit de l'essence même de l'être. On ne vieillissait que pour devenir ce que l'on était déjà, au plus profond de soi.

— Tu n'es pas installé, toi ? Tu es marié, non ? Il paraît que tu as deux enfants, dit Benoît.

À Tanguy maintenant de fixer Benoît d'un air qui réclamait une explication.

— Ce n'est pas très difficile de glaner ce genre d'infos. Ça m'arrive de surfer, dit Benoît avec le même amusement teinté de mépris qu'Yves, son modèle, avait utilisé plus tôt dans la journée.

— Ça m'arrive à moi aussi, dit Tanguy. Donc je sais que tu en es à ta troisième femme et que tu es un photographe célèbre que tout le monde s'arrache.

— Ça, c'est ce que les gens savent, dit mystérieusement Benoît en se dirigeant vers la porte qui menait à l'extérieur du bâtiment.

— Benoît ! lança Tanguy en se délogeant du tabouret. Benoît se retourna.

— Je suis heureux de te voir.

— Eh bien moi aussi alors, dit Benoît.

Tanguy passa le reste de la soirée en compagnie de Benoît. Juliette s'était élégamment éclipsée chez des amis pour les laisser *entre potes*. Benoît s'était mis aux fourneaux et agitait frénétiquement avec une fourchette les six œufs qu'il venait de casser dans un cul-de-poule.

— Tu nous sers à boire ? dit Benoît en désignant d'un coup de tête les deux bouteilles de vin qu'il avait remontées de la cave. Il y a un tire-bouchon dans le tiroir, là.

Tanguy ouvrit un tiroir débordant de petit matériel de cuisine et finit par identifier un tire-bouchon publicitaire offert par la maison Nicolas. Il s'empara de l'une puis de l'autre bouteille et en déchiffra les étiquettes. C'étaient d'excellents bourgognes, tous deux millésimés. Il savait que Benoît gagnait énormément d'argent mais rien, absolument rien, ni dans sa tenue ni dans celle de sa maison – hormis le prix très certainement exorbitant de ces deux bouteilles –, ne pouvait le laisser deviner. Quel drôle de type, se dit Tanguy une fois de plus.

— Ta mère fait toujours tourner l'entreprise ? demanda Benoît en versant le contenu du bol dans une poêle.

— Toujours. Soixante-quatorze ans et aussi solide qu'un bloc de granit. Elle prétend qu'elle va vendre. Mais ça fait des années que je l'entends dire ça.

474

— Tu es venu avec ta femme ?

— Non, tout seul.

Les œufs crépitaient à la chaleur des flammes. Tanguy but une gorgée du vin qu'il venait de se verser.

— Tu vois toujours Rodolphe ? dit-il nonchalamment.

— Je travaille régulièrement avec Alice. On prépare une expo ensemble. Et donc je croise Rodolphe assez souvent, oui. Il n'a pas changé. Toujours aussi incorrect. Enfin, toujours aussi politiquement incorrect.

Tanguy nota la nuance.

— Elle va bien, Alice ?

— Sa galerie marche à fond.

— Oui, j'ai vu ça.

— Internet ? dit Benoît en dévissant sa tête un quart de seconde.

— Internet, dit Tanguy dans un sourire. Et Paul ?

— Toujours comédien. Il prépare une pièce qu'il a écrite. Tu viendras ? Ça lui ferait tellement plaisir.

— Évidemment je viendrai, dit Tanguy sans conviction.

Benoît s'éloigna de la cuisinière et posa sur la table la poêle où palpitaient encore les boursouflures d'une omelette appétissante.

— C'est incroyable que tu n'aies donné aucune nouvelle pendant vingt ans, dit-il en s'asseyant.

Il n'y avait aucune manière de reproche dans sa voix. Tanguy avait le regard ailleurs. Benoît s'empara de sa fourchette et sépara l'omelette en deux parts égales.

— Je crois que de nous tous, c'est Paul qui en a le plus souffert.

— J'ai été happé par la vie, dit pompeusement Tanguy, sans volonté de se disculper vraiment.

Il est indéniable qu'on reconnaît les vraies amitiés à la facilité qu'elles ont à se reconstruire d'elles-mêmes, immédiatement, malgré le temps qui a endommagé les habitudes. C'est sans doute ce qui permit à Benoît d'annoncer :

— J'espère que tu ne vas pas le prendre mal, mais... tu n'as pas l'air franchement épanoui, mon vieux.

Avec n'importe qui d'autre, Tanguy aurait sûrement bondi de sa chaise et quitté la pièce.

— Ça se voit tant que ça ? se contenta-t-il de dire.

— Disons que je t'ai connu plus... radieux.

— Effectivement je ne suis pas convaincu d'être parfaitement heureux, finit par avouer Tanguy.

— Soit dit en passant, je trouve que le bonheur reste un concept assez flou, répondit Benoît en ricanant.

— Même pour toi ? Même toi, tu n'es pas heureux ? insista Tanguy.

— En tout cas j'ai cessé de vouloir l'être complètement. Disons que je m'arrange pour l'être raisonnablement.

— Toi, tu es un artiste. Ça te sauve, d'une certaine façon. Moi je suis complètement inutile. Je fais un métier inutile. Je vends des produits dont personne n'a besoin. Je suis le pur produit de la consommation factice et de l'imaginaire capitaliste.

— Ne me dis pas que tu es devenu un révolutionnaire ! Est-ce que par hasard tu serais devenu un sale rouge, Tanguy Caron ? dit-il en éclatant de rire.

Le mot « rouge » avait instantanément résonné dans la tête de Tanguy.

— À ce propos... C'est vraiment drôle que tu mettes ça sur le tapis... En ce moment, je travaille sur un projet... complètement inutile une fois de plus...

Tanguy paraissait soudain aussi fragile que la coquille des œufs dont il était en train de s'empiffrer.

— Le parfum... *Rouge*... Ça te dit quelque chose ?

Benoît cessa de sourire et le regarda avec attention.

— Tu veux dire à part la couleur, la préférence politique, le sentiment de honte qui monte au visage dans certaines situations ?

L'agacement de Benoît était monté d'un coup. Il pressentait ce qui allait arriver.

— Non, non, *Rouge*... Comme Natalie Portman... à poil sur un canapé... brandissant un sex-toy..., dit Tanguy en tentant de contrecarrer par son propre humour celui, nettement plus acéré, de son ami.

Benoît fit un effort pour rassembler dans sa mémoire certains des éléments de discussion qu'il avait eus avec Juliette à ce sujet.

— Ah ce *Rouge*-là ? dit-il avec un soupçon de mépris. C'est toi qui as pondu ce machin ?

Tanguy baissa la tête, honteux.

— C'est pour ça que tu t'es décidé à venir me voir ?

— Mais non, pas du tout. Tu te goures, Benoît. Tu te goures complètement.

Devant la véhémence de Tanguy, Benoît affichait une mine tranquille, désenchantée.

— C'est vraiment ce que tu crois ? Que je suis venu te voir uniquement pour que tu acceptes ce projet ?

Benoît se tut pendant quelques secondes puis :

— Non, ce n'est pas ce que je crois. Allez, bois un coup...

Benoît s'empara de la bouteille et remplit le verre de Tanguy d'un nectar à la robe grenat profond et, selon les plus éminents spécialistes, « au nez incomparable de cerise noire et de réglisse ».

— Domaine Leroy-Chambertin, clos de Bèze, 1981. Année exceptionnelle pour des tas de raisons. L'année de notre bac par exemple. Enfin de *ton* bac. Je l'ai sortie exprès pour toi, annonça Benoît avec une fierté qui se nuançait d'une amertume visible.

Tanguy fut traversé par un sentiment de dégoût de lui-même. Qu'était-il venu chercher ici ? La chaleur d'une amitié ensevelie qui ne demandait qu'à être légèrement dépoussiérée pour réapparaître dans son éclatante vérité ou était-il là pour faire du business ? Était-il devenu à ce point insensible, à ce point lessivé, aigri, que la perspective d'une amitié authentique n'arrivait même plus à le détourner de sa maladive ambition ? Il était incapable de faire la part des choses entre son désir réel et ce qui relevait de l'aliénation névrotique. Bien sûr, il était enchanté de revoir son vieil ami mais par-dessus ce sentiment, ne surnageait-il pas d'autres intentions ? N'avait-il pas, avant tout, besoin de Benoît ? Ne devait-il pas être, aux yeux de tous – et peut-être particulièrement à ceux de la très sexy chef de pub –, celui qui allait décider le grand, l'incomparable, l'inapprochable Benoît Messager à accepter leur campagne ?

Même si – en évoquant certaines anecdotes de leur passé commun – les deux hommes retrouvèrent peu à peu les automatismes de leur amitié, ils se quittèrent sur un malentendu détestable. Ils s'étreignirent une dernière fois – en se promettant bien évidemment de se revoir bientôt – mais leurs embrassades étaient dépourvues de l'empressement qu'elles avaient eu quelques heures plus tôt. Tanguy enfourcha sa Ducati Monster 900 Special puis disparut dans une nuit profonde et pure. Quand il ne fut plus qu'un minuscule point lumineux à l'horizon, Benoît fit brutalement claquer la porte d'entrée et rentra chez lui.

9 mars 2010

La première de la pièce avait été fixée au lundi, le jour où la plupart des autres théâtres font relâche. Le lieu, une toute petite chose de 80 places, serait probablement bourré à craquer ce soir-là. Ce qui m'inquiétait surtout, c'était ce qui se passerait au-delà de l'illusion magique de cette générale, une fois épuisées les inévitables invitations aux amis et aux professionnels de la profession. Qu'en serait-il des critiques, dont la venue – dans un hypothétique premier temps – et les bons papiers – dans un encore plus hypothétique second temps – étaient vitaux pour un spectacle aussi dramatiquement dépourvu de vedettes ? Mon attaché de presse, un gros binoclard de vingt-cinq ans, fourbe et malin comme un reptile, m'avait survendu ses capacités de lobbying et son carnet d'adresses – d'après ses dires, épais « comme l'intégrale des Rougon-Macquart » – mais je ne pouvais m'empêcher de me faire un sang d'encre. Pour quantité de raisons, il était essentiel de ne pas foirer l'opération. C'était la première fois que je m'investissais personnellement, économiquement et artistiquement dans un projet : tous mes avoirs disponibles – c'est-à-dire les maigres économies de mon Codevi et de mon Livret A – y étaient passés ; j'avais écrit le texte, engagé les acteurs et le metteur en scène, remué ciel et terre pour que les organismes de soutien institutionnels s'intéressent à son financement. On l'aura compris, c'était *le* projet de ma vie, le couronnement de ma carrière et un pari insensé sur ma santé financière à moyen terme.

Il est toujours désagréable de s'avouer que la réalité des choses ne s'élèvera jamais à la hauteur des rêves que l'on a caressés. Pour ma part, j'avais assez vite admis que je ne serais jamais – sauf accident – un acteur célèbre. Je ne manquais pas d'ambition, je ne doutais pas non plus de mon talent – j'avais appris rapidement à mes dépens que le talent n'était qu'un ingrédient éventuellement nécessaire mais imparfaitement suffisant à la recette du succès –, mais surtout je commis dès le départ une faute majeure. À l'aube de mes vingt-six ans, alors que je galérais de panouilles en petits contrats publicitaires rémunérateurs mais particulièrement humiliants, j'acceptai de faire partie d'une troupe de théâtre itinérante – à la réputation immémoriale dans certains milieux culturels proches du circuit des ambassades –, si bien que, pendant les dix années qui suivirent, je me coupai de tout contact avec le milieu artistique parisien. Pendant dix ans, personne, absolument personne, aucun agent artistique, aucun directeur de casting, aucun réalisateur de cinéma, aucun metteur en scène de théâtre, n'eut l'occasion de me voir sur une scène ou sur un écran de la capitale. En conséquence de quoi, je persiste à affirmer que ce qui m'a apporté le plus grand nombre de satisfactions professionnelles et fait accumuler le plus grand nombre de frissons artistiques fut aussi sans doute la plus grande erreur stratégique de ma carrière et donc de ma vie, qui y a toujours été si intimement liée.

Pendant dix ans, je jouai les jeunes premiers dans les répertoires de ceux que nous avions fini par appeler entre nous les 3M – Molière, Marivaux, Musset – tellement ils nous collaient à la peau. Pendant dix ans, je fis rayonner la grandeur culturelle de la France et résonner le génie de ses auteurs de par la plupart des grandes villes d'Europe. Je colportai les bons mots, les alexandrins, la puissance du verbe hexagonal pour un public extatique de fonctionnaires diplomatiques et consulaires, de sous-directeurs à la Culture, de membres de l'Alliance française. J'œuvrai pour la réputation du théâtre français en ruinant les chances que la mienne puisse un jour dépasser une autre frontière que celle de ce cercle très fermé et malheureusement peu propice à la signature de mirobolants contrats d'acteur. Pendant dix ans, je parcourus l'Europe dans ses moindres recoins sans jamais trouver le temps de la découvrir vraiment. Pendant dix ans, je ne vis d'ailleurs pas grand-chose du monde, hormis des façades de théâtres, des panneaux d'affichage de gares, des fonds de loges, les rayures ou les fleurettes d'établissements hôteliers trois étoiles qui sont les mêmes, je peux vous l'assurer, rigoureusement les mêmes, des polders hollandais aux plaines espagnoles et des forêts autrichiennes aux steppes biélorusses. C'était à peine si j'entrevoyais le public, dans l'aveuglement des projecteurs. Pendant dix ans, je me limitai à un long parcours en pointillé dans des villes que je ne vis jamais que la nuit et que je serais incapable de reconnaître si j'y retournais aujourd'hui.

La pièce que l'on s'apprêtait à jouer avait pour titre *Le Navire oublié*. Je l'avais écrite après que Benoît m'avait fait passer un article sur un méthanier insalubre bloqué pendant de longs mois dans le port de Marseille.

— C'est un truc pour toi, me dit-il, je ne sais pas pourquoi, mais je sens que tu devrais aimer.

En effet, le sujet me frappa particulièrement. Il contenait une matière trouble qui rejoignait mes préoccupations politiques et sociales en se doublant d'un drame humain où l'intime prenait une résonance universelle. J'en fis une sorte de huis clos à ciel ouvert et à quatre personnages : le capitaine du navire – que je jouais –, un vieux fonctionnaire responsable des opérations du port, une prostituée et un jeune mousse.

En résumé :

La cargaison d'un céréalier pourrit à quai depuis plusieurs semaines dans un port imaginaire et sans nom. L'armateur a cessé de payer les salaires depuis l'arraisonnement du navire par les autorités pour des raisons d'hygiène. L'équipage – pour la plus grande part des marins chinois embarqués illégalement en Afrique – refuse de ce fait d'évacuer le chalutier malgré les menaces grandissantes d'une intervention de l'armée. Le mousse – qui s'érige peu à peu en porte-parole de ces exploités sans parole – s'oppose violemment au vieux fonctionnaire, qui finira par le faire tuer par les forces de l'ordre. Le marin, lui, ne rêve que d'une chose : retrouver l'immensité de l'océan, au prix de la lâcheté la plus coupable. Quant à la prostituée, c'est la figure classique de l'opprimée, torturée par les hommes – tous les hommes de la pièce la maltraitent à leur façon – et porteuse d'un bel idéal humaniste.

Selon ma psy, le choix de ce sujet et la manière dont j'avais entrepris de l'organiser théâtralement en disaient long sur mon état psychique. Effectivement, dans tout ce que j'avais pu écrire auparavant – mais aussi dans ma vie en général –, j'avais une fâcheuse tendance à présupposer aux femmes – à l'instar de la pute de ma pièce – un destin similaire de souffre-douleur magnifique. Une prédisposition qu'elle avait toujours considérée comme une « propension patholo-gique à objectiver le vagin féminin comme réceptacle de toutes les souffrances » et qu'elle mettait sur le compte d'un « attachement compulsif au caractère de martyre de ma propre mère ». À l'origine, soit dit en passant, de mon homosexualité. Elle ne pouvait par ailleurs s'empêcher d'assimiler la figure de tortion-naire du fonctionnaire à celle, tout aussi funeste, de mon père. Quant au face-à-face du marin et du mousse – la fascination de l'un pour l'innocence de l'autre et la mort quasi sacrificielle du second –, il relevait tout bonnement de « l'expression de mon immaturité sexuelle vis-à-vis des hommes ». Vous l'aurez compris, il y avait dans cette pièce une matière bouillonnante et ténébreuse que mon inconscient s'était insidieusement arrangé pour mettre en lumière.

J'avais déjà travaillé avec le metteur en scène et je respectais son travail. Monsieur Georges, mon ancien professeur de comédie, endossait le rôle du fonctionnaire. Quant à Michèle – à qui je destinais le personnage de la prostituée –, je l'avais admirée dans une version déjantée du *Dialogue des carmélites* et avais estimé que ce contre-emploi lui irait à la perfection. Le seul hic – et vous trouverez là un assez bon exemple de l'influence parfois néfaste de mes préférences sexuelles sur le déroulement de ma vie – demeurait le choix du mousse. Je l'avais auditionné parmi une bonne dizaine d'autres types d'une vingtaine d'années et il m'apparut après coup – bien que, pour tous les autres, c'eût été dès le départ d'une limpidité de cristal – que j'avais surestimé ses capacités d'acteur au profit de ses qualités purement plastiques. Alex n'était pas seulement limité en tant que comédien, il était surtout arrogant, instable et totalement autocentré en tant qu'être humain – si toutefois le mot «humain» pouvait s'appliquer à ce monstre d'égoïsme. En dépit de mon insistance répétée, bien que souterraine, pour qu'il m'accorde les faveurs de son anatomie – la plus insignifiante me serait apparue comme amplement gratifiante –, le petit salopard ne m'abandonna rien qui aurait pu légitimer ma folle décision de le sélectionner. C'était un hétéro pur et dur, ce qui, vous en conviendrez, était loin de tout élucider avec ce genre de personne calculatrice et méchamment opportuniste. En conséquence de quoi, je compris rapidement que j'allais vraisemblablement souffrir d'une triple frustration : artistique, humaine et sexuelle.

On peut facilement l'imaginer, les répétitions furent un calvaire. Dès les premiers instants, mon metteur en scène m'avait mis en garde, mais la puissance de mon aveuglement érotique était telle que je ne voulus rien entendre.

— Tu es le boss, après tout, et donc entièrement responsable de tes égarements, finit-il par me balancer.

— Tu as pris ce garçon en grippe pour je ne sais quelle raison, commençai-je. Tu dis que tu le trouves insupportable et insolent, mais, d'une certaine façon, il *est* insupportable et insolent dans la pièce. Utilise ça, bon sang. Exploite ce que tu détestes chez lui et canalise ton ressentiment pour le faire avancer, lui, nous, enfin le spectacle. C'est un texte qui parle de rébellion, si tu l'as oublié. C'est un texte *en colère*. C'est un texte...

Il me coupa la parole :

— Paul, ce mec est à chier, il n'y a rien que je puisse canaliser en moi pour le faire avancer. À part toute l'énergie de mon pied droit pour lui botter le cul. Ce qui nous ferait très certainement avancer d'un grand pas, et lui avec, fais-moi confiance.

Cette dernière phrase laissa place à un moment de réflexion et je vis luire une intention dans ses pupilles. Une détermination malsaine qui m'était très intimement adressée.

— En parlant de cul, ce serait d'ailleurs peut-être intéressant qu'Alex nous montre ses fesses. Qu'en penses-tu ? dit-il sur un ton anormalement mielleux.

— Pardon ?

— Je pourrais demander à ce petit vicelard de se balader à poil pendant toute la pièce. Ce serait une manière de le déstabiliser, tu vois, et, pourquoi pas, de le calmer un peu. Il serait mis à nu au sens originel du terme, ce qui est exactement ce qui lui arrive dans ta pièce. De plus, je suis persuadé que son joli postérieur pallierait pour le public sa totale incompétence de jeu. Tu ne trouverais pas intéressant, toi, qu'il se foute à poil ? demanda-t-il, avec dans les yeux et la voix une réserve inépuisable de mépris hétérosexuel.

— C'est bon, Joël.

— En voilà de la rébellion ! Même de nos jours, ça tient carrément de la révolte, ce côté exhibitionniste, ce côté «pauvres cons, je vous fous ma bite sur la table».

Il ajouta :

— Sans compter la volupté que tu ferais éprouver à certains critiques.

Malgré le plaisir que j'aurais eu moi aussi à voir Alex constamment nu, mon intégrité artistique m'empêchait d'abonder dans un sens aussi manifestement vulgaire, d'autant que je m'étais déjà arrangé à l'écriture pour que le mousse se retrouve au moins une fois en slip, ce qui constituait la limite ultime de mes possibilités d'engagement dans la représentation de l'érotisme. En outre, il était clair que Joël se foutait ouvertement de ma gueule avec sa proposition.

— Joël, tu me fais chier.

— Toi aussi, Paul, tu me fais chier.

— Laisse-lui au moins une petite chance, suppliai-je.

— Ton *Navire* va au naufrage avec ce type, crut-il utile de prophétiser, comme si j'avais vraiment besoin de ça.

Le caractère malsain d'Alex – et aussi son intelligence redoutable – se manifesta dans toute sa vérité une semaine après le début du travail, alors que nous abordions la première scène entre le mousse et le marin.

Nous étions réunis tous les cinq dans une salle de répétition qui surplombait une extension de la Seine aux environs du canal Saint-Martin. Une lumière de pâle banquise perçait par de grandes baies vitrées devenues grises à force d'être négligées par les équipes de nettoyage. Le chauffage marchait à plein régime mais ne diffusait qu'une chaleur chétive : tout le monde grelottait de froid. Alex était assis sur une chaise, les yeux plongés dans son manuscrit. Joël se rapprocha de lui.

— Alex, commença-t-il, ne me dis pas que tu es en train d'apprendre ton texte ?

— Bien sûr que non, répondit le garçon d'une voix traînante et sans décoller les yeux de ses feuillets.

Au bout de quelques secondes, Alex se leva et se mit à dévisager son metteur en scène en le toisant de toute la puissance de son mètre quatre-vingt-deux.

— Je peux vous faire une petite remarque ?

Joël inspira fortement par le nez en décrispant ses épaules.

— Bien sûr, Alex. Qu'est-ce que tu as à me demander ?

— Je note que vous me tutoyez depuis le début des répétitions. Je ne suis pas certain que cela me fasse très plaisir. Est-ce que c'est vraiment nécessaire ? Finalement, ça me plairait plus que vous me vouvoyiez, comme moi je le fais par exemple. Simple question de respect.

Joël recula spontanément de quelques centimètres pour reprendre une contenance et éviter d'affronter d'aussi près l'animosité du regard de son acteur.

— Dans la grande famille du théâtre, Alex, en général on se tutoie, comme on tutoie ses frères et ses sœurs en quelque sorte. Je tutoie Georges, je tutoie Michèle... Qui eux-mêmes me tutoient, même s'ils doivent un immense respect à leur metteur en scène. Paul, qui est quand même l'auteur *et* le producteur de cette pièce et qui se trouve donc naturellement être celui à qui nous devons *tous* le plus grand respect, je le tutoie. Voilà, c'est comme ça, ça a toujours été comme ça, on se tutoie, c'est une tradition familiale, si tu veux. Tu es extrêmement jeune, peut-être n'as-tu pas encore l'impression de faire partie de la grande famille du théâtre, dit Joël insidieusement.

— Je crois que j'emmerde la grande famille du théâtre, dit Alex très posément et sans qu'aucun muscle de son joli visage tressaille.

— Eh bien parfait ! Si tu insistes, je peux donc te vouvoyer, dit Joël, passé quelques secondes d'effarement.

— Ce serait mieux. Je suis votre serviteur en tant qu'acteur mais je ne suis en aucun cas votre pote, ajouta le garçon sur un ton de légère menace.

Bon Dieu, ce type est bluffant ! me dis-je intérieurement. Si j'avais eu à son âge le dixième du cran dont il faisait en ce moment étalage, il est certain que je ne serais pas aujourd'hui dans cette salle pourrie du canal Saint-Martin à répéter une pièce montée avec passion, il va sans dire, mais dans les conditions les plus sinistres.

— OK, Alex, j'avais compris, conclut le metteur en scène.

Puis, du bout des dents et en désignant d'un geste fatigué du bras le centre de la pièce :

— Si vous voulez bien vous mettre en place...

489

Tout le monde se déplaça dans une ambiance polaire qui n'avait plus rien à voir avec les maigres performances du système de chauffage.

— Paul, tu t'allonges par terre, indiqua Joël. Tu es supposé dormir et le mousse te réveille en te donnant de légers coups de pied dans les reins. Alex, c'est quand tu... c'est quand vous voulez...

Je m'allongeai à même le sol. Alex se rapprocha lentement de moi. Vous pouviez tout reprocher à ce garçon, tout, sauf cette espèce d'intelligence du corps qui enrichissait le moindre de ses gestes d'une élégance sexy. Il se mit à me donner une série de petits coups de pied dans les fesses, et non dans les reins comme il venait de lui être indiqué.

LE MOUSSE. – *Tu étais où cette nuit ? Il paraît qu'on t'a vu chez la putain.*

— Alex, continuez de le frapper légèrement jusqu'à ce qu'il se réveille, précisa le metteur en scène.

LE MOUSSE. – *Qu'est-ce que tu faisais chez la putain ?*

Je me relevai lentement sur un coude.

LE MARIN. – *Qui t'a raconté ces âneries ?*

LE MOUSSE. – *J'irais bien chez la putain. Pourquoi tu ne m'emmènes jamais ? Je lui plairais, non ? Je suis jeune. Elle aime ça, paraît-il.*

— «Elle aime ça... d'après ce qu'on raconte», rectifia Joël.

Alex répéta mollement la phrase, comme un chat qu'on dérange dans sa sieste :

LE MOUSSE. – *Elle aime ça, d'après ce qu'on raconte.*

LE MARIN. – *Tu n'as rien à faire chez les putains.*

LE MOUSSE. – *T'as pas le droit...*

— « TU n'as pas le droit », asséna Joël. Tâchez d'éviter les élisions, Alex, quand l'intention du texte est visiblement de ne pas en avoir.

Il paraissait certain que mon metteur en scène éprouvait un malin plaisir à prendre ce gamin en faute à chaque occasion qui se présentait. C'était d'autant plus grotesque avec l'emploi de ce récent – et ridicule – vouvoiement qui lui donnait l'air d'un professeur de diction archaïque.

LE MOUSSE. – *Tu n'as pas le droit de nous laisser enfermés ici.*

— « Moisir », Alex, pas « enfermés ». « Tu n'as pas le droit de nous laisser moisir ici. »

Alex s'arrêta, furieux, tandis que Joël l'observait avec un calme impertinent.

— Vous allez me faire répéter mot à mot ce que je dois dire ?

— Jusqu'à ce que vous connaissiez votre texte, oui.

— Je connais mon texte, dit Alex, frondeur.

— Pas tout à fait comme j'entends que vous le connaissiez.

Maintenant, il prenait des airs crâneurs, Joël.

— L'auteur est à vos pieds, si j'ose dire. Demandez-lui pourquoi il a préféré « moisir » à « enfermés ».

Il ne me laissa pas le temps de répondre, si tant est que j'eusse une explication à ce choix sémantique.

— Je crois, pontifia Joël, tu m'arrêtes si je me trompe, Paul, que c'est une manière subtile d'assimiler cet équipage exploité à sa cargaison. Les marins *moisissent* comme leurs tonnes de blé *moisissent* à l'intérieur des cales. Nous assistons par ce seul mot à la *marchandisation* des corps en même temps

491

qu'à leur *pourrissement*, ce qui est d'ailleurs un thème transversal dans tout le texte. C'est remarquablement inventif. Alex, vous comprenez bien que je ne peux pas laisser passer ça.

Les pupilles de l'acteur s'étaient dilatées.

— On reprend ? questionna Joël, de manière presque joyeuse, avec une morgue qui, même moi, commençait à m'agacer.

Et ainsi de suite.

Alex connaissait son texte par à-coups, si l'on veut, et Joël en profitait pour lui signifier la moindre erreur, fût-elle le déplacement d'une pauvre virgule. Malgré le calme qu'Alex s'efforçait de conserver, je sentais ses poings se crisper un peu plus à chaque estocade portée. Irait-il jusqu'à cogner Joël ? Aucune éventualité de violence ne semblait être à écarter avec ce type.

Et puis, plus tard :

LE MOUSSE. – *Les autres disent que tu es un incapable !*

LE MARIN. – *Ils disent ça, les petits fumiers ? Ah, ah ! Et toi tu es d'accord avec ça ? Qu'est-ce qu'ils disent d'autre ?*

LE MOUSSE. – *Qu'ils ont travaillé comme des chiens et que ça fait des mois qu'ils n'ont pas été payés. Voilà ce qu'ils disent.*

LE MARIN. – *Payé, est-ce que je l'ai été, moi ? Qui l'a été, ici ? Tu l'as été, toi ?*

LE MOUSSE. – *Ils sont épuisés à force de ne rien faire. Tu les as vus ? Des fantômes, voilà à quoi ils ressemblent.*

Rien n'y était. Ni lui, ni moi non plus. Tout sonnait faux. Je commençai à nourrir de sérieux doutes sur la qualité de mon écriture. Joël arrêta la répétition en toussotant.

— Alex, ne le prenez pas mal mais... Enfin... Avez-vous vraiment réfléchi au rôle que vous êtes en train de jouer ?

Alex se raidit.

— C'est-à-dire ? demanda-t-il.

— Vous êtes-vous posé la question de savoir d'où vient ce mousse ? S'il a une famille ? Des amis ? Ce qu'il mange ? Ce qu'il...

— Ce qu'il mange ? Bordel ! CE QU'IL MANGE ?

— Par exemple, oui.

— On s'en fout de ce qu'il mange, non ? dit Alex en recherchant dans mon regard un assentiment que j'étais trop inquiet de la suite des événements pour pouvoir lui accorder.

— Comment avez-vous construit le personnage dans votre tête ?

Alex décroisa ses bras qu'il gardait serrés contre son torse depuis quelques secondes et inspira fortement par les narines, injectant dans ses poumons une bonne partie de l'oxygène environnant.

— Mon professeur à Florent m'a toujours dit que j'étais un acteur physique. D'après lui, je n'ai pas besoin de construire quoi que ce soit dans ma tête. C'est mon corps qui parle. Je n'ai qu'à le laisser aller.

Je l'avais rencontré, ce professeur. C'était une vieille tante qui ne rêvait que d'une chose : tripatouiller tous ses élèves mâles. Étais-je moi-même si différent ? Je sentis un picotement de honte me zébrer l'échine.

Puis Alex ajouta, par pure provocation :

— En ce qui me concerne, il trouve ça complètement con, la Méthode.

Il évoquait la méthode Stanislavski, celle que l'Actor's Studio avait érigée en règle absolue.

— C'est quand même ce qui a donné Marlon Brando, la Méthode. Dans le genre acteur physique, il n'a de leçons à recevoir de personne, vous êtes au moins d'accord là-dessus, mon *petit* Alex ? dit Joël avec un mépris incommensurable en particulier dans l'énonciation de l'adjectif «petit».

— Je vois très bien où vous voulez en venir, dit le garçon, vexé.

— Vraiment ? Eh bien vous avez de la chance.

Alex se retourna vers moi.

— Paul, dis-lui de fermer sa gueule et de me foutre la paix.

Là-dessus, il se dirigea avec décontraction vers le fond de la pièce. J'observai pendant un long moment la mine déconfite des trois autres. Aucun d'eux ne dit un mot mais leurs six pupilles me lançaient des signaux qu'il n'était pas très difficile d'interpréter. J'inspirai un bon coup.

— J'y vais, dis-je.

Je retrouvai Alex dans les toilettes, les fesses encastrées dans la porcelaine d'un lavabo, une cigarette à la main.

— C'est un endroit non fumeur, ici. Tu vas déclencher l'alarme incendie.

Voilà ce que j'avais trouvé de plus glorieux à formuler.

— L'alarme incendie ? dit-il en explosant d'un rire indécent qui se prolongea pendant quelques secondes. Ce n'est pas exactement ce que je viens de déclencher ?

— Alex, ne me prends pas en otage, s'il te plaît.

Cette dernière phrase sonna bizarrement à mes propres oreilles. Avait-il lui-même saisi l'allusion ? Il se désincrusta de sa faïence et se rapprocha jusqu'à une distance presque troublante d'intimité.

— Paul, ce mec ne veut pas de moi, c'est clair. Je le sens depuis le début. Mais c'est toi le chef, non ? C'est toi qui fais et c'est toi qui défais. C'est toi qui m'as voulu, dit-il tout bas, de manière particulièrement suave.

Puis, se reprenant, il annonça d'une voix virile :

— Paul, c'est très simple. C'est lui ou moi.

Après avoir proféré cet ultimatum, il m'observa. De mon côté, je m'imposai de me taire à tout prix. Fatigué de ce silence, il se rapprocha encore plus, jusqu'à littéralement me coller. Les molécules transportées par son haleine s'entrechoquaient contre mon visage. Alors, il étendit son bras et je vis très nettement la paume de sa main s'ouvrir comme une coque et se poser délicatement contre mon sexe.

— Soit il s'en va...

Alex approcha ses lèvres rouges, gonflées de sang, de mes lèvres pâles, qui en étaient si dépourvues. Nos bouches se rencontrèrent l'espace d'une seconde.

— Soit c'est moi qui pars...

La petite ordure ! Je le fixai d'une manière intense tandis que plus bas, à la très vive et très brûlante intersection de mes cuisses et de mon ventre, se jouait un dilemme cornélien qui commençait à prendre des proportions ravageuses. Finalement, je le repoussai légèrement du bout des doigts et m'écartai de lui.

— Il y a une chose, une seule chose qui vaudra toujours plus que les revendications adolescentes de ma bite...

Je marquai une pause nourrie d'un silence compa-rable à celui dont use le cinéma dans certaines scènes de résolution finale.

— C'est le travail, Alex. Le travail.

J'eus l'impression enivrante d'avoir remporté une éclatante victoire contre moi-même, mais surtout contre les pulsions néfastes et régressives qui dépla-çaient sans cesse de ma raison à mon entrejambe le barycentre de mes intérêts particuliers. Alex me regarda avec des yeux étonnés, en fronçant à l'extrême les plis de son front.

— Casse-toi, s'il te plaît, dis-je.

Il ne comprit pas tout de suite mon injonction. Il n'arrivait même pas à être en colère devant autant de déni de la puissance sexuelle dont il semblait si fier et dont je venais, entre parenthèses, d'avoir un bref mais brillant aperçu.

— Casse-toi, répétai-je.

À travers un trou grignoté par des générations de mites dans le velours du rideau de scène, je pus obser-ver, dès 20 h 15, que la plupart des gens dont j'espérais la venue s'étaient donné la peine d'assister à la première de ma pièce. Outre la grande fratrie homo – et parmi elle un nombre important d'anciens amants que je ne pouvais me résoudre, par veulerie ou par entêtement, à lâcher complètement –, qui constituait ma famille de droit, il y avait l'essentiel de ce que je considérais être ma famille de fait : Rodolphe et Alice étaient accompa-gnés de leur fille aînée, Zoé, qui se trouvait également être ma filleule. Benoît avait convaincu Juliette de quitter sa campagne, ce qu'elle faisait de plus en plus rarement et dont je lui étais déjà redevable. Enfin, mon frère Pierre avait exceptionnellement fait le voyage depuis Londres où il vivait pour assister à ce que, le connaissant, il escomptait être une méchante déconfiture et la preuve flagrante de l'inanité de mes ambitions artistiques.

À l'issue du spectacle, la salle entière vibra sous des applaudissements répétés, enivrants, dont je dus me faire violence pour profiter sans arrière-pensée. Les invités se ruèrent vers une salle de répétition attenante où s'étalait un buffet élaboré autour de la rencontre saucisson-kir et où, quelques minutes plus tard, mes camarades de jeu et moi entrâmes sous les ovations. Mon attaché de presse avait déniché un obscur bloggeur supposé avoir « un pouvoir de conviction insensé auprès de ses fans » et qui condensa sa pensée de la façon suivante :

— Si votre *Navire* est *oublié*, votre talent ne le sera jamais, dit-il pompeusement en m'écrasant la main.

Alice se précipita sur moi et se jeta à mon cou.

— Bravo, Paul. J'ai adoré… J'ai vraiment adoré, insista-t-elle.

— Excellent, excellent, dit Rodolphe en me tapotant l'épaule du plat de la main. J'ai apprécié la puissance politique. Au moment où Sarko s'apprête à chartériser tous les sans-papiers, tu jettes un sacré pavé dans la mare. Bien vu.

— Et la mise en scène, vous l'avez trouvée comment ? osai-je en tremblotant, parce que déjà, à cet instant, j'étais irrémédiablement passé de l'autre côté de la force sombre, dans un dédale de doutes, de questionnements et d'incertitudes.

— La mise en scène ? demanda Rodolphe. Tu veux dire les acteurs ? Parfait. J'ai adoré la pute. Je ne savais pas que tu pouvais écrire des choses aussi drôles.

— Paul est extrêmement drôle quand on prend la peine de l'écouter un peu, dit Zoé, revancharde.

— Moi, je t'ai trouvé formidable, dit Juliette en me caressant la joue.

Évidemment, la seule chose qui m'intéressait, c'était l'avis de mon frère. Les louanges des autres n'étaient qu'un piège affectif prévisible, un magasin de farces et attrapes à l'arrière-boutique bourrée de commisération et de flatterie.

— Tu es un très bon acteur, Paul, renchérit Benoît sur un ton curieusement plein de gravité, comme s'il pressentait déjà l'ampleur du chantier d'automutilation que je venais d'inaugurer.

— Et toi, tu en as pensé quoi ? dis-je en m'adressant négligemment à Pierre.

— Je ne vais jamais au théâtre, répondit-il. Même à Londres, où on fait pourtant ce qu'il y a de mieux dans le genre. C'est difficile pour moi de te dire ça comme ça...

— Tu n'as pas d'opinion ? Rappelle-toi, Pierre, tu as toujours une opinion.

— Il faut vraiment que j'aie une opinion, Paul ? dit-il comme en laissant planer une menace.

— En tout cas, moi j'ai beaucoup ri... Et puis c'est à la fois très sombre..., s'empressa de dire Alice qui ne voulait rien céder à la méchanceté de Pierre.

— Très sombre, ça c'est sûr, dit Pierre tout bas, le regard ailleurs.

— Et très beau... Plein de finesse..., compléta Alice, avec un regard furieux pour son voisin.

— Bref, tu as détesté..., dis-je à mon frère.

— Là, tu exagères, répondit-il avec, aux lèvres, ce sale sourire que je connaissais bien.

Benoît n'en pouvait plus.

— Pierre, tu étais un petit con dans ton enfance, commença-t-il. Tu es devenu un sale con en grandissant, et je présume que dans peu de temps tu deviendras un vieux con. En fait, tu auras passé ta vie à être un con sous toutes les formes possibles. Tu n'es pas un peu fatigué d'être aussi prévisible ?

Pierre adorait ce genre de provocation. Il éclata d'un rire indigne. Les choses auraient pu dégénérer si une silhouette inconnue ne s'était, à cet instant, profilée dans l'embrasure de la porte. Une figure austère, puissante, une figure de Commandeur dont je me demandais de quelle faute impardonnable elle était venue demander réparation et si elle ne m'apparaissait pas pour me juger – moi, ma vie, mon œuvre. L'homme se fraya un chemin à travers la foule sans arrêter de me fixer. Il me fallut quelques secondes pour identifier Tanguy. Il s'approcha, tendit ses deux bras et, à cette invitation, je me réfugiai contre son torse charpenté et accueillant.

— Tu as fait un beau chemin, me glissa-t-il à l'oreille.

Les retrouvailles furent joyeuses. En vérité tout fut joyeux. Les compliments continuaient de pleuvoir. Mais s'ils n'avaient pas plu ce soir-là, en cet endroit, quand et où l'auraient-ils fait ? Quoiqu'une partie non négligeable de mon mental persistât à jouer les trouble-fête, un fluide généreux irriguait mes artères. On me célébrait et je finissais par en être un peu heureux.

Alice – qui pensait toujours au moindre détail à même de diffuser un bonheur confortable – nous avait réservé une bonne table dans un restaurant voisin. Aussitôt installé, Tanguy reçut en rafales toutes les questions qui restaient en suspens sur son compte depuis vingt ans – malgré un usage immodéré du filon Internet par la majorité d'entre nous. Il y eut bien quelques tentatives doucereuses de la part de Rodolphe pour le déstabiliser, mais elles ne paraissaient répondre à aucun désir malin de l'offenser. Elles relevaient très exactement de l'expression d'un mâle qui circonscrit son territoire à l'intention d'un autre. Voilà où nous en sommes restés, voilà d'où j'estime que nous devrions repartir, semblait-il en permanence lui signifier. Tanguy répondait à cet interrogatoire avec ce qui m'apparaissait comme un désintérêt jovial. Même s'il était visible que notre présence lui plaisait, il donnait l'impression d'endosser avec une lassitude sereine le rôle du personnage qu'il avait été pendant toute notre jeunesse et que très certainement il avait cessé d'être. Il n'avait pas seulement pris du poids physiquement parlant ; son esprit, bien que toujours aussi mordant, s'était lui aussi alourdi, comme retenu par des liens immatériels qui l'empêchaient de s'élever vers la moindre légèreté ou la moindre insouciance. Je ne pouvais m'empêcher d'observer le mouvement nerveux de ses mains. Bien sûr, je l'avais toujours senti inquiet, perpétuellement à l'affût, mais à l'époque, il parvenait à dissimuler cette agitation sous une carapace légère, charmante, façonnée dans un alliage complexe d'indolence et d'énergie. Désormais son inquiétude semblait avoir diffusé partout, uniformément. Il me faisait l'effet d'un grand oiseau blessé et de cet albatros dont parle Baudelaire que « ses ailes de géant empêchent de marcher ».

Tanguy tenta finalement de déplacer le collimateur de cette surveillance rapprochée sur une autre victime en s'adressant à Pierre, que l'on avait à peine entendu depuis notre arrivée :

— Donc, toi tu as choisi de vivre en Angleterre ?

— Je déteste Paris maintenant. Tu sais, quand on a goûté à Londres...

— Tu vis où ?

— J'ai une petite baraque dans South Kensington.

Ceux qui connaissaient apprécièrent la qualité de l'adresse.

— Avoue que c'est totalement dément, le prix de l'immobilier dans ce foutu pays, claironna Rodolphe. D'ailleurs, la Grande-Bretagne dans son ensemble est devenue un territoire essentiellement spéculatif. Margaret Thatcher et Tony Blair dans la foulée ont complètement bousillé son potentiel industriel. Les mines, l'automobile, le système ferroviaire, ils ont tout dilapidé, tout. Même leurs taxis sont fabriqués en Chine, maintenant. Un jour ou l'autre, ce pays va se casser la gueule, c'est certain.

— Un jour ou l'autre, tout va se casser la gueule. Et pas que chez eux, prédit Benoît.

— Brillante analyse, dit Pierre à Rodolphe dans un demi-sourire.

— Excuse-moi, Pierre, mais c'est quand même un peu à cause de types comme toi, dit Rodolphe, piqué au vif.

À l'issue de sa prépa, Pierre avait immédiatement opté pour la filière Finances de l'École polytechnique.

Il était maintenant trader pour un *hedge fund* britannique, faisant profiter des investisseurs de tous horizons de son expertise des modèles macro et micro-économiques qu'il s'était forgée durant les trois ans passés aux environs de Palaiseau. Son job consistait à élaborer des stratégies de protection hautement risquées – et très proportionnellement rétribuées – contre les fluctuations des marchés. Sa «petite baraque», située dans le secteur le plus recherché de Londres, valait l'équivalent de quatre millions d'euros, qu'il avait pratiquement payés cash.

— Ah oui, la fameuse spéculation, l'horrible industrie financière et ses vilains petits traders..., dit Pierre.

— Exactement, dit Rodolphe en martelant légèrement la nappe blanche de son poing serré.

— Évidemment, conclut Pierre dans un sourire, avec une sorte de retenue élégante et désintéressée qui contrastait avec l'énergie revendicatrice des deux autres.

Il n'avait même pas besoin de se forcer pour endosser ce côté atrocement dandy. Son exil en Grande-Bretagne n'avait fait que conforter le flegme qu'il avait naturellement acquis en accumulant succès et fortune. D'où sortait cet olibrius ? Se pouvait-il que deux mêmes personnes aient engendré deux êtres aussi différents que nous l'étions, lui et moi ? Si je n'avais pas été son frère, il ne se serait même pas fatigué à encombrer son esprit de piques destinées à me meurtrir ; il se serait contenté d'engloutir mon existence – et le théâtre français dans sa globalité – dans un coin très reculé de sa conscience, comme un trou noir absorbe la quasi-totalité de l'énergie de la matière placée sur son chemin. S'il n'avait pas été mon frère, je n'aurais, moi, jamais osé adresser la parole à un être si content de soi, si ostensiblement victorieux, si indéniablement étranger aux souffrances du monde.

— Qu'est-ce que vous avez dans ce pays avec le pognon ? dit-il calmement. On dirait que ça vous salit les mains d'avoir des thunes.

— Depuis Jaurès, les socialistes ont un problème avec l'argent, dit Tanguy avec un sourire malicieux à l'intention de Rodolphe.

Rodolphe eut un mouvement de lassitude. Les échanges avec son adversaire de toujours semblaient se normaliser et retrouver des refrains d'autrefois.

— Exactement, renchérit Pierre, victorieux. Que je sache, Rodolphe, tu n'as pas encore déménagé de ton luxueux appartement du quai Conti ?

Zoé eut le léger sourire qu'elle arborait à chaque fois que son père essuyait un échec ou une humiliation.

Pierre se tourna vers Benoît.

— Et toi, Benoît, combien tu as palpé pour immortaliser sur papier glacé la dernière pétasse en vogue à Hollywood ?

— Ça va, Pierre, ça va..., répondit Benoît en se reprochant déjà de se défendre avec aussi peu de vigueur.

Je notai que Pierre évitait soigneusement d'entrer en contact visuel avec moi.

— On ne pourrait pas parler d'autre chose ? demanda Alice, agacée. Ce soir, on était supposés faire la fête pour Paul, je vous le rappelle.

Évidemment, Pierre n'écoutait pas. Il continua en fixant Rodolphe :

— Je suis un trader et je n'en ai pas honte. Mon job c'est de trouver les bonnes stratégies pour gagner de l'argent.

Il insista encore, les yeux plantés dans ceux de son interlocuteur :

— Je dirais même *un maximum d'argent*.

Un frisson de haine et de dégoût crispa l'assemblée. Le but essentiel de Pierre – hormis celui, très clair, de gagner du fric – était aussi en général de semer la pagaille. C'était un chasseur à l'intelligence raffinée – hors du commun, je l'admets –, qui savait débusquer chez n'importe qui les failles les plus abyssales. Vous pouviez mettre Pierre n'importe où – excepté sans doute au milieu de gens de son espèce –, il avait le don de déclencher les mêmes réactions de rejet. Chez les pauvres, il avivait la rancœur qu'ils nourrissent spontanément à l'égard des privilégiés. Chez les riches, il exaspérait leur culpabilité. Tous les autres avaient juste envie de lui foutre leur poing dans la figure.

— Dis-moi, Rodolphe, j'ai une petite question, reprit Pierre. Tu sièges bien dans cette magnifique assemblée qui fait les lois ? Où sont les lois qui interdisent à la finance de faire son boulot ? Les établissements financiers ne sont pas des voyous. S'ils ont pu prendre des mesures pour optimiser leurs profits, c'est bien qu'aucun gouvernement n'a défini un cadre légal qui le leur interdisait. Au fond, les responsables, c'est vous, non ?

— J'ai personnellement soutenu le démantèlement des paradis fiscaux.

— Ah oui, le fameux discours de Davos de janvier 2009..., dit Pierre, avec un mouvement irritant des sourcils.

Il se livra alors à une imitation nerveuse – et assez jubilatoire – du président Sarkozy en contractant puis en relâchant plusieurs fois de suite et de façon maniaque la tension de ses trapèzes.

— «Nous sauverons le capitalisme et l'économie de marché en les refondant et, j'oserai dire le mot, en les moralisant.»

Tout le monde, excepté Rodolphe, éclata de rire. Pierre, émoustillé, continua, avec toujours dans la voix ce fond de modération exaspérant:

— Trois semaines plus tôt – TROIS semaines plus tôt, c'est assez notable – votre ministre du Budget, le très remarquable Éric Woerth, avait fixé avec ses collègues des Finances et des Affaires étrangères la liste des États et territoires non coopératifs en matière fiscale. Une liste qui comportait dix-neuf îles exotiques dans lesquelles ne se trouvait même pas le dixième des avoirs européens non déclarés! Et surtout pas la Suisse, qui gère plus d'un tiers des fortunes évadées. On a *blacklisté* les Bahamas. Au bout de six mois, la finance internationale partait en sucette et il a donc fallu dé-blacklister les Bahamas, et alors on a blacklisté le Nigeria et l'Afghanistan, dont tout le monde se contrefout. Le plus marrant dans tout ça, c'est que ce sont les institutions financières elles-mêmes qui créent en grande partie les règles du jeu, avec évidemment la complicité de tous les gouvernements. C'est un peu comme si on demandait à un cartel colombien de plancher sur des lois antidrogue! Foutaises, Rodolphe. Foutaises, foutaises, foutaises. Depuis le début, tout cela n'est qu'une mascarade. C'est le même topo avec vos plans de relance; ils ne marcheront jamais.

Les investisseurs s'en tapent, de l'euro. Tu sais ce qu'ils font en ce moment, les investisseurs ? Ils sont gentiment en train de transférer tout leur pognon vers les bons du Trésor ou le dollar américains qui sont mille fois plus *secure*. Ils s'en contrefoutent de savoir comment et si vous allez redresser votre économie. Eux, ce qui les intéresse, c'est de savoir comment ils vont pouvoir gérer la situation en en tirant le plus de bénéfices.

Il s'arrêta un bref instant comme pour souligner la force de ce qui allait suivre.

— Tu vas détester ce que je vais dire, Rodolphe.

Rodolphe prit une attitude de député habitué à encaisser les coups bas de ses adversaires sur les bancs moelleux de l'Assemblée : mains croisées soutenant le menton, extrémités des phalanges très légèrement agitées, yeux plissés, sourire compassé. Les yeux de Pierre brillaient d'une énergie nuisible.

— Cette crise, c'est comme un cancer. Si on se contente d'attendre en espérant que ça se résorbera tout seul, on se fout le doigt dans l'œil. Ça va grossir, ça va dégénérer comme les métastases d'un fichu cancer et des millions de gens vont y laisser leur peau. Ce n'est surtout pas le moment d'attendre que les politiques régleront les problèmes. Crois-moi, les politiques sont les pires médecins, ils ne régleront rien, rien du tout. Contrairement à ce que tu peux penser, les gouvernements ne dirigent pas le monde. C'est Goldman Sachs qui dirige le monde. Goldman Sachs s'en branle de vos plans de sauvetage. Tout ce que veut Goldman Sachs, c'est faire cracher un maximum de blé à un marché à la baisse. Moi, depuis trois ans, je me couche tous les soirs en rêvant à cette récession et aux thunes que ça va me rapporter. Désolé, Rodolphe, une crise économique, c'est comme une guerre. Il y en a qui en meurent, il y en a d'autres qui en vivent. C'est comme ça que le monde marche, c'est comme ça que le monde a toujours marché. Il faudrait être con ou aveugle pour ne pas l'admettre.

On ne savait pas, de l'horreur de cette analyse ou de la décontraction qui l'avait accompagnée, laquelle était la plus intolérable.

— « L'argent est un bon serviteur mais un mauvais maître », annonçai-je, dans on ne sait quel but.

Alice me regarda avec bonté.

— C'est Dumas qui le dit, précisai-je à son intention.

— Dumas ? Roland Dumas ? demanda Pierre, d'un air interloqué.

— Alexandre Dumas, abruti, dis-je de manière condescendante.

Pour une raison apparemment inexplicable sur le moment, ma petite sortie eut pour bénéfice de détendre l'atmosphère. Personne ne semblait désireux d'entretenir le feu de cette polémique. Mieux, chacun avait ses propres raisons de ne pas s'y attarder, Tanguy en particulier. Je l'avais senti mal à l'aise tout le temps du numéro de mon frère. Il se remémorait très certainement l'intervention, de nombreuses années plus tôt, de son ex-idole, Bernard Tapie, sur une chaîne de télévision nationale. Déjà, à l'époque, l'homme d'affaires ambitieux affichait devant une France médusée son appétit insensé à gagner de l'argent au-delà de toute mesure. Avec le recul, il aurait pu apparaître comme l'aïeul un peu ringard de cette nouvelle classe d'individus formatés par la réussite capitaliste et sauvagement libérale dont Pierre était le modèle incontestable. Il est vrai que trois décennies étaient passées par là. Trois décennies de cauchemar économique, de trahisons, de rêves inaboutis où l'idée même de justice sociale avait été sacrifiée sur l'autel de la performance et de la rentabilité. Cette franchise – qui à l'époque aurait pu passer pour l'engagement optimiste d'un chef d'entreprise – relevait aujourd'hui d'un cynisme inaudible. Et pourtant… Qui à cette table – hormis sans doute votre serviteur, mais vous avez observé comment il continuait de galérer, votre serviteur – ne rêvait pas d'un avenir essentiellement fondé sur une amélioration de sa surface financière et donc sur la nécessité induite de faire fonctionner le système à plein régime ? Chacun à cette table – par sa fonction, sa réputation, peu importe – était impliqué à plus ou moins grande échelle dans la circulation massive d'argent et donc entretenait à sa manière un système qu'il ne pouvait complètement dézinguer. Tanguy, par exemple, adorait l'argent, ou plus exactement adorait le sentiment d'achèvement que procure l'argent ; cela constituait pour lui le rempart le plus efficace contre la hantise du manque qui le poursuivait depuis la mort de son père. Rodolphe, de son côté, envisageait sa fortune comme une revanche personnelle sur sa classe sociale et l'opportunité de se hisser au même rang que les fameux snobs qui persévéraient à le persécuter. Quant à Benoît, il y voyait le symbole de sa liberté et en disposait avec une ironie d'artiste. Pour la plupart, l'argent n'est pas uniquement destiné – comme Pierre le faisait – à s'enrichir et dépenser ; il sert en premier lieu à réparer un passé flou et à corriger des peurs. Pierre énonçait des vérités abominables mais tristement irréfutables. Dès lors, valait-il mieux vivre dans une espèce d'illusion entretenue par ses névroses ou bien, comme lui, être d'une franchise ignoble, quitte à passer pour le dernier des salauds ? Le fameux syndrome du « oui, responsable, mais sûrement pas coupable » venait de nous frapper en pleine figure. La réponse à cette question ne semblant vouloir être levée par personne, tout le monde fut donc satisfait qu'avec ma repartie j'assure une fois encore mon petit boulot de saltimbanque. De tout temps, les rois ont eu besoin de bouffons.

Je rentrai chez moi vers 1 heure du matin avec le sentiment désastreux que mon propre frère avait encore une fois gâché ma fête. Je retrouvai le deux-pièces exigu que je louais depuis dix ans aux environs de la rue de Bretagne – le hasard existe-il vraiment ? –, où traînaient encore quelques cartons d'origine auxquels mon esprit nomade, modelé par dix années d'errance, n'avait pas encore souhaité donner une destination définitive. La présence de ces objets emballés me rassurait. Ils étaient l'assurance que l'envie de partir pouvait me reprendre à tout moment, que ma place dans cette vie me restait à déterminer et que, par conséquent, tout pouvait encore m'arriver. Tout, mais quoi ?

Après avoir poussé la porte et refermé ses trois verrous comme on condamne l'accès à un coffre-fort, après m'être soumis dans un ordre parfaitement codé aux mille et une idiosyncrasies qui façonnaient mon comportement intime – pelotage intensif de ma chatte Ficelle... comptage serré des éléments de ma trithérapie quotidienne... absorption de ladite trithérapie... déshabillage intégral au profit d'un ensemble caleçon/T-shirt... brossage méticuleux de mes dents... –, je m'allongeai sur mon canapé avec la désagréable impression de ne pas vraiment appartenir à ce monde, de flotter quelque part autour de lui sans pouvoir jamais y poser les pieds.

Dans l'espace très normé du théâtre, les rôles – les emplois, comme on les nomme – s'organisent autour d'archétypes bien précis et fortement hiérarchisés. Il y a le Premier Rôle que le public observe et admire, qui fait progresser l'histoire en la nourrissant d'intrigues captivantes – mon frère Pierre, mais aussi Rodolphe et Benoît, chacun à sa manière, endossaient cet emploi. Il y a aussi l'Amoureux, le Confident, le Financier, le Marquis, la Coquette – et même la Grande Coquette –, l'Ingénu, le Comique, le Jeune Premier, le Roi – solennel, qui impose la gravité par son esprit majestueux –, le Raisonneur – qui discute morale et commande la tempérance. Il y a aussi l'Utilité, dont la contribution se limite généralement à une phrase unique, une lettre à remettre, une livrée à porter. Et puis, au bas de cette hiérarchie, au tout dernier rang des Utilités, se trouve l'Accessoire, un rôle subalterne et muet qui fait partie du décor au même titre qu'un guéridon, un lampadaire ou un fauteuil. Voilà exactement, à cet instant, ce que je pensais que la vie m'avait réservé comme emploi. Un triste rôle d'Accessoire, un élément mineur qui concourait à l'illusion théâtrale mais n'avait aucune espèce d'incidence sur le déroulement de l'action. Je me trouvais donc être le plus insignifiant figurant du spectacle du monde, égaré dans les ténèbres de ses coulisses, attendant que les autres lancent leurs répliques pour me précipiter à mon tour sur la scène – pendant de brèves secondes et sans que personne y fasse vraiment attention – avant que d'être englouti à nouveau sous les brillantes répliques des autres protagonistes.

Je me sentis soudain terriblement seul, vain, perdu.

Je me levai et allumai mon ordinateur. Mon visage trembla sous l'effet de sa lumière bleutée et électrique. À cette heure, Paris était rempli de gens de mon espèce, d'accessoires désemparés et inutiles, de traîne-savates de l'amour avides d'épuiser dans de pauvres caresses toute la provision de tendresse qu'ils avaient en stock. En un clic, je décidai de grossir le troupeau de tous ces miséreux du sexe.

10 juin 2010

Une des raisons majeures pour que Tanguy continue à rester debout malgré les très nombreuses déceptions intimes que la vie lui avait réservées tenait d'une part à l'adoration qu'il portait à ses deux enfants et d'autre part à la foi et à l'opiniâtreté absolues avec lesquelles il avait toujours envisagé son devenir professionnel. D'une certaine façon, vous auriez pu dire que l'Entreprise le sauvait d'une vie personnelle insatisfaisante. Son mariage virait au calvaire ; il multipliait les relations éphémères – voire carrément expéditives – avec des filles dont il n'avait rien à faire et qu'il finissait donc par mépriser ; il n'avait aucun ami et aucun désir réel d'en avoir ; sa rencontre avec ses copains d'autrefois l'avait même conforté dans la nécessité opposée en faisant émerger l'évidence – toute personnelle – que plus il vieillissait, plus il se déterminait par rapport à ses propres convictions, plus il devenait lui-même en quelque sorte, moins il lui paraissait aisé de communiquer avec l'extérieur et moins il lui semblait judicieux de se laisser aller à la moindre confidence d'envergure sur son état d'esprit. Un sentiment d'isolement et de repli sur soi qui mettait assez bien en lumière la façon dont son caractère était constitué. Tanguy était un fonceur solitaire. Depuis l'enfance, il avançait tête baissée dans la vie, ce qui, de toute évidence, n'était sûrement pas la manière la plus astucieuse pour disposer d'une vision claire de la complexité et de la réalité du monde. Mais c'était ainsi ; il était aiguillonné par le seul souci de réussir socialement, répondant par là non à son propre désir, mais à une sorte d'instinct primaire qui n'était autre que sa volonté inconsciente de se faire aimer et reconnaître par un père absent. C'était aussi, paradoxalement, l'un des principaux ingrédients qui contribuaient à alimenter ses angoisses et donc à le rendre vulnérable. Il avançait avec fièvre et obstination sans réellement savoir quel but il se devait d'atteindre, hormis celui de travailler toujours plus et de fournir toujours plus de résultats à l'Entreprise. Tanguy était demeuré l'inébranlable petit garçon travailleur dont le seul moteur résidait dans l'accumulation aveugle de succès et de bonnes notes. De fait, il déployait une énergie folle à se faire admirer par des gens qui n'avaient aucune idée – et souhaitaient surtout ne pas en avoir – de l'acharnement presque pathologique qu'il mettait en œuvre pour satisfaire leurs exigences. Certes, son boulot le faisait tenir debout, mais le prix à payer était incommensurable. Et Tanguy commençait à en être de plus en plus conscient.

Trois mois plus tôt, alors qu'il s'apprêtait à entamer sa journée de travail – qui consistait en tout premier lieu à appuyer sur la touche Start de son ordinateur portable –, Tanguy repéra, planqué parmi la centaine d'e-mails qui lui étaient destinés ce matin-là, un courrier en provenance du siège américain. Son objet était sobrement intitulé : «Restructuration», et son bref contenu, apparemment inoffensif, se concluait par cette phrase aux allures de cryptogramme :

«En conséquence de quoi, États-Unis : 17, Grande-Bretagne : 12, France : 9.»

Tanguy ressentit une tension désagréable de ses muscles dorsaux à la lecture de ce message qui n'avait pour lui rien de codé. Cette phrase discrète et anodine était une déclaration de guerre. Pour afficher la santé glorieuse de l'Entreprise aux yeux des établissements financiers et des actionnaires, pour prouver qu'elle était capable de produire plus avec moins de personnel – et du coup de faire encore plus de profit –, il allait devoir se séparer de neuf salariés. N'importe qui, c'était là l'astuce, absolument n'importe qui ferait l'affaire ; c'était à lui de se débrouiller pour qu'exactement neuf têtes tombent avant que ne soient publiés les résultats du deuxième trimestre.

Passé l'effarement initial – un léger affaissement mental qui ne dura que quelques courtes secondes –, Tanguy finit par digérer ce message avec le calme d'un mercenaire à la lecture de son prochain ordre de mission. Il n'aimait pas particulièrement liquider ses employés – il faisait en général le maximum pour se montrer bienveillant à leur égard –, mais si l'Entreprise lui enjoignait de le faire, si elle estimait qu'il n'y avait pas meilleure alternative, alors il tâcherait de s'y conformer sans arrière-pensée. Le plus compliqué allait suivre, mais il en avait l'habitude. Il allait devoir annoncer à neuf personnes la nécessité impérieuse de se séparer d'elles et, soit dénicher des raisons de le faire – quitte à les inventer –, soit négocier pendant de longues semaines pour parvenir à estimer au plus juste prix cette séparation. Il allait aussi devoir convaincre les partenaires sociaux du bien-fondé d'une telle décision et du bénéfice économique qu'elle revêtirait à court terme pour l'Entreprise et, par conséquent, pour l'ensemble de son salariat. Évidemment, il allait devoir mentir, comme chacun de ses interlocuteurs allait devoir le faire, avec ses propres armes et dans son propre registre. Un dialogue de sourds allait se mettre en place, un petit jeu de dupes où lui et tous ses contradicteurs feraient semblant d'avancer leurs pions dans une partie que chacun savait jouée d'avance. Et pour cause : personne n'avait le pouvoir légal d'empêcher une telle décision. Tout était donc une question de temps. C'était essentiellement contre un calendrier qu'il s'agissait de se battre. Tanguy allait s'engager dans une guerre de tranchées dont l'objectif principal était d'épuiser l'adversaire avant que lui-même ne vous ait épuisé.

Pour établir la liste des neuf personnes à éliminer, il avait joué la politique du moindre mal en termes d'équilibre des ressources humaines et d'efficacité maximale en termes budgétaires. Même si elle allait coûter énormément d'argent, l'opération devait cependant être le moins dispendieuse possible : liquider une secrétaire n'équivalait pas tout à fait à liquider, par exemple, un cadre dirigeant.

Des neuf prétendants à l'exclusion finalement retenus, huit dossiers étaient en bonne voie de résolution.

Pour deux des candidats, Tanguy avait opéré une campagne de dénigrement systématique de leurs compétences professionnelles en les humiliant

régulièrement au cours de réunions avec leurs collaborateurs, le but ultime étant de leur faire comprendre
publiquement, par des petites phrases bien senties et
dégradantes, qu'ils n'avaient plus rien à faire ni à espérer au sein de la boîte. Tanguy guettait la moindre
approximation de langage, le moindre retard dans le
rendu d'un dossier, la moindre maladresse dans une
négociation pour leur tomber sur le râble :

*Franchement, Bruno, comment tu peux oser dire des
conneries pareilles ?*

*Bruno, tu peux me dire pourquoi tu n'as pas bouclé ce
dossier comme je te l'avais demandé ?*

Tu veux savoir ce que j'en pense de ta slide
PowerPoint*, Bruno ? Eh bien, je pense que c'est du caca
et que tu te fous carrément de ma gueule.*

Etc.

Au bout de longues semaines de ce qui n'était autre
qu'un harcèlement moral insupportable, les deux
salariés avaient craqué et donné leur démission l'un
après l'autre, sans obtenir la moindre compensation
financière.

Trois autres avaient accepté de plus ou moins bon
gré des ruptures conventionnelles qui ne coûteraient
pas un centime.

Trois autres encore – les plus solides psychiquement et professionnellement – s'étaient vu proposer
des indemnités de départ qui avaient été farouchement
négociées par Tanguy, sa carte majeure en l'occurrence
étant encore, une fois de plus, celle du temps – qui
jouait nécessairement contre les salariés.

Seul le dernier, un directeur commercial d'une
trentaine d'années, avait ostensiblement manqué

de lucidité quant à l'avenir qu'on lui réservait. Tanguy avait progressivement réduit le périmètre de son job en le privant d'un, puis de deux, puis de trois de ses collaborateurs, en asséchant à l'extrême son porte-feuille clients, en l'excluant de manière systématique de toutes les réunions où il était précédemment invité, mais le type persistait à s'en tenir à une incompréhen-sion hagarde de la situation : il avait donc demandé un entretien avec Tanguy qui attendait calmement de cette confrontation que le fruit qu'il avait patiemment fait mûrir tombe enfin de sa branche directement dans sa paume grande ouverte.

Ludovic Gaillard portait vraiment mal son nom. C'était un grand blond rabougri et sans éclat qui, malgré son âge, souffrait d'une calvitie déjà bien consommée. Il s'avança vers le bureau de Tanguy avec un douloureux mélange de soumission, de colère muette et d'incompréhension. Sa tête, ses bras, tout son corps s'affaissait, comme accablé par le trop-plein de ces émotions contradictoires. Il était aussi visible qu'il n'avait pas bien dormi depuis un certain temps.

— Un café, Ludo ? proposa Tanguy avec entrain.

Ludovic secoua la tête d'un geste nerveux.

— Un Coke alors ? persévéra Tanguy.

— Non, non, rien, je t'assure.

Tanguy s'assit sans inviter son visiteur à faire de même, de sorte que Ludovic se sentit obligé de rester debout, ce qui eut pour effet de le déstabiliser encore un peu plus.

— Je ne comprends pas ce qui se passe, Tanguy, avoua-t-il enfin.

517

— Tu ne comprends pas quoi, Ludo ? dit Tanguy, un léger sourire aux lèvres, en appuyant confortablement son échine contre le cuir épais de son fauteuil de directeur général.

— Je ne comprends pas ce qui se passe, bordel. Tu m'as retiré quasiment tout mon staff. Tu as refilé mon budget Sephora à Julien. Tu me *by-passes* de tous les meetings importants. Alors je te le demande : qu'est-ce qui se passe ? dit-il de manière de plus en plus implorante.

Tanguy ne souhaita pas répondre, se contentant d'observer son subalterne s'enfoncer dans ce qui apparaissait comme une énorme déconvenue mentale.

— Tu n'es pas content de moi, c'est ça ? dit-il durement.

Le pauvre homme était partagé entre l'envie d'éclater en sanglots et celle de sauter à la gorge de son supérieur. Tanguy laissa encore passer quelques secondes horriblement pesantes.

— Assieds-toi, bon sang, dit-il brutalement.

Ludovic s'exécuta, tandis que Tanguy ouvrait un mince dossier à la couverture colorée et en sortait une feuille où des informations dactylographiées s'obscurcissaient de nombreuses annotations.

— J'ai ici ton évaluation de février dernier, Ludo. Tu sais ce qu'elle contient n'est-ce pas ?

Ludo continua de le fixer.

— Ton n+1 a estimé que ta performance était entre *low* et *medium* et que ton potentiel était de 1. Ce qui ne devrait pas être un scoop pour toi puisque cette évaluation, vous l'avez faite ensemble.

L'homme le fixa un moment puis baissa les yeux, en s'efforçant de mobiliser tout son pouvoir de concentration – qui avait sacrément pris du plomb dans l'aile depuis quelque temps – pour apporter une interprétation rationnelle à cette pénible vérité.

Dans l'Entreprise, on évaluait le niveau de performance, c'est-à-dire ce que le salarié délivrait comme résultats, suivant quatre niveaux : *low*, *medium*, *strong* ou *top*. Le potentiel, un chiffre de 1 à 4, reflétait, lui, sa capacité à évoluer et à grimper dans les échelons hiérarchiques. Au niveau 1, le salarié était à sa place et avait peu de chances de prendre du galon. C'était juste un bon petit soldat qui devait, grosso modo, se contenter de son sort. Au niveau 2, il avait la possibilité d'enrichir le contenu de son job et de se voir proposer d'autres responsabilités, sans pour cela se hausser au niveau hiérarchique supérieur. Un salarie noté 3 pouvait évoluer d'un cran. Noté 4, il pouvait progresser de deux niveaux. Chaque salarié, même Tanguy, était constamment évalué par son supérieur direct – son n+1 – suivant cette même grille d'évaluation et selon des critères qui se voulaient objectifs et qui reposaient pour l'essentiel sur ses qualités de manager au sein de son équipe, sur la justesse de son jugement, sur sa « hauteur de vue », c'est-à-dire sa capacité à évaluer une situation le plus rapidement possible en proposant une analyse circonstanciée ainsi que la bonne décision qui allait avec.

— Le marché est très dur depuis l'année dernière, tu le sais mieux que personne.

— Par pitié, ne me parle pas de cette putain de crise, Ludovic. Explique-moi plutôt pourquoi Julien, qui a quasiment le même portefeuille que toi, affiche, lui, une excellente performance.

— Mes clients ont déstocké en masse et...

— Ludo, dit Tanguy sans lui laisser la chance de s'expliquer. J'ai discuté avec tes clients de Sephora.

— Tu as discuté avec *MES* clients ?

Tanguy le regarda avec une intensité de chef. Une idée brillante, sortie du fin fond d'une discussion avec Camille, son directeur marketing, illumina son cerveau. L'équivalent managérial de l'eurêka archimédien.

— Tu n'as pas la fibre, Ludo.

— Pas la fibre de quoi ?

— Du luxe.

— Qu'est-ce que tu racontes ?

— Tu ne sais pas vendre du luxe. Et pour ce qui me concerne, tu ne sais pas vendre du parfum. Un parfum, Ludo, ce n'est pas un produit comme un autre. D'ailleurs un parfum, ce n'est pas un produit tout court. Un parfum c'est un imaginaire, c'est un fantasme. Un parfum ça doit faire rêver, point. On n'est pas que des marchands empêtrés dans leur business.

Il eut un mouvement ample de la main, comme s'il dessinait une comète dans un ciel argenté.

— Ici, on vend du rêve, Ludo.

Puis il fixa son interlocuteur.

— Et toi, je suis désolé, mais tu ne sais pas faire rêver. C'est pour ça que tes éval sont foireuses et que tu merdes chez Sephora.

— Tu crois vraiment que les gens de Sephora sont là pour rêver ? Putain, Tanguy !

— Oui, même les ploucs de Sephora ont besoin de voir briller des étoiles dans leurs foutues pupilles.

Il ajouta, méchamment :

— Et Julien sait très bien faire ça, lui.

Tanguy referma le dossier coloré.

— Franchement, Ludovic, tu serais mille fois mieux ailleurs, je te promets. Tu as un potentiel énorme, c'est bien pour cela que je t'ai recruté, mais pas ici. Désolé, mea culpa, mais je me suis gouré. Va au *food*, ils ont besoin de gens comme toi là-bas.

— J'en viens, du *food*, Tanguy.

Tanguy eut un infime froncement de sourcils. Il avait oublié.

Puis, très bas :

— Tu n'as plus ta place ici, mon vieux.

Il se leva, contourna son grand bureau et s'autorisa à poser une main amicale sur l'épaule de Ludovic. Alors il porta l'estocade :

— Franchement, j'ai essayé de te sauver, Ludo. Mais crois-moi, il n'y a plus rien à faire. Tout ça, ça vient d'en haut. Moi..., dit-il en portant doucement sa main à l'endroit du cœur.

Il ne termina pas sa phrase.

Ludovic fixa ses pieds. Tanguy regarda sa montre.

— Ludo, j'ai ta dém sur mon bureau lundi matin, OK ? dit-il doucement, comme on parle à un enfant hyperactif qui se serait montré un peu trop chahuteur en classe.

Il attrapa sa veste et sortit précipitamment, abandonnant le salarié à son délabrement intérieur.

Tanguy enclencha la clef de son Audi. L'engin se mit à glisser silencieusement sur le bitume luisant du parking pour se retrouver, cinq kilomètres plus loin, à l'entrée du périphérique intérieur. Comme il fallait s'y attendre – il était 19 heures –, il était complètement inaccessible. Très haut vers l'ouest, le soleil formait une grosse boule effervescente qui chauffait à blanc la tôle du véhicule. Tanguy effleura d'un doigt une touche du tableau de bord digital, déclenchant la mise en route du système de climatisation puis il effleura une autre touche. Une chanson sirupeuse, aux accents californiens, s'éleva. *I Need a Dollar* d'Aloe Blacc. Tanguy fronça les sourcils. Devant lui, sur la bretelle d'accès, une longue procession de véhicules progressait, centimètre par centimètre, vers ce qu'on ne pouvait décrire autrement que comme un fichu merdier. Des pointillés lumineux orange indiquaient : porte de Saint-Cloud ; 45 minutes. Tanguy avait en horreur les embouteillages qui, au-delà du désagrément qu'ils engendraient, le ramenaient, lui, par un étrange raccourci de la pensée, à la vulnérabilité de sa condition d'être humain. Sans doute était-il déjà trop contraint le reste du temps pour supporter la moindre obligation supplémentaire. Il tourna la tête vers son voisin, qui le gratifia d'un petit air de désolation complice. Comme lui, l'homme portait cravate en soie sur chemise blanche. Comme lui, il conduisait une Audi. D'ailleurs, combien étaient-ils, à cette heure-là, entre la porte de Champerret et la porte d'Auteuil, à afficher le même costume, la même cravate Hermès, la même chemise *business* aux coutures anglaises extra-plates, à piloter le même SUV sorti des mêmes usines allemandes ou suédoises ? Tanguy se sentit emprisonné par cette marque de reconnaissance qui l'incluait dans un monde auquel il refusait d'appartenir.

En réalité, il ne tarda pas à réaliser qu'il était d'une humeur de chien.

Virer Ludo, et de cette façon, avait été un sale moment. Contrairement à ce que l'on aurait pu penser, et même s'il y excellait, Tanguy n'appréciait pas particulièrement le petit jeu de massacre que l'Entreprise l'engageait à jouer. Il y avait toujours une part de lui-même qui trouvait désastreux d'humilier des gens qui ne le méritaient pas – en tout cas pas de cette façon-là – et dérangeant de se débarrasser de collaborateurs dont il avait chanté les louanges quelque temps plus tôt. Ce scrupule qui s'expliquait très certainement par la façon dont il avait été éduqué par sa mère, dont elle lui avait appris à respecter le genre humain, s'effaçait désormais devant une nécessité qu'il tâchait de ne jamais remettre en question, mais ce reliquat intime de sa vie antérieure lui revenait parfois comme une bouffée d'air sauvage quand il s'y attendait le moins ou, disons, quand il se mettait à réfléchir un peu.

Dans ses deux vies – privée et professionnelle – Tanguy s'était coulé dans le moule commode mais exigeant du mensonge. Au fil des ans, au fur et à mesure qu'il progressait dans l'Entreprise et dans son mariage avec Beverly, ses mensonges étaient devenus de plus en plus éhontés et de plus en plus lourds à porter.

Il avait ce jour-là menti à Ludovic comme la veille il avait menti à sa garde rapprochée en lui affirmant que l'objectif – +10 % de chiffre d'affaires et +1,3 % de profit – réclamé par sa hiérarchie était parfaitement atteignable alors qu'il savait pertinemment qu'il ne l'était pas du tout, qu'il était même humainement et économiquement impossible qu'il le soit. Il avait menti en lui affirmant qu'il était d'une importance capitale pour la survie de l'Entreprise de couper encore dans leurs moyens, de restructurer leurs équipes, de réduire leurs coûts de développement, d'amender une fois de plus leurs frais de structure. Lui-même n'avait-il pas reçu une telle injonction de la part de son supérieur hiérarchique direct ? C'était ça le jeu. Tanguy recevait de son boss un objectif supérieur à celui que son boss avait reçu. Tanguy fixait en retour un objectif supérieur à ses plus proches collaborateurs, qui eux-mêmes suivaient son exemple vis-à-vis de leur staff, et ainsi de suite. L'objectif grossissait à chaque échelon subalterne de la hiérarchie, et plus on descendait dans les niveaux, plus les demandes étaient irréalistes et plus les mensonges pleuvaient. L'idée était précisément de fixer des *targets* inaccessibles aux équipes afin qu'elles atteignent un minima qu'elles n'auraient jamais obtenu sans ce coup de fouet. Comme le montant des primes de fin d'année était directement indexé sur votre performance et donc sur votre capacité à tenir ces fameux objectifs, il était clair qu'avec ce jeu de mikado organisationnel, seuls les plus hauts placés dans la hiérarchie avaient une chance d'empocher la totalité de leur prime au bout du compte. Alors, tout le monde faisait semblant d'y croire, parce que si vous ne vous efforciez pas d'y croire – même un petit peu –, vous étiez vite gagné par un irrépressible sentiment de déprime, et c'était le fondement même de la vie communautaire de l'Entreprise qui aurait alors menacé de voler en éclats.

Camille, son directeur marketing, était réellement le seul à lui poser problème dans ce domaine particulier.

— Tanguy, tu me mets dans une situation intenable. Comment je peux être créatif et couper encore dans mes budgets ?

Tanguy aurait bien aimé dire à Camille qu'en l'occurrence il ne s'agissait pas d'être créatif mais d'être malin ; qu'au fond, ce qu'on attendait de lui, ce n'était pas tellement de briller par des produits exceptionnels – certainement à haut potentiel mais aussi à haut risque – mais uniquement d'être rentable. Il s'en abstint.

— Camille, est-ce que tu connais une seule boîte qui est prête à faire moins de profit ? Le profit c'est ce qui nous fait non seulement vivre, mais aussi avancer. Si on ne progressait pas comme on le fait, cela fait longtemps qu'on se serait fait bouffer par de plus gros qui pratiquent des marges encore plus délirantes. Voilà, c'est ça le topo, dit Tanguy de manière affirmative.

Camille se tut pendant quelques secondes en fixant sévèrement Tanguy, puis :

— Tu veux que je te dise ? Avec ce genre de raisonnement, on finit par n'avoir que du mépris pour le conso. On n'investit plus assez, on lui balance des trucs à moitié bouclés. La seule chose qui nous intéresse c'est qu'il achète à court terme.

Il fut traversé par un sentiment de dégoût qui se traduisit sur son visage par une inflexion marquée de sa lèvre inférieure.

— Acheter, acheter, acheter... Mais combien de temps les gens vont-ils avoir envie d'acheter des produits qui sont de plus en plus merdiques ? On tue la poule aux œufs d'or, voilà exactement ce qu'on est en train de faire.

— C'est quoi la solution, à ton avis ? répliqua Tanguy. Tu le sais aussi bien que moi. Si on fait moins de chiffre, personne ne va plus avoir envie d'investir dans cette boîte. Résultat, on aura encore moins d'argent pour faire les choses. Ça s'appelle un piège à cons, mon gars.

Camille se leva de sa chaise, furibond, appuya ses deux mains contre le bois verni du bureau, puis se mit à toiser son patron dans une attitude qui renvoyait à la posture dominant/dominé classique.

— Quand la seule chose qu'on cherche à faire c'est d'améliorer le chiffre d'affaires de 10 % par an et la rentabilité de 2 %, on n'est plus une entreprise industrielle, on est encore moins une entreprise de luxe, on est juste un établissement financier.

Tanguy s'enfonça dans son fauteuil. Il eut un sourire condescendant destiné à montrer à l'homme du marketing que lui, l'homme des chiffres, savait de quoi il retournait.

— Tu parles de business, Tanguy ? Mais ici, on fait juste de la spéculation, pas autre chose, ajouta Camille, sur un ton sincèrement désolé, avant de quitter les lieux.

Le pire, se dit Tanguy, était que Camille avait parfaitement raison. Non, le pire c'était qu'au fond de lui il finissait par ressentir la même aigreur et que, contrairement à son directeur marketing, lui n'avait personne contre qui la retourner.

À 19 h 30, Tanguy était toujours bloqué dans un enfer de ferraille, aux environs de la porte Maillot. Il s'efforçait de regarder de côté pour éviter d'avoir à n'affronter aucun regard ami. Son BlackBerry résonna en même temps que s'affichait le nom de Beverly. Il réfléchit quelques secondes à l'opportunité de répondre à cet appel puis, prenant son courage à deux mains, il activa la touche Bluetooth de son portable et affirma à son épouse, sur un ton raisonnablement affolé, qu'il était encore en réunion pour au moins trois ou quatre bonnes heures, qu'il était donc plus prudent qu'elle se rende seule au dîner chez leurs amis – *ses* amis, rectifia-t-il aussitôt mentalement – et qu'il en était franchement, mais très franchement désolé. Beverly ne le crut probablement pas. Sa réponse – *I understand, my dear* – avait rarement été aussi peu convaincante : cela faisait beaucoup trop de jeudis consécutifs que Tanguy se payait le luxe de louper des dîners en ville ou en famille sur le dos de ses réunions tardives. En raccrochant, il se demanda combien de temps encore cette mascarade allait se prolonger avant que n'explose la carapace de cette femme si fermement corsetée par toutes sortes de convenances sociales. Depuis quelque temps, il se donnait l'impression d'être dépassé par le cours des choses, de ne même plus désirer sauver ce qu'il restait encore à sauver, de s'enfoncer sans joie ni remords ni tristesse dans un naufrage sentimental certain en se contentant d'observer et d'attendre – d'attendre quoi, d'ailleurs ? Oui, Tanguy passait son temps à mentir et cette pensée, qui en d'autres lieux aurait pu le faire sourire, lui parut à cet instant insupportable.

Il appuya longuement sur une touche de son BlackBerry et la lumière de l'écran s'éteignit. Désormais, il était injoignable.

Comme tous les jeudis depuis maintenant six mois, il allait rejoindre Adèle – la presque jolie chef de pub – qui, comme son instinct de mâle l'avait très justement détecté, n'avait pas mis longtemps à céder à ses avances. Le coup de grâce – s'il faut l'appeler ainsi – fut porté à l'issue d'une réunion elle aussi brillante de contre-vérités et de faux-semblants.

— Je suis allé voir votre fameux Benoît Messager le week-end dernier, avait annoncé Tanguy d'une façon volontairement détachée, alors que tous débattaient encore avec véhémence de la possibilité que le photographe leur échappe.

Évidemment, toutes les pupilles s'écarquillèrent.

— Toi, tu es allé voir Benoît Messager ? s'inquiéta Camille.

— Il fallait bien le faire, non ? D'ailleurs, en y réfléchissant, il valait mieux que ce soit moi qui m'en charge. Entre nous soit dit, il est particulièrement remonté contre les agences.

— Il est remonté contre nous ? dit le directeur de création en s'étranglant presque.

— Je t'en prie, ne joue pas le parano, Thomas. J'ai dit contre LES agences. Pas contre TON agence.

— Vous l'avez convaincu ? dit Adèle d'une voix encore plus aimable que sa nature fondamentalement aimable ne la portait à le faire.

Tanguy se tourna vers elle, notant au passage et d'un coup d'œil d'expert, l'étendue du mystère qui se développait sous son T-shirt moulant.

— Vous savez, Adèle, commença-t-il humblement, je me suis contenté de lui expliquer avec mes mots à moi ce qu'on voulait de lui. Il avait juste besoin de termes simples pour être convaincu. Ce type a beau être un génie du déclencheur, il est resté profondément terrien. Ce n'est pas pour critiquer mais je crois que les discours de pub le gonflent au plus haut point. Imaginez, ce mec vit dans une ferme, dans un bled paumé au milieu des vaches. Il n'en a rien à battre de nos logorrhées marketing.

Il se tourna vers son directeur marketing.

— Excuse-moi, Camille, ce n'était évidemment pas pour t'offenser.

Camille tenait enfin la campagne dont il avait rêvé ; il s'en fichait à présent de tous les coups bas que pouvait lui porter Tanguy.

— Oh... mais c'est formidable ! dit Adèle.

Ses deux joues pleines étaient rosies par l'excitation.

— *Vous* êtes formidable ! reformula-t-elle, sur un ton particulièrement engageant.

À cette phrase, un stimulus électrique d'une intensité élevée sur son échelle de Richter personnelle vrilla l'entrejambe de Tanguy.

On l'aura déjà noté, depuis l'adolescence le sexe représentait pour Tanguy le moyen le plus adéquat pour s'émanciper de ses angoisses et de ses égarements intérieurs. C'était ainsi qu'en temps normal il s'adonnait deux à trois fois par jour au plaisir sommaire et précipité de la masturbation. Ce chiffre pouvait monter jusqu'à six ou sept en cas de stress particulièrement persistant ou de misère affective prolongée ; un onanisme à répétition qui était devenu tout aussi machinal et hygiénique que le simple fait de se laver les mains avant les repas ou de se brosser les dents matin et soir.

Cet exercice, qui avait fini par se confondre avec un rituel, il s'y soumettait parfois de bonne grâce, sans vraiment de plaisir, comme à une tâche nécessaire à expédier. La plupart du temps cependant, il constituait l'une des rares situations où Tanguy pouvait, en un minimum de temps et pour un résultat généralement assez satisfaisant, associer le plus efficacement extase, isolement et flirt avec l'interdit. En outre, en termes de performance, une bonne branlette offrait souvent un bien meilleur rapport rapidité/efficacité que n'importe quelle relation extraconjugale, la phase purement active et gratifiante de celle-ci ne méritant en général pas le temps dédié aux phases pré et post-liminaires qui étaient souvent d'un ennui confondant.

Avec Adèle les choses étaient différentes. Ce qui n'était au départ qu'un défouloir sexuel pour les deux intéressés avait pris en quelques mois des allures de liaison, bien que l'un et l'autre vous eussent affirmé que tel n'était pas le cas, qu'absolument aucun affect ne venait entraver le bon déroulement de leur gymnastique hebdomadaire, qu'ils se contentaient de s'envoyer en l'air, point final. Adèle n'était prête ni à se mettre en ménage, comme elle disait souvent, ni surtout à avoir des enfants. À vingt-cinq ans, dégoter un homme de plus de vingt ans son aîné, de surcroît marié et père de deux gamins en bas âge, était l'assurance que rien de sérieux ne pouvait logiquement se passer et que l'essentiel de son temps disponible – extrêmement variable de par sa mission au sein de l'agence – pouvait entièrement être dédié à sa famille ou à ses nombreux amis puisque ses besoins primaires en matière de sexe étaient par ailleurs amplement satisfaits. Tanguy, de son côté, était trop fortement obnubilé par la logique désastreuse de son mariage pour désirer s'encombrer d'une logique alternative dont il craignait plus que tout les débordements et les inévitables complications. Sa relation avec Adèle lui plaisait mais l'idée qu'elle puisse effectivement dégénérer en liaison le paniquait, comme un naufragé se trouve à la fois soulagé de trouver refuge dans les terres inconnues qu'il vient d'aborder et terrorisé par les dangers qu'elles recèlent. Libres, indépendants, sans attaches, voilà ce qu'ils voulaient être, de sorte qu'il paraissait évident que l'un et l'autre étaient en train de passer à côté de ce qui aurait pu leur procurer un bonheur simple. Mais sans doute refusaient-ils d'accepter que le bonheur – et l'existence, d'une manière générale – puisse aller de soi. Ils réclamaient un bonheur agité, irrégulier, chaotique et, dans le cas d'Adèle, anticonformiste, voire antibourgeois. Un bonheur qui leur donnerait la sensation merveilleuse de jouir pleinement des choses, de tricher contre la vie dans une partie de poker endiablée, où aucun des deux joueurs ne semblait envisager qu'il ne puisse y avoir que des perdants.

Et pourtant.

Au bout de quelques mois de cet arrangement qui ne devait présenter que des avantages pour les deux parties, Adèle commença à montrer des signes d'essoufflement. Sans rien oser en dire à son amant, elle supporta de moins en moins de n'échanger avec lui que sur un mode purement sportif et qu'il la quitte dès que les diverses représentations de ce mode avaient été épuisées. Elle aurait voulu discuter avec Tanguy, le connaître un peu mieux, qu'ils partagent leurs passions et, pourquoi pas, passer enfin une nuit entière à ses côtés.

À plus de 20 heures, Tanguy monta joyeusement et quatre à quatre les escaliers qui le conduiraient, quelques secondes plus tard, au palier du cinquième étage où Adèle occupait un deux-pièces avec vue désolante sur le non moins désolant boulevard de la Reine, au cœur de la ville de Boulogne-Billancourt. Au troisième coup de sonnette, la porte d'entrée s'ouvrit sur une Adèle assez insatisfaite du retard avec lequel il arrivait. Tanguy n'avait pas dit un seul mot qu'il se jeta sur elle furieusement, en focalisant ses mains et toute son attention sur le déboutonnage de son chemisier ivoire dont la topographie intime n'avait désormais pour lui plus aucun mystère.

— Attends, lui dit-elle en reculant d'un pas.

Tanguy s'arrêta dans son geste, décontenancé.

— On va prendre un verre d'abord, dit-elle calmement.

Puis elle ajouta :

— Comme des gens civilisés.

— Un verre, Adèle ? Mais je ne suis pas venu pour être civil. Je suis venu pour te niquer.

Il entoura ses deux bras autour de sa taille et, des deux mains, lui tripota les fesses.

— Je suis venu pour te défoncer la rondelle, ma jolie.

Elle recula encore d'un pas. Privés de leur proie, les bras de Tanguy se mirent à ballotter de façon imbécile de chaque côté de son corps. C'était devenu un jeu entre eux, cette joute verbale érotico-vulgaire supposée offrir une entrée en matière pimentée à leurs ébats. D'habitude Adèle s'y adonnait de bon cœur et renchérissait même en trivialité. Aujourd'hui, elle ne semblait pas y trouver son compte. Elle avait même l'air affolée que Tanguy puisse s'exprimer de la sorte.

— Arrête !

— Quoi, arrête ?

— Arrête de me parler comme ça.

Tanguy recula machinalement, alarmé, avant de pouvoir finalement articuler :

— Adèle, tu peux me dire ce qui se passe ?

Et il sentit que sa question allait l'entraîner sur un terrain qu'il n'avait pas, mais pas du tout envie d'aborder ici, maintenant, jamais.

— C'est ce que je suis pour toi ? Un trou ? Un simple trou ? demanda-t-elle, implorante.

Tanguy poussa un long soupir de désespérance attendrie tandis que son cerveau lui lançait des petits signaux de détresse destinés à éveiller sa vigilance sur la manière dont les choses étaient en train de tourner avec cette fille.

— Adèle, je t'en prie…, dit-il d'une voix sévère.

Adèle se sentit prise à son propre piège. Alors, parce que ce qu'elle avait vraiment envie de dire lui parut soudain trop lourd et surtout beaucoup trop ambitieux, elle se contenta d'éclater d'un rire qui dégénéra en gloussements impubères. Puis :

— OK, vas-y, défonce-moi.

— Tu es sûre ? dit-il, à moitié rassuré. Il y a deux secondes, tu avais l'air de vouloir exactement le contraire, osa-t-il.

Elle porta son index à ses lèvres pour l'engager à ne plus dire un mot puis elle s'avança, se colla contre lui et manipula avec aisance la boucle métallique de sa ceinture.

— Je veux que tu me défonces, mon amour, lui susurra-t-elle à l'oreille.

Ce fut très exactement ce que Tanguy s'ingénia à faire pendant les deux heures qui suivirent.

La coutume voulait qu'une fois la chose faite, ils s'endorment dans les bras l'un de l'autre jusqu'à ce que l'alarme de l'iPhone d'Adèle retentisse sur le coup de 23 heures. Il était 4 heures du matin lorsque Tanguy fut brusquement réveillé par la conscience d'un danger prégnant.

— L'alarme, Adèle ! Putain, tu as oublié l'alarme, hurla-t-il en fixant le cadran de sa montre avec des yeux de fou.

Adèle grommela, joua l'endormie et tenta de se lover contre lui tandis que Tanguy se débattait pour atteindre ses affaires qui se trouvaient éparpillées tout autour du lit. Il s'habilla en catastrophe sans un seul regard pour sa maîtresse qui, de toute manière, s'évertuait à dissimuler son visage dans les profondeurs de la couette en prononçant une série de « désolée » étouffés. Les gestes de Tanguy étaient précipités et le blanc de ses yeux marqué de minuscules striures carmin nées de la colère et de l'épuisement. Devant le miroir de la minuscule salle de bains, il ébouriffa ses cheveux, les rassembla dans l'autre sens. Rien n'allait. De toute façon, maintenant plus rien ne pourrait aller, se surprit-il à penser ; alors pourquoi s'acharner sur sa coiffure ? Son visage exprimait l'affolement. Comme il haïssait cette garce de lui avoir joué ce tour de cochon. Parce que c'était bien de cela qu'il s'agissait. Il ne voulait pas gaspiller son temps à en discuter avec elle mais il paraissait clair que c'était par pure malice qu'elle avait omis de déclencher l'alarme. Quelques minutes plus tard, il claquait la porte du deux-pièces et dévalait les escaliers avec autant de hargne qu'il avait eu d'empressement à les gravir huit heures plus tôt. Il rejoignit son Audi, qu'il avait garée en catastrophe dans une ruelle adjacente, sur une place réservée aux personnes handicapées et dont le pare-brise affichait une contravention de 135 euros. De rage, il arracha le P-V du balai de plastique et le déchira en deux. Au passage, il poussa un cri féroce, inhumain, sorti sauvagement du fond des entrailles, qui exprimait toute la violence du ressentiment qu'il éprouvait à cet instant à l'idée des explications qu'il allait devoir fournir à son épouse.

Jamais encore il n'avait découché. Être rentré avant minuit constituait l'un des nombreux arrangements tacites qui délimitaient le vaste territoire d'indulgence que Beverly avait circonscrit pour lui. Elle l'attendait dans le salon, confortablement assise dans un large fauteuil de velours. Ses coudes opposaient une pression légère aux accoudoirs, si bien que ses avant-bras et ses mains pendaient délicatement dans le vide avec une infime agitation des doigts, un imperceptible frémissement des phalanges, qui contrastait avec l'immobilité parfaite du reste du corps. La lumière d'un lampadaire l'éclairait à contre-jour en dessinant un halo doré autour de sa crinière brune et épaisse. Elle paraissait impassible. Royale. Ses yeux étaient d'une

fixité surprenante et rivés sur les images d'un téléviseur qui diffusait un documentaire animalier d'une
bestialité singulière, où une meute de lions filmés au
ralenti s'acharnait sur un zébu à moitié déchiqueté.
Le son était coupé. Un silence étrange, constitué de
vibrations sourdes et inquiétantes, alourdissait l'atmosphère. Beverly tourna légèrement la tête quand
Tanguy se présenta dans l'embrasure de la porte
à double battant. Son visage n'exprimait aucune
colère, à peine y lisait-on un vague mépris. Elle portait un short de satin rouge écarlate et un T-shirt blanc
qui lui moulait les seins de manière intéressante, en
sculptant deux petites proéminences dures et exci-
tantes au niveau des tétons. Ses longues jambes, nues
et blanches, étaient croisées l'une contre l'autre au
niveau des chevilles. La première pensée de Tanguy
fut qu'elle était incroyablement belle et sexy, et il eut
presque envie de la baiser sur-le-champ, bien qu'à cet
instant quelque chose d'éminemment plus poisseux
occupât son esprit et éliminât de fait cette éventualité
par ailleurs réjouissante. Beverly repéra quelque chose
d'étrange et d'inhabituel dans le regard de son mari ;
elle se mit à l'observer avec de grands yeux étonnés.
Aussitôt, le visage de Tanguy s'affaissa et une vague
d'indignation le terrassa. Ses terminaisons nerveuses
furent assaillies de picotements horriblement cuisants
qui le ramenèrent à une deuxième pensée : et s'il était
en train de foutre en l'air le bonheur que Beverly
avait consciencieusement aménagé pendant tout ce
temps ? Son corps se crispa dans un mouvement nerveux et, pendant un court instant, sa bouche se tordit
de douleur et de honte. Le visage de Beverly s'ouvrit

peu à peu et elle lui adressa un sourire fébrile qui ne parvenait pas à dissimuler son désarroi et sa propre souffrance. Brutalement, il se détesta de pourrir la vie de cette femme si belle, si aimante, si douce, si compréhensive. Il détesta ses mensonges, ses agissements immatures avec une fille dont il aurait pu être le père, tous les petits arrangements dont il s'accommodait et qui, à cet instant, lui parurent encore plus exorbitants que ceux dont il reprochait à Beverly de s'accommoder. Elle, au moins, s'attachait à donner du sens à la fragile réalité de leur couple. Quel sens donnait-il, lui, aux choses, à la vie, à ses actes ? Quel but avait-il, sinon celui de détruire ce qui lui faisait le plus de bien ? Il eut soudain envie de se jeter dans les bras de sa femme et de la serrer longuement contre lui. Alors il s'avança en tâchant de respirer le plus calmement possible, puis il s'arrêta. Ils se regardèrent sans un mot. Les comportements de fuite, d'évitement et d'acceptation muette qu'ils avaient adoptés jusque-là visaient précisément à ce que ce type de confrontation n'ait jamais lieu. L'un et l'autre paraissaient perdus, empêtrés dans une gêne dont ils n'arrivaient pas à s'extraire et qui interdisait tout rapprochement des corps.

— Je suis... je suis... désolé, dit Tanguy.

Il y avait dans son ton, dans son attitude une telle détresse que Beverly se décida à quitter son trône de velours et à se lever enfin. Elle s'approcha de son mari à une distance raisonnable.

— J'ai essayé de te joindre toute la soirée, dit-elle.

Tanguy se souvint qu'il avait éteint son BlackBerry juste après lui avoir parlé.

— J'avais... J'avais éteint mon portable, dit-il.

Il fit une grimace destinée à incarner la stupidité de sa réponse.

— Ancha a appelé ici au moins trois fois, dit-elle.

Anne-Charlotte Lévrier – dite Ancha – était la responsable des relations publiques de l'Entreprise.

Puis :

— Elle avait l'air angoissée.

Tanguy eut le pressentiment qu'un événement majeur venait de se produire. La très protocolaire Ancha ne se serait jamais autorisé à le déranger chez lui sans raison. Il sortit vivement son portable de la poche de son pantalon et le ralluma. Il y avait effectivement un nombre impressionnant de messages en attente. Il écouta le premier d'entre eux, qui remontait à 21 h 22.

— *Tanguy, c'est Ancha... Il est arrivé un truc atroce... Ludovic Gaillard vient de se jeter par la fenêtre de son bureau... C'est le bordel, Tanguy, le vrai bordel, je t'assure. Les flics sont là, les pompiers sont là... Il faut qu'on fasse quelque chose... Rappelle-moi vite, je t'en supplie...*

Tanguy se mit à trembler. Pendant quelques secondes, ce fut comme si une faille jusque-là imperceptible s'ouvrait brutalement et l'entraînait dans des profondeurs abyssales. Pendant tout le temps de cette violente descente aux Enfers, une image s'accrocha irrépressiblement à ses yeux, tel un odieux cauchemar vivant : il se voyait à poil, enfourchant Adèle, haletant, dégoulinant de sueur, tandis qu'à seulement quelques pas de lui Ludovic Gaillard, le visage fermé, l'observait en tournant lentement la poignée de la fenêtre puis se mettait à enjamber la fine balustrade qui le séparait du vide. Tanguy ne prêtait pas attention à lui, son souffle s'accélérait de plus en plus et bientôt il jouissait dans le ventre de sa maîtresse alors qu'un cri rauque sortait de sa gorge, un cri si bestial qu'il couvrait le bruit sombre et mat du corps de Ludovic Gaillard qui s'écrasait sept étages plus bas. Voilà exactement ce qui s'était passé. Pendant que lui hurlait sauvagement sa jouissance, le type qu'il avait salement condamné, liquidé pour les beaux yeux de l'Entreprise et sa putain de performance, se foutait en l'air.

Tanguy relâcha son bras et ses doigts, accrochés au portable, se décrispèrent. Le BlackBerry tomba sur le plancher dans un bruit sourd et un léger fracas de verre causé par l'explosion de son écran. Tanguy fit beaucoup d'efforts pour ne pas tomber à son tour, avec le même résultat et peut-être le même bruit. Beverly se précipita sur lui. Incapable du moindre geste et de la moindre parole, il posa sa tête contre la nuque chaude de son épouse, puis éclata en sanglots, dans ce qui apparaissait comme une série de longues plaintes étouffées, un chant macabre d'une tristesse à vous glacer le sang.

La nouvelle de l'événement se propagea comme une traînée de poudre. Dès les premières heures du jour, les télévisions nationales, ainsi que de très nombreux correspondants de télévisions étrangères, prirent d'assaut le siège social de l'Entreprise – dont l'accès dut être fermement protégé par un cordon de gardes mobiles – ainsi que la maison de Saint-Cloud où vivaient les Caron. Tanguy et sa petite famille furent contraints de trouver refuge dans un endroit gardé secret, un appartement qui servait à dépanner les visiteurs étrangers de passage et qu'Ancha avait réquisitionné pour l'occasion. La presse écrite, les journaux télévisés, les réseaux sociaux, les blogs, toutes les plateformes médiatiques s'emparèrent avec avidité de ce qui se présenta rapidement comme une «tragédie sociétale majeure». Ce fut l'occasion d'un battage ininterrompu où chacun s'acharnait à recueillir la moindre confidence, le plus petit témoignage qui tendait à accréditer la thèse qu'un insupportable harcèlement moral de l'Entreprise avait abouti au suicide de l'un de ses salariés. Les journalistes utilisaient les moyens les plus farfelus et les plus illégaux pour obtenir des informations le plus souvent confondantes de vacuité. Ainsi, un reporter d'un hebdomadaire à sensation, dont l'audace et l'inventivité n'avaient d'égal que sa monstrueuse ambition de casser du patron et de flatter les goûts morbides de ses milliers de lecteurs, avait réussi à se faire passer pour un livreur de pizzas et à filmer en caméra cachée le bureau désormais désert de Ludovic Gaillard, avant de se faire éjecter manu militari par les services de sécurité. L'image volée d'un bureau vide – semblable à tous les autres bureaux vides de toutes les entreprises du monde, et donc dépourvu du moindre intérêt documentaire – avait ainsi circulé en boucle sur les écrans des chaînes nationales et sur la Toile pendant plusieurs jours. On traquait les salariés, les fournisseurs, les voisins pour tenter de récupérer des bribes d'informations parfaitement inégales en termes d'objectivité et de densité journalistique et de trouver une explication plausible à ce geste d'une radicalité inquiétante. Sur les écrans, à la radio, des sociologues de tous horizons débattaient de l'enjeu fondamental qui se cristallisait autour de cette tragédie : la souffrance au travail et les conséquences indéniables sur les pulsions mortifères qu'elle pouvait entraîner. Un chercheur spécialisé dans la psychanalyse managériale opposait le suicide égoïste, motivé par des raisons psychiques personnelles au suicide altruiste de Ludovic où prévalait à ses yeux « l'intentionnalité de se sacrifier pour une cause plus large que ses intérêts particuliers. L'individu, incapable d'assurer sa survie mentale, aspirait alors à se dépouiller de son être personnel pour s'abîmer dans quelque chose qui le dépassait, son suicide étant à considérer comme un don à une communauté imaginaire : tous ceux qui, comme lui, étaient les victimes d'un système dégradant ». Ludovic ne tarda donc pas à être promu « victime sublime de l'hypermodernité » tandis que Tanguy était dépeint comme un *killer* asocial. Un psychiatre renommé, grand habitué des débats télévisuels, lui prêtait une structure inconsciente probablement névrotique, en tout état de cause proche de l'obsessionnel, tandis que d'autres voyaient en lui un manager sans scrupules, sans cœur, sans amis. Les journaux les plus à gauche allaient jusqu'à le décrire comme le parfait parangon de l'hypertrophie libérale et capitalistique où l'argent devenu roi était capable de pousser un homme à l'acte le plus révoltant contre son intégrité personnelle. Dans le meilleur des cas, il était la victime consentante des dysfonctionnements du leadership et de l'exercice du pouvoir dans les grandes sociétés modernes. Même le journal *Le Figaro* finissait par admettre « que certains des modes de management ou de fonctionnement de l'Entreprise pouvaient parfois être mis en cause dans de tels drames ».

Pour Ancha, la situation était inespérée en termes de retombées personnelles. En responsable RP éclairée, elle avait d'abord conseillé à Tanguy de faire comme si de rien n'était et de se rendre malgré tout au travail, ce dont il se révéla incapable tellement il se sentait vidé de toute substance. De son propre chef, elle se mit alors à accumuler auprès des salariés – plus ou moins consentants – des preuves patentes de la vulnérabilité psychique de Ludovic Gaillard et, parmi elles, de son caractère addictif, qui se manifestait en particulier dans sa propension à faire outrageusement la fête, absorbant à ces occasions quantité de substances illicites, voire psychotropes. Elle retrouva d'anciennes petites amies que Ludovic avait lâchement plaquées – ce qui en disait long sur sa fragilité narcissique – et qui semblaient prêtes à témoigner du caractère immature et inconstant de l'intéressé, l'une d'elles affirmant même l'avoir vu ingurgiter de manière régulière et compulsive des comprimés de Diazépam, unanimement connu pour ses propriétés anxiolytiques et anticonvulsives. L'ensemble de ces faits constituait pour Ancha « la preuve indéniable d'un caractère dépressif notoire et donc de la totale innocence de l'Entreprise dans cet acte qui ne pouvait trouver ses fondements que dans la psyché tourmentée et anxieuse de l'employé ». Quelques journaux de droite, conscients de la dangereuse dérive antilibérale que cette affaire était en train de prendre, rédigèrent des articles assez favorables à l'Entreprise en reprenant à leur compte certains éléments du dossier de presse qu'avait constitué Ancha.

Bien qu'il ait été subtilement mais fortement déconseillé à l'ensemble des salariés du groupe de livrer le moindre commentaire public sur cette affaire, Camille accepta l'invitation que lui avait faite David Pujadas dans son journal de 20 heures :

— *Vous qui connaissiez si bien Tanguy Caron, vous qui l'avez approché de très près, est-ce que vous diriez que son comportement et sa manière de diriger étaient, disons, à risque ?* commença le journaliste.

— *À risque, qu'est-ce que vous entendez par là ?* dit Camille, avec un soupçon d'agressivité.

— *Eh bien, est-ce que sa manière de faire avec ses employés pouvait tenir du harcèlement moral, par exemple ? Est-ce que vous, en particulier, vous avez eu à souffrir de sa manière d'affirmer son leadership ?*

Camille prit un air pincé, comme si cette question était pour lui irrecevable.

— *Tanguy Caron est l'homme le plus droit et le plus intègre que je connaisse. Il est incapable de harceler qui que ce soit, je vous assure. Il faut à tout prix que cesse ce cirque médiatique autour de sa personne.*

Camille laissa passer quelques secondes d'une solennité calculée qui, dans le cadre d'un journal télévisé et à cette heure de grande écoute, dut apparaître comme terriblement dramatique au téléspectateur, puis il annonça avec conviction :

— *Nous sommes des hommes libres, monsieur Pujadas. L'Entreprise n'est en rien responsable des agissements de ses salariés. Ludovic Gaillard s'est tué pour des raisons qui dépassent le simple cadre de sa fonction, j'en suis intimement convaincu.*

Deux jours plus tard, Camille apprit qu'il était promu directeur de l'image globale du groupe, un poste enviable, à forte rémunération, qu'il occuperait six mois plus tard dans la ville de New York, l'endroit où il avait toute sa vie rêvé de s'installer.

Tanguy ne vit pas cette interview de son directeur marketing, qui aurait pu le soulager quelque peu de son immense et indicible souffrance. Son n+2, c'est-à-dire le grand patron du groupe – l'ami intime du père de Beverly –, l'appela le lendemain du drame pour l'assurer de son soutien dans cette épreuve délicate en nuançant cependant cette manifestation d'amitié par une mise en garde subtile sur la vigilance extrême qu'il allait maintenant devoir apporter au management de ses rapports humains. Il réclama ensuite de parler à Beverly – qu'il connaissait depuis l'enfance –, avec laquelle il s'engagea dans une discussion légère, ponctuée de chaque côté de l'Atlantique de petits gloussements intimes qui parurent à Tanguy assez peu de circonstance, vu le caractère dramatique des événements qui avaient initié cet appel. Tanguy ne cessa de recevoir des coups de fil de diverses personnes plus ou moins proches, appels passés dans des buts plus ou moins louables, mais les messages s'accumulaient dans son BlackBerry, un objet qu'il semblait maintenant vouloir éviter à tout prix de manipuler. Pendant deux longues journées, il passa son temps à essayer de dormir – sans jamais y parvenir – et ne répondit que par de vagues monosyllabes aux demandes alarmées de ses proches. Finalement, encouragé par Ancha – dont l'attachement à sa fonction prenait des proportions ouvertement bellicistes –, il sortit de son mutisme et consacra la majeure partie de son temps à se disculper auprès des journalistes.

L'enterrement de Ludovic Gaillard eut lieu le mardi 15 juin au cimetière de Bagneux. Ce fut, bien sûr, l'acmé de cette gigantesque opération médiatique, en quelque sorte l'avatar funéraire du troisième acte de nos tragédies antiques. Tous les protagonistes du drame se trouvaient enfin réunis dans un face-à-face télégénique qui s'annonçait juteux en termes d'audience. D'un côté, la famille, éplorée, épuisée par une folle semaine de deuil et de plateaux télévisés. De l'autre, une délégation consistante de représentants de l'Entreprise, avec à sa tête leur directeur général, amaigri et visiblement au bord des larmes. Entre les deux acteurs du drame, envahissant de manière parfois sacrilège les allées du crématorium, s'égaillait une meute de journalistes assoiffés de sensationnel. Les chaînes nationales avaient délégué leurs plus brillants représentants – par ailleurs commentateurs érudits des mariages princiers et autres cérémonies d'ouverture – pour témoigner en direct du caractère poignant de l'événement. Tanguy, tenu de près par Beverly, semblait avoir rassemblé toute l'énergie dont il était capable. Il assista, gêné, à la cérémonie de crémation qui fut ponctuée par quatre des chansons préférées de Ludovic, dont *Comme si je devais mourir demain* de Johnny Hallyday, dont le caractère tristement prémonitoire plongea l'assistance dans un état d'affliction unanime. La main de Tanguy s'accrocha à celle de son épouse tout le temps que s'égrenèrent au micro les messages d'adieu des proches et des amis, qui témoignaient de l'homme magnifique, drôle, intègre et dévoué qu'avait été Ludovic Gaillard. À l'issue de cette longue cérémonie, Tanguy s'avança vers les parents du suicidé mais sa mère refusa de serrer la main qu'il lui tendit. Au dire de certains, il apparut même qu'elle était à deux doigts de lui cracher au visage.

Il se trouva que le mercredi 16 juin, c'est-à-dire exactement six jours après la mort de Ludovic, le site *Médiapart* publiait le contenu d'enregistrements pirates effectués entre les mois de mai 2009 et mai 2010 par le maître d'hôtel de la milliardaire Liliane Bettencourt, héritière du groupe L'Oréal.

Un clou médiatique chassant l'autre, le suicide, altruiste ou pas, de Ludovic Gaillard se trouva vite enseveli sous cette nouvelle affaire.

Le jeudi 17 juin, après s'être assurée que Tanguy était psychiquement capable d'encaisser une telle nouvelle, Beverly annonçait calmement à son époux son intention irréversible d'entamer une procédure de divorce.

À la suite des demandes répétées de Félix, le communicant de Rodolphe, qui en connaissait personnellement le directeur de rédaction, le magazine *Valeurs actuelles* fit paraître l'article suivant, en mai 2010, dans sa rubrique Économie & Entreprises :

Élu député PS aux dernières législatives, avec une très courte avance sur son adversaire UMP, Rodolphe Lescuyer se bat au sein du Palais-Bourbon, mais aussi sur le terrain, pour tenter d'offrir une solution alternative au discours écologiste défendu par le Parti socialiste et ses alliés. Une voix de gauche dissonante qui a parfois du mal à se faire entendre. Rencontre avec un trublion de la politique qui ne craint pas de conjuguer écologie et développement industriel.

VALEURS ACTUELLES : Pensez-vous que les valeurs écologistes soient essentiellement des valeurs de gauche ?

RODOLPHE LESCUYER : *La gauche n'a sûrement pas le monopole de l'écologie. Si l'on voulait lui trouver un ancrage idéologique, l'écologie actuelle serait d'ailleurs plutôt une pensée de droite, de par sa volonté conservatrice, pour ne pas dire réactionnaire, de remettre en cause* quasi systématiquement la finalité du progrès, comme le font d'ailleurs beaucoup d'écologistes qui ont une vision rousseauiste et rétrograde du monde moderne. Le problème n'est d'ailleurs pas de savoir où se situe l'acte écologiste, mais comment on l'envisage. Moi je plaide pour une véritable écologie sociale et raisonnée qui cesse d'opposer l'homme et l'industrie, qui admette par exemple de réconcilier le souci de l'environnement et la question cruciale de l'emploi.

VALEURS ACTUELLES : En quelque sorte l'écologie humaniste prônée par Jacques Chirac dans son célèbre discours d'Orléans en 2001 ?

RODOLPHE LESCUYER : *Je crois effectivement à une écologie de ce type. Mais je vais plus loin. Je milite pour l'écologie industrielle, qu'on pourrait définir comme une approche systémique de toutes les activités industrielles, qui intègre à la fois la finitude inéluctable des ressources terrestres et le besoin de diminuer les impacts de ces activités sur la biosphère, le but étant de créer une multitude d'écosystèmes industriels qui s'inspirent directement des écosystèmes biologiques naturels. En gros, que les déchets de l'un deviennent les ressources de l'autre. On rationalise les systèmes productifs, on crée des pôles de synergie entre les entreprises comme il en existe déjà en Europe du Nord, on favorise la décarbonisation de l'énergie, on développe de nouveaux partenariats entre les acteurs économiques et politiques. On a tendance à penser que productivité et écologie ne font pas bon ménage. C'est une erreur. De même, c'est une erreur de penser que mondialisation et environnement sont deux forces incompatibles. Ce qui importe, c'est de créer de l'emploi et de restaurer les outils de production* en développant un tissu industriel pérenne. L'écologie que je défends n'exclut ni les marchés, ni les hommes, puisque l'innovation technique devient de fait un facteur d'innovation sociale. C'est une écologie responsable, pragmatique et créative, qui tient compte avec objectivité de l'état du monde. Une écologie qui met en pratique le développement durable dans une société hyperindustrialisée. Vous savez, je suis l'élu d'une région à cheval sur la terre et sur la mer. Les agriculteurs comme les ostréiculteurs par exemple sont les premières victimes de la dégradation de l'environnement. Croyez-moi, ce sont aussi les premiers à chercher des solutions techniques innovantes pour résorber et recycler les déchets engendrés par leurs activités. Par pitié, cessons de montrer du doigt ceux qui font tourner l'économie réelle.

VALEURS ACTUELLES : C'est un pavé dans la mare de vos amis écologistes...

RODOLPHE LESCUYER : J'en ai assez des grognons et des rêveurs de tous bords. Il faut arrêter de faire du catastrophisme en menaçant de l'implosion prochaine du genre humain, mais il faut aussi arrêter de faire preuve d'optimisme technologique à outrance, par exemple en misant tout sur les nouvelles technologies vertes, comme l'énergie solaire ou les éoliennes. On sait très bien que ça ne suffit plus. Maintenant il est essentiel d'agir, de manière rationnelle, pour ne pas dire scientifique. Je ne suis en aucun cas un partisan de la décroissance, je suis au contraire pour une croissance verte et encadrée. La France a tous les atouts pour mener à bien une tâche d'une telle ampleur. Elle a des chercheurs, des économistes, des juristes, des industriels, une main-d'œuvre hautement qualifiée. L'écologie doit absolument devenir

un facteur de transformation économique, sociale et poli-
tique et cesser d'être un instrument de culpabilisation
agité par des bobos bien-pensants.

L'article fut loin de provoquer le tsunami politique que visait Rodolphe et, derrière lui, Félix. Il ne fut pas ignoré, loin de là, un léger vent de notoriété – positive comme négative – souffla à plusieurs reprises dans les couloirs de l'Assemblée sur le député Lescuyer et, pour la première fois, d'autres députés se retournèrent sur son passage. Comme il fallait s'y attendre, certains éléments de gauche s'indignèrent de la collusion entre un élu socialiste et une publication aussi ouvertement pro-sarkozyste, tandis que quelques éléments de droite se félicitaient de cette prise de parole singulière et courageuse qui entérinait à leurs yeux l'affligeante pauvreté intellectuelle de l'opposition en matière d'environnement et, plus largement, en matière d'écono- mie. Officiellement, le Parti socialiste condamnait toute agression contre ses amis écologistes et fustigeait donc certains passages malveillants de l'article et en particulier la malencontreuse appellation «bobos bien- pensants». Officieusement, certains députés proches des instances du PS félicitèrent Rodolphe, non de son souci d'offrir un autre angle de vue pour aborder l'épineux problème du développement durable, mais d'avoir semé de clous la déjà douloureuse avancée de ces «foutus connards d'écolos». Au total, son nom fut prononcé à plus d'une centaine d'occasions, à voix haute ou à voix basse, aussi bien dans les murs du Palais-Bourbon que dans un certain nombre d'offi- cines politiques et d'organes de presse. Si cet article ne servit à rien sur le fond – il n'alimenta aucune remise en cause majeure au sein du parti –, il servit au moins à ce que Rodolphe cesse d'être un anonyme parmi les anonymes. Désormais il était LE socialiste dont le très conservateur *Valeurs actuelles* avait pris la peine d'enregistrer le cri d'alarme sur une problématique d'envergure. Rodolphe, grâce à Félix, s'était offert gratis un formidable coup de pub.

Un sentiment d'insatisfaction prévalait cependant dans l'esprit de Rodolphe. À force de remâcher, de peaufiner, de formuler et de reformuler les idées qu'il avait mises en avant dans cet article et qu'un nombre incalculable d'heures de lectures savantes avaient alimentées, il avait fini par les trouver acceptables, puis intéressantes, puis pleines de bon sens, puis vraiment novatrices. Il s'était pris au jeu de sa pensée en adhérant finalement à des concepts qui n'avaient été au départ élaborés que pour nourrir la fameuse posture réclamée par son communicant. Cette histoire d'écosystème industriel, cette synergie interentreprises, ces nouveaux rapports socio-économiques au croisement du développement durable, de l'innovation et de l'industrie, oui, il y croyait, oui, tout cela était valable, tout cela était parfaitement cohérent, pragmatique, inédit. Ce fut comme une révélation, comme si la chrysalide de ses pensées, jusqu'alors contrainte dans le cocon façonné avec brio par Félix, passait de l'état de larve à celui d'*imago*. Dès lors, au lieu de se féliciter – et de profiter – de ce petit vent de notoriété, Rodolphe se prenait maintenant à regretter que son intervention ne soit pas l'occasion d'un véritable débat d'idées au sein de sa propre force politique.

— Rodolphe, tu fais chier, dit Félix. Tu n'es jamais content de rien.

Ils étaient quatre, ce jour-là, attablés dans ce que le restaurant *L'Arpège* désignait comme sa « salle à déguster ». Rodolphe, Alice, Félix et Benoît, qui était de passage à Paris pour les préparatifs de sa prochaine exposition et avait accepté l'invitation – bien que Félix l'agaçât au plus haut point – pour le seul plaisir de déjeuner avec Alice. Félix se tourna vers Alice, qui entamait avec délicatesse son œuf fondant en fin velouté coraillé.

— Il n'est jamais content, pas vrai ?

Alice décolla un instant les yeux de son assiette puis regarda Rodolphe et lui sourit. Benoît, qui était assis en face d'elle, surprit cette expression réellement amoureuse, en tout cas pleine d'une suavité complice prompte à lui glacer le sang.

— Putain, je te sers un coup de pub sur un plateau d'argent et tu fais la gueule ! dit Félix.

— Je ne fais pas la gueule. Je récolte enfin un peu de ce que j'ai semé et c'est très bien. C'est parfait, je suis TRÈS content et je t'en remercie, si c'est ça que tu veux entendre. Seulement voilà : je suis un homme politique. Le combat ne cesse jamais pour quelqu'un comme moi. Je peux souffler mais jamais me reposer. Je te le répète, Félix, je suis un homme politique, et pas seulement une image ou un concept, comme tu as l'air de le croire. Au fond, c'est peut-être ça que vous autres, les types du marketing, vous avez du mal à comprendre. Qu'on soit avant tout des gens engagés.

— Tu peux souffler en souriant, dit Félix sur le ton blasé de celui qui en a entendu d'autres.

552

— Je pourrais, oui...

— Je n'ai jamais vu Rodolphe content de quoi que ce soit, ajouta Benoît. Son moteur, justement, c'est l'insatisfaction. C'est ce qui l'a toujours fait avancer. Rodolphe vole d'insatisfaction en insatisfaction.

Bien qu'il ait été facile de deviner un germe de malice dans ce que venait de dire Benoît, Rodolphe laissa passer. Benoît était la seule personne qu'il autorisait à porter un jugement quelconque sur sa personne. Il le savait mesuré et le pensait irréprochable en termes d'amitié.

— Exactement. Ce type-là me connaît comme sa poche, dit Rodolphe, fièrement, en désignant Benoît de la main à l'adresse de Félix.

— Toujours plus, quoi..., dit Félix. Je vois... Au fond, moi aussi je suis un peu comme ça. En plus souriant quand même.

— Disons que Rodolphe est un éternel rêveur, nuança Alice d'une voix mélodieuse et pleine de charme. Exactement le contraire de moi. Moi, je sais exactement ce que j'ai et j'en suis parfaitement satisfaite. Je ne rêve pas de posséder ce que je n'ai pas. Tout ce qui arrive en plus, c'est juste la cerise sur le gâteau.

— Il faut dire qu'au départ le gâteau était déjà énorme, insista Félix avec ironie.

Rodolphe fit les gros yeux. Alice eut une petite moue joyeuse.

— De toute façon, on ne possède vraiment que ce à quoi on a renoncé..., dit doctement Benoît en fuyant le regard d'Alice.

Sa petite maxime eut l'effet d'un pétard mouillé.

— Oh, je la connais celle-là ! claironna Félix, sans vraiment chercher à approfondir les sources de son intuition.

— C'est Simone Weil, dit calmement Alice, les yeux rivés sur son assiette.

— Simone Veil, notre bonne vieille Simone ? demanda Rodolphe.

— Non, Weil avec un w, déclara Alice.

Benoît avait un jour reçu en cadeau d'Alice le recueil *La Pesanteur et la Grâce*, où la philosophe s'interrogeait sur le mystère de la vie, l'idée de renoncement, l'acceptation du vide de l'existence, en somme, la difficulté de rejoindre la grâce et d'échapper à ce qui en nous ressemble à de la pesanteur. Benoît avait adoré cet essai.

— Ce qui veut dire ? demanda Rodolphe, intrigué, en se tournant vers Benoît.

— On n'est heureux que lorsqu'on cesse de vouloir quelque chose. Le bonheur, c'est le renoncement, non ? Ne plus vouloir...

— Je voudrais bien savoir à quoi tu as renoncé, toi ? dit Rodolphe. Franchement, Benoît..., ajouta-t-il sur un ton de réprimande, comme si la couleuvre était vraiment trop grosse à avaler.

Benoît se força à sourire et se tut. Alice n'avait pas décollé les yeux de ses œufs et s'en régalait avec une lenteur d'escargot, de sorte qu'il paraissait impossible de savoir ce qu'elle avait exactement à l'esprit. Félix, lui, se désennuyait de cette conversation sûrement un peu trop élaborée à son goût en ingurgitant à grandes cuillerées son sushi de betterave à la moutarde.

— Et maintenant, on fait quoi ? dit Rodolphe à Félix.

Félix avala une dernière bouchée et s'essuya délicatement les lèvres dans une lourde serviette de coton d'un blanc immaculé.

— Maintenant on mûrit la position à laquelle tu as l'air de vouloir t'accrocher et on prépare gentiment 2012. Tes petits copains vont se bouffer le nez pendant la primaire socialo. En attendant, ta pensée reste au-dessus des querelles partisanes. Tu continues à te montrer dans ton patelin et à Paris, à te défoncer sur le terrain, à attaquer tous azimuts avec ton concept d'écologie machin...

— D'écologie industrielle. Merde, Félix, fais au moins semblant d'y croire un peu.

— J'y crois, j'y crois. Sincèrement j'y crois. Désolé.

— OK et alors ?

— À la fin, c'est eux qui viendront te bouffer dans la main.

— Je ne me positionne pas pendant la primaire ?

— Naaah ! Surtout pas. DSK a toutes les chances de décrocher la timbale, enfin si ses histoires de cul ne finissent pas par le rattraper. Vous êtes plutôt sur le même terrain idéologique...

— Tu te fous de ma gueule ? DSK est un mec de droite. Je ne suis pas du tout sur le même terrain idéologique qu'un type qui serre la ceinture à des milliards de gens à la tête du FMI. Je ne soutiendrai pas cette enflure.

— Exactement, tu ne soutiens personne, c'est ce que je dis. Tu l'as trouvée, ta ligne clivante, et tu t'y tiens, bordel. Elle est super-méga-excellente. Tu vas te mettre à dos la gauche de la gauche, mais on s'en contrefout. Au contraire, c'est très bon pour nous ça. Vu le bordel économique ambiant qui, entre nous soit dit, n'est pas près de s'arranger, le PS ne pourra pas faire la politique de sociale-gauche qu'il va devoir défendre à cor et à cri pendant toute sa campagne, que ce soit DSK ou Aubry d'ailleurs. Bref, si la gauche passe, elle aura besoin de mecs comme toi, qui ont su garder leur côté économico-pragmatique. En 2012, si tu ne fais pas trop de conneries, t'es ministre du Développement durable, mon gars.

Rodolphe le regarda avec ce qui pouvait être interprété comme une immense satisfaction.

— On a deux ans pour te préparer, conclut Félix.

Une semaine plus tard, le hasard voulut que Rodolphe croise Gabriel. Il était assis à l'une des tables de la brasserie *Le Bourbon*, qui constituait le rendez-vous incontournable des députés de l'Assemblée. Aller à sa rencontre fut un mouvement irraisonné de la part de Rodolphe. En d'autres temps, il aurait préféré ignorer sa présence. Ce jour-là, il se sentait porté par quelque chose d'irrépressible : il brûlait d'envie de savoir ce que Gabriel pensait de son intervention.

— Je peux ? demanda Rodolphe en désignant une chaise vacante.

Gabriel eut un petit sursaut, suivi d'un sourire mi-figue mi-raisin qui ne parvenait pas à dissimuler un léger agacement.

— J'attends quelqu'un..., dit-il mollement.

— J'en ai pour une minute, rassure-toi.

Rodolphe s'assit et attaqua bille en tête :

— Alors, tu l'as trouvé comment, l'article ?

Gabriel s'accorda quelques secondes de réflexion afin de montrer que cet entrefilet, désormais lointain, était à placer tout en bas de la liste de ses préoccupations du moment.

— Je l'ai trouvé intéressant.

— C'est-à-dire ?

— Tu veux te faire un nom. Tu tapes à droite. Pourquoi pas ? Ta démarche vaut le coup qu'on s'y arrête. C'est ce que je veux dire par intéressant.

— Tu ne trouves pas qu'il y a de quoi alimenter un vrai débat ?

— Rodolphe...

L'ombre du poste de secrétaire à l'Environnement plana comme un oiseau de mauvais augure.

— Non, non, je ne reviens pas sur ce poste, rassure-toi. Je voulais juste savoir, à titre personnel, ce que tu pensais de ce que j'ai dit et si toi tu estimes qu'il y aurait matière à une discussion de fond.

— Je n'ai pas de position très affirmée là-dessus. À vrai dire, je m'en tape un peu.

— Tu te tapes de l'écologie ? Putain, j'aurais dû apporter mon dictaphone pour t'enregistrer.

— Tu penses bien que je ne me tape pas de l'écologie en tant que telle. Disons que j'estime que c'est un sujet très sérieux et extrêmement casse-gueule et donc j'en laisse le soin à d'autres qui sont mieux informés que moi.

— C'est tout ?

— Tu veux que je te dise quoi ? Que tu as raison de taper sur nos alliés écolos ? Que tu as raison d'aller pêcher un canard de droite pour exprimer tes idées ? Que tu as raison d'engager un foutu *marketeur* pour éclairer le fond de ta pensée socialiste, alors que ce mec est, d'après ce qu'on m'en dit, radicalement à droite ?

— Félix est apolitique. Ce n'est qu'un stratège, dit Rodolphe en forçant quand même un peu la réalité de sa pensée.

Gabriel haussa les sourcils. Il but une gorgée de son verre de sauvignon et s'exprima d'un ton plus modéré.

— Rodolphe, explique-moi comment et pourquoi tu t'es foutu sur ce terrain de l'écologie alors qu'il y a seulement trois ans, quand tu es arrivé ici, tu t'en foutais comme de tes premières pompes ?

Rodolphe réalisa brusquement une chose horrible en écoutant Gabriel. Il comprit à quel point il avait besoin de l'assentiment de ce type. Coûte que coûte, il se devait d'être reconnu par lui et, qui sait, d'être *aimé* de lui. D'ailleurs, cela avait tout le temps été le cas, toujours il s'était mis en situation de réclamer son attention, d'obtenir que sa parole et sa pensée soient adoubées par ce seigneur, ce beau gosse, ce cador, ce putain de snob d'énarque. Un flot de colère adolescente charria dans ses veines des souvenirs déchirants, chargés de douleur, d'animosité et d'écœurement. Il se remémora la discussion qu'il avait eue avec Artus à ce sujet, près de trente ans auparavant. Il se souvint de la façon dont son beau-père l'avait déjà mis en garde contre la volonté de reconnaissance suprême qu'il voudrait obtenir de tous ces gens qui semblaient passer leur temps à le rabaisser, à lui renvoyer l'image d'un sombre raté. Oui, voilà à cet instant ce qu'il demandait à Gabriel :

sauve-moi de ce foutu sentiment d'être le dernier des minables. Par pitié, Gabriel, dis-moi que mes idées sont géniales. Dis-moi que je suis un grand politicien et pas un moins que rien, comme je passe ma vie à le croire.

— Comment sais-tu ce que je pensais il y a trois ans, Gabriel ? dit Rodolphe, péniblement, avec une voix où le mépris bataillait dur contre la souffrance. Tu étais perché bien haut pour voir aussi clairement ce qui se passait en bas.

Gabriel dut percevoir l'essentiel de ce qui était en train de se jouer.

— Je t'observe, Rodolphe, dit-il doucement.

— Tu m'observes ?

— J'écoute et j'observe tout ce que tu dis et tout ce que tu fais.

Ils se regardèrent en silence pendant quelques longues secondes. Un temps résolutoire destiné pour Gabriel – et lui seul, de toute évidence – à dissoudre et à déclarer caduc le contrat d'agressivité et de provocation qui les liait depuis qu'ils se connaissaient.

— Je n'ai jamais compris pourquoi tu avais raté l'ENA, commença Gabriel. Tu méritais cent fois plus que moi d'y entrer, je le sais. Je n'ai jamais vraiment accepté non plus que tu cesses de me voir à cause de ça. Tu es un type formidable, Rodolphe. Seulement, il y a trop de colère en toi. Je n'y suis pour rien, moi. Pour rien. Je voudrais que tu regardes bien où tu mets les pieds.

— C'est-à-dire ?

— Tu as toujours été un type sincère, c'est pour cela qu'on t'admirait autant.

Rodolphe s'était calmé depuis quelques secondes déjà. Il écoutait maintenant de toute la force de son esprit.

— Tu doutes de ma sincérité ?

— Non. Mais je sais que tu n'es pas fait pour les petites querelles d'appareil merdiques... Comme tant d'autres ici.

Le geste de la main que fit Gabriel semblait bizarrement l'inclure lui-même dans cette liste apparemment interminable.

— Tu t'es toujours battu contre ça, justement.

Il y eut encore une courte pause et puis, brusquement, cette question, tombée du paradis lointain des rêves adolescents :

— À l'époque on y croyait tellement, hein ?

Rodolphe n'eut pas le temps de s'attarder sur la réponse qu'il aurait pu donner. Un homme vint à cet instant déranger leur entretien. C'était un député célèbre avec qui Gabriel avait prévu de déjeuner. Rodolphe le salua. Le type avait entendu parler de lui, mais son visage ne sembla refléter ni une grande admiration ni un grand enthousiasme à l'évocation de son nom. Alors Rodolphe salua Gabriel et s'éclipsa piteusement, avec dans la gorge comme un détestable arrière-goût de sable mouillé.

En juillet, Rodolphe reçut un mail de son beau-père, Artus Costa, qui l'engageait à passer le voir à l'occasion pour une petite affaire dont il voulait l'entretenir. Même si la formule « à l'occasion » avait été utilisée, Rodolphe se doutait bien qu'il s'agissait en réalité d'une injonction à le rencontrer le plus rapidement possible.

Rodolphe était présent sur le terrain du samedi après-midi jusqu'au lundi soir, voire parfois jusqu'au mardi midi en cas de nécessité absolue. L'agenda de son prochain déplacement était déjà encombré par un nombre incalculable de rendez-vous administratifs et politiques, par des rencontres avec des associations, des concitoyens, des syndicats interprofessionnels, par des manifestations officielles, sportives ou culturelles pour la plupart – cette fois l'inauguration d'une ludothèque pour seniors et une compétition intercommunale de motocross – auxquelles il ne pouvait décemment pas échapper. L'attaché parlementaire qui assurait la permanence de sa représentation locale réussit malgré tout à lui dégager un créneau de deux heures, le dimanche en fin d'après-midi. De son côté, Artus avait insisté pour fixer le rendez-vous, non pas dans son fief rennais, mais sur la côte, à deux pas du village où Rodolphe avait grandi et où ses parents vivaient toujours, ce qui ne manqua pas d'éveiller sa curiosité et, plus sourdement, son angoisse.

Il était 18 heures. Un long voile brumeux et rosé, aussi vaporeux que les filaments satinés d'une barbe à papa, avait petit à petit enrobé l'horizon. Le soleil s'apprêtait à plonger dans les profondeurs de la mer. Lui aussi semblait vouloir se rafraîchir de cette journée de juillet anormalement chaude et écrasante. Les touristes, en nage, serpentaient en chapelets colorés autour de blocs de granit monstrueux, scintillants, grotesques, dont on pouvait croire qu'ils avaient été lancés au hasard les uns contre les autres par les mains de géants en colère. Artus et Rodolphe marchaient l'un derrière l'autre, Artus en tête. Leurs quatre pieds foulaient l'herbe sèche d'une lande où dominaient le pourpre des bruyères cendrées et l'or rutilant des ajoncs. En contrebas, les vagues rugissaient en léchant les rochers de leurs longues langues mousseuses. Rodolphe ne s'était pas promené sur ces rivages depuis si longtemps. Un sentiment de nostalgie – plutôt désagréable quand il y réfléchissait – l'avait saisi depuis le moment où il avait rejoint Artus à l'entrée de la plage. Quand ils eurent atteint le promontoire rocheux d'où Rodolphe, de nombreuses années auparavant, avait l'habitude de venir embrasser l'infini du paysage, Artus s'arrêta. C'était maintenant un homme de soixante-dix-huit ans, qui continuait à dominer Rodolphe de plusieurs centimètres. Il ne s'était aucunement avachi avec les années, il s'était pour ainsi dire asséché – il avait dû perdre au moins vingt kilos – et, du coup, semblait plus grand, plus raide, plus imposant qu'il ne l'avait jamais été. Son visage était profondément ridé mais il y avait gagné en intensité ; le temps lui avait sculpté un air de patriarche roublard. Il désigna une grande maison à deux cents mètres de l'endroit où ils se trouvaient.

— Tu vois cette baraque, là-bas ?

De la maison en question, on ne voyait que les toits de tuiles et une infime partie des murs de granit. De très hauts arbres la cernaient. Cette barrière naturelle avait dû sembler encore insuffisante aux propriétaires, qui l'avaient doublée d'un mur de pierres de plus de deux mètres de haut. L'endroit paraissait infranchissable.

— C'est la maison des Segovia, dit Rodolphe pensivement.

Dans sa jeunesse, il avait une ou deux fois, et en toute illégalité, franchi les frontières de cette gigantesque bâtisse qui lui apparaissait alors comme un paradis inaccessible, le repaire secret de gens dont il ne connaissait que le nom sucré et étrange – les Segovia –, de très riches Parisiens qui n'occupaient l'endroit qu'au moment des vacances scolaires. En été, et parfois au printemps, des cris d'enfants fusaient à travers la forêt de chênes et de pins maritimes qui l'isolait du monde mais Rodolphe n'avait jamais vu quiconque en sortir ou y pénétrer. Ce lieu avait de tout temps revêtu un caractère à la fois menaçant et magique dans ses fantasmagories d'enfant, une sorte de château de Barbe-Bleue où il imaginait que des choses délicieusement atroces et extravagantes devaient se dérouler.

— Elle est à vendre, continua Artus.

— Ah..., dit Rodolphe un peu tristement.

— La mairie a l'intention d'appliquer son droit de préemption.

— La mairie veut préempter cette baraque ? Mais elle doit valoir une fortune.

— Évidemment, elle n'est pas seule sur le coup. Des investisseurs privés sont intéressés.

Rodolphe commençait à comprendre de quoi il retournait.

— Des investisseurs, c'est-à-dire ?

— Dans l'intérêt du développement local, le maire souhaiterait y voir s'installer un complexe héliomarin tout ce qu'il y a de chic, dit Artus de la manière la plus décontractée qui soit.

— Un complexe héliomarin ?

— Une sorte de sanatorium, un établissement de cure, quoi.

— Et pourquoi ici ?

— Vu son nom, un tel établissement me semble plus approprié en cet endroit qu'à l'intérieur des terres par exemple, ironisa Artus. Tu as vu ça, ajouta-t-il en embrassant l'immensité de l'océan d'un geste du bras. Tout le monde a envie de venir se faire tripoter face à un paysage aussi magnifique.

— Tout cela sur vos conseils, j'imagine ? osa Rodolphe.

— Sauf que je n'ai rien à voir là-dedans, dit Artus posément. Ce ne sera pas un projet Artus Costa mais très probablement un projet British Spas, si l'appel d'offres leur est favorable évidemment, ce que j'espère de tout cœur.

Rodolphe fut content d'apprendre au passage qu'Artus avait un cœur.

— British Spas ? dit Rodolphe avec une petite moue négative et vaguement condescendante. Jamais entendu parler.

— La British Spas est un groupe britannique spécialisé dans ce type de réalisations, ce qui n'est le cas d'aucune de mes entreprises. Le maire est un ami de longue date, il m'a simplement convoqué en tant qu'expert. Il m'a demandé de l'aider à y voir plus clair pour définir les bons choix stratégiques, dit-il évasivement. Mais c'est loin d'être le sujet, acheva-t-il, agacé d'avoir à s'expliquer de façon aussi exhaustive.

Justement, se demandait Rodolphe, *quel pouvait être le sujet ?*

Artus chaussa ses lunettes de lecture demi-lunes et sortit de la poche intérieure de sa veste une feuille de papier, qu'il déplia et glissa délicatement sous les yeux de Rodolphe. Un schéma y reconstituait sommairement la carte communale définissant les règles générales de l'urbanisme local. La villa des Segovia était construite sur une parcelle isolée, protégée par la loi littoral, et séparée de ses voisins les plus proches par trois parcelles – au total deux hectares vierges de toute habitation – déclarées non constructibles par cette même loi littoral.

— Selon la loi du 3 janvier 1986, l'extension dans les communes littorales doit se faire, soit en continuité avec les agglomérations et villages existants...

Il leva les yeux une fraction de seconde pour observer son gendre puis son regard replongea vers la feuille.

— ... soit en hameaux nouveaux intégrés à l'environnement, ce qui pourrait tout à fait être le cas ici, ajouta-t-il traçant avec son index une ligne imaginaire sur la carte.

Rodolphe saisit assez vite le raisonnement. Pour son projet de centre héliomarin, le maire avait nécessité d'étendre le terrain autour de la villa et donc de modifier les dispositions d'urbanisme définies par la carte communale actuelle. L'idée était donc de transformer en zones urbanisables les parcelles adjacentes pour créer un hameau artificiel qui ferait se rejoindre deux zones urbanisées jusque-là séparées par des terrains inconstructibles, et donc de déclarer l'ensemble comme zone potentiellement habitable, ce qui permettrait ensuite d'y aménager toutes les extensions qu'on souhaitait. Malin et complètement hors la loi, pensa Rodolphe. Un déni manifeste du dispositif anti-mitage prévu par le législateur pour empêcher justement «la dissémination spontanée de constructions nouvelles susceptibles d'entraîner une détérioration du paysage ».

— Il y a une autre chose qui joue en notre faveur, ajouta Artus. D'après cette même loi, les constructions ou installations sont interdites sur une bande littorale de cent mètres à compter de la limite haute du rivage...

Il regarda Rodolphe avec une intensité phénoménale, semblable à celle d'un flic de cinéma quand il expose à ses collaborateurs médusés l'argument majeur qui l'a conduit à l'élucidation du crime.

— ... à l'exception de celles qui sont nécessaires à des services publics ou à l'accueil d'activités économiques... exigeant la proximité immédiate de l'eau.

Artus sourit. Avec cet alinéa et quelques avocats habiles et ultra-payés dont Rodolphe ne doutait pas un seul instant que la société British Spas s'emploierait à utiliser les compétences, le maire pouvait faire à peu près ce qu'il voulait, et pourquoi pas ravager ce territoire sauvage et indompté qui avait bercé ses rêves et son imagination d'enfant. Rodolphe n'eut pas le temps d'exprimer sa désapprobation.

— J'ai bien aimé ta petite interview dans ce canard, reprit joyeusement Artus en repliant en quatre sa feuille de papier. C'est très intéressant, toute cette histoire d'écosystème industriel. Au fond c'est un peu ce que le maire a l'intention de faire ici. Je dirais même que c'est exactement son projet. Tout sera écologique à un point que tu ne peux même pas imaginer. Absolument autosuffisant en termes d'énergie et parfaitement en accord avec les nouvelles dispositions de Grenelle II au regard du respect de l'environnement et de la performance énergétique.

Ces dispositions venaient effectivement d'être adoptées par l'Assemblée le 12 juillet, soit à peine deux semaines plus tôt. Rodolphe fut surpris que son beau-père suive d'aussi près les chantiers législatifs.

— Artus, si vous aviez bien lu l'article, vous auriez remarqué : primo, qu'un centre de soins tel que vous le décrivez ne pourra jamais être catalogué comme pôle éco-industriel et que deuzio, le détournement des dispositions légales en matière d'urbanisme n'était pas exactement le sujet de mon intervention.

Il y avait une telle puissance rageuse dans le regard du vieil homme que Rodolphe fut à deux doigts de baisser les yeux.

— Ce projet va créer près de deux cents emplois dans une région ravagée par le chômage, très cher député.

Rodolphe mit quelques secondes avant de réagir.

— C'est ça que vous attendez de moi, Artus, que je mette en avant l'emploi pour justifier vos… ?

— Mes quoi… ?

— Vos… Vos projets, Artus, vos projets, dit Rodolphe, qui avait sûrement un autre mot moins sympathique en tête.

Artus osa poser la main sur l'épaule de son gendre.

— Rodolphe, aujourd'hui j'ai besoin de toi, comme tu as pu avoir besoin de moi par le passé, dit-il avec une légèreté feinte. Comme d'ailleurs tu pourras peut-être encore avoir besoin de moi dans le futur.

Rodolphe sentit un vent glacial lui gifler le dos. Son visage dut marquer une violente crispation haineuse. Quel putain de salopard ! Comment un être aussi abject avait-il pu donner la vie à une femme aussi merveilleuse qu'Alice ? Artus le dévisagea en s'étonnant de ce sentiment antagoniste à son égard.

— Admets quand même que j'ai remué ciel et terre pour que tu sois à la place que tu occupes aujourd'hui, mon garçon.

Ainsi, voilà où l'on en était. Voilà quel était le sujet. Maintenant il fallait passer à la caisse, payer les intérêts exorbitants de ce qu'on lui avait généreusement prêté jusqu'ici. Le mot « garçon », habilement dépréciatif en la circonstance, n'avait pas été utilisé à la légère par Artus – aucun des mots qu'il employait ne l'était jamais. Il renvoyait Rodolphe à cette lourde dépendance d'ordre filial qui le tenait enchaîné à son beau-père depuis l'instant où il l'avait rencontré et qui pourrissait leur relation. Par exemple, il n'avait jamais pu se résoudre à le tutoyer et donc, d'une certaine manière, à le considérer d'égal à égal.

— Ces connards d'écolos vont nous tomber sur le dos, enchaîna Artus. Le maire va réussir à faire passer son PLU au niveau communal et même au niveau régional mais il va être contesté par des tas d'associations à la con, et donc une enquête va probablement être ordonnée par le tribunal administratif si les choses vont un peu loin, ce dont je ne doute pas avec ces enragés.

Encore heureux qu'il y ait une enquête, pensa Rodolphe.

Artus s'approcha de son gendre et le regarda droit dans les yeux. Rodolphe se souvint de ce même regard le jour – très lointain – où Artus lui avait confié la main et l'avenir de sa fille. Comme toujours quand il lui faisait face, Rodolphe se sentit agressé.

568

— Il faut que tu défendes ce beau projet, Rodolphe, car crois-moi, c'est un très beau projet. Il faut que tu le portes à un niveau politique, c'est-à-dire exactement là où il devrait être, loin des querelles de basse-cour de ces tout petits écolos minables qu'apparemment tu as pris dans ton collimateur. Ces rousseauistes rétrogrades ! C'est bien ce que tu as dit, non ? Ah, ah, bien vu, mon garçon, très bien vu.

Un petit rire odieux s'échappa par à-coups de la gorge ridée d'Artus. Rodolphe se sentit insulté d'avoir fait une telle sortie. Le rire s'interrompit aussi brutalement qu'il était apparu et Artus reprit, encore plus véhément :

— Il faut que tu fasses des réunions publiques, bordel, il faut que les électeurs comprennent l'enjeu de ce projet pour l'avenir de leur région. C'est non seulement des putains d'emplois que tu leur apportes, mais aussi un putain d'immense potentiel commercial. Toute l'année, une soixantaine de curistes pleins aux as, tu sais combien ça peut rapporter au tissu économique local ? Fais toi-même le calcul.

Artus semblait maintenant dans un état de transe inquiétant pour un homme de son âge. Rodolphe craignit même qu'il ne tombe raide à ses pieds d'une seconde à l'autre.

— Il faut que tu mouilles ta chemise, nom de Dieu. Il faut que tu ailles convaincre les élus, les magistrats du tribunal administratif... Le Conseil d'État, si le juge nous donne tort ! Il faut frapper haut et fort. Ça a toujours été ma méthode et je peux te jurer que c'est la bonne. Ai-je besoin de te rappeler que les élections sont dans moins de deux ans ? Tu dois être celui qui aura réussi à créer une dynamique nouvelle dans une région qui bouge normalement entre le 15 juin et le 15 août et encore, quand le Bon Dieu a décidé de la chauffer un peu sans trop l'arroser. Dans deux ans, c'est ton nom qu'on associera à ce projet, Rodolphe. Pas le mien. Moi, je ne serai qu'une toute petite souris invisible.

Une petite souris capable de grignoter cent fois son poids...

Et puis il y eut cette phrase que Rodolphe mit du temps à élucider :

— Même si je te fais profiter de tout mon réseau d'amitiés, il n'y aura aucune association possible entre mon nom et le tien, conclut Artus. Aucune, fais-moi confiance.

Rodolphe fronça les sourcils. Décidément quelque chose n'allait pas.

— Artus, quel est réellement votre intérêt dans ce montage ? Apparemment vous n'en tirez rien de concret, vous êtes invisible. Je répète ma question : qu'est-ce que vous gagnez dans tout ça ?

Artus se permit encore une fois de poser sa grosse pogne sur l'épaule de Rodolphe.

— Essentiellement la satisfaction de voir les yeux de ma très chère fille briller d'admiration pour son époux, dit-il avec la voix mielleuse d'un bonimenteur bien décidé à refourguer toute la camelote qu'il a en stock.

Il y eut encore une démonstration en demi-teinte de ce rire odieux, puis il baissa son bras.

— Prends le temps de réfléchir à tout ça.

Artus lui tourna le dos et se remit en route pour ne pas avoir à essuyer d'autres questions impertinentes de la part de son gendre.

— J'ai garé ma voiture là-bas, dit-il en désignant un parking lointain. Je vous raccompagne, monsieur le député ? ajouta-t-il sans se retourner, mais Rodolphe imaginait bien le type de sourire qui avait accompagné sa phrase.

— Je vais rester encore un peu, dit Rodolphe.

Artus leva vaguement le bras pour prendre congé. Sa silhouette, impeccable et droite comme un i, s'évanouit peu à peu dans la lande. Rodolphe le suivit du regard jusqu'à ce qu'il eût disparu derrière l'énorme rocher qui constituait le point de départ du chemin communal menant au parking municipal.

Quelques secondes plus tard, il avait retrouvé le promontoire de son adolescence. Il s'y tenait debout, les yeux rivés sur un horizon inchangé depuis des millénaires. Ici, la nature avait conservé sa toute-puissance, rien ne s'était dissipé de cette énergie liminaire qu'une force suprême et inconnue lui avait conférée juste après le Big Bang. Combien de millions d'êtres humains avant lui étaient déjà venus contempler le spectacle bluffant de cette éternité immobile pendant que la race humaine continuait de se liquider et de se recomposer, génération après génération, dans une longue et irréductible sédimentation ? Combien étaient venus ici trouver un semblant de signification à l'angoissante énigme de leur disparition inéluctable et, comme Rodolphe ce jour-là, tenter de donner une réponse à la non moins oppressante question : comment faire pour vivre en accord avec soi-même ? Comment faire pour vivre, tout simplement ? Rodolphe se sentait comme une bille de plomb, manipulé par des dieux malicieux qui n'arrêtaient pas de le jeter contre son gré dans des situations où son esprit refusait d'aller. Voilà la raison de mon inextinguible colère, pensa-t-il. Mon corps va dans un sens et mon cerveau dans un autre. Dès lors, qu'allait-il faire de tout ce que lui avait raconté Artus ? Aurait-il le courage d'affirmer ses propres convictions et de dire non à ce type qui voulait l'entraîner dans l'obscurité de ses magouilles ? Aurait-il la force de renoncer à une notoriété embryonnaire pour des questions de morale qui, de toute façon, ne semblaient plus intéresser personne aujourd'hui ? Avait-il d'ailleurs assez d'envergure pour que son renoncement constitue en soi une chose exceptionnelle que tout le monde remarquerait avec envie et admiration ? Il repensa à la phrase de Benoît : « Posséder, c'est renoncer »... et se sentit soudain terrassé par l'écrasante évidence de sa petitesse. La puissance infinie de l'océan, la force destructrice des vagues à ses pieds, les reflets magiques, irréels, que le soleil couchant faisait étinceler à la surface de l'eau, le vent qui soufflait toujours plus fort en cet endroit, toutes ces choses qui avaient autrefois contribué à alimenter son illusion de pouvoir un jour changer le monde semblaient dorénavant vidées de leur puissance d'évocation, et par conséquent privées du moindre sens. Rodolphe regarda sa montre puis poussa un long soupir de lassitude. Il était bientôt 20 heures et il avait promis à ses parents de dîner avec eux.

Il apparaissait à Rodolphe que la lente dégradation physique de son père avait été concomitante à la perte d'influence de plus en plus sévère du Parti communiste, comme si étaient liés, de manière organique et sensible, l'homme et les idées qu'il défendait. Pierre Lescuyer était maintenant un vieil homme de soixante-dix-neuf ans. Il mangeait peu, parlait peu, dormait peu. Ses deux infarctus semblaient l'avoir fatigué à l'extrême et vidé de toute substance contestataire. Le premier, en 1994, avait coïncidé avec l'abandon par le Parti du centralisme démocratique marxiste-léniniste et la disparition pure et simple de la faucille et du marteau sur le logo rouge et or dont Pierre était si fier. Le second était intervenu juste après les élections européennes de 1999, quand les forces communistes s'étaient retrouvées loin derrière Les Verts et talonnées de près par l'extrême gauche. Selon Rodolphe, son père représentait la toute dernière génération d'ouvriers réellement marxistes dont le combat avait été nourri par une force qui allait disparaître avec eux. Bien entendu, il avait conscience des luttes incessantes et de plus en plus légitimes menées par les plus défavorisés contre les excès du patronat, de la mondialisation, de l'hyperspéculation, mais ce n'était plus pareil. Cette foi laïque en ce que quelque chose de plus grand puisse encore advenir – un idéal humaniste et politique qui dépassait sa propre conscience du monde et ses propres vues sur lui – allait être engloutie à la mort de ces derniers dinosaures. Félix avait raison, plus personne – Rodolphe y compris – ne croyait à l'absolu politique, et là était toute la différence. Avec l'âge, Pierre Lescuyer s'était peu à peu détaché de ce qui l'avait tant fait vibrer, au point de refuser désormais d'entrer dans des débats de fond avec ses anciens camarades, et même son propre fils. Que Rodolphe se soit engagé auprès d'une force politique dont l'alliance

avec le Parti n'avait été qu'une longue liste de désaccords, de trahisons et de coups bas l'avait d'abord
déçu, puis indigné. À vrai dire, il avait même ressenti
une exaspération mêlée d'humiliation à l'égard de ce
qu'il avait perçu comme une trahison personnelle. Plus
largement, Pierre Lescuyer avait observé comment
son fils s'était peu à peu détaché de lui, non seulement
en pensée mais aussi en habitudes, comment il avait
pris ses aises dans un monde qui lui était inconnu et
dont il se méfiait. Au mariage de Rodolphe – qu'Artus
Costa avait souhaité inoubliable pour sa fille unique –,
il s'était senti diminué, honteux, stigmatisé par tous
ces gens dont il avait passé sa vie à combattre les principes et qui n'acceptaient que du bout des lèvres qu'il
s'asseye à la même table qu'eux. Avec le temps, disons
que les choses s'étaient tassées. Pierre Lescuyer avait
visiblement épuisé tous les modes de révolte dont il
avait été capable, non seulement vis-à-vis de son fils,
mais, plus globalement, vis-à-vis du monde.

Une dizaine d'années plus tôt, Rodolphe avait offert
à ses parents une petite maison de trois pièces dans
le centre du village. Depuis, il tentait de se déculpa-
biliser d'avoir une femme aussi riche en leur offrant
régulièrement des choses qu'ils n'auraient pas pu se
payer sans lui mais dont ils n'avaient nul besoin. Ainsi
cette machine à café Nespresso qui trônait, inutilisée,
sur le plan de travail de la cuisine et qu'il avait apportée
lors de sa dernière visite.

— Tu ne t'en es pas servie, Maman ?

C'était devenu une habitude. Rodolphe commençait
par faire le tour de la maison pour vérifier si ses
cadeaux – qui avaient toujours un caractère pratique

et domestique – avaient trouvé une utilité dans le quotidien de ses parents. En général cela n'était pas le cas
et cela avait le don de l'agacer.

— C'est trop compliqué, Rodolphe, dit sa mère,
peinée.

— Comment ça compliqué ?

Il se mit à manipuler l'engin.

— Tu ouvres là, tu mets la dosette ici, tu refermes
et tu appuies sur le bouton vert. C'est compliqué ça ?

Hélène regarda son fils.

— Ton père préfère l'autre machine, avoua enfin
Hélène Lescuyer. Il dit que le café est meilleur.

— Meilleur ? dit Rodolphe, dégoûté. Son café est
meilleur qu'un véritable espresso italien ?

Hélène se tassa sur elle-même et offrit le spectacle
désolé d'une vieille dame timide et craintive.

Rodolphe n'aimait pas beaucoup voir ses parents.
L'agonie physique de son père et celle – un peu moins
visible – de sa mère le ramenaient à la pénible constatation de sa propre finitude. C'était un sentiment
égoïste, il le savait, mais il ne pouvait se résoudre
à voir les choses autrement. Hormis à la certitude
d'être mortel, ces visites le renvoyaient à quantité d'autres choses – tout aussi désagréables – qui
avaient à voir en particulier avec l'irréductibilité de
ses origines sociales. Un constat qui trouvait sa pleine
lumière dans ce questionnement récurrent : Comment
puis-je espérer m'en sortir en venant d'un tel milieu,
avec de tels parents ? Un sentiment partagé, entre
parenthèses, par bien des enfants, et de toutes les
catégories sociales imaginables. Pour les deux parties
en vérité, pour Rodolphe comme pour ses parents,

c'était une épreuve que de se retrouver face à face. Pendant de longues années, leurs relations s'étaient essentiellement établies sur du conflit. Maintenant que l'idée ou la nécessité de conflit s'était étiolée par le refus de son père de collaborer à la moindre discussion à caractère revanchard, il ne leur restait plus grand-chose à partager. Cela était particulièrement visible au moment des repas, qui cristallisaient par leurs longs silences et une gêne mutuelle les nouveaux enjeux de leur relation. Ce soir-là, pourtant, l'actualité brûlante de Rodolphe rouvrit la cicatrice de leurs désaccords fondamentaux.

— Il paraît que tu as écrit dans un journal de droite, demanda Hélène, timidement.

— Hélène, je t'en prie, grogna Pierre.

— Non, non, elle a raison, abordons le sujet, dit Rodolphe en regardant son père.

Il se tourna vers sa mère.

— D'abord, je n'ai pas écrit pas dans un journal de droite, Maman. J'ai été interviewé par un journal de droite, ce qui n'est pas tout à fait la même chose. Je ne partage ni ne cautionne les opinions de ce journal. Il m'a simplement permis de m'exprimer sur un sujet que personne ne veut aborder dans mon parti.

— Tu n'as pas viré à droite, Rodolphe ? dit Hélène, réellement inquiète.

— Je suis député socialiste, maman, dit Rodolphe en fermant les yeux une fraction de seconde, comme si sa sincérité n'avait pas de meilleur allié que son agacement.

— Kouchner ou Besson eux aussi se disaient socialistes et pourtant ils ont collaboré.

Dans la bouche de cette femme dont le père, résistant, avait été fusillé à la suite de l'attaque de la prison de Dinan par un groupe de Francs-tireurs et partisans bretons le 12 avril 1944, ce mot prenait toute sa signification.

— Laisse-le tranquille, dit Pierre à sa femme.

— Il faut qu'il sache, quand même...

— Que je sache quoi, Maman ? demanda Rodolphe, soudain inquiet.

— Tu veux savoir ce que les gens disent ?

Rodolphe pressentit qu'il allait devoir endurer quelque chose de déplaisant.

— Hélène..., dit le père, de manière douce et résolue.

Hélène hésita.

— Vas-y, maman, insista Rodolphe, ce serait dommage de t'arrêter en si bonne voie. Ils disent quoi, les gens ?

— Eh bien, ils disent que tu ne fais pas grand-chose pour la région, commença Hélène sur un ton prudent et craintif. Certains regrettent même de t'avoir élu, si tu veux savoir. Ils disent que tu n'es bon qu'à parader avec les maires et les conseillers généraux mais que tu ne fais rien pour eux.

Hélène se tourna vers son mari.

— Il fallait qu'il le sache, non ?

Pierre eut une moue résignée.

— Maman, commença Rodolphe en se tournant vers sa mère, je passe quatre jours par semaine sur le terrain et les trois autres jours sur les bancs de l'Assemblée. Depuis trois ans, je n'ai pas pris un seul jour de vacances. Depuis trois ans, je passe mon temps dans des trains ou des avions, ce qui peut paraître sympa quand on le dit comme ça mais qui est en réalité une véritable plaie. Depuis trois ans, je dors quatre heures par nuit, et encore, parce que je me bourre de somnifères. Depuis trois ans, je me bats pour sortir cette foutue région de son immobilisme chronique.

Son ton était de plus en plus rageur. L'évocation des insomnies de son fils, et surtout son recours à des substances narcoleptiques, avait alarmé Hélène.

— Je passe ma vie à rencontrer des élus, des électeurs, des associations de riverains, des syndicats interprofessionnels, continua Rodolphe. Tous, absolument tous ont quelque chose de particulier à me demander pour servir leurs petits intérêts personnels. Sauf que je n'ai ni le temps ni le pouvoir d'accéder à toutes leurs demandes, et en particulier les plus irréalistes. Et puis, quand j'ai fini de discutailler avec tous ces gens, il faut que je me batte pour conserver des emplois ou empêcher la fermeture de classes, de crèches, de maternités, de lits d'hôpitaux... C'est important, non, les emplois, les crèches, les maternités, les hôpitaux ? Surtout dans une région où ils disparaissent les uns après les autres. Et ensuite, il faut que je me batte encore pour faire construire des pistes cyclables, des casernes, des stades... Il faut bien que les enfants fassent du sport et que les pompiers puissent garer leurs camions, non ? Ça ne s'arrête pas là, rassure-toi ! À Paris, il faut aussi que je me batte dans des tas de commissions pour opposer des amendements aux lois de ce putain de gouvernement qui est en train de foutre en l'air l'éducation, la santé et la justice. Jamais de ma vie je ne me suis autant battu et jamais je n'ai autant travaillé, Maman, jamais. Et les gens osent dire que je ne fais rien pour eux ? Ils osent vraiment dire ça ?

Hélène était tétanisée face à une telle démonstration de colère. Rodolphe se tourna vers son père.

— Tu me crois, toi, au moins ? dit-il, presque implorant.

Rodolphe comprit immédiatement qu'il réclamait l'assentiment de son père comme il avait réclamé celui de Gabriel deux mois plus tôt. Mais, s'agissant de son géniteur, ce sentiment avait une autre teneur, incomparablement plus obscure, incomparablement plus vitale que Rodolphe n'aurait pu l'imaginer. Pendant tout le temps qu'il s'était exprimé et avait tenté de légitimer sa position d'élu de la nation, Pierre l'avait observé avec un mélange d'inquiétude paternelle et de beaucoup d'admiration partisane. La fureur de Rodolphe l'avait propulsé dans les limbes de sa mémoire, où il avait entrevu la flamme qu'il entretenait lui aussi à cette époque bénie où il y croyait encore. Se pouvait-il que son fils puisse reprendre, même à sa façon, l'éternel flambeau familial qui faisait que chez les Lescuyer, de génération en génération, on se battait pour faire en sorte que le monde soit un peu meilleur ? Aurait-il au moins réussi ça ? Aurait-il réussi, contre toute attente, à engendrer un tel homme ? Des larmes de joie et de tristesse embuèrent les yeux du vieillard, une vive émotion que Rodolphe remarqua et comprit pour ce qu'elle valait. Pourtant, de chaque côté de la table, les deux hommes s'en tinrent à une observation prolongée et muette de leur affliction mutuelle. Bon Dieu, se dit Rodolphe, ce type – mon père en l'occurrence – serait donc capable de se foutre à pleurer sur la seule foi de ce qu'il me croit capable d'accomplir ?

Comme il fallait s'y attendre, le maire socialiste fit rapidement adopter par le conseil municipal – à l'unanimité moins les Verts – les modifications urbanistiques de la carte communale qui furent entérinées par les instances du département puis celles de la région. Un appel d'offres fut alors lancé et désigna sans trop de surprise – en tout cas pour Rodolphe – la British Spas France comme entreprise mieux-disante, les autres entreprises soumissionnaires – et parmi elles, fait notable, l'entreprise d'Artus Costa – ayant été éliminées pour des raisons de compétences techniques.

Après investigation de la part de Félix et de Grégoire, l'attaché parlementaire local de Rodolphe, il apparut que la British Spas France était une SAS, une société par actions simplifiée, filiale à 51 % de la société britannique British Spas Ltd, les 49 % restants étant détenus par la Corfelia, une autre société, domiciliée, elle, au Luxembourg. Créée cinq ans auparavant, la filiale française avait à son actif trois réalisations de ce type, une sur les rives du lac de Guerlédan, dans les Côtes-d'Armor, une autre sur la Côte sauvage aux environs de Quiberon et la troisième près de La Rochelle en Charente-Maritime. Les sites Internet de ces entreprises – tous trois placés sous l'égide de l'Assurance Maladie, un parrainage supposé attester de leur sérieux – les décrivaient comme des établissements à la réputation bien établie, dotés d'un plateau technique performant et d'équipes professionnelles hautement qualifiées, dont l'objectif commun était la rééducation dans ses formes les plus lourdes : rééducation neuromusculaire, rééducation rhumatho-orthopédique, rééducation post-traumatique...

Rodolphe insista pour rencontrer le président de la British Spas France. Monsieur Augustin Ramirez, un ancien médecin du travail, était un homme rondouil-lard et enthousiaste qui parlait à la vitesse de l'éclair en même temps qu'il reformulait sans arrêt certaines de ses phrases, de sorte qu'il ne cessait de perdre en concision ce qu'il avait par ailleurs gagné en célérité.

— Ce que nous avons prévu ici est tout à fait diffé-rent en termes de clientèle de ce que nous avons par ailleurs. Ici, nous ne recevrons pas du tout les mêmes personnes, si vous voulez. On a souhaité un côté plus haut de gamme, plus luxe, en d'autres termes. On insiste beaucoup plus sur l'aspect *cocooning*, sur l'aspect détente, et beaucoup moins sur l'aspect purement traumatique. En tout cas nos clients seront beaucoup moins traumatisés que dans nos autres centres. Disons qu'on traitera essentiellement les traumatismes légers. Il s'agira plutôt de se détendre après un traumatisme mineur : une jambe cassée, un poignet cassé, un traumatisme crânien, j'en passe. On est entre le spa haut de gamme et l'établissement de soins sérieux. C'est ça, le positionnement, exactement entre le spa et l'établissement de soins, le spa étant d'ailleurs, comme son nom l'indique, la raison d'être de British Spas, conclut-il, à bout de souffle, avec une petite grimace comique.

Ce type m'a tout l'air d'un brave homme, pensa immédiatement Rodolphe.

Dans le bureau du président, une maquette d'architecte au 1/100, d'un peu moins de 3 mètres carrés, exposait le projet de construction dans ses moindres détails. La villa des Segovia, bien que restructurée de fond en comble à l'intérieur, était quasiment conservée en l'état à l'extérieur et occupait le centre d'un dispositif de forme quasi circulaire, assez neutre architecturalement, entièrement de plain-pied, dont chacune des sept salles de soins et des soixante chambres faisait face à la mer. Sur les terrains nouvellement constructibles, on notait également la présence d'un court de tennis et d'une piscine à toiture escamotable qui permettait de l'ouvrir ou de la fermer suivant la saison. Le plus, comme ne manqua pas de le noter et de le répéter à l'envi monsieur Ramirez, était l'effort considérable apporté à la résolution des problèmes énergétiques et à l'intégration des bâtiments dans le tissu écologique local. Les besoins en énergie étaient satisfaits par un ensemble de capteurs photovoltaïques invisibles, situés sur les toits, ainsi que par l'utilisation de l'inertie thermique de la structure et la mise en place d'un cogénérateur de biogaz associé à un récupérateur de chaleur couplé à la ventilation, l'ensemble couvrant 80 % des besoins en électricité et la quasi-totalité des besoins en chauffage. Par ailleurs, les eaux de pluie étaient recyclées, les eaux grises étaient filtrées et retrouvaient un usage dans les toilettes. Quant aux eaux noires, elles atterrissaient dans une cuve en même temps que les déchets organiques des autres activités afin de produire du biogaz et du compost. Les matériaux les plus écologiquement performants, et tous biosourcés, avaient en outre été privilégiés dans la construction. Enfin, de par la disposition est-ouest des installations, la lumière naturelle était utilisée à fond dans tous les bâtiments. Artus avait au moins raison sur un point : c'était un admirable écosystème.

— Qu'est-ce qu'on risque à se lancer là-dedans ? dit Félix.

Depuis quelque temps, Félix ne disait plus «tu» mais «on» ou alors «nous», un dérapage séman-tique qui entendait montrer que la bataille pour la réélection de Rodolphe – voire plus – était aussi *son* affaire et qu'à côté du commandant en chef, il y avait une deuxième tête, bien pleine et bien faite.

— Ce projet tient la route, non ? continua-t-il. Je te repose la question : qu'est-ce qu'on risque, à part se mettre à dos un troupeau d'allumés ?

— J'ai par ailleurs confirmation que deux cents emplois pourront être créés avec ce projet, ajouta docilement Grégoire.

Outre l'honorable fonction d'attaché parlementaire local, Grégoire était étudiant en sciences écono-miques. Il avait été choisi par Félix après lecture de son mémoire relatif à «L'impact des nouvelles normes environnementales sur la performance financière des entreprises».

— Il n'y a visiblement aucun rapprochement possible à faire avec ton beau-père puisque son nom n'apparaît nulle part, dit Félix sur un ton qui se voulait rassurant.

Rodolphe était on ne peut plus circonspect.

— N'en fais pas une affaire personnelle, dit Félix prudemment.

583

Rodolphe lui lança un regard plein de fiel. Bon Dieu, comme il détestait ce type si sûr de lui, aux idées toujours si tranchées, à la démarche et au look si affirmés !

— Foutez-moi la paix, dit Rodolphe en franchissant le seuil de son bureau et en s'efforçant de claquer fort la porte derrière lui.

Il se mit à observer à l'extérieur, par une large fenêtre, le spectacle des passants. Un spectacle qui, vu l'espèce d'imbroglio vaseux que constituaient ses idées, se révéla lui-même une sorte de nébuleuse floue et inconsistante de silhouettes affolées, erratiques, qui semblaient, comme lui, n'avoir aucun but défini. Était-ce réellement ce à quoi tout l'enjeu de son indécision se résumait ? se dit-il. À une histoire personnelle ? Et qui englobait-elle ? Artus ? Gabriel ? Il est vrai que déplaire au premier tout en assurant le second de sa probité constituait en soi la meilleure des raisons pour ne pas y aller. Rodolphe aurait même réalisé un excellent coup double en signifiant à Artus qu'il était grand temps d'abandonner l'idée que sa pensée et ses actions étaient asservies à son bon vouloir et en démontrant à Gabriel que sa pensée et ses actions étaient toujours aussi pures qu'au premier jour et qu'il était demeuré l'honnête homme de son adolescence. Seulement, voilà ! Il y avait une personne qui lui donnait sérieusement envie de combattre ces deux forces antagonistes et d'y aller, justement. Cette personne, c'était son père. Voir des larmes couler dans les yeux de Pierre Lescuyer à l'évocation de l'espoir social et humaniste dont son fils pourrait être porteur – en créant des emplois par exemple, en redonnant vigueur à cet endroit du monde économiquement délaissé – l'avait tout simplement bouleversé. Discerner l'assentiment muet de ce père, conclure en quelque sorte avec lui un traité de paix tacite qui enterrerait toutes leurs aigreurs et tous leurs différends l'avait aussi tranquillisé, comme s'il y avait quelque chose de profondément libérateur et apaisant dans le fait de se réconcilier avec sa propre famille. Oui, il en était persuadé, s'il fonçait dans ce projet et qu'il y mettait toute sa puissance de conviction, ce serait uniquement pour fêter ses retrouvailles avec ce père dont le respect et l'admiration, il s'en rendait compte soudain, lui avaient au fond tant manqué.

30 novembre 2010

De par sa qualité d'agent artistique, l'une des occupations principales de Juliette Wolfenberg vis-à-vis de Benoît Messager – outre celle de négocier sa rémunération et de fixer les modalités de ses contrats – était d'assurer le rayonnement de sa carrière de photographe. Même si, à ses débuts, elle avait du milieu de la mode et du luxe une vision vague et un rien partisane – elle avait tendance à le considérer, par rapport à celui de l'art contemporain, comme une zone de turbulences fortement baignée de superficialité et d'arrogance –, elle avait rapidement saisi le fonctionnement du *star system* en vigueur dans ce secteur particulier, le principe de base résidant selon elle dans la nécessité d'ériger son client en pur objet de convoitise aux yeux de ses commanditaires. Juliette avait bien assimilé cette histoire de va-et-vient permanent entre frustration et désir qui était la clef pour accéder à la compréhension de bon nombre de confrontations amoureuses, mais qui était aussi d'actualité dans cette branche lucrative de l'économie. Plus Benoît serait inaccessible et énigmatique, plus on chercherait à l'atteindre afin de tenter de percer son mystère ; plus il se révélerait distant et capricieux, plus grandes seraient ses chances d'être considéré comme un immense artiste et donc de maintenir sa cote à un niveau alléchant. Elle avait surtout compris qu'à ce niveau de notoriété il était presque mal vu d'être direct, transparent ou, pire, simplement gentil. Personne ne souhaiterait donner des dizaines de milliers de dollars par jour à un type certes bourré de talent mais qui se contenterait d'être adorable, ou même abordable. À l'évidence, il fallait sans cesse nourrir d'artifices, d'incidents, de drames, de zones d'ombre et d'insatis-faction la scène autant que les coulisses de ce théâtre artificiel et bouillonnant, probablement dans le seul but de justifier les sommes d'argent colossales qu'on y investissait. Dans ce milieu, le chouchou de l'élite se devait nécessairement de contrebalancer par des actes de tyrannie ou d'indiscipline l'engouement qu'il susci-tait, au risque, dans le cas contraire, de passer pour un type affreusement normal, voire *totalement boring*, et donc sans aucun intérêt.

Le côté taciturne et légèrement asocial de Benoît favorisait les choses, bien entendu. De manière géné-rale, il était difficile de l'approcher ou d'engager avec lui une conversation un tant soit peu décontractée. Mais cette barrière naturelle n'était pas suffisante. En toute occasion, Juliette s'évertuait à créer encore plus de distance, à le surprotéger comme une mère acariâtre et despotique. Sur les plateaux de prises de vue aussi bien que dans les alinéas de ses contrats, elle avait des exigences qui passaient parfois pour des lubies. Le caractère paisible de Benoît ne le portait pas à adopter lui-même de telles stratégies de comportement, mais

587

le principal en ce qui le concernait était qu'on lui fiche la paix et qu'il puisse faire la photo qu'il avait décidé, et pas une autre.

Ce jour-là, par exemple, il voyageait seul dans la très élitiste *First Class* au premier étage de l'Airbus 380 qui le transportait de Roissy jusqu'à Los Angeles, tandis que l'équipe marketing, la production et l'agence de pub – en tout une quinzaine de personnes – se contentaient, de manière beaucoup moins glamour, de la *Business Class* à l'étage inférieur. Benoît avait besoin de calme et de repos avant le *shooting*. Ainsi en avait décidé Juliette, qui l'avait inscrit noir sur blanc dans l'un des nombreux paragraphes de son contrat. De la même façon, il était incontestable et garanti par écrit que Benoît devrait disposer de la meilleure suite du palace où ils allaient descendre, d'une enveloppe en liquide de deux mille dollars journaliers pour ses frais personnels et annexes, d'une limousine spacieuse pour ses déplacements et ceux de ses deux assistants, de la disponibilité 24 heures sur 24 du chauffeur qui allait avec et d'un minimum de trois heures de repos entre chaque séance de quatre heures effectuée, chaque demi-heure supplémentaire étant d'ailleurs facturée à un tarif si exorbitant qu'il décourageait le moindre dépassement. Etc.

Benoît, après avoir arrosé son repas gastronomique de la quasi-totalité d'une bouteille de Veuve Clicquot, s'était assoupi et avait dormi pratiquement tout le long du vol. Alors que l'Airbus planait à plus de quarante mille pieds au-dessus de la ville d'Edmonton, dans la province canadienne de l'Alberta, il se réveilla et, pour se distraire des trois heures de voyage restantes, se mit à feuilleter la vingtaine de pages du projet qui avait justifié ce déplacement.

Natalie Portman avait finalement refusé de participer à l'aventure. En végétarienne pure et dure – au point de refuser de porter, voire de toucher, quoi que ce soit qui ait une origine organique –, elle s'était renseignée sur les activités de la branche « cosmétique » de l'Entreprise et, quand elle s'était aperçue que celle-ci recourait à des expériences sur des animaux pour tester ses produits, elle avait interrompu net les pourparlers dans lesquels son agent s'était engagé.

Benoît porta son attention sur le mini-portfolio qui accompagnait les feuilles dactylographiées. Sur une quinzaine de pages s'étalaient autant de photos de Kelly McGuire, l'égérie choisie par l'équipe marketing et l'agence de com en remplacement de l'actrice défaillante, sous le prétexte toujours renouvelé de *rajeunir la cible*. Kelly était effectivement une très jeune femme d'une vingtaine d'années, aux proportions idéales et d'une blondeur probablement factice mais en tout cas à couper le souffle. Le genre de beauté californienne extrêmement sportive, extrêmement souriante, tout en pommettes rehaussées et en canines blanches, qui avait la perfection plastique de milliers d'autres blondes tout aussi enviables telles qu'on en trouve dans le secteur de Venice Beach. Jusqu'à ce jour, Benoît ignorait son existence. Kelly était pourtant devenue, en l'espace de quelques mois, une star planétaire par le biais d'une série télévisée pour adolescents – désormais suivie par des dizaines de millions de téléspectateurs dans plus de 36 pays – où elle jouait le rôle d'une croqueuse de minets richissime, horripilante, sans scrupules et légèrement idiote. Certains blogs de fans la décrivaient naïvement comme «la fille la plus belle du monde». Benoît regarda plus attentivement l'un des portraits de Kelly. Il s'intéressa de près à ses yeux, censés être communément le miroir de l'âme, mais ne détecta rien qui puisse nourrir le désir de s'y attarder, et encore moins de lui accorder trois jours entiers de *shooting*. Il est certain que Benoît avait accepté cette campagne uniquement pour faire plaisir à Tanguy et à cet instant il se demandait s'il n'allait pas s'en mordre les doigts. Il releva la tête et aperçut, à travers le minuscule hublot, l'immensité d'un ciel blanc. L'exiguïté de l'ouverture pratiquée dans la carlingue de l'avion lui parut soudain très angoissante en comparaison avec l'infinité du vide céleste et scintillant sur lequel elle donnait. Dans le recoin le plus reculé de ce qu'il faut bien nommer sa conscience, une petite porte bascula, libérant tout un flot de pensées ombrageuses. Benoît se sentit prisonnier de ce monstre de technologie et de métal qui, à la vitesse de mille kilomètres par heure, le conduisait irrémédiablement vers une ville où il n'avait finalement pas très envie de se rendre, pour photographier une fille qui avait pour lui la saveur d'un bonbon à l'aspartame.

Juliette l'attendait à la sortie de l'aéroport. Elle était adossée, bras croisés, contre une longue limousine noire, inquiétante, aux allures d'insecte aveugle et menaçant. Trois jours auparavant, elle avait fait le voyage avec Louis et Erwan, les deux assistants de Benoît, et tous trois s'étaient attachés, chacun dans son domaine de compétence, à régler les derniers détails techniques, logistiques ou artistiques qui restaient en suspens. Le chauffeur s'empara vivement de la lourde valise de Benoît, la souleva du sol sans le moindre effort apparent et la fit atterrir délicatement dans le coffre. Cheryl était une minuscule brunette d'au plus 1,55 mètre, nerveuse, musculeuse, bourrée d'une énergie virile, dont le visage était perforé d'un nombre incalculable de piercings qui en rendaient pénible, du moins pour Benoît, l'observation prolongée. Outre sa qualité de conductrice, il apparut assez vite qu'elle prêtait également ses talents de chanteuse à un groupe d'*alternative metal* du nom étrange de Slippery Chaos, dont elle proposa immédiatement à Benoît un exemplaire dédicacé du dernier album, intitulé *Kill the Rich*, ce que Benoît considéra comme une entrée en matière amusante dans cette ville si ostensiblement plombée par le concept d'argent.

Juliette rappela à Benoît sa mission pour les trois jours à venir. Il avait huit photographies à réaliser. La plus importante serait celle qui allait illustrer la campagne de lancement du parfum à l'échelle mondiale. Le projet avait quelque peu évolué visuellement. La nudité de départ avait été sagement amendée par une longue robe à strass, façon fourreau, au décolleté généreux, dont la couleur écarlate demeurait la seule concession à l'idée de rouge initiale – les longs gants de l'égérie étaient maintenant noirs et le canapé résolument taupe – puisque le parfum portait dorénavant le nom de *Féeric*, ce qui avait paru totalement absurde et ringard à Camille – et même à Tanguy. L'un et l'autre furent cependant assez avisés pour ne faire aucun commentaire, chacun ayant des raisons toutes personnelles de se conformer aux désirs de leurs supérieurs. Camille ne voulait pas compromettre ses chances d'accéder à son poste new-yorkais en janvier prochain. Quant à Tanguy, depuis l'épisode Ludovic Gaillard, il s'évertuait à ménager les humeurs de sa hiérarchie, que ce soit dans le sens ascendant ou descendant.

La deuxième photographie serait une version édulcorée de la précédente. Destinée aux pays du Moyen-Orient, le moindre centimètre carré de peau impie en avait été gommé : le fourreau à strass aurait disparu au bénéfice d'une robe de mousseline couleur chair qui couvrait les bras, les seins et jusqu'au cou de l'égérie. Les six autres photos seraient des variations sur le thème des deux précédentes et serviraient à alimenter les divers points de vente et les articles des journalistes beauté du monde entier.

À la sortie de l'aéroport, la limousine glissa vers l'interminable San Diego Freeway. Puis ce furent Fox Hills, Sunkist Park, Venice Boulevard, Palms Boulevard, Santa Monica Boulevard, Beverly Hills. La poésie californienne déclamait sa prose le long de kilomètres de faubourgs rectilignes, monotones, abrutis de soleil, tout en alignements de palmiers. Benoît, le front appuyé contre la vitre teintée, observait. Une fois de plus, l'extrême horizontalité de la ville lui parut oppressante. Le ciel était d'un bleu électrique, un de ces faux bleus Technicolor qu'il avait en horreur. Son goût pour les clairs-obscurs et pour la verticalité lui faisait détester Los Angeles, qui lui avait toujours paru trop basse, trop vaste, trop quadrillée, trop uniformément étincelante de lumière pour receler la moindre parcelle d'ombre et de mystère. Or, ce que Benoît recherchait avant tout, dans une ville comme dans quantité d'autres choses, et même dans les êtres humains – surtout peut-être dans les êtres humains, et il repensa immédiatement à Kelly McGuire –, c'était qu'on lui livre une part d'énigme où il aurait envie de plonger et de se perdre.

Arrivée au niveau du 8221 Sunset Boulevard, la limousine ralentit et se glissa dans une impasse étroite qui longeait le célèbre Château Marmont. Une minuscule entrée permettait d'accéder à ce qui se présentait comme une version hollywoodienne et plutôt austère d'un château du Val-de-Loire. L'endroit, d'ailleurs vaguement construit suivant les plans du château d'Amboise, était un bâtiment en L dont les deux toits pentus se rejoignaient au niveau d'une sorte de donjon qui empruntait son architecture carrée à certaines tours du Moyen Âge français. L'hôtel – et plus particulièrement la terrasse de son restaurant – constituait le repaire de toutes les célébrités du show-business environnant. Plusieurs événements tragiques s'y étaient déroulés, des stars y avaient trouvé la mort, une légende sulfureuse s'était bâtie entre ses murs. Chaque fois qu'il lui arrivait d'y descendre, Benoît se disait que c'était sans doute ce délicieux parfum de scandale et d'interdit qui expliquait le contraste frappant entre la population brillante qui le fréquentait et le côté sombre, déglingué et anachronique de ses salons, et surtout de ses chambres, dont aucun aménagement intérieur ne justifiait le prix monstrueux.

Par contrat, Juliette et Benoît y disposaient de l'unique suite en duplex qui s'ouvrait sur une terrasse gigantesque avec vue panoramique sur Hollywood et la piscine en contrebas.

— Je déteste cet endroit, dit Benoît en jetant un regard circulaire sur le salon constitué de meubles vieillots et dépareillés.

— Tu es un enfant gâté, dit Juliette, vexée. Je t'ai pris la suite la plus chère.

Benoît haussa les épaules. Il n'avait jamais aimé les choses ridiculement onéreuses, quand bien même c'était l'argent des autres qui lui permettait d'en disposer. Au fond de lui, il était demeuré un bon paysan et, en bon paysan, il estimait que chaque chose avait un prix et que ce prix, bas ou élevé, devait être justement évalué, suivant des critères, certes variables, mais sans équivoque. En aucune façon il n'acceptait que la valeur d'un bien soit démultipliée pour de simples arguments de mode ou par le seul effet de levier du snobisme. C'était pour cette raison qu'il détestait cet endroit, qui lui semblait être le summum de ce chic bohème autorisant les pires excès économiques. Il observa le visage de sa compagne. Lui si peu sensible au luxe avait depuis quelque temps remarqué chez elle un goût nouveau pour ce qu'elle nommait le confort. Quelques jours plus tôt, par exemple, elle avait souhaité réaménager la cuisine de la ferme, qu'elle trouvait soudain inadaptée.

— Inadaptée à quoi ? avait demandé Benoît.

— Inadaptée pour une cuisine moderne, avait dit Juliette. Inadaptée à tout cet argent que tu gagnes et qui pourrait transformer cette cuisine vétuste en une cuisine décente.

— On l'a entièrement fait repeindre il y a deux ans, si tu as oublié.

— Je ne te parle pas de ça.

Benoît avait pris un air de petit garçon boudeur.

— Je ne veux pas qu'on touche à cette cuisine.

Il y avait bien évidemment une raison sentimentale à ce que Benoît se refuse à refaire la cuisine de sa grand-mère, mais Juliette mit aussitôt l'accent sur un point qui le laissa sans voix :

— Benoît, est-ce que tu as honte de gagner de l'argent ? Est-ce que tu aurais honte que quelqu'un dîne dans cette cuisine et te soupçonne d'avoir dépensé dix ou quinze mille euros pour l'aménager ?

La question resta en suspens, comme une bulle de contrariété compacte. Juliette avait-elle raison ? Avait-il réellement honte de gagner de l'argent ? À la vérité, le fric n'avait jamais eu pour lui aucune consistance réelle. Justement parce qu'il en gagnait beaucoup, il demeurait une idée vague et floue qui ne l'intéressait ni ne le concernait vraiment. C'était d'ailleurs pour cette raison qu'il avait délégué à Juliette et, avant elle, à toutes les femmes qu'il avait rencontrées ou épousées, l'encombrant exercice de l'administrer selon leur bon vouloir. Il faisait partie de ces gens – de plus en plus rares, il faut quand même l'admettre – qui n'ont que très peu le désir de posséder. Bien sûr, il était capable d'engloutir des fortunes dans l'acquisition de son matériel photographique mais la plupart du temps, il ne souhaitait rien de particulier pour lui-même ou son environnement domestique. Chez Rodolphe et Alice, par exemple, il pouvait noter – et réellement apprécier – le côté épuré d'un petit bureau siglé Charlotte Perriand, l'élégance d'un fauteuil estampillé Mies van der Rohe ou la beauté d'un tableau d'un jeune prodige de la diaspora chinoise, mais il ne lui serait jamais venu à l'idée de perdre du temps à écumer les salles de ventes pour les dénicher, même s'il disposait d'assez de liquidités pour les acheter cash tous les trois ensemble, et peut-être même les murs de la salle de ventes et tout ce qu'elle contenait. Cette attitude par rapport à l'argent s'expliquait peut-être du fait que Benoît, contrairement à la majorité des gens, n'avait jamais eu l'impression de devoir gagner sa vie. Son rapport à ses clients n'entrait pas dans les conventions classiques du troc telles que définies par le système capitaliste moderne, où un salaire est échangé contre un travail déterminé. Benoît, lui, n'avait pas du tout l'impression de travailler. Certes, il effectuait une tâche, il devait répondre à certaines exigences de ses commanditaires, il lui incombait, au bout du compte, d'échanger des clichés contre une rémunération, mais cela n'avait rien d'un travail au sens où il l'entendait – au sens où son grand-père aurait pu l'entendre. À y réfléchir, peut-être que le sentiment de honte qu'avait évoqué Juliette trouvait sa raison d'être dans l'extrême écart entre les sommes colossales qu'il recevait et le peu d'efforts qu'il lui semblait devoir fournir pour les mériter. Ajoutons que Benoît, même en accumulant autant de reconnaissance sociale tous azimuts, ne s'était jamais senti artiste à part entière, ce concept lui semblant encore plus éloigné que celui de dépenser des sommes folles dans l'achat d'un canapé trois places comme projetait de le faire Juliette. S'il s'était senti un tant soit peu artiste, il aurait accepté de cautionner cet écart monumental que l'économie de l'industrie du luxe justifiait par le caractère unique et irréductible de sa prestation. Comme cela était loin d'être le cas, rapporté à son échelle personnelle de valeurs, il avait toujours trouvé cet écart dérangeant et il en souffrait. Juliette avait donc au moins raison sur ce point. Était-ce pour autant de la honte ? Après quelques secondes supplémentaires d'introspection, la petite bulle de contrariété éclata, le menant à la conclusion que oui, il trouvait déplacé de gagner autant d'argent – mais qu'il fallait bien faire avec ce sentiment regrettable – et que non, il ne voyait pas pourquoi il devrait changer quoi que ce soit à l'organisation de la cuisine de sa grand-mère.

Le lendemain – et bien que rien dans le contrat ne stipulât, à aucun moment, l'éventualité d'un rapprochement entre les deux parties –, Kelly McGuire réclama à Juliette un entretien en tête à tête avec Benoît Messager avant le début des prises de vue. L'actrice avait insisté sur le caractère intime que devrait revêtir l'entrevue, c'est-à-dire qu'à part elle, seuls son agent et sa publiciste seraient présents, et encore, relégués dans un coin. Par réflexe, Juliette lui avait d'abord opposé un non catégorique puis, à la demande de Benoît – qui ne voyait vraiment pas pourquoi refuser une telle faveur –, elle avait accédé à sa requête, en insistant abusivement sur son caractère exceptionnel. Il avait alors fallu une bonne demi-heure entre les agents des deux camps pour s'accorder sur l'heure exacte et le lieu où devrait se dérouler l'entretien, ainsi que sur sa durée qui ne devrait en aucun cas dépasser le quart d'heure. La suite de Benoît apparut finalement comme le meilleur compromis géographique, puisque le plateau de prises de vue était situé à moins d'un quart d'heure en voiture du Marmont et que l'actrice, qui vivait sur les hauteurs de Los Angeles, était supposée s'y rendre immédiatement après pour sa séance de maquillage.

À 13 heures précises, Kelly McGuire entra dans la suite. Le visage de la jeune femme semblait vierge de tout maquillage et ses cheveux étaient négligemment entortillés en un vague chignon sur le dessus de son crâne. Elle portait un ensemble sportswear gris foncé, très ample, où il paraissait malaisé de repérer les formes généreuses affichées dans le portfolio de l'agence. De sa main gauche pendait un sac Hermès en croco rouge sang, bourré à craquer, qui se trouvait être un Kelly – sans doute un clin d'œil narcissique et malicieux à son statut de star naissante. Elle était suivie de très près par son agent et sa publiciste, deux quadragénaires qui semblaient, eux, tout droit sortis d'une boutique chic de Rodeo Drive.

— Kelly McGuire, dit l'actrice en tendant à Benoît une main ferme qu'il secoua avec peu de détermination.

Benoît fut d'emblée surpris par l'assurance de cette fille qui, renseignements pris, venait de fêter son dix-neuvième anniversaire. D'un geste, il l'invita à s'asseoir en face de lui tandis que l'agent et la publiciste prenaient place à l'écart, dans un canapé étroit et inconfortable que Juliette avait déplacé à dessein, de manière à créer entre eux et le centre de l'action une distance calculée.

— Vous vouliez me voir ? demanda Benoît en anglais, avec un accent à couper au couteau.

— Je suis ravie de travailler avec vous, monsieur Messager. J'ai vu toutes vos photos... et... et je les trouve très belles..., dit Kelly.

Benoît se contenta d'un léger rictus en guise de remerciement.

— Vraiment très belles, ajouta-t-elle avec maintenant nettement moins d'assurance dans la voix.

Il y eut un silence crispé.

— Mais… ? dit Benoît qui se demandait vers quoi cette rencontre allait bien pouvoir dériver. Il y a forcément un mais, n'est-ce pas ? dit-il doucement, en souriant, comme s'il s'adressait à une ado rétive.

Kelly se redressa dans son siège, abandonnant soudain la candeur qu'elle avait affichée quelques secondes plus tôt.

— Il y a une question que je voudrais vous poser. Cela va sans doute vous paraître stupide… mais il faut absolument que je vous la pose…

Elle s'arrêta puis, au bout de quelques secondes de suspens, déglutit avant d'annoncer ce qu'elle avait visiblement tant de mal à formuler :

— Est-ce que vous aimez vraiment les femmes, monsieur Messager ? dit-elle sur un ton à la fois inquiet et protestataire.

Il y eut un léger murmure d'indignation dans le fond de la suite. Apparemment, l'agent et la publiciste n'étaient pas au courant de ce que leur cliente avait en tête en entrant dans cette suite. Le visage de Juliette se durcit. Benoît, lui, s'était figé. Certains auraient souri ou même éclaté de rire devant le caractère saugrenu d'une telle question. D'autres auraient même pu se mettre en colère, en toute légitimité. Benoît, au contraire, parut désireux d'y apporter une réponse sincère, de dissiper le léger malaise qu'il discernait à cet instant dans l'attitude de Kelly et qui traduisait à ses yeux une angoisse réelle.

— J'adore les femmes, mademoiselle McGuire. Beaucoup plus que vous ne semblez le penser. Je ne comprends pas ce qui...

Il s'arrêta, faute de moyens linguistiques ou peut-être encore pour d'autres raisons.

— Je suis embêtée de vous dire cela..., poursuivit Kelly, mais je suis persuadée qu'il y a en elles quelque chose qui vous dérange. Certaines de vos photos sont si sombres, voyez-vous. Vraiment très sombres. Et aussi un peu violentes. Comme si vous vous efforciez de ne montrer des femmes... Comment dire... que leurs défauts... que la part la plus détestable de ce qui fait leur personnalité...

Benoît resta perplexe devant une telle analyse.

— Vous n'êtes pas toujours très tendre avec les femmes, voilà ce que je voulais vous dire.

— Je n'en avais pas conscience. Mais vous avez peut-être raison, je ne sais pas...

Benoît sentit une extrême fatigue lui tomber sur les épaules, comme si les deux mains d'un ennemi particulièrement hostile s'acharnaient à l'enfoncer dans les profondeurs de son fauteuil. À y réfléchir, ce n'étaient pas tant ses qualités d'artiste qui étaient en jeu à cet instant, mais son intégrité en tant qu'être humain. Kelly avait avivé un sentiment qui le hantait de manière permanente et qui avait à voir avec son honnêteté vis-à-vis de ses sujets quand ils s'aban-donnaient à son regard dans toute l'étendue de leur vulnérabilité. Qu'une jeune femme d'à peine dix-neuf ans le place face à un tel questionnement le terrassait véritablement. Il y avait évidemment un autre point que Kelly avait soulevé : son rapport aux femmes.

Il pensa immédiatement à Alice. Kelly avait-elle raison ? Se vengeait-il inconsciemment de la seule femme qu'il n'avait jamais pu posséder en diabolisant dans son art toutes les autres, en leur attribuant des intentions qui n'étaient que les fantasmes délétères d'un amoureux éconduit et peut-être en colère ?

— Je ne voudrais pas que vous alliez chercher en moi quelque chose qui n'existe pas..., reprit Kelly de façon douce et implorante.

L'actrice avait renoncé à ce rôle de star capricieuse qu'elle s'efforçait sûrement d'endosser à longueur de temps. Elle acceptait de se dévoiler devant un inconnu et Benoît lui en était reconnaissant. Il l'observa, ému.

— Comment pourrais-je aller chercher chez vous quelque chose qui n'existe pas ?

— Vous pourriez l'inventer... Pour je ne sais quelle raison.

— Ce n'est pas ma manière de faire, mademoiselle McGuire.

Elle vérifia furtivement la tenue de son chignon.

— Je ne suis pas une ravissante idiote, monsieur Messager. Je sais parfaitement comment je suis cataloguée ici et tout ce qui se dit sur mon compte dès que j'ai le dos tourné. Je sais exactement comment mon agent me vend auprès des studios...

L'agent en question se leva de son canapé où il commençait à se sentir à l'étroit.

— Kelly chérie, tu n'as absolument pas le droit de dire ça ! fit-il d'une voix suraiguë.

Elle évacua sa remarque d'un geste las de la main, sans même se retourner.

— Je ne veux pas de cette image que tout le monde voudrait que je renvoie. Surtout, je ne veux pas être malheureuse à cause de ça.

Elle ouvrit grands les yeux. Benoît lui sourit. Il fut surpris en discernant une lueur intense dans ses pupilles d'un joli bleu outremer.

— Voilà, je crois que vous m'avez comprise, monsieur Messager, conclut Kelly.

Benoît acquiesça d'un léger hochement de tête. Kelly tendit une main fragile à son interlocuteur, qui la serra cette fois avec beaucoup de chaleur, puis elle se leva avec une détermination et une vitalité subites. Dans le geste brusque qu'elle eut en se redressant, l'architecture de son chignon s'affaissa et ses longs cheveux blonds tombèrent en cascade sur ses épaules et devant son visage. D'un geste gracieux, elle les ramena des deux mains derrière ses oreilles en gratifiant Benoît d'un léger clin d'œil où il reconnut la Kelly McGuire du portfolio de l'agence, celle qui affichait sa vie privée dans les journaux people. Elle sortit, sans un regard pour Juliette, en s'emparant au passage de son sac homonyme. Tels deux duettistes jumeaux, l'agent et la publiciste se levèrent en agitant deux petites mains enjouées en direction de Benoît, puis s'engagèrent derrière leur patronne comme deux chiots serviles.

— Une vraie garce ! dit Juliette quand la porte se referma.

Elle semblait avoir condensé en une phrase unique tout le fiel qu'elle avait accumulé contre Kelly, principalement pour en avoir été totalement ignorée. Benoît lui jeta un regard étonné. Il ne semblait pas partager l'avis de son agent.

Le bien nommé studio Smile! était situé sur Fountain Avenue. Benoît y arriva vers 16 heures, soit près de deux heures après la convocation officielle de l'ensemble des équipes. Le milieu de la photo de mode constituant un cercle très fermé, il connaissait, de près ou de loin, une bonne partie de la cinquantaine de personnes présentes, qu'il salua de petits gestes ininterrompus de la main et qu'il s'amusa avec une ironie intérieure à arroser de quatre ou cinq idiomes de circonstance, dont il avait peaufiné l'usage avec le temps, comme *Hello, hello!* ou *Hi there!* ou encore – son préféré – *So good to see you!* qui pouvait aisément se décliner en *So good to see you, dear!* ou *So good to see you, Machin!* quand il lui arrivait de connaître le nom de la personne à qui il s'adressait. Dans la loge maquillage vers laquelle il se dirigea, Kelly s'abandonnait au savoir-faire de Tom, un maquilleur français ultra-célèbre, qui s'ingéniait à faire adhérer à ses paupières deux épais faux cils destinés, si besoin était, à rendre son regard «encore plus vertigineux» *(sic)*. Le coiffeur, lui aussi célébrissime – au risque de lasser, il faut ici reconnaître qu'il y avait un maximum de gens excessivement connus dans les vingt mètres carrés de cette loge –, avait auparavant épaissi sa longue chevelure par une série d'extensions parfaitement invisibles et donné à l'ensemble un léger mouvement ondulant et cranté qui lui conférait un faux air d'actrice des années 1940 – genre Veronica Lake, pour ceux qui s'en souviennent. Après avoir donné son avis sur plusieurs détails mineurs, qui semblaient pourtant relever de l'affaire d'État pour la styliste, Benoît abandonna le tumulte de la loge pour se consacrer aux détails techniques des prises de vue. Une cohorte de techniciens s'affairaient autour de divers Balcar et parapluies tandis qu'Erwan finissait d'aménager le dispositif informatique relié au boîtier numérique qui permettrait aux clients de visualiser en temps réel les clichés de Benoît sur un écran d'ordinateur. Sur une table métallique recouverte de velours noir, Louis avait patiemment décliné, par ordre de focale, les nombreux objectifs dont le photographe pourrait avoir l'utilité. Benoît vint se placer au centre du plateau, plissa les yeux puis, dans le geste qui lui était maintenant si familier, souleva son bras et fit pivoter sa main plusieurs fois de suite afin d'évaluer l'intensité lumineuse qu'elle recevait des différentes sources électriques. Il ordonna quelques mesures supplémentaires, à la suite de quoi il fit rectifier la position ou le flux de certains projecteurs et modifier les épaisseurs des feuilles de calques ou de gélatine qui équipaient la plupart d'entre eux. Benoît agissait sans le moindre empressement, en chuchotant presque à l'intention de Louis, qui faisait passer ses ordres aux électros avec le même calme et avec la même discrétion. Hormis Camille et Thomas, qui ne décollaient pas du fond de la loge maquillage, les très nombreux représentants de l'Entreprise et de l'agence étaient avachis dans une série de canapés en cuir où ils tripotaient leur BlackBerry ou divers gadgets innovants de la maison Apple en regrettant amèrement – et en le faisant régulièrement savoir aux autres – les neuf heures de décalage qui les empêchaient d'être connectés en temps réel à leurs petites affaires outre-Atlantique. Quelques minutes plus tard, Kelly apparut, suivie par une meute de gens qui semblaient tout aussi inutiles au bon déroulement des prises de vue que la plupart des occupants des canapés.

La jeune femme était resplendissante. Elle en avait pleinement conscience et le fit constater à tout le plateau en s'avançant dans son fourreau écarlate de manière exagérément langoureuse. Elle prit place dans le canapé en velours taupe – d'un baroque flou et indéfinissable – et s'y allongea, conformément au *board* de l'agence. Un accessoiriste vint lui présenter une version 100 ml du flacon qu'elle saisit délicatement. Suivant les indications de Camille, Kelly le tint fermement devant elle, bras tendu, en donnant à son attitude un caractère conquérant, pour ne pas dire éclatant.

C'est alors qu'elle surprit le regard insatisfait de Benoît. Par une série de ping-pongs et de ricochets oculaires qui rayonnèrent à partir de la star pour s'étendre à l'ensemble des personnes concernées, chacun put constater que quelque chose n'allait pas. Camille s'approcha prudemment d'un Benoît irrésolu, qui observait avec insistance le centre du plateau sans se décider à fournir une explication quant à l'origine de sa perplexité.

— Il y a quelque chose qui ne va pas ? osa Camille, très bas, au bout de quelques secondes d'un silence de plomb.

— Je trouve cette idée de canapé… pas si terrible que ça, avoua enfin Benoît.

— Vous voulez dire le canapé du *board* ? s'inquiéta Camille. Je pensais que vous aviez validé l'idée.

Juliette s'était rapprochée, de même que Thomas, le directeur de création, ainsi que l'agent et la publiciste de Kelly.

— Vous aviez même l'air de bien l'aimer à la réunion de préprod, ajouta-t-il. En tout cas, c'est ce que j'avais compris.

L'attitude de jeune coq de Camille, son ton surtout déplurent à Benoît, qui manifesta sa contrariété :

— La réunion de préprod, c'était à Paris, dans un bureau haussmannien et là, voyez-vous, mon cher Camille, nous sommes à Los Angeles, sur un plateau de prise de vue quasiment nu, à part ce... ce machin, dit Benoît d'un ton cassant en désignant vaguement le meuble où Kelly était toujours allongée, un peu moins langoureusement et un peu plus inquiète que quelques secondes auparavant.

— Et qu'est-ce qui ne va pas dans ce canapé ? dit Camille, qui ne digérait pas la perversité du « cher Camille ».

— Je trouve qu'elle a l'air d'y être un peu... un peu coincée... et ça ne me plaît pas.

— Un peu coincée ? C'est-à-dire ? demanda Thomas.

— Coincée... Mal à l'aise, quoi, intervint brusquement Juliette. Je suis entièrement d'accord avec ça.

À la demande de l'agent de Kelly, il fallut alors traduire en anglais l'enjeu de la conversation.

— Qu'est-ce que vous entendez par « coincée » ? réitéra l'agent, assez fort pour engager la star à se lever et à rejoindre la petite assemblée.

— Que se passe-t-il ? demanda Kelly sur le ton d'une princesse dont on aurait contrarié le long sommeil.

— Ma chérie, ton photographe trouve que tu as l'air complètement coincée dans ce foutu canapé, annonça la publiciste à l'adresse de sa cliente.

Chacun sentit que la manière dont furent prononcés ces mots entre ses lèvres avait valeur de vengeance personnelle.

— Pas *complètement* coincée, précisa Juliette en retour. Peut-être juste un peu mal à l'aise.

Encore une fois, Kelly ignora son intervention pourtant bienveillante.

— Coincée ? dit-elle en fixant Benoît. Vous pensez vraiment que j'ai l'air coincée ? répéta-t-elle doucement en l'implorant des yeux, comme si lui seul avait la vraie réponse à ce dilemme et que la parole des autres était nécessairement pervertie par des considérations marchandes ou des comportements égotistes.

Benoît prit délicatement Kelly par la main et ils s'éloignèrent du groupe. Vu ses hochements de tête, la jeune actrice semblait l'écouter attentivement. Non loin de là, chacun était atterré par la situation et ses éventuels développements. Au bout de quelques minutes de ces échanges secrets, Benoît abandonna Kelly et se dirigea vers les autres.

— On va faire sans ce canapé, annonça-t-il à la cantonade. Kelly et moi avons envie d'essayer autre chose.

Il n'y avait pas grand monde pour contrarier le désir de Benoît Messager de faire exactement ce qu'il avait en tête. Camille et Thomas essayèrent bien de protester – on aurait dit deux minuscules pur-sang s'ébrouant dans toutes les directions –, mais Juliette crut utile de rappeler à leur connaissance que, par contrat, c'était Benoît, et Benoît seul, qui décidait des clichés à leur fournir. Une sorte d'équivalent photographique du *final cut* cinéma en vertu duquel le réalisateur a un droit absolu sur le montage de son œuvre. Ainsi, en un clin d'œil, le canapé disparut et Kelly se retrouva assise sur un tabouret haut, les deux mains en appui sur le capot d'un factice géant du flacon, qu'un machiniste débrouillard avait fermement assujetti à un trépied métallique. Soit un dispositif incomparablement plus simple que le précédent. À la demande de Benoît, Kelly avança légèrement le menton au-dessus de ses mains et fixa l'objectif. Comme à son habitude, Benoît donna peu d'indications, se limitant à créer par son silence et son attitude une tension notable et incitative à l'abandon de soi. Le visage de Kelly se chargea peu à peu d'une émotion manifeste, parfaitement étrangère à la flamboyance qu'elle avait tenté d'exprimer quelques minutes auparavant. La photographie fut obtenue en moins d'une demi-heure, ce qui déclencha un tonnerre d'applaudissements. Tout le monde apparut finalement enchanté de la disparition de ce canapé, qui n'était qu'une simple hypothèse de travail, comme Camille finit lui-même par l'avouer en souriant humblement.

Il était près de 19 heures quand Benoît quitta le studio. Devant lui, le ciel se dressait tel un écran noir et puissant, d'une densité de métal, irrégulièrement troué par une multitude de filaments éclatants comme des brisures de verre. En dessous de la ligne d'horizon, les longues traînées de lumière des habitations semblaient se diluer dans l'infini du cosmos et constituer elles-mêmes d'interminables constellations d'étoiles. C'étaient les instants qu'il préférait dans cette ville, quand elle abandonnait sa claire évidence à la magie vespérale. Il décida de se rendre à pied au Marmont, pourtant distant de cinq kilomètres, une résolution qui fit jaillir un mélange compliqué de crainte, de méfiance et d'effarement dans les yeux de Cheryl et renforça une fois pour toutes la conviction de Benoît que personne ne se risquait à marcher dans cette ville hypertrophiée, surtout quand une limousine d'apparat était à disposition pour vous y trimbaler. Ainsi, Benoît longea de vastes avenues désertes régulièrement éclaboussées de lumière par les phares des véhicules. Il marchait tête baissée, harassé par un sentiment d'insécurité qui n'avait rien à voir avec la peur du danger – d'ailleurs très mince – que représentait le fait de marcher seul dans cette urbanité taciturne et inhospitalière en diable. Quelque chose qui n'avait pas encore de nom le troublait. En y réfléchissant, Benoît ne s'avoua ni particulièrement content ni particulièrement insatisfait de ce qui venait de se passer. Il estimait avoir bien fait son travail, il était même convaincu d'y avoir apporté toute l'énergie et toute la détermination nécessaires ; ses clients étaient, eux, enchantés, pourquoi donc ce sentiment d'intranquillité le poursuivait-il ? Il régula de façon métronomique l'avancée de ses pas, comme si le tic-tac régulier de ses chaussures sur le bitume avait le pouvoir mystérieux de déclencher un tic-tac mental capable de lui livrer l'accès aux limbes de son cerveau et donc à l'élucidation des questions qui occupaient son esprit. D'une manière générale, Benoît était toujours en peine d'exprimer quelque sentiment que ce soit. Il n'éprouvait jamais ni jalousie ni honte, encore moins de colère, mais il n'éprouvait jamais non plus de profond contentement ou de joie irrationnelle. Il se considérait, en quelque sorte, comme un individu « a-sentimental ». Sauf avec Alice, évidemment. *Sauf avec Alice*, se força-t-il à répéter en son for intérieur, comme pour conjurer ce qui se présentait comme une malédiction et qui, sans doute, en était bel et bien une.

La petite Kelly McGuire l'avait touché, cependant. Il avait entrevu en elle le triste exemple des tortures psychiques que le mythe hollywoodien – et, de façon plus étendue, le *star system*, dont il est l'avatar direct – était capable d'infliger à ce qu'il ne pouvait se résoudre à appeler autrement que l'innocence. Cette très jeune fille, à peine sortie de l'adolescence – l'âge où l'on peinait à consolider son estime de soi –, endurait déjà le regard des autres et sa volonté dévorante de leur plaire. Comme des dizaines de jeunes femmes qu'il avait eu l'occasion de photographier, elle non plus ne tarderait pas à diluer son propre désir dans l'océan infini de leur admiration. Comme elles, Kelly allait grandir trop vite et profiter trop intensément d'une gloire acquise sans effort réel. Comme elles, elle deviendrait incapable de déchiffrer ses envies véritables et cela constituerait tôt ou tard un mystère insondable, de plus en plus embarrassant. Faute de savoir réellement qui elle était, elle se montrerait aigrie, insatisfaite, égocentrée, prenant ses incartades pour des actes de rébellion et ses caprices pour l'affirmation de sa stricte volonté.

Le côté douloureux de ces constatations prit des proportions affligeantes quand Benoît atteignit l'entrée du Marmont, très exactement à l'endroit où le célèbre photographe Helmut Newton avait trouvé la mort, six ans plus tôt, en fracassant sa Cadillac contre le mur qui lui faisait face. Par pure obsession morbide, Benoît ne ratait jamais l'occasion d'honorer la mémoire de son défunt confrère, allant jusqu'à effleurer de la main les pierres qui avaient causé sa perte. Maintenant, il avait juste envie de s'enfiler une – voire plusieurs – double tequila pour tempérer l'effet parasitant de bruit blanc qui avait envahi ses pensées dès qu'il s'était approché de ces pierres maudites.

Il était maintenant plus de 20 h 30. Le Bar Marmont était envahi par les effluves délicats de la célébrité. Une odeur neutre et discrète cependant : ici, il était tellement courant de croiser des gens riches et connus que personne n'y faisait plus vraiment attention. Suivant les règles du snobisme local, le faire aurait d'ailleurs constitué une énorme atteinte au bon goût. Il en était là de ses pensées quand un homme vint le rejoindre au bar et posa la main sur son épaule. *Hi, Benoît*, lança-t-il discrètement en s'éloignant aussitôt. Benoît vit à peine son visage ; il ne perçut que sa large carrure, l'homme était déjà en train d'entreprendre trois créatures magnifiques au fond de la salle. Benoît avala cul sec sa double tequila Casa Dragones à 160 dollars et disparut pour ne plus avoir à essuyer d'autres témoignages discrets et encombrants de sa propre célébrité. Il remonta dans sa suite, sortit du minibar une demi-bouteille de Dom Pérignon qu'il but avidement, directement à la bouteille, dans le but évident de s'assommer. Il s'attarda sur la terrasse où montaient les rumeurs feutrées des tables en contrebas. Devant lui, se projetaient l'immensité du ciel californien et, plus bas, les neuf lettres du panneau HOLLYWOOD. Il est certain que tout autre que lui se serait senti traversé par un sentiment de toute-puissance quasi divine à arpenter les 280 mètres carrés de terrasse d'un lieu aussi prestigieux, dans un environnement aussi éblouissant. Le toit du monde, pour certains. Au lieu de cela, Benoît ressentit comme un malaise, qu'il mit d'abord sur le compte de la malheureuse association tequila/champagne. Alors il pensa à ses grands-parents, dont l'évocation récurrente servait en quelque sorte d'étalon à ses émotions intimes. Est-ce que son grand-père aurait été fier, lui, de le voir ici ?

Comme pour le désengager de cette question, son portable émit un petit cri. C'était un SMS de Juliette :

Nous sommes au Melisse. *Kelly aimerait vraiment que tu nous rejoignes. Je t'embrasse.*

Ses intestins lui balancèrent un signal de détresse, un jet bilieux au goût astringent, et il s'effondra dans un fauteuil. Il n'avait aucune envie de s'encombrer de la compagnie de Kelly dans le dernier restaurant à la mode de Los Angeles. Il n'avait aucune envie de jouer ce rôle que Juliette insistait en permanence pour qu'il endosse. Il n'avait envie ni de paraître ni de parler. Il n'avait surtout pas envie de se faire le confident de rumeurs sur le compte de top models ou de rédactrices de mode récemment promues *totalement in* ou bien menacées d'être *totalement out*. Il n'avait envie de rien de tout cela. Même écouter lui paraissait trop ambitieux. Alors, en provenance directe de la zone la plus indomptée de son intimité, s'érigea devant ses yeux, de manière tout aussi lumineuse et tout aussi gigantesque que les neuf lettres du mot Hollywood sur leur montagne sacrée, LA question qui le taraudait depuis deux heures : *DE QUOI, BORDEL, AI-JE RÉELLE-MENT ENVIE ?*

Il apparaissait d'une évidence irréfutable que Benoît n'avait jamais eu à réclamer quoi que ce soit de l'existence qui ne lui ait été directement servi sur un plateau d'argent. Il n'avait jamais rien eu à demander pour obtenir ce qu'il avait aujourd'hui, c'est-à-dire la gloire, l'argent et la reconnaissance de ses pairs, toutes choses que d'autres mettaient des années, le plus souvent une vie entière, à obtenir. Sa première exposition, déjà, avait été un succès. Il s'était alors trouvé dans l'assemblée deux ou trois personnes à l'esprit assez affûté pour repérer les potentialités énormes de ce jeune homme timide et distant et, parmi elles, son futur agent qui avait insisté pour le prendre sous son aile. Le mythe de la réussite à l'américaine telle que la décrivaient les comédies hollywoodiennes les plus optimistes – l'incroyable succession de rencontres opportunes, de coups de chance du hasard, de choix audacieux toujours récompensés, l'idée même d'achèvement – bref, l'impression générale qu'offre le héros de littéralement glisser sur la vie, tout cela avait été une réalité pour Benoît. Il avait ainsi vécu sans jamais vouloir mieux ou plus grand que ce qu'on lui apportait tout cuit, et donc sans jamais se retrouver dans la nécessité d'avoir à élucider le mystère de son propre désir. Pour un large éventail de raisons, il s'était laissé entraîner en toute conscience sur une route que d'autres – à commencer par son agent et, après lui, Juliette – avaient constamment tracée à sa place ; un long chemin doré, entretenu à grands frais par les sirènes de la renommée, où il avait glané de nombreuses satisfactions mais aussi un nombre incalculable de frustrations sourdes et inexplicables, en tout cas inexpliquées. On l'aura sans doute remarqué, Benoît était par nature un individu inapaisable. Son goût immodéré pour les profondeurs de l'âme humaine le renvoyait sans cesse à des questionnements intenses sur la difficulté de créer, d'être, de vivre, mais surtout au vide – vide de l'espoir que l'art puisse changer la face du monde, vide abyssal des ambitions humaines et, de façon plus générale, vide de l'existence –, et non à une histoire de plein. Ces questionnements asséchaient son esprit plutôt qu'ils ne le remplissaient. Or, ce qui lui faisait cruellement défaut, c'était précisément cette sensation de plénitude, ce désir d'être, au sens étymologique, *rempli* par quelque chose de vivant. Ce fut là qu'intervint une fois encore le spectre d'Alice : hormis son art, la seule personne pour laquelle Benoît aurait véritablement eu des raisons de se battre, la seule chose qui lui faisait *encore et réellement envie*, il l'avait abdiquée. Sa frustration de ne pas être avec Alice et de la désirer pourtant très fort avait alimenté des fantasmes, d'abord d'ordre sexuel, puis de moins en moins sexuels, qui étaient devenus des fabrications mentales rationnelles et l'avaient finalement fait renoncer à l'espoir de la conquérir en échange de la triste compensation de rester à ses côtés comme un petit bichon insatisfait. Or, ce soir – peut-être parce qu'il était juché sur le toit du monde –, il devait admettre que cette envie adolescente de la posséder était loin, bien loin d'être enterrée. Oh non, non, pas du tout enterrée ! Elle était bien vivace et surgissait devant ses yeux comme un énorme poisson psychique que sa conscience aurait enfin réussi à harponner et à sortir hors des eaux profondes de son Ça. Non, il n'avait pas le moins du monde renoncé à la conquérir. Oui, il avait violemment envie, chaque fois qu'Alice lui parlait, de plaquer ses lèvres contre les siennes ; oui, il avait violemment envie de sentir son désir se consumer en elle ; oui, il aurait tout abandonné, Juliette la première, sur un seul signe de sa part.

De se sentir soudain si *présent à lui-même*, de se sentir *autant en vie*, finalement, le rassura et, par la suite, le ragaillardit à tel point qu'il enjoignit à Cheryl de le conduire au *Melisse*, où chacun fut surpris de le trouver si ouvert, si joyeux, si drôle, si décontracté. Seule Juliette eut un désagréable pressentiment. Quelque chose de radical et d'inattendu venait de se passer dans l'esprit de son compagnon, et cette chose, elle redoutait cette fois de n'avoir sur elle aucune emprise.

31 décembre 2010

— Je me souviens. Ça se passait dans une très grande salle de classe. J'étais debout devant le tableau noir. Tout nu. Devant moi, il y avait plein d'adultes qui étaient assis sur de toutes petites chaises d'écolier et qui me regardaient. Je n'avais pas l'air trop gêné d'être là, alors que je détesterais vraiment ça, je veux dire me retrouver complètement à poil devant des inconnus. Je me souviens aussi qu'au fond de la salle il y avait un petit orchestre de chambre, genre cinq ou six musiciens, avec un chef qui agitait sa baguette comme un cinglé. Pourtant le tempo de la musique était plutôt lent et même, bizarrement, très lent. D'ailleurs, même dans mon rêve, je me souviens de m'être posé la question : pourquoi est-ce que cet énergumène s'agite autant ?

Quinze ans auparavant, l'annonce de ma séropositivité avait entraîné une série de conflits intérieurs contradictoires – et particulièrement lassants pour mon entourage – entre l'envie absolue de vivre et le désir récurrent de flirter romantiquement avec la mort : la nécessité de consulter un psy s'était révélée indispensable. Il était également apparu assez vite que cette peur de la maladie ne représentait qu'un infime rouage dans une mécanique psychique méchamment déglinguée. C'était le dispositif dans sa globalité qu'il fallait repenser. Aujourd'hui, je continuais de voir ma thérapeute deux fois par semaine.

— Ils jouaient un air connu, poursuivais-je. Mais impossible de me rappeler lequel. Un opéra italien, je crois. Verdi, peut-être ? J'adore Verdi. Et puis, à un moment, le chef s'est retourné. Il m'a regardé et puis il m'a montré ses dents. Ce n'était pas comme s'il voulait me sourire et qu'il n'y arrivait pas, non, il a écarté ses lèvres bien largement pour me montrer ses dents. Comme le ferait un chien, vous voyez, juste avant de vous sauter à la gorge...

— Se pourrait-il que... que ce... ce chef d'orchestre... soit votre père ? dit posément ma psy, comme si elle venait de dégoupiller une grenade dont elle espérait sans aucun doute qu'elle m'éclate en pleine poire.

Nul besoin de la perspicacité de ma psy pour deviner que derrière ce chef d'orchestre se cachait en effet la figure de mon père. Ce père dont l'autorité vampirique et intarissable m'avait poursuivi inlassablement et dont l'image me hantait bien plus encore depuis qu'il avait été foudroyé par un infarctus, cinq ans auparavant, sans que je l'aie jamais revu depuis cette fameuse nuit de septembre 1983 où je lui avais balancé à la figure tout un tas de vérités que son esprit étriqué ne pouvait pas entendre. Ce père qui continuait à me harceler, à me juger, à me pourrir la vie et dont je n'avais pas réussi à me débarrasser de la culpabilité qu'il m'avait communiquée dès la naissance. Une chose était sûre, ma longue analyse avait au moins servi à ça : il fallait que je tue mon père une bonne fois pour toutes.

— Mon père détestait Verdi, dis-je dans un murmure.

— Ce sera tout pour aujourd'hui, dit-elle.

Intellectuellement parlant, ma mère avait, quant à elle, superbement liquidé son époux cinq ans auparavant. La mort de l'un avait initié la résurrection de l'autre – ce qui, soit dit en passant, s'inscrivait parfaitement dans la logique de cette famille redoutablement croyante.

— Ton père était un sale type. Le Bon Dieu a fait un immense cadeau à des tas de gens, à commencer par moi, en le rayant de la surface de Sa planète, me dit-elle avec un calme déconcertant alors que nous venions à peine de rentrer de la cérémonie funéraire à laquelle, quoique n'ayant pas revu mon père depuis vingt-deux ans, j'avais souhaité assister.

Elle se délesta avec autorité de son bibi noir devant le grand miroir de l'entrée.

— Maintenant je vais vivre, ajouta-t-elle avec solennité, comme pour elle-même.

Le lendemain, elle se lançait à fond dans le ménage de sa maison, s'attaquant en premier lieu aux étagères de la cuisine qu'elle débarrassa in extenso de centaines de boîtes Tupperware. En l'espace d'une nuit, ces innocents contenants de plastique semblaient avoir stigmatisé tout l'ennui et toute la soumission muette de sa vie d'avant. Puis elle entassa pêle-mêle les affaires de mon père dans des sacs-poubelle – jusqu'à la moindre chaussette – afin de les déposer l'après-midi même

618

à la décharge municipale, contrairement à son éthique de mansuétude et de générosité catholiques qui aurait imposé de les livrer à n'importe quelle association caritative.

— Personne ne doit porter ces affaires, me répondit-elle posément quand je lui en fis la remarque, comme si c'étaient aux habits du diable en personne qu'elle faisait référence.

Petit à petit, sur les conseils d'une ancienne amie au caractère libéral et introspectif – que mon père lui interdisait formellement de fréquenter –, elle se mit à lire quantité de livres qui traitaient tous plus ou moins de la révolution intérieure qu'il était impératif d'accomplir afin de trouver la voie du bonheur et où le verbe «libérer» était décliné sous toutes ses acceptations sémantiques. *Se plaire en se libérant*, de Frank Genesta ; *Se libérer du connu*, de J. (Jiddu) Krishnamurti & Mary Lutyens ; *La Libération de l'âme*, de Renaud Verfang ; *Se libérer du destin familial : devenir soi-même grâce à la psychogénéalogie*, d'Élisabeth Horowitz & Pascale Reynaud ; *Advaïta : libérer le divin en soi*, de Daniel Meurois ; *Se libérer par l'hypnose*, de Lise Bartoli, etc.

Elle qui jusqu'alors était entièrement dévouée à la satisfaction des besoins de son époux et n'avait de ce fait jamais réellement pris la peine de s'intéresser à sa propre personne devint attentive à la moindre exigence de ses désirs et regagna peu à peu de cette estime de soi qu'elle avait malheureusement diluée dans l'égoïsme de mon père. Elle voyagea, s'inscrivit à quantité d'activités ludiques ou sportives, rencontra des tas de gens passionnants dans le cadre des conférences ésotériques données par l'association hédoniste et laïque Vivre sa vie, dont elle devint l'un des piliers. Elle eut même envie de plaire. N'ayant jusqu'alors fait aucun effort pour se distinguer de quelque manière que ce soit, elle prit brusquement conscience de l'importance sociale et psychologique du vêtement dans la vaste opération de séduction du monde qu'elle avait désormais en tête d'entreprendre. Elle se débarrassa de la plupart de ses tailleurs et, ceux qu'elle garda, elle en fit raccourcir les jupes d'une bonne dizaine de centimètres. Elle opta définitivement pour des couleurs pastel et des tissus aériens qui correspondaient mieux à l'état d'esprit léger et insouciant dont elle était désormais le fier porte-drapeau. En résumé, elle se mit à exposer ce que jusque-là elle s'était évertuée à cacher : ses genoux, sa bonne humeur, sa frivolité. Peu à peu l'austère et soumise Monique devint l'accueillante et un tantinet fantasque veuve Savidan.

Ce jour-là, jeudi 23 décembre, je la retrouvai au bout d'un des quais de la gare Montparnasse. Elle avait décidé que Noël se passerait en famille, et comme sa famille ne se décidait pas à venir à elle, elle avait opté pour le chemin exactement inverse. Elle s'avança en traînant une petite valise à roulettes. Elle avait coupé court ses cheveux et portait un long manteau de laine rose pâle sur ce que je devinai de loin être une paire de jeans. Elle était joyeuse, cela se voyait jusque dans sa nervosité empressée à propos de tout et de rien ; les retrouvailles avec ses deux fils – nous devions dîner avec mon frère Pierre le lendemain soir – demeuraient pour elle une source intarissable de contentement.

Elle ne m'avait jamais abandonné, elle. Même si, au fond, il était certain qu'elle avait été profondément insatisfaite de la nature de mes préférences sexuelles, pour autant elle ne s'en plaignit que rarement, et encore, sur un mode dolent plus que récriminatoire, mettant toute la responsabilité de cette *faute* au compte de sa négligence et de son aveuglement. Pendant vingt-deux ans, nous entretînmes une relation secrète – presque exclusivement téléphonique et épistolaire – dont la saveur d'interdit dut donner un peu de piment à la morne routine de sa vie maritale et provinciale. Chaque jour, elle guettait le passage du facteur afin de soustraire aux yeux de mon père l'existence de mes courriers sacrilèges, ce qui dut représenter l'équivalent d'un peu moins de huit mille occurrences où son cœur avait palpité un peu plus qu'à l'ordinaire à la seule pensée de me lire et à la seule crainte que le pot aux roses soit découvert. Il nous arriva même de nous rencontrer en cachette, soit près de chez elle, soit à Paris, comme deux amants de roman dont les desseins sont contrariés par un mari jaloux et autoritaire. Il va sans dire que le caractère romantico-aventureux de ces retrouvailles clandestines avec ma propre mère alimenta de laborieux développements introspectifs sur le divan de ma thérapeute. Ce jour-là, sans doute pour tenter de liquider le côté trop intime de nos rapports, j'avais décidé de lui louer une chambre d'hôtel, contrairement à toutes les autres fois, où elle et moi avions cohabité dans mon deux-pièces, avec toutes les confrontations physiques et la gêne mutuelle que cela supposait, en tout cas de mon côté, et visiblement uniquement de mon côté :

— Je ne comprends pas pourquoi tu insistes pour jeter tout cet argent à la poubelle alors qu'on aurait parfaitement pu partager ton appartement comme cela a toujours été le cas.

— Je pense sincèrement que c'est beaucoup mieux comme ça. Tu as ton espace privé, j'ai le mien. Ça ne nous empêche pas de nous voir autant qu'on veut. J'ai quarante-sept ans, Maman.

Nous dînions dans un restaurant de la rue Charlot, à mi-chemin entre son hôtel et mon deux-pièces. Elle leva la tête.

— En réalité, voilà ce que je pense : tu n'es plus seul et tu ne veux pas me le dire.

— Je suis seul, Maman. Malheureusement je suis seul. J'aurais adoré te dire le contraire, mais je ne suis on ne peut plus seul.

Elle me regarda avec, au fond des yeux, une réelle détresse de mère.

— Comment peux-tu être seul à ton âge, Paul ? Tu n'as pas...

— Un *ami* ?

Ce dernier mot fut prononcé avec toute l'ironie et le détachement de rigueur.

— Oui, ça doit être ça. Un ami.

— Toi aussi tu es seule, Maman. Tu n'as pas l'air d'en souffrir tant que ça. Je te trouve même prodigieusement épanouie.

— Ce qui n'est pas ton cas, permets-moi de te le dire, mon chéri.

La franchise était un des nombreux cadeaux que ma mère avait remportés à la tombola de son émancipation. Je ne voulus pas céder à la douceur compassionnelle de son regard. Je baissai la tête avec la ferme intention de picorer, unité par unité, le petit tas de haricots verts qui accompagnait mon entrecôte et ses trois poivres.

— Tu sais que je lis beaucoup, Paul. Il me semble que c'est grâce aux livres que je m'en suis aussi bien sortie. En tout état de cause, je lis de plus en plus, si tu veux savoir. Et aussi des romans maintenant. D'ailleurs, sur les conseils de mon libraire, je viens de terminer un livre très intéressant. L'auteur se nomme Tony Duvert... Tu connais, je suppose ? dit-elle avec une réelle malice.

— Vaguement..., dis-je nonchalamment, les yeux baissés, alors que j'étais presque en train de m'étrangler en ingérant l'un de mes filaments de chlorophylle.

Tony Duvert, j'avais dévoré tous ses bouquins dans mon adolescence ; il se revendiquait lui-même homosexuel et pédophile. Le caractère pornographique de la plupart de ses romans leur avait valu régulièrement d'être interdits aux mineurs et à la publicité.

— Il parle énormément de sexualité, dit-elle sur un ton de reproche léger mais néanmoins irrépressible.

Là, je ne pus m'empêcher de toussoter. Ce mot *sexualité* dans la bouche de ma mère avait à mes oreilles autant de piquant qu'aurait eu le mot *sanguinolent* dans la bouche d'un adepte de la cuisine ayurvédique. Et puis ceci quand même : ma mère avait lu du Tony Duvert !

— Intéressant, dis-je, le nez toujours dans mon assiette.

— Paul, regarde-moi s'il te plaît.

Ce que je fis avec lenteur.

— J'ai beaucoup changé, tu sais. Je ne vois plus du tout les choses de la même façon maintenant.

— Depuis que tu as lu ce bouquin formidable ?

— Depuis que ton père est mort, Paul, dit-elle sèchement.

Elle but une bonne rasade de son verre de mercurey. Même le vin, elle avait appris à l'apprécier.

— Je crois que chacun fait ce qu'il peut avec ses propres moyens pour tâcher d'être heureux. Ton homosexualité...

Sexualité. Homosexualité. La sémantique devenait de plus en plus pointue. Ce fut comme si de petits gravillons sonores et douloureux caracolaient le long de mes tympans.

— ... est ton mode d'expression personnel. Je ne peux pas aller contre ça.

« *Mon mode d'expression personnel.* » Où avait-elle pêché ça ?

— Même si je ne comprends pas bien ce qui peut se passer vraiment dans la tête d'un homosexuel. D'où les conseils que j'ai pris auprès de mon libraire.

— Qui, lui aussi, est...

— Gay, oui.

— Et comment le sais-tu ?

— Je lui ai posé la question.

Bluffante. Ma mère était devenue tout simplement bluffante.

— Je veux que tu sois heureux, Paul. J'ai compris après toutes ces années que je n'ai aucunement le droit de te juger. J'ai moi-même trop souffert du regard de ton père pour ignorer ce que le mot « humilier » signifie réellement.

624

Je lui souris mais elle garda son visage fermé, une attitude qui tendait à accréditer l'idée que ses paroles avaient été proférées avec un sérieux indiscutable, et certainement pas dans le but de me séduire ou de me plaire à tout prix. Je réalisai soudain le chemin que cette vieille dame avait dû parcourir – dans le seul but d'élucider les méandres obscurs et tortueux du cerveau et de la sexualité de son fils – pour accepter de lire un bouquin certes magnifiquement écrit, mais où il n'était quand même question que de lieux de drague poisseux, de *fistfuckings*, d'*enculages* et de *pipes*. Ce qui me décontenança le plus ce soir-là fut l'extrême naturel avec lequel toutes ces choses liées au sexe furent non seulement exposées mais aussi clairement et aussi facilement formulées. Contrairement à moi, qui butais sur tous les mots liés à l'expression directe de la sexualité – et a fortiori de *ma* sexualité –, elle n'avait pas l'air de s'en émouvoir outre mesure. Par un contrebalancement logique, je pris conscience du chemin qu'il me restait à accomplir pour que mes pensées puissent un jour espérer arriver à la hauteur de vues de ses pensées à elle. Quelle énorme bouffonnerie ! Ma mère – l'ancienne esclave Monique Savidan, ex-grenouille de bénitier, ex-organisatrice de réunions bourrées de plastique et vides de sens, ex-victime des malversations phallocrates d'une lignée de mâles égoïstes – était donc arrivée, rien qu'en lisant Tony Duvert et J. (Jiddu) Krishnamurti, à gagner une absolue *coolitude* qu'une psychanalyse de quinze ans ne m'avait même pas permis d'approcher.

La journée du lendemain, qui fut l'équivalent urbain d'une randonnée en altitude en termes d'agitation, d'endurance et d'essoufflement, constitua par ailleurs une conversation quasi ininterrompue de près de dix heures. Au risque d'ajouter de nouvelles pages à celles déjà très nombreuses de ce récit, il serait fastidieux de reprendre le détail de tous les échanges que nous eûmes lors de cette équipée dans Paris intra-muros. Je me contenterai d'un florilège des moments les plus marquants.

Scène n° 1
Lieu : le stand Chanel des Galeries Lafayette
Heure : 10 h 02
Monique s'empare d'un flacon d'*Allure femme* et le respire à même le bouchon.

MONIQUE SAVIDAN. – *Sais-tu que ton père, dans les dernières années de sa vie, entretenait une liaison adultère, Paul ?*

Monique a pris à peine le soin de chuchoter. Une des vendeuses laisse d'ailleurs filtrer un léger sourire de connivence intra-féminine. Paul fait comme s'il n'avait rien entendu et se laisse entraîner par un jeune et joli démonstrateur qui vaporise sur son poignet un doux nuage de *Bleu*, le tout nouveau parfum de la maison.

MONIQUE SAVIDAN. – *Eh bien, tu sais, je plains cette femme, au fond. Je vais te dire une chose, Paul : Dieu me pardonne mais, outre le fait que c'était vraiment un sale bonhomme, ton père savait très mal s'y prendre avec les femmes. Sexuellement, j'entends.*

Passé l'ahurissement compréhensible, Paul se dit qu'enfin il se trouve là un point commun avec son père, celui de ne pas très bien savoir s'y prendre avec les femmes, sexuellement parlant.

MONIQUE SAVIDAN. – Il ne savait même pas du tout s'y prendre.

Paul réalise brusquement que sa mère ne dispose techniquement d'aucun élément de comparaison puisqu'elle est supposée avoir épousé son mari alors qu'elle était encore vierge. Cette insistance lui paraît suspecte.

PAUL SAVIDAN. – Est-ce que tu es en train de me dire quelque chose, Maman ?

Monique Savidan se contente de sourire à son fils en s'emparant d'un flacon de *Sérum Lifting Intensif Ultra Correction*.

Scène n° 2
Lieu : le salon de thé *Angélina*, rue de Rivoli
Heure : 12 h 47

Monique Savidan croque avec appétit dans une tarte aux poires recouverte d'une voluptueuse chantilly. La crème fait comme deux petits nuages immaculés aux coins de ses lèvres.

MONIQUE SAVIDAN. – Je crois que, au fond, je n'ai jamais aimé ton père, Paul. S'il ne m'avait pas forcée un peu, jamais je n'aurais cédé à ses avances.

PAUL SAVIDAN. – Comment ça, « forcée un peu »... ?

MONIQUE SAVIDAN. – Tu m'as très bien comprise, mon chéri. Forcée... Comme les hommes robustes savent forcer les femmes plus faibles.

Paul est sous le choc. Monique fait nonchalamment passer sa langue sur chaque coin de sa bouche dans une mimique pleine de suavité et de délicatesse.

PAUL SAVIDAN. – Maman. Il t'a... ?

MONIQUE SAVIDAN. – *Violée, oui, ça ne fait aucun doute. Et du coup je me suis retrouvée enceinte. Du merveilleux grand gaillard que tu es devenu !*

Monique Savidan se met à ébouriffer les cheveux de son fils tandis qu'il se dit que cette nouvelle ne va pas du tout arranger ses affaires d'un point de vue strictement psychique.

PAUL SAVIDAN. – *Maman, tu n'as vraiment pas besoin de me raconter tout ça, tu sais.*

MONIQUE SAVIDAN. – *Si, mon cher fils, j'ai besoin de te raconter tout ça. Je veux que tu saches exactement quel genre d'homme était ton père.*

Paul se dit en sirotant son chocolat bien mousseux qu'il en sait déjà bien assez sur son père.

MONIQUE SAVIDAN. – *Si tu savais le nombre de choses pas très jolies jolies que je t'ai cachées !*

Monique soupire. Paul soupire lui aussi, essentiellement par anticipation de toutes les surprises que sa mère lui réserve.

Scène n° 3
Lieu : dans la queue du cinéma UGC-Les Halles
Heure : 16 h 43

MONIQUE SAVIDAN. – *Je voudrais que tu rencontres quelqu'un, Paul. Je voudrais tellement te voir heureux et épanoui.*

Paul – qui vient de repérer à quelques pas la présence de Jonathan, un ancien amant qu'il ne veut absolument pas croiser, et tout particulièrement en présence de sa mère – balaie le sol du regard.

MONIQUE SAVIDAN. – *Tu m'écoutes, Paul ?*

PAUL SAVIDAN. – *Oui, Maman, je t'écoute.*

MONIQUE SAVIDAN. – *Qu'est-ce que je viens de dire ?*

PAUL SAVIDAN (chuchotant). – *Tu voudrais que je sois heureux. Moi aussi, au fond. Enfin, je veux dire : moi aussi je voudrais bien finir par être heureux.*

Les manœuvres de camouflage de Paul n'ont servi à rien. L'ex-amant se rapproche.

JONATHAN. – *Salut, Paulette !*

Paul ne veut surtout pas regarder sa mère à cet instant.

PAUL SAVIDAN. – *Salut, Jonathan. Je te présente ma mère.*

JONATHAN. – *Enchanté, madame.*

Monique Savidan accueille avec un mélange d'empressement et de curiosité ce très jeune garçon dont elle est loin de se douter qu'il en a vraiment fait baver des ronds de chapeau à son fils.

JONATHAN. – *Vous allez voir quoi ?*

PAUL SAVIDAN. – Des hommes et des dieux.

JONATHAN. – *Ça doit être méga-chiant, cette histoire de curetons, non ? Nous, on va voir* Takers, *il paraît que c'est top !*

Paul hausse légèrement les épaules, presque par réflexe. Jonathan aperçoit alors un homme de l'âge de Paul qui lui fait un petit signe de la main. Jonathan lui fait un grand signe en retour.

JONATHAN. – *Bon, je me casse. Papa m'attend...*

Paul ne peut manquer de noter ce qui, vu le sourire explicite de Jonathan, se présente comme de l'ironie, mais n'est en fait que le fruit d'une immense bêtise.

JONATHAN. – *Salut, Paulette. Au revoir, madame.*

Monique, qui est loin d'avoir les yeux dans sa poche, note l'embarras que ressent son fils et saisit tout de suite les relations qui ont pu se tisser entre lui et – rappelons-le – ce très jeune homme. Peut-être, elle qui a dû supporter tant de tourments, entrevoit-elle à cet instant la souffrance de son fils, et aussi bien d'autres choses tout aussi pénibles ? Un sentiment de malaise les traverse l'un et l'autre. Ils ne se diront plus rien jusqu'à leur sortie du cinéma.

Il aurait été facile, même pour un observateur peu aguerri à la théorie des comportements psycho-sociologiques, de constater que mon frère Pierre, son épouse Barbara – Barb' pour les intimes –, ainsi que leurs deux enfants, Siméon et Camomille – respectivement âgés de dix et huit ans –, vivaient protégés de l'ambiance toxique et de l'état général merdique du monde par un solide mur de cristal, une bulle sophistiquée équipée d'un dispositif de filtre qui n'autorisait que des échanges mineurs avec la réalité extérieure, et ce, exclusivement dans un sens : du monde réel vers le leur. C'est ainsi que, vers 20 heures, ma mère et moi, à l'issue d'une folle journée tissée de bruit, d'agitation et des humiliations que la capitale réserve à ses piétons les plus désinvoltes, nous pénétrâmes dans l'espace feutré et silencieux de leur quotidien qui se présentait ce soir-là sous la forme d'une des luxueuses suites de l'hôtel *Ritz* sur la place Vendôme. Pierre avait fait installer par une équipe d'étalagistes du magasin *Au Bon Marché* un sapin de Noël qui semblait devoir nécessiter les kilowatts d'une microcentrale électrique pour assurer ses besoins en énergie. Des dizaines – des centaines ? – de boîtes s'étalaient au pied de l'arbre, de sorte que les cadeaux que nous avions apportés, ma mère et moi, disparurent aussitôt dans un océan multicolore et doré et furent à peine remarqués par leurs destinataires.

— Les enfants ne sont pas là ? demanda ma mère.

— Ils se reposent, dit Barb'. La soirée va être longue pour eux. Je ne souhaite pas qu'ils en souffrent. Je reste convaincue que l'équilibre des enfants est fondé essentiellement sur leur sommeil.

Barb' était jolie, de manière intense et naturelle. C'était une petite flamme délicate, vibrante, qui semblait toujours danser plutôt que se mouvoir. Elle passait son temps à distiller avec chaleur et assurance la douce lumière de ses principes à tous ceux qui n'avaient pas eu la chance de recevoir une éducation aussi brillante et élaborée que la sienne.

— Vous pourrez les voir tout à l'heure, Maman, ajouta Barb' en remarquant la déception de ma mère.

Pierre apparut dans une tenue décontractée – chemise blanche, pantalon de toile façon sportswear – dont l'élégance simple et classique – tout comme celle de son épouse, qui portait une robe Dior couleur bleu nuit, excessivement sobre – ruinait les efforts que nous avions apportés ma mère et moi à la sophistication de nos tenues. Nous avions l'air de pingouins endimanchés dérangeant la sobre intimité d'un couple de lions alanguis autour de leur point d'eau habituel.

— Tu ne ferais pas monter une ou deux bouteilles de champagne, mon chéri ? demanda Barb' en caressant distraitement le menton de son époux.

— Un petit Cristal, ça vous dirait ? dit Pierre à l'assemblée.

Ma mère eut un petit frisson causé par sa méconnaissance du Cristal Roederer qu'avait évoqué son fils mais accepta avec enthousiasme.

— Va pour du Cristal, dis-je, en jouant les blasés.

La conversation, faute de réels centres d'intérêt partagés, commença de rouler sur des banalités qui avaient toutes à voir avec l'arrivée du couple à Paris, la difficulté que leur courtier avait eue à leur dégoter un hôtel décent en cette saison, puisqu'ils avaient décidé de ce voyage sur un coup de tête, le temps exécrable qu'il faisait à Paris comparé à Londres... Il était clair que si nous avions accepté de pénétrer sur le territoire de ces deux fauves, c'était à leurs règles et à leurs codes qu'il fallait dorénavant nous conformer. Ma mère, aiguillonnée par des heures de conversations bourgeoises frisant la pure vanité et la volonté suprême de ne pas se laisser impressionner, tentait de faire avec et y réussissait assez bien. Moi, j'étais mort de trouille à l'idée de faire le moindre faux pas. Après quelques coupes de champagne à la fois utiles et appréciables, on daigna enfin exhiber les gamins. C'étaient l'un et l'autre deux enfants au teint de marbre et à la blondeur ultime, qui tenaient de leur mère leur affabilité aristocratique et de leur père une arrogance qui n'avait nul besoin de mots pour être lisible. D'ailleurs, il était rare d'entendre le son de leur voix. Derrière cette politesse impeccable, se cachait un désintérêt manifeste pour cette grand-mère et cet oncle qu'ils ne voyaient que rarement et dont l'évocation par leurs parents semblait encore plus aléatoire. Ils se tenaient raides dans des fauteuils trop grands pour leurs petits corps, écoutant avec une application sévère les conversations des adultes, rigidifiés par leur éducation, bougeant à peine – excepté leurs jambes qui se balançaient mollement dans le vide dès que l'attention qu'ils portaient à leur maintien se relâchait un tant soit peu. On aurait dit deux petites marionnettes qui ne prenaient vie que quand l'un ou l'autre de leurs concepteurs se décidait à agiter l'un des fils qui les reliaient au monde, en leur adressant la parole, par exemple.

— Siméon est maintenant parfaitement bilingue, n'est-ce pas, mon chéri ? annonça Barb'.

— Oui, Maman.

— Tu peux me dire quelque chose ? Enfin, en anglais, je veux dire, lui demanda ma mère.

Siméon la regarda, interloqué, et, d'un coup d'œil, réclama l'aide de son père.

— Maman, ce n'est pas un petit singe savant, dit Pierre avec une mine renfrognée.

— Fais plaisir à ta grand-mère et dis-moi quelque chose, mon joli, insista-t-elle.

Siméon la regarda avec un léger mépris avant de se lancer :

— *Paris seems to me extremely boring compared to London*, dit le gosse de manière mécanique.

Barb' et Pierre éclatèrent de rire.

— Oh, mais c'est formidable, dit ma mère, bien qu'elle n'ait rien compris à ce que son petit-fils venait de formuler.

Ensuite, elle se jeta sur lui et lui picora le visage de baisers, un débordement de tendresse que le gamin parut ne pas apprécier à sa juste valeur, allant jusqu'à s'essuyer le visage avec ses deux mains dodues quand ma mère eut tourné le dos pour regagner son siège. C'est sans doute à cet instant que je me décidai à beaucoup boire, ce que je fis en l'occurrence quelques minutes plus tard, dès que nous eûmes rejoint les ors du restaurant *L'Espadon* au rez-de-chaussée.

Ma mère entretenait avec tact une conversation uniquement centrée sur les préoccupations domestiques de Pierre et de sa famille. À aucun moment, ni lui ni son épouse ne crurent utile de s'intéresser à nos vies. Il me traversa l'esprit que c'était peut-être une manière de courtoisie de leur part. Estimant que nous étions, d'une manière générale, beaucoup moins chanceux qu'eux, il aurait été insultant et même humiliant à leurs yeux de se lancer dans des sujets où le caractère vain et dérisoire de nos existences, comparées à la leur, serait apparu dans toute sa triste et vaste immensité. Mais peut-être me trompais-je. Peut-être était-ce uniquement leur insupportable hyper-conscience de soi qui les empêchait de s'enquérir du quotidien de leurs parents les plus proches.

Et puis, quand le saint-julien château Moulin-Riche millésimé 2001 eut fait assez de ravages dans mes artères et dans mon esprit, j'en eus assez de toutes ces convenances. Une envie irrépressible de décentrer le sujet me saisit.

— Tu savais, toi, que notre père avait une maîtresse ? dis-je en m'adressant à mon frère.

Pierre, choqué, se mura dans un silence de plomb, contrairement à sa femme qui se mit à s'agiter sur son siège comme une carpe fraîchement harponnée.

— Enfin, Paul, me dit-elle, tout en roulant de gros yeux en direction de sa progéniture.

— Quoi, Paul ? répondis-je, assez vulgairement, je l'admets.

— Il y a les enfants, insista Barb'. Je ne suis pas convaincue que l'infidélité (un mot qu'elle prononça à voix extrêmement basse) de votre père soit un sujet approprié pour une veillée de Noël. Les enfants n'ont pas à être les otages des agissements des adultes.

— Entièrement d'accord là-dessus, dis-je, tandis que l'image de mon père glissait lentement devant mes yeux pour s'imposer en format géant. Sauf que je pense, moi, qu'il faut au contraire préparer les enfants au sale monde qui les attend, ajoutai-je, avec une véhémence qui contrastait avec le flegme des conversations antérieures.

— C'est sûrement ta grande expérience de la famille qui permet de cautionner une telle affirmation, ironisa mon frère.

— Quel monde, Paul ? De quel monde parles-tu ? dit Barb', qui n'écoutait que sa propre exaspération.

Elle murmurait maintenant.

— J'ai la chance de pouvoir protéger mes enfants, et justement de ne pas devoir les exposer au sale monde que tu as en tête et dont je vois parfaitement de quoi et de qui il est constitué.

— Ah bon... De quoi et de qui est-il constitué, à ton avis ? De gens affreux comme moi ?

— Ce n'est absolument pas ce que je voulais dire, Paul.

— Vraiment ?

— Paul, arrête ta perpétuelle autoflagellation narcissique, je t'en supplie, dit Pierre. Barb' est l'une des personnes les plus libérales que je connaisse.

Elle n'en a rien à faire de comment et pourquoi tu as choisi de vivre ta vie.

— D'abord, je n'ai rien choisi, dis-je.

Je surpris le regard de ma mère, figée contre le dossier de sa chaise et qui, je le voyais bien, se décomposait peu à peu. Saint Julien vola une nouvelle fois à mon secours, puis je repartis de plus belle :

— Je vous assure que ça ne sert à rien de surprotéger vos enfants comme vous le faites. De toute façon, ils vous cracheront à la figure à l'adolescence. Ça fait partie du développement psychique classique. C'est un rejet on ne peut plus banal et personne n'y peut rien.

Je jetai un œil à Siméon et Camomille. Ils paraissaient si sages, si taiseux, si policés. Ces enfants ont tout pour devenir un couple idéal de serial killers, telle fut la pensée atroce qui me traversa. Décidément je ne croyais plus aux vertus de l'obéissance et encore moins à l'idée d'innocence.

— Paul, je te demande instamment de ne plus utiliser les termes que tu ne cesses d'employer, dit Barb'.

— L'enfant a besoin de tuer le père et la mère pour exister et voler de ses propres ailes..., insistai-je méchamment.

— Oh mon Dieu..., dit Barb' en posant sa jolie main endiamantée sur ses deux lèvres qui dessinaient un O d'effroi.

— Paul, je te demande d'arrêter ce délire psychotique, dit Pierre. Tous les enfants ne deviennent pas des névrosés.

— Tu penses à qui, par exemple, tu peux me le dire ? lançai-je un peu trop fort dans cet endroit où un son de plus de trente décibels était à ranger dans la catégorie incongru.

Cinq ou six têtes durent se retourner, ce qui provoqua sur les joues et le front de Barb' la montée d'une vague de honte à la crête de laquelle moussait toute l'hostilité qu'elle éprouvait à mon égard.

— Excuse-moi de te le dire, Paul, mais tu n'es qu'un imbécile doublé d'un sombre raté, dit mon frère, tout bas, après avoir constaté l'embrasement facial de son épouse.

— Pour l'amour de Dieu, fit enfin ma mère en joignant ses deux mains dans un geste implorant. Cessez de vous quereller, je vous en supplie.

Ce geste, si coutumier dans notre enfance, elle l'avait abandonné à la mort de mon père en même temps qu'elle avait laissé derrière elle tout ce sur quoi elle s'était construite jusqu'alors. Il était revenu de lui-même, ce sale petit mouvement maniaque, comme une vilaine métastase du cancer chronique qui l'avait fait souffrir pendant tant d'années. Voilà ce qui me faisait le plus de peine dans toute cette histoire : que ce soit ma mère qui écope de mon acharnement à provoquer mon frère.

OK, j'abandonne, me dis-je.

Une petite délégation de serveurs vint nous apporter la sphère de chocolat ivoire et yuzu givrée accompagnée de son pétillant de sucre en cristalline qui constituait notre second dessert et sur laquelle tout le monde se jeta avec appétit ou, plus sûrement, par dépit. Je réalisai une chose : j'étais jaloux de mon frère et je mettais sur le compte de son arrogance et de son complexe de supériorité l'agacement qu'il provoquait en moi. En réalité, j'étais maladivement envieux de son succès infect dans la haute finance, de son épouse totémique, de ses deux enfants automates, de leur bonheur que je pensais factice mais qui était leur manière à eux, avec toute l'intolérance, l'étroitesse de vues et la bienséance fanatique que cela impliquait, de se sentir heureux. Malgré tous les défauts que je leur reprochais, ce couple dont je haïssais les manières d'être et d'avoir n'avait-il pas malgré tout réussi à construire quelque chose qui s'apparentait au bonheur et à une confortable vie de famille ? Par comparaison, où en étais-je arrivé, moi ? Qu'avais-je construit qui pouvait rivaliser avec leur vie, si superficielle et bancale qu'elle m'apparaisse ? Le spectre de saint Julien se mit à cogner de plus en plus fort contre la porte bien cadenassée de ma conscience. Je décidai de ne plus rien dire jusqu'à la fin du dîner et c'est ce que je fis, avec un certain brio, je dois le reconnaître. L'art de se taire et de se planquer, je le maîtrisais à fond.

Ma mère resta encore deux jours à Paris, qui furent l'occasion d'interminables conversations sur mon frère, sur la vie probablement intenable que cette pimbêche de Barb' lui faisait mener, sur l'influence délétère qu'elle avait sur son fils et ses petits-enfants.

— C'est bien simple, je le reconnais à peine, dit-elle. Il a l'air tellement... coincé.

— Pierre a toujours été un sale con coincé et nombriliste, tu as une fâcheuse tendance à l'oublier, Maman.

Ma mère fit la tête. Il lui était impossible de trouver le moindre angle d'attaque pour critiquer l'un ou l'autre de ses deux enfants.

Puis elle repartit en Bretagne.

Puis vint le jour du réveillon et l'inévitable Saint-Sylvestre qu'il fallut célébrer.

Tanguy, qui depuis son divorce unissait régulièrement la solitude de son célibat aux routines de ma vie de vieux garçon, avait insisté pour que l'on passe ensemble cette fin d'année et que je le traîne à l'une des quelques soirées où j'étais invité.

Il débarqua vers 19 heures. Son visage était vide et défait. Après avoir profité de ses enfants pendant une courte semaine, il revenait de Roissy où il les avait tous deux confiés aux bons soins d'une hôtesse de l'air qui les raccompagnerait jusqu'à New York, où ils vivaient avec leur mère depuis près de deux mois.

— Mes enfants, c'est ce qui me manque le plus de ma vie d'avant. C'est la seule chose qui me manque d'ailleurs.

— Pourquoi tu ne retournerais pas à New York ?

— J'y pense sérieusement.

Puis il ajouta, avec beaucoup moins d'assurance :

— Je ne suis pas sûr d'avoir encore ma place là-bas. Tout est devenu tellement compliqué, dit-il avec lassitude en s'emparant de la bouteille de Chivas que j'avais mise à notre disposition.

La procédure de divorce – par consentement mutuel – n'avait pas traîné, le juge avait accepté tous les éléments de la convention que leur avaient conjointement proposée les deux parties. En quatre mois seulement, de juin à octobre, le jugement fut établi définitivement. Comme à son habitude, Beverly se montra royale sur les questions financières. Disposant d'une grosse fortune personnelle depuis le décès de son père, elle ne réclama ni pension alimentaire ni prestation compensatoire, mais uniquement l'autorité parentale et la garde des enfants, que Tanguy fut contraint d'accepter l'une et l'autre, même si cela impliquait d'être séparé de sa progéniture par plus de six mille kilomètres et de ne la voir qu'aux vacances scolaires.

Vu l'état d'esprit ambiant, nous bûmes beaucoup avant de nous décider à dégoter un taxi et à nous rendre dans le quartier Notre-Dame-de-Lorette où nous atterrîmes sur le coup de 22 heures. Une bonne centaine de personnes se bousculaient dans l'ancienne salle de spectacle qu'une vague connaissance à moi avait louée pour l'occasion. Parmi elles, un nombre incalculable d'homos, ainsi qu'un grand nombre de jeunes et jolies femmes, communément désignées sous le sobriquet de *filles à pédés*, que Tanguy se mit aussitôt à reluquer de façon fiévreuse. L'un et l'autre tentâmes de nous amuser sans y parvenir réellement ; nos récents démêlés familiaux obscurcissaient un horizon mental déjà bien encombré. Tanguy repéra cependant une longue et brune créature, très fortement maquillée et très explicitement vêtue, qui sembla soulagée de trouver un homme, un vrai, dans toute cette faune, pour la divertir en lui faisant une cour hétérosexuelle tout ce qu'il y avait de classique. Un quart d'heure plus tard, Tanguy finirait par la séduire complètement et m'abandonnerait à mon sort, en l'occurrence une chaise de bois dur, la première d'une longue série de chaises qui délimitaient, sur plus de vingt mètres, l'espace conversation de l'ex-théâtre. Sur la deuxième chaise de cette série était assis un homme d'une cinquantaine d'années qui regardait droit devant lui et paraissait s'ennuyer profondément. Il était encore séduisant, mais avait probablement dilué ses meilleures années dans un excès d'alcool et de bonne bouffe.

— C'est ennuyeux ces réveillons, vous ne trouvez pas ?

Il tourna vaguement la tête puis retourna à son observation muette.

— Toute cette bonne humeur qu'on convoque à date fixe, ça me déplaît, ajoutai-je.

Il ne me répondit pas. Vexé, je me mis à observer Tanguy, qui semblait avoir dissous sa tristesse de père dans la bouche et les rondeurs pectorales de sa nouvelle petite amie, où sa langue et ses mains s'égaraient régulièrement. Au bout de dix longues minutes, mon voisin se tourna vers moi :

— Tu ne me reconnais pas, hein ?

Je fus saisi de stupeur. *Où aurais-je pu rencontrer cet homme ?*

— C'est insensé, ajouta-t-il. Les pédés n'ont vraiment aucune mémoire.

Je le regardai intensément, cherchant dans le moindre détail de son visage une piste qui me ramènerait au souvenir de ce type. Et puis tout me revint, petit à petit, par à-coups. Il y eut la silhouette d'un grand gars timide accoudé au bar du *Queen*, plus enclin, déjà à l'époque, à reluquer les foules qu'à s'y frotter ; il y eut ce baiser bestial que nous échangeâmes sur la foi d'un seul regard, sans même nous être parlé ; il y eut sa piaule d'étudiant et le massacre complet qu'avaient constitué nos ébats en raison du taux d'alcool qui circulait dans nos veines ; il y eut la douceur de son corps imberbe et il y eut ses caresses malhabiles ; il y eut ces coups de fil qu'il me passa à plusieurs reprises et qui restèrent lettre morte ; et puis il y eut l'ensevelissement de cette nuit-là sous une foule d'autres nuits en tout point similaires.

— Tu t'appelles Laurent et tu habites rue de Grenelle, dis-je avec un goût de victoire dans la bouche.

— J'*habitais* rue de Grenelle.

Il me sourit.

— Tu ne m'as jamais rappelé...

Tout cela remontait à plus de vingt ans, et pourtant son regard était assombri par un réel désarroi.

— Il y avait une copie d'un ours de Pompon sur ton bureau, dis-je, avec de l'émotion dans la voix.

— Elle y est toujours.

— Tu habites où maintenant ?

— J'ai une petite maison à Bagnolet. Avec un jardin, précisa-t-il.

— Tu fais quoi ?

— J'écris.

— Tu écris ?

— Des livres pour enfants.

Pour une obscure raison, je le regardai avec admiration.

— Tu gagnes ta vie en racontant des histoires aux mômes ?

Il nota l'humour de ce double sens et sourit à nouveau. Une seconde, le souvenir de son beau visage d'alors réapparut sous le masque épais qu'y avaient gravé des rides et beaucoup d'autres violences de l'âge. Je sentis monter en moi l'irrépressible envie de revenir en arrière, de colmater les fissures du temps, de réparer quelque chose qui n'avait jamais eu de nom mais qui se trouvait désormais irrémédiablement brisé. J'eus envie de retrouver cette grâce et cette flamboyance de ma jeunesse quand – bien que perpétuellement mort de trouille – je croyais qu'un futur était encore envisageable. J'eus aussi envie de serrer dans mes bras cet inconnu, de le consoler, de m'excuser de ma mauvaise conduite, de recommencer de zéro notre histoire comme s'il était possible de tout effacer : mon silence envers lui, mais également les souffrances infligées par mon père, ma haine de moi-même, la longue et lente agonie que constituait ma vie.

7 janvier 2011

Alice se sentait toujours particulièrement concernée par les humeurs de Rodolphe, ainsi que par leurs variations parfois soudaines. Le tempérament de son mari constituait en général le baromètre de son état d'esprit à elle. Rodolphe était-il léger qu'elle le devenait également, par une sorte de douce capillarité maritale. Était-il soucieux qu'aussitôt elle encombrait ses propres épaules d'une partie de son fardeau en s'accablant de responsabilités le plus souvent imaginaires. Était-il en colère qu'elle se protégeait de l'orage et de ses conséquences probables en s'abritant sous un humble manteau tissé de discrétion, de compréhension et de prudence. Sans doute pour divertir son esprit du pénible travail sur soi qu'impliquait un tel comportement, elle avait établi un petit système personnel de notation – évidemment très intime –, qui rendait compte par un chiffre allant de 0 à 10 de l'éventail des configurations mentales de son époux. Un 0 était attribué quand Rodolphe se révélait particulièrement furax, un 10 récompensait un optimisme paroxystique – très occasionnel, on l'aura deviné. Ce matin-là, dès son lever, Rodolphe stagnait péniblement entre 3 et 4. Une maigre performance qui serait encore ébranlée, quelques minutes plus tard, par la conférence téléphonique qu'il aurait avec Félix, d'une part, et Grégoire, son attaché parlementaire local, d'autre part.

— Ça y est. Ils ont déposé ce matin leur recours auprès du tribunal administratif, annonça Grégoire.

Le «ils» valait pour tous les membres de l'association baptisée, avec un certain humour, Pas de spa chez nous ! qui s'était spontanément constituée après l'annonce officielle par monsieur le maire du projet d'aménagement du centre héliomarin par la British Spas France et qui regroupait bon nombre de riverains et tous les représentants écologistes du conseil municipal.

— Ils sont remontés, je peux vous l'assurer, continua Grégoire. Ils ont organisé une petite manif devant le domicile du maire il y a cinq jours, c'est-à-dire le lendemain du réveillon. Ils étaient une bonne centaine à hurler des trucs du genre «Le Rolland, fous l'camp ! Ton spa, on n'en veut pas ! » Le maire a appelé les deux ou trois clampins de sa police municipale, mais bien sûr tout le monde était en train de cuver de la veille, vous imaginez...

— Les fumiers, grommela Rodolphe.

— C'était plus que prévisible, annonça Félix sur un ton docte. D'ailleurs, c'est exactement ce que l'on avait imaginé. Cela ne doit en rien entamer notre détermination. Nous avons encore quelques bonnes semaines, pour ne pas dire des mois, avant que la justice ne fasse son job et ne décide quoi que ce soit. En attendant, Rodolphe, il faut absolument que tu convoques au plus vite une réunion de soutien au maire où tu feras valoir une nouvelle fois l'importance de ce projet pour la région en termes de développement économique et d'emplois. Ça reste notre meilleur atout. Et puis, j'ai eu une petite idée...

Il laissa flotter un silence qui agaça son patron. On pouvait sentir son sourire satisfait jusque dans le silence des octets de 16 bits que convoyaient les divers fournisseurs d'accès de leurs BlackBerry.

— Grégoire, tu vas nous dénicher un chômeur, genre longue durée ou fin de droits, c'est encore mieux. Un pauvre type qui souffre vraiment de la crise et que ce projet va sortir du pétrin. Arrange-toi pour qu'il ait une famille *parlante*, en termes de retombées média, avec peut-être un ou deux gosses en bas âge... Tu m'envoies un petit casting, je ferai mon marché.

— Pas de problème, acquiesça Grégoire. Je connais le directeur de l'ANPE.

— Parfait, dit Félix.

— Et on en fait quoi de ce type ? dit Rodolphe.

— On le montre, bordel, on l'exhibe... On le balance à la gueule de ces putains d'écolos dans toutes les réunions que tu vas organiser, dit Félix avec enthousiasme.

— Comme un petit animal de foire ? dit Rodolphe, dépité.

— Ce mec dévasté par le chômage va s'en sortir uniquement grâce à toi, c'est pas formidable, ça ? Il est la figure, Rodolphe, le totem, l'emblème sublime de la merde et du bordel ambiants. J'espère que tu as compris ce qui se trame depuis un petit moment avec les images. Si tu ne montres rien, personne ne te fait plus confiance. Ce type, ce sera ton sésame.

Ce type, ce sera ton tremplin. Ce type, ce sera *ta vérité*, Rodolphe... finit-il par hurler de joie.

— Moi je pense que c'est une excellente idée, dit Grégoire.

Rodolphe se taisait.

— Et puis autre chose aussi. Je vais te foutre dans les pattes un jeune mec très sympa, tu vas voir. Un photographe super doué. Désormais, il te suivra partout. Il immortalisera tout ce qu'il sera utile d'immortaliser.

— C'est-à-dire ? demanda Rodolphe.

— Ses photos serviront à alimenter le blog que je viens d'ouvrir à ton nom.

— Tu viens d'ouvrir un blog sans m'en parler ?

— Et aussi un compte Facebook et un compte Twitter. Tu as besoin de développer la visibilité de toutes tes actions, c'est exactement pour cette raison que tu m'as engagé, si tu t'en souviens. Internet, on n'a jamais rien inventé de mieux. En plus, ça ne coûte pas un radis. Grégoire, je compte sur toi pour m'envoyer toutes les infos que tu pourras récolter.

— Je n'y manquerai pas, boss, s'amusa Grégoire.

Ce mot, « boss », usurpé, fit bondir Rodolphe intérieurement.

— Ah, une dernière chose..., dit Félix.

Son ton plein de prévenance laissait supposer qu'il entrait dans une phase difficile où il redoutait que l'édifice qu'il avait échafaudé s'écroule d'une pichenette.

— J'ai aussi engagé un excellent journaliste pour nous rencarder sur certains des membres les plus actifs de l'assoce. On ne sait jamais, des fois, en creusant un peu, ça peut donner des choses intéressantes à publier.

— Félix, ne me dis pas que tu as engagé un fouille-merde de détective privé ?

— Un journaliste d'investigation, Rodolphe, tout ce qu'il y a d'officiel. D'ailleurs, c'est lui qui se chargera de la rédaction du blog.

Son ton se fit cassant.

— En ce qui me concerne, absolument n'importe quelle info un peu croustillante est bonne à prendre. Tout ce qui affaiblit la partie adverse nous renforce, nous. C'est l'équivalent politique du premier principe de la thermodynamique.

Il y eut un long silence pendant lequel Rodolphe reconsidéra mentalement toutes les innovations communicantes que Félix venait de lui soumettre.

— Il faut frapper fort et vite, insista Félix.

— Je l'organise quand cette réunion ? dit Rodolphe, bougon.

— Dès que Grégoire nous aura dégoté le chômeur.

Alice rejoignait le salon quand Rodolphe raccrocha.

— Putain de Félix..., dit-il en ronchonnant.

Elle évalua à un périlleux 1 l'humeur houleuse de son mari. Rodolphe fixa son épouse.

— Ce mec veut tirer toutes les ficelles. Sauf que c'est moi qui suis sous les projecteurs. C'est moi qui m'expose, dit-il d'une voix puissante.

Alice se rapprocha, avec méfiance et douceur.

— Si ces types finissent par interdire le chantier, continua Rodolphe, tout le monde pensera que je suis un incapable. Ce sera un signal désastreux pour les échéances à venir.

— J'ai confiance en Félix, dit Alice très doucement.

Rodolphe savait qu'il ne pouvait contester systématiquement ce qui s'apparentait désormais à la *méthode Félix* : elle avait fait ses preuves et permis d'éclairer peu à peu sa figure ignorée auprès de ceux qui alimentaient la machine à ragots et faisaient tourner le monde, et en particulier le sien : les médias, le corps législatif dans sa quasi-globalité, quelques membres de l'Exécutif, des décideurs de tout poil. C'était un fait désormais, Rodolphe Lescuyer était connu de milliers de gens. Quiconque aurait eu la curiosité de *googliser* son nom aurait vu surgir des centaines d'occurrences – cataloguées sous la rubrique Forte pertinence par le moteur de recherche –, ce qui en disait long sur l'étendue de sa notoriété. Il y avait évidemment la sempiternelle question de l'autorité, l'incontournable question du leadership. Son esprit autocentré, son goût immodéré pour la compétition – et sa compagne légitime, l'ivresse de la conquête –, étaient sans cesse mis à mal par la place de plus en plus importante qu'occupait Félix sur le terrain de leur rivalité. Il n'empêche, même si Rodolphe ressentait quelque difficulté à l'admettre, Félix faisait du bon boulot.

— Si je perds maintenant, je suis foutu…, dit-il, plein d'amertume.

— Tu vas t'en sortir, mon amour, tu t'en es toujours sorti, dit Alice.

Elle enroula ses bras autour de son époux et sa tête se lova contre son épaule dans un geste d'une délicatesse absolue. Elle rapprocha ses lèvres de l'oreille de Rodolphe.

— Je serai toujours là, moi, dit-elle en murmurant.

Elle l'embrassa. Il y eut les lèvres sèches de Rodolphe contre celles, humides, d'Alice. Et puis elle le regarda. Il se lisait tellement de tendresse et d'abandon dans les yeux de sa femme que Rodolphe en fut ému jusqu'aux larmes.

Pour Alice – bien que Rodolphe semblât l'ignorer ou le feignît – la semaine s'annonçait extrêmement chargée et sans aucun doute exténuante. L'après-midi débuterait l'accrochage de l'exposition *Visages de l'Ouest* de Benoît Messager, dont le vernissage était prévu pour le vendredi suivant. C'était un chantier énorme, le résultat d'un travail gigantesque qui s'était étalé sur plus de quatre ans : soixante dix-sept portraits en taille réelle – de plus de deux mètres de haut et de près d'un mètre vingt de large – allaient prendre place sur les 500 mètres carrés de la galerie suivant une disposition imaginée par Benoît lui-même. S'appuyant sur une maquette au 1/50 en volume de la galerie, l'artiste avait construit un parcours dont, des mois durant, il avait aménagé le moindre détail de façon obsessionnelle. Maintenant que les clichés étaient placés les uns à côté des autres dans leurs dimensions véritables, le résultat lui paraissait insatisfaisant, en tout cas assez éloigné de la vérité qu'il avait tenté de cerner avec sa maquette. Benoît fit déplacer chaque tableau par ses deux assistants, se décidant pour un emplacement, puis pour un autre, parfois pour un troisième ou un quatrième, échangeant un cliché contre l'un de ses proches voisins, mesurant les espacements et les positionnements au millimètre près, obligeant Erwan et Louis à d'incroyables gesticulations et à de non moins incessants déplacements. Quand la disposition d'ensemble lui parut enfin équilibrée, il fallut alors résoudre le problème de l'éclairage, que Benoît voulait délimité à la taille exacte des immenses photographies, parfaitement uniforme et pratiquement invisible. L'électricien et l'architecte en charge des opérations durent en conséquence mettre en place soixante-dix-sept sources lumineuses indépendantes, équipées de quatre volets métalliques et réparties sur des installations discrètes, en hauteur, afin de ne pas gêner la circulation autour des œuvres.

— Je veux que chacune de ces photographies soit comme un coup de poing dans la figure, ne cessait de répéter l'artiste.

Le jeudi soir – à plus de 23 heures et après trois nuits presque sans sommeil pour la plupart des intervenants –, l'exposition était enfin prête. Le résultat était impressionnant et faisait oublier les efforts insensés déployés pour y parvenir. Le nombre et la surface démesurés des panneaux conféraient au lieu un caractère monumental, hypnotique.

Alice et Benoît étaient maintenant seuls. Benoît était épuisé et à bout de nerfs. Il ne cessait de s'agiter dans l'espace de l'exposition, à l'affût du moindre détail qu'il aurait éventuellement laissé de côté.

— Je t'en supplie, Benoît, arrête de t'inquiéter comme ça. C'est parfait. Tout est absolument parfait. Il faut que tu te reposes maintenant.

Alice se rapprocha de lui et mit son bras autour de celui de l'artiste. Il accepta cette marque d'amitié et de tendresse et cessa de gesticuler.

— Tu as fait un travail exceptionnel. Est-ce qu'au moins tu t'en rends compte ? dit-elle.

Il fronça les sourcils pour signifier qu'il se refusait à accepter le compliment. Il s'écarta d'Alice et se mit à observer l'ampleur de son travail, cette armée d'hommes et de femmes qui s'érigeaient devant lui et le fixaient d'un air résolu.

— Alice, ces gens se sont mis en danger pour moi, dit-il sur un ton misérable.

— Toi aussi tu t'es exposé, Benoît.

— Non, Alice, je ne me suis pas exposé, comme tu dis. J'ai fait mon boulot mais je n'ai pris absolument aucun risque. J'ai appuyé sur un déclencheur au moment qui me convenait le mieux. J'espère simplement que je ne les ai pas trahis, dit-il amèrement.

Benoît se remémora la gêne, la colère, la timidité, la honte et tant d'autres sentiments mêlés qu'il avait fallu que chacun de ces gens humbles surmonte pour que leurs visages finissent par atterrir ici, dans ce désert glacé et luxueux au cœur de Saint-Germain-des-Prés.

— Je me cache derrière tous ces gens, Alice. Je les expose à ma place.

— C'est la force d'un grand artiste que d'arriver à témoigner de la souffrance des autres en se nourrissant de sa propre souffrance, dit Alice avec insistance.

À ces mots, Benoît se retourna violemment.

— Bla, bla, bla..., dit-il, d'un air mauvais. C'est le genre de truc que ton attaché de presse a dû mettre dans le catalogue de l'exposition, non ? ajouta-t-il avec un rire gêné, comme un raclement venu du fond de la gorge.

Alice recula, instinctivement. Il entrait tellement peu dans la nature de Benoît de se montrer querelleur ou impoli – surtout avec elle – qu'elle se sentit coup sur coup agressée, effrayée puis désarmée. Benoît n'avait visiblement aucune envie de s'excuser, comme il l'aurait fait d'habitude, ce qui l'alarma encore plus.

— Je crois que j'ai enfin compris pourquoi je fais des photos, Alice, dit-il d'une voix affirmée, en se raidissant.

Il marqua un silence.

— Parce que j'ai une putain de trouille, voilà pourquoi. C'est tellement facile de montrer par quoi les autres sont rongés plutôt que de montrer par quoi je le suis, moi. C'est tellement plus simple de déléguer, n'est-ce pas, quand on n'a pas le courage d'exprimer ce que l'on pense vraiment ? Quand on n'a pas les couilles de dire ce qui nous dévore, nuit et jour, et qu'on est bien forcé de taire. Quand est-ce que le grand artiste se met en danger, Alice, tu peux me le dire ?

Il était de plus en plus agité. Ses paroles étaient comme les eaux d'un barrage qui, trop longtemps confinées dans leur cirque de béton, finissaient par fissurer l'édifice et jaillir en rugissant de son plus petit interstice.

— La chose la plus précieuse, la plus intime, la plus secrète de ma personne est un immense trou noir. C'est insupportable, Alice. Insupportable, répéta-t-il en criant presque.

Alice l'observait. Bien que livide, elle semblait à peine étonnée. Elle se contentait d'endurer cette violence inédite avec une confiance à la fois douce et effrayée. Il nota ce sentiment, qui lui semblait valoir compréhension tacite.

— Tu parles de ma souffrance, mais qu'est-ce que tu en sais, Alice ? dit-il doucement.

Les yeux de Benoît, déjà brillants à cause de la fatigue, l'étaient maintenant doublement à cause de l'émotion. Alice eut un mouvement de la main, furtif, instinctif, très féminin, qui alla de sa joue à ses cheveux.

— Je crois que tu es épuisé, Benoît, et qu'il serait sage d'aller te coucher.

Il se raidit, s'attendant probablement à quelque chose de plus engagé.

— Je n'irai pas me coucher sans que tu m'aies répondu, dit-il sur le ton d'un enfant entêté.

Elle le regarda. Peut-être fut-elle à deux doigts de prononcer une parole qui aurait pu se révéler irréparable ? Elle décida d'abdiquer finalement.

— Benoît, je préférerais vraiment que nous en restions là. Moi aussi je suis épuisée.

Il fit un très léger pas en avant qui n'avait rien de calculé.

— Tu le sais, n'est-ce pas, d'où vient cette souffrance ?

Alice tourna la tête, ouvrit d'un geste sec le fermoir de son sac à main et en sortit un lourd trousseau de clefs.

— Réponds-moi. Tu le sais ? dit-il, implorant.

Elle le regarda fixement, tiraillée entre compassion et colère. Les clefs tintaient entre ses doigts qui étaient agités d'un mouvement nerveux.

— Benoît, cette discussion est inutile et dangereuse. Encore une fois, je préférerais que nous en restions là. Va te coucher, s'il te plaît. Je voudrais fermer la galerie.

Maintenant les yeux d'Alice étaient un couperet. C'était la première fois qu'elle le regardait de cette façon-là, avec autant d'aigreur et d'hostilité. C'était d'ailleurs sûrement la première fois qu'elle regardait quelqu'un d'une façon aussi austère et déterminée. Indubitablement, un élément essentiel au délicat rouage de leur relation venait de se rompre. L'un et l'autre en avaient conscience, c'était certain, et peut-être le regrettaient-ils déjà. Les mots «inutile» et «dangereuse» qu'Alice venait d'employer pour qualifier la discussion qu'il lui réclamait d'avoir n'en finissaient pas de résonner dans la tête de Benoît comme une menace intolérable.

Inutile... Dangereuse... Inutile... Dangereuse... Inutile... Dangereuse...

Il n'avait plus de souffle, plus de jambes. Pourtant, on ne sait comment, il réussit à fuir.

Alice rejoignit son appartement du quai Conti dans un état d'abattement qui lui était parfaitement étranger. Elle poussa la porte coulissante de la terrasse, se retrouva dans une atmosphère humide et froide, qui la fit pourtant à peine frissonner, et se força à appliquer ses deux paumes sur la rambarde avec la ferme volonté de s'infliger la brûlure du métal glacé contre sa peau. Elle se sentait inutile et sans substance. Tout son être vomissait la conversation qu'elle venait d'avoir avec Benoît. Il s'était produit comme un coup d'État intérieur qui l'avait privée de sa capacité à rester maîtresse de soi et lui avait dérobé sa faculté de penser et de dire. Tout, absolument tout, lui avait échappé.

Pourtant, cette conversation, elle avait toujours su qu'elle aurait à s'y frotter tôt ou tard. Depuis leur rencontre – le 18 novembre 1983 exactement, une date dont elle se souvenait avec une sorte de candeur nostalgique –, elle avait identifié le sentiment de Benoît à son égard. Tous les agissements maladroits qu'il avait eus par la suite, mais surtout tout ce qu'il s'était interdit de dire ou de faire en sa présence conspirait à le désigner comme coupable de cet attachement que l'existence de Rodolphe rendait impossible. Ce fut, curieusement, sur un comportement défaillant, sur une absence répétée d'attentions, sur un déficit de paroles que se forgea la conviction d'Alice que Benoît était amoureux d'elle. De son côté, elle s'acharna à gommer de ses manières et de ses propos tout ce qui aurait pu être compris comme une invitation et, en particulier, à ne jamais rien montrer de son ressentiment occasionnel à l'égard de son mari qui aurait pu justifier un rapprochement complice avec Benoît. Dans les premiers temps, une telle complexité relationnelle avait évidemment été vécue comme un véritable calvaire par l'un comme par l'autre. Les années passant, tout cela s'était naturellement assoupli. Chacun s'était plus ou moins accommodé de ce statu quo amoureux qui semblait se contenter d'une amitié particulière et unique, certes élaborée sur un mensonge cruel, mais constamment nourrie de prévenances, de tendresse et de bonté. Alice avait fini par apprécier cet empressement doux et secret – terriblement romantique, au fond – qui contrastait avec l'âpreté de sa vie de couple ; une ambiguïté qui lui procurait un bonheur double et superbement égoïste : celui de vivre auprès du seul homme qu'elle aimait vraiment et d'être convoitée par l'homme qu'elle admirait le plus. Oui, elle était fière qu'un artiste de l'envergure de Benoît puisse la chérir à ce point. Elle était aussi viscéralement attachée à Rodolphe, et trop attentive à son équilibre mental pour imaginer un seul instant lui être infidèle.

Or, elle ne voulait renoncer ni à l'un ni à l'autre.

Tout cela relevait, on s'en doute, d'une stratégie immature qui, à la longue, devait nécessairement finir par se retourner contre tous les intéressés. Ce soir-là, le petit nuage de confort et de narcissisme sur lequel Alice flottait commodément depuis trente ans avait crevé d'un seul coup d'un seul, provoquant orage et affliction. Alice avait sciemment sous-estimé un élément fondamental : la souffrance de Benoît. À cet instant, elle aussi goûtait la tragédie de sa rancœur. Car quelque chose de magique s'était définitivement rompu, et Alice – qui redevenait la petite fille riche et gâtée de sa jeunesse dès que l'existence lui opposait un peu trop de résistance – était triste à pleurer. Une chose était certaine cependant : elle ne voulait en aucun cas voir Benoît s'éloigner du périmètre de sa vie.

Soudain, elle entendit un craquement qui fut suivi de bruits de pas étouffés. Rodolphe venait de se lever et s'approchait d'elle. Elle se raidit. Il était la dernière personne qu'elle avait envie de voir à cet instant. Sans qu'elle puisse se l'expliquer, elle eut dans la bouche un goût amer qu'elle identifia immédiatement à la saveur coupable de l'adultère.

— Qu'est-ce que tu fais là ? dit-il, inquiet.

Il regarda sa montre, qu'il portait constamment à son poignet, même en dormant.

— Il est 2 heures du matin. Ce n'est pas demain ton vernissage ?

Alice ne souhaita pas répondre. Son visage prit une expression de révolte qui se dilua dans une espèce d'arrogance. Rodolphe sentit les muscles de son cou se durcir.

— Alice ? dit-il, la gorge serrée.

Elle s'éloigna de la rambarde et, passant devant lui :

— Depuis quand est-ce que tu t'intéresses à ce que je fais, Rodolphe ? dit-elle d'un ton sec et désabusé.

Elle disparut, laissant Rodolphe à son ahurissement. Jamais encore son épouse n'avait osé lui parler de cette façon.

Sur les 77 modèles photographiés par Benoît, 43 avaient accepté l'invitation de l'artiste à une petite parenthèse parisienne de deux jours dont le point culminant serait, bien entendu, le vernissage de l'exposition qu'ils avaient inspirée. Ce soir, éparpillés parmi les 400 invités officiels desquels ils se distinguaient nettement par quantité de caractéristiques socio-comportementales, ces 43 hommes et femmes étaient engoncés dans un embarras qui se manifestait diversement selon les sujets. Par exemple, Yves – le responsable du rayon crémerie – ne quittait pas le mètre carré du buffet où il s'envoyait coupe sur coupe afin de trouver assez de force pour arpenter au moment opportun le reste des 499 mètres carrés de la galerie. Franck – un apprenti pâtissier d'à peine seize ans – posait, lui, devant l'objectif d'un des copains qu'il s'était fait dans la journée, un homme d'une trentaine d'années, boucher de son état. Le jeune garçon se tenait devant son portrait en taille réelle, en faisant le fier et en roulant des mécaniques, une attitude qui ne tarda pas à intriguer une journaliste spécialisée qui lui réclama une interview.

— C'est comment de travailler avec Benoît Messager ? demanda la femme en tendant vers Franck la partie micro de son dictaphone.

— C'est un mec super, vraiment super. Il a été très gentil avec moi.

— Et le résultat, enfin votre photographie, vous avez quelque chose à en dire ?

Franck se tourna pour mieux observer la représentation glacée de lui-même. Il mit de longues secondes avant de réagir.

— J'aime bien..., osa-t-il, nettement moins assuré maintenant.

La journaliste, désireuse d'obtenir un résultat plus croustillant en termes d'info, le regarda sans rien dire en agitant sous son nez le dispositif enregistreur.

— J'ai l'air... un peu... Je ne sais pas...

— Mal à l'aise, peut-être ? dit-elle sournoisement.

— Ouais, mal à l'aise, c'est ça. Vous avez raison. J'ai l'air putain de mal à l'aise.

— À votre avis, c'est ce que Benoît Messager a cherché à faire, justement, à provoquer un malaise chez vous ?

L'apprenti la regarda, bouche bée.

— Bonjour, Constance, dit une voix.

Benoît avait surgi des profondeurs de la foule pour venir en aide à Franck. Constance se retourna, surprise. Elle nota son air épuisé et malade.

— Ah, Benoît, vous êtes là !

Elle lui tendit une joue au moment où il lui proposait une main ferme.

— C'est tellement rare d'avoir la chance d'interroger... le... le sujet d'une photographie... oui, le sujet il n'y a pas d'autre mot, dit-elle avec gaieté en acceptant finalement sa poignée de main. Alors, j'en profite. D'ailleurs, je voulais vous féliciter. C'est merveilleux d'avoir invité tous ces...

— Ces sujets ?

— Tous ces sujets, exactement. Ça doit être tellement nouveau pour eux, non ?

— C'est-à-dire ?

— C'est sûrement un monde qu'ils ne connaissent que très peu. C'est si généreux de votre part.

Constance était la fameuse journaliste du magazine *Artpress* qui avait précédemment dénoncé chez Benoît son « appétit vampirique et déplacé pour la déchéance du monde d'en bas », à propos de son travail sur le Samu social.

— D'où vous est venue cette idée formidable ? dit Constance avec un air faussement jovial.

Il y avait tellement de sous-entendus négatifs dans la formulation de ses phrases, dans sa voix, et jusque dans son attitude, que Benoît se retint de lui sauter à la gorge.

— Écoutez, Constance.

Elle fit pivoter son dictaphone pour le mettre à quelques millimètres des lèvres de l'artiste qui, de la main, écarta l'engin d'un geste léger mais sans appel.

— Vous savez très bien que je déteste les interviews.

Elle sourit.

— Dans ce cas...

Elle rangea lentement le dictaphone dans son sac en observant avec insistance – d'un air inspiré et expert – les œuvres alentour. Benoît se contrefichait de ce que pensait Constance et de l'article qu'elle allait publier.

Il se fichait d'ailleurs d'à peu près tout. Il paraissait flotter au milieu de ces gens qui pourtant réclamaient tous de sa part un investissement minimum à leur endroit – un sourire, un mot, une attention, une élucidation de son travail. Il regrettait d'être venu, mais aurait-il vraiment pu faire autrement ?

Cela faisait quelques minutes déjà qu'Alice l'observait de loin. Benoît était arrivé tard, et elle n'avait pas encore trouvé l'occasion de le saluer. Une chose était visible : elle redoutait plus que tout de se retrouver face à lui. Comme en écho à cette vigilance, Rodolphe lui-même épiait Alice, également de loin, dans une espèce de triangulation crispée des regards et des attitudes. Depuis son incartade de la veille, il ne cessait de la surveiller à son insu.

De mon côté, j'étais venu avec Laurent – mon amant de la Saint-Sylvestre –, que je n'avais pratiquement pas quitté depuis notre rencontre. Chaque seconde, je goûtais au plaisir de me retrouver auprès d'un être sensible, intelligent, délicat, adulte, plein de bonnes intentions à mon égard, autant de qualités – au moins pour les deux dernières – dont étaient généralement dépourvus la plupart de mes amants antérieurs. Un problème subsistait : je ne me sentais pas du tout amoureux.

Benoît s'avança et nous salua. Je l'embrassai puis lui présentai Laurent avec qui il échangea une poignée de main.

— Quel travail merveilleux, dit Laurent, qui en avait presque les larmes aux yeux.

Benoît sourit faiblement. Rien ni personne ne semblait être en mesure de l'émouvoir, ce qui était généralement le cas, mais ce soir il était évident qu'une tristesse particulière le plombait.

— Ça va ? lui dis-je en posant ma main sur son épaule.

— On a galéré comme des chiens avec cette expo, dit Benoît. Je suis crevé. Alors tout ce cirque, tu comprends…, fit-il en accompagnant ses paroles d'un geste circulaire.

Suivant le mouvement de sa main, je me mis à observer la foule autour de nous. Me revint en mémoire le vernissage de sa toute première exposition, trente ans plus tôt. Même sorte de gens, même sorte de manières, même sorte de mise à distance. Nécessairement, quelqu'un, quelque part, devait soliloquer sur la crise, les bulles spéculatives, le chômage galopant, l'effondrement du pouvoir d'achat des classes moyennes et inférieures. Un autre devait rétorquer globalisation, déficit de productivité des entreprises hexagonales, concurrence colossale de l'économie d'outre-Rhin. Un troisième encore devait agiter insécurité, flambée du communautarisme, explosion des menaces intégristes, irrépressible montée en puissance du Front national, non moins irrépressible stupidité de ses sympathisants. Tous trois devaient s'enfiler concomitamment quantité de canapés au saumon – nécessairement estampillé bio – présentés sur un plateau d'argent par un de ces nouveaux pauvres dont les présentateurs des chaînes de télévision historiques – ce soir, j'avais noté la présence de pas moins de trois d'entre eux – faisaient leurs choux gras aux heures de grande écoute. Dans ce théâtre mondain, les répliques demeuraient les mêmes, seuls les acteurs changeaient et vieillissaient, vite remplacés par d'autres avatars aux façons et aux idées identiques. Je ne m'excluais en rien de ce cirque futile : je continuais moi-même à épuiser les mêmes mots et les mêmes filons de comportement dans mes rapports aux autres.

Une question s'imposa :

Rien ne change jamais, donc ?

Puis une deuxième :

Qu'apprend-on vraiment (de la vie, de ses propres erreurs, etc.) ?

Une troisième :

Quelle est la possible issue ?

Enfin une quatrième :

Y a-t-il une issue ?

Ce fut à cet instant de tension de ma pensée qu'Alice rejoignit notre groupe. Elle nous salua discrètement, ce qui éveilla ma curiosité – en temps normal, elle nous aurait sauté au cou – et s'adressa à Benoît.

— Il faut absolument que je te présente quelqu'un, dit-elle, d'une bouche nerveuse qui contrastait avec l'impassibilité parfaite du reste de son visage.

Benoît la regarda avec une parfaite inexpressivité qui agaça définitivement ma curiosité.

Pourtant il la suivit.

Quelques secondes plus tard, ils entraient dans le bureau d'Alice dont elle ferma discrètement la porte.

— Je suis désolée pour hier soir, dit-elle en se retournant.

— Vraiment, tu n'as pas à être désolée, dit-il sur un ton sec.

— Je n'ai...

— Il n'y a plus rien non plus à ajouter, Alice.

Elle se rapprocha.

— J'ai beaucoup réfléchi, Benoît. Je n'ai aucune envie de te voir t'éloigner ni de te perdre.

À ces mots, Benoît sembla se relâcher quelque peu.

— La situation est intenable, Alice. Je ne sais pas... Je n'arrive plus à penser correctement. C'est moi qui me suis fichu dans ce merdier. C'est à moi de m'en sortir. Je crois que moi aussi j'ai besoin de réfléchir, ajouta-t-il, ébranlé.

Alice se rapprocha encore de Benoît. Elle eut un coup d'œil affolé à la porte de son bureau puis elle se jeta sur lui. En une seconde, ils étaient dans les bras l'un de l'autre, leurs bouches collées l'une contre l'autre. Puis soudain, Alice le repoussa vivement. Elle recula en portant la main à ses lèvres mouillées avec un air de repentance effaré.

— Je suis désolée... Désolée..., dit-elle en balbutiant et en s'écartant encore. Je ne peux pas...

Quelques secondes plus tard, Rodolphe entrait dans le bureau, au moment précis où Benoît décochait une gifle monumentale à Alice.

11 septembre 2011

Depuis huit mois, Tanguy vivait une vie de divorcé qui n'avait rien à voir avec la vie de célibataire qu'il avait connue avant son mariage, même si toutes deux offraient les mêmes avantages en termes de confort moral, de disponibilité et d'impunité en cas de débordements à caractère sexuel. La différence fondamentale résidait dans l'état d'esprit. Il y avait, sur le sinueux parcours de son désir, tout autant de délicieuses portes à franchir, tout autant de tendres recoins à farfouiller, mais le climat général qui se dégageait de ce périple sensuel était plus tendu, plus hésitant et, de facto, beaucoup moins primesautier. Tanguy se sentait intellectuellement moins libre qu'avant, et surtout beaucoup plus vieux. Dès novembre, juste après son divorce, il s'était mis à fréquenter des bars branchés dans l'espoir de conquêtes féminines toujours renouvelées. Dans ces endroits, il s'attira la sympathie et l'indulgence de dizaines de jeunes types en leur payant des verres à tour de bras. Le problème tenait au fait que tous ces trentenaires mâles étaient effectivement beaucoup plus jeunes que lui et que les filles qui les entouraient et qu'il convoitait l'étaient souvent encore plus. Toutes, d'une manière ou d'une autre, l'identifiaient à une figure d'autorité et reconnaissaient en lui le père qu'elles n'avaient jamais eu et qu'elles auraient voulu avoir, qu'elles avaient eu et dont elles voulaient se venger, ou bien encore – c'étaient généralement les pires – qu'elles avaient perdu et voulaient à tout prix retrouver, à l'évidence de manière ouvertement incestueuse. Quand il en eut assez d'être la proie d'autant de transferts psychiques, il opta pour des bars plus adultes, plus sélects, moins bruyants mais aussi beaucoup moins folichons en termes d'atmosphère, où il se retrouvait au milieu d'autres quadras ayant à peu près les mêmes potentialités bancaires et les mêmes visées fornicatrices. Cette assimilation à une catégorie dont il refusait de toute son âme de faire partie le déprima tellement qu'il finit par se rabattre sur les sites de rencontre classiques où il cibla, sous le pseudo insolite de Clair-obscur, des femmes sportives, libérées et relativement jeunes – la barre des trente-cinq ans semblait être sa limite supérieure acceptable. De fait, même s'il baisait comme un cochon, il n'était finalement pas très heureux. Sa femme – du moins l'idée qu'il s'en faisait désormais, avec son corollaire phallocratique, l'idée de foyer – lui manquait. Régulièrement, il se prenait à s'émouvoir de rêves inachevés où s'épanouissaient l'amour qu'il portait à ses enfants, la douceur de repas en famille, la tendresse d'une épouse attentive et amoureuse. De plus, ayant gagné par sa séparation une totale liberté d'agir, il perdait sur un autre plan, exactement opposé, regrettant amèrement la volupté et les délices que lui procuraient auparavant ses flirts avec l'interdit. En conséquence de quoi, jamais il ne s'était autant ennuyé alors que jamais il n'avait eu autant d'occasions et de capacités financières pour se divertir.

Seul son travail arrivait encore à le distraire quelque peu. En cette mi-juin, il était même littéralement absorbé par les diverses mécaniques de gestion qu'impliquait la publication des résultats au porteur de la fin de trimestre. Le jeu était simple et délicat, mais aussi stratégique. En fonction des chiffres qu'il allait annoncer, l'action de l'Entreprise – et donc la valeur de celle-ci – allait descendre ou grimper. Au vu des événements qui avaient marqué l'« affaire Ludovic Gaillard » – dont la mémoire était encore bouillante dans tous les esprits –, Tanguy s'évertuait depuis un an à ne présenter à ses supérieurs que le meilleur côté de ses capacités managériales et la façon la plus simple d'y parvenir était, chaque *quarter*, d'obtenir des bilans exemplaires. Pour cela, il fallait tricher, évidemment. Il fallait doper artificiellement les résultats, en accélérant à mort les commandes et en stockant en masse les clients. Peu importe si les chiffres se cassaient la figure le mois d'après, il fallait, au moment précis où la publication était faite – donc le temps de quelques jours, voire de quelques heures –, présenter aux actionnaires et à la Bourse la face la plus alléchante et la plus reluisante de l'Entreprise. Tanguy était particulièrement doué pour ce genre de sport comptable. Il était aussi remarquablement habile à créer, en toute illégalité, des réserves d'argent – quand il arrivait au business de faire trop de profits par exemple – et à libérer ces réserves au moment opportun – quand le business battait de l'aile. Ce goût du risque et de l'interdit qu'il avait abandonné sur le terrain sexuel, il le retrouvait en quelque sorte dans la gestion de ses affaires professionnelles. Tanguy ne se considérait pas pour autant comme un bandit. D'ailleurs, ces malversations n'étaient pas toujours de son fait ; c'était parfois son n+1 qui, en toute intimité – il n'y avait jamais ni coup de fil ni mail qui initiaient ces affaires-là –, lui réclamait tel ou tel petit pas de côté vis-à-vis de la législation. Tanguy avait fini par trouver ce petit jeu inoffensif et particulièrement relaxant. En ces temps de crise personnelle, c'était la seule chose qui importait.

Et puis, au tout début du mois de juillet, arriva la soirée de lancement de *Féeric* qui inaugurait la mise sur le marché du parfum au niveau international. Des sommes colossales avaient déjà été englouties en communication interne et en messages RP, dont un prestigieux événement presse au pied de la tour Eiffel, que l'on avait privatisée pour une somme avoisinant le demi-million d'euros. Ancha – qui avait le vent en poupe depuis la même « affaire Ludovic Gaillard » – avait cette fois organisé une soirée élitiste et – toutes proportions gardées – relativement intime, qui regroupait les journalistes Beauté les plus en vue de la planète, les principaux dirigeants des chaînes de distribution parfum ainsi qu'une centaine d'invités de marque appartenant au monde de la mode, du spectacle ou de l'industrie. Vers 21 heures, alors que les convives avaient à peine pris possession de leurs places, le noir se fit brutalement et une musique symphonique et tonitruante couvrit le brouhaha de l'assemblée. Un ballet d'une quinzaine de projecteurs illumina la scène déserte où se dessinait un trou béant. Semblant surgir des entrailles de la Terre, Kelly McGuire apparut peu à peu en haut d'une plateforme assujettie à un système hydraulique qui remonta vers la scène et vint lentement s'arrêter au ras de la matière brillante dont elle était constituée. Tout le temps de cette montée dramatiquement événementielle, la jeune femme se tint droite, avec un air de diva inapprochable, revêtue des strass et des broderies spectaculaires d'une robe couture siglée du styliste libanais Elie Saab. Aussitôt, en provenance des cintres, des milliers de confettis métallisés argent tombèrent en pluie sur la scène et virevoltèrent dans les feux des poursuites en crépitant de lumière. Sur tous les murs s'afficha l'image de la campagne publicitaire, et ce fut comme une terrifiante invasion de clones géants de Kelly McGuire. La salle entière vibrait sous les applaudissements, certains invités s'étaient même levés pour ovationner la jeune actrice. Tanguy et son n+1 – tous deux en smoking – se dirigèrent lentement vers Kelly et chacun lui tendit une main. La star, telle une reine guidée par deux vassaux endimanchés et béats d'admiration, se mit à descendre langoureusement un immense escalier en bas duquel elle prit place à la table d'honneur, où siégeait son photographe, Benoît Messager, qui regrettait déjà d'avoir accepté l'invitation à ce qu'il considérait comme une mascarade dispendieuse et tape-à-l'œil. Tanguy avait insisté pour qu'il soit présent et assis à ses côtés, comme s'il souhaitait de temps à autre, au milieu de cette faune faussement souriante et savamment hostile, pouvoir poser les yeux sur un visage dont l'amitié était sans arrière-pensée. Il avait déjà participé en tant que directeur commercial à des tas de lancements de ce type,

669

mais celui-ci avait un goût particulier. Outre la démesure du dispositif, c'était le premier qu'il inaugurait en tant que directeur général de la marque. Les enjeux étaient énormes et terrifiants, ce que n'avait pas manqué de lui signifier son n+1. Ce dernier se rapprocha de Tanguy dès que Kelly se fut assise et lui glissa à l'oreille :

— Vos équipes se sont surpassées. Et puis Kelly est vraiment parfaite.

Il ajouta, toujours en souriant mais avec un vague accent menaçant, attitude bicéphale que savent adopter à merveille les managers purs et durs :

— J'espère que le jeu en vaudra la chandelle.

Tanguy s'assit, légèrement effrayé, puis il tendit sa fourchette – sans grande conviction – vers le premier plat d'un dîner qui se révéla lui-même extravagant. Le traiteur, afin de célébrer de façon gastronomique l'idée de féerie, avait concocté un menu façon cuisine moléculaire, un parcours en vingt-cinq étapes miniatures, dont un cappuccino de foie gras à la tête de veau, une sphérification de citrouille, un espuma de poireaux nouveaux à l'agar-agar, des ravioles de pied de porc à l'alginate de sodium, le tout couronné par une bombe vanille à l'azote liquide qui libérait, quand on la perçait, un nuage glacé et vaporeux composé des matières premières cristallisées du parfum.

Vers 23 heures, Tanguy osa un discours de remerciement qui visait à exalter la chance incroyable pour lui, pour l'Entreprise et peut-être même pour le genre humain qu'une artiste aussi flamboyante que Kelly McGuire ait accepté de participer à l'aventure excitante et merveilleuse que constituait le lancement de ce parfum unique. En retour, Kelly se leva, bre-douilla quelques mots en français où il était surtout question de l'amour univoque qu'elle portait à tous les gens ici présents puis, faute de vocabulaire adé-quat, poursuivit son éloge dans sa langue maternelle et en des termes similaires, avant de se lancer dans une interprétation a cappella – assez bluffante, il faut le reconnaître – de la chanson *I Love Paris* qui déchaîna une vague d'applaudissements, elle-même suivie par une *standing ovation*.

— Vous chantez merveilleusement bien, lui dit Tanguy quand elle se rassit, en posant sa main sur celle de la jeune femme.

Son ton et ses manières étaient si ouvertement pre-mier degré en matière de drague que la jeune femme, tout en retirant sa main, partit d'un éclat de rire ado-lescent qui glaça Tanguy. Benoît le regarda avec, pour la première fois de la soirée, un sourire aux lèvres. Il se pencha vers son ami.

— Au moins, de ce côté-là, tu n'as pas changé, lui dit-il à l'oreille.

— Qu'est-ce que tu veux, dit Tanguy, j'aime les femmes. C'est ma petite faiblesse.

Benoît eut une mine d'assentiment muet.

— Et toi, dit Tanguy en se redressant, c'est quoi ta petite faiblesse ?

Benoît fronça les sourcils, comme effrayé par quelque danger.

— Tu comprends, tu parais toujours si parfait. Il y a bien un léger petit défaut dans ce beau diamant brut, non ? dit Tanguy en cognant doucement son index replié contre le crâne de Benoît.

— J'ai plein de défauts, tu sais. Je suis terriblement directif, égocentrique, parfois dépressif...

— Avec les femmes, je veux dire, coupa Tanguy.

L'échange se déroulait en français, de telle sorte que Kelly, qui était assise à côté de Benoît et ne comprenait pas un mot de cette conversation, réclama une traduction.

— Nous parlions des femmes et des erreurs qu'elles nous font parfois commettre, dit Tanguy avec malice et dans un anglais sans défaut.

— Vous êtes marié, monsieur Caron? demanda-t-elle poliment avec un maximum de réserve dans la voix.

— Je l'étais, dit Tanguy.

Puis, pour on ne sait quelle raison:

— À une Américaine, figurez-vous.

Kelly l'observa mais aucune réaction ne pouvait se lire sur son doux visage aux oreilles duquel se balançaient mélancoliquement deux énormes boucles en saphirs et diamants prêtées par la maison Boucheron.

— D'après ce que j'en sais, je trouve que les Américaines sont beaucoup plus prudes que les Françaises, insista Tanguy.

— Elles sont juste pragmatiques. Dans tous les domaines, voyez-vous. Et donc certainement beaucoup plus clairvoyantes. Les Français, d'après ce que j'en sais, dit-elle en singeant avec humour les propos de Tanguy, peuvent parfois être très embarrassants.

— Ce sont surtout de grands romantiques, dit Tanguy.

— C'est bien ce que je disais, terriblement embarrassants.

Benoît assista à cet échange mineur avec beaucoup d'aigreur. Il avait beau tâcher d'en diluer le souvenir dans une indignation persistante, il ne put s'empêcher de penser à Alice, qu'il n'avait pas revue depuis près de six mois, malgré les appels et les messages répétés de celle-ci, auxquels il laissait à Juliette – avec une perversité calculée – le soin de répondre.

Les Français sont des vrais cons, se dit-il. Lâches et inconsistants.

À minuit pile, ainsi que le contrat qui la liait à l'Entreprise le stipulait, Kelly McGuire quitta les lieux. Elle embrassa discrètement Benoît Messager sur une joue avant de donner un congé définitif à sa tablée et de se délester en coulisses de sa parure de pierreries. Plus tard, on la vit s'engouffrer dans une limousine blanche aux vitres noir ébène de plusieurs mètres de long où, selon toute vraisemblance, elle s'empressa de s'affaler sur un jeune et célèbre acteur américain dont elle était la maîtresse à peine secrète depuis maintenant trois semaines, selon les journalistes people les mieux informés.

Le lendemain, le visage de Kelly McGuire s'imposait uniformément, dans toutes les tailles possibles, sur la moindre déclinaison du mobilier urbain de l'entreprise J-C Decaux, dans toutes les artères de tous les espaces marchands du globe. Des efforts surhumains et surdimensionnés avaient été déployés par chaque filiale de l'Entreprise pour que le regard du passant soit mondialement, inéluctablement et irrésistiblement attiré par celui de la star et par le flacon sur lequel reposaient délicatement ses longues mains juvéniles. Des bâches géantes, d'une surface de plusieurs centaines de mètres carrés, s'étalaient sur les façades des grands magasins ou des centres commerciaux de luxe ; les espaces de circulation des aéroports étaient envahis par des alignements de kakémonos hors de proportion, certains halls disposaient même d'une sorte de boutique éphémère truffée d'écrans plasma grand modèle qui diffusaient en boucle le *making of* de la séance photo ; les boutiques de distribution cosmétique avaient entièrement relooké leur architecture qui s'inspirait désormais des codes graphiques du parfum ; le moindre magazine – du plus frivole au plus sérieux – avait été grassement rémunéré pour collaborer à cette gigantesque opération de matraquage publicitaire ; dans le monde entier – nuit et jour, en raison du décalage horaire –, des millions de jeunes femmes vêtues du même uniforme rose et blanc aspergeaient sans relâche des millions de consommatrices avides de découvrir cette fragrance « aux subtils effluves d'iris, de rose de mai et de jasmin sambac ». Si Kelly McGuire s'affichait partout, les molécules du jus de *Féeric* semblaient, elles, avoir phagocyté le moindre centimètre cube de la troposphère.

On comprendra facilement qu'une telle insistance à assurer une visibilité commerciale de cette envergure eut quelque effet sur la rentabilité de l'opération. En moins de trois semaines, *Féeric* se plaçait dans le Top 5 des ventes mondiales. Tanguy fut inondé de coups de fil et de mails en provenance de toute la planète. Il nota parmi eux la présence d'un message laconique de son n+2, via le réseau extranet de l'Entreprise, composé du seul mot : *Congratulations*. Pendant une semaine,

Tanguy vécut une période de ravissement relativement proche de celui d'un acteur qui vient de se voir attribuer un prix d'interprétation dans un festival international. Chaque fois qu'il lui arrivait de croiser le regard de Kelly McGuire – et, on l'aura compris, c'était le cas à chaque occasion qu'il avait de mettre le nez dehors –, il ne pouvait s'empêcher d'éprouver une bouffée de fierté mêlée à un sentiment d'immense soulagement intérieur. Que sa vie affective soit un chaos sans nom, que la femme avec laquelle il avait été marié pendant douze ans l'ait salement abandonné pour cause d'incartades à répétition et de déficit global d'attention – comme il la comprenait, au fond ! –, que ses enfants soient séparés de lui par une distance de plus de six mille kilomètres et qu'il ne les voie plus que sept semaines au lieu des cinquante-deux auxquelles il s'était douillettement habitué, tout cela il en avait pleinement conscience ; ces douloureuses évidences, il ne cherchait nullement à les nier ou à en atténuer la portée et il les vivait chaque minute au plus profond de sa chair. Mais ce succès était là pour en rendre compte, il y avait un autre Tanguy Caron, un Tanguy Caron qui gagnait sur d'autres fronts, un Tanguy Caron qui n'était pas seulement un loser érotomane et vaguement dépressif, indigne de sa femme, de ses enfants ou de ses maîtresses. Pour la première fois depuis longtemps, il se sentait à nouveau en empathie avec son travail, comme si ce résultat équivalait à bien plus qu'une réussite vulgairement commerciale et lui restituait une place honorable – socialement, intellectuellement – dont il avait été privé depuis neuf mois et peut-être même beaucoup plus. Oui, il le savait, il le sentait, l'Entreprise avait toujours été sa force, sa sève, mais surtout, surtout, elle le sauvait du ratage intégral que constituait par ailleurs son existence.

Au bout de quinze jours, la machine commerciale se grippa d'un coup, en réaction à ce qui ne tarda pas à être désigné par les médias comme l'« affaire Kelly McGuire » :

Il se trouvait que le *boyfriend* de Kelly – le jeune et célèbre acteur de la limousine – était en réalité un élément non négligeable de la chaîne mafieuse qui arrosait en cocaïne et autres expédients le Tout-Hollywood et, par voie de conséquence directe, sa compagne du moment. Le 21 juillet 2011, vers 3 heures du matin, Kelly McGuire fut arrêtée au volant de son Hummer par une patrouille mobile des forces de police californiennes, après avoir outrageusement dépassé de plusieurs dizaines de miles la limite supérieure de vitesse autorisée sur Mulholland Drive. Les policiers décelèrent la présence de plusieurs dizaines de grammes de diverses poudres et divers comprimés illicites dans la boîte à gants du véhicule et pas moins de 1,4 gramme d'alcool dans les veines de la jeune star. L'incident aurait pu être sans trop de gravité si la douce Kelly ne s'était révélée une véritable tigresse au cours de l'arrestation qui suivit, n'avait pas flanqué une gifle magistrale à l'officier supérieur au moment où il s'engageait dans l'énoncé de ses droits fondamentaux, n'avait pas aggravé son cas en lui décochant coups de pied aux tibias et coups de poing à la poitrine avant que ses collègues ne soient parvenus à la maîtriser, n'avait craché à plusieurs reprises au visage de cette congrégation de flics, n'avait proféré à leur encontre des insultes dont la teneur et la violence tétanisèrent de honte ces grands gaillards pourtant rodés à la traque et même à l'arrestation de chefs de gang autrement plus redoutables dans leurs fiefs d'Inglewood ou de South Central.

— *C'était une véritable furie*, déclara l'un d'eux au micro de Fox News, quelques heures après l'incident.

— *Impossible de la contrôler. Il a fallu s'y mettre à cinq. Jamais vu ça de ma vie*, compléta un collègue visiblement en état de choc.

Le portrait anthropométrique de Kelly fuita rapidement des locaux du LAPD, de sorte que son visage amoché fit la une, quelques heures après son arrestation, de tous les journaux et de toutes les stations de télévision locales et nationales. Il était difficile de reconnaître la jolie Kelly dans cette sauvageonne aux cheveux hirsutes et au visage tuméfié. Dans les jours qui suivirent, des parodies circulèrent sur la Toile et certaines avaient directement à voir avec l'implication de l'actrice dans la communication du parfum *Féeric*, qui fut dès lors rebaptisé de toutes les variations possibles autour du mot *fuck*. La palme du sarcasme et du mauvais goût fut nettement remportée par une série de sketches intitulés *Le Monde féerique de Kelly*, qui mettaient en scène les amours tumultueuses d'une blondasse hystérique, délirante, atrocement vulgaire et de son amant, une espèce de dandy éberlué et déglingué qui passait son temps – oreilles bouchées, narines ouvertes – à sniffer impunément des montagnes de cocaïne. Il y eut *Kelly prend de l'essence*, *Kelly commande au restaurant*, *Kelly fait du shopping*...

dont l'héroïne, ivre de rage et d'alcool, finissait systématiquement par sortir de son sac à main – en l'occurrence un gigantesque Kelly Hermès de pure contrefaçon – un exemplaire du flacon et par le fracasser violemment sur le crâne d'un pompiste, d'une serveuse ou d'une vendeuse de fringues, tout en les insultant copieusement et de manière horrifiante pour n'importe quelle oreille normalement constituée. Le sketch se terminait par un jingle façon Disney, quelques notes cristallines de xylophone par-dessus lesquelles des voix d'enfants chantaient en chœur : « Oh oui, oh oui, oh oui, c'est une vraie féerie, la vie de Kelly ! »

Malgré les interventions nerveuses et répétées d'Ancha, qui attribua ces dérapages au stress et à la fatigue occasionnés par plusieurs mois de tournage consécutifs pour l'actrice, cette publicité illégitime s'apparenta à une opération de sabotage et eut un impact désastreux sur les ventes du parfum. Les quelques coups de fil et messages écrits que reçut Tanguy dès le début du mois d'août furent beaucoup moins nombreux mais aussi beaucoup moins aimables que ceux dont il avait pris l'habitude d'être inondé. En somme, son ravissement ne dura que quelques courtes semaines, et il n'était dès lors plus si certain que l'Entreprise et son travail soient réellement la sève qui le maintiendrait en vie. La déjà frêle embarcation Tanguy Caron venait de heurter un nouvel iceberg médiatique aussi impitoyable que le premier, et il y avait longtemps que ses gilets et ses canots de sauvetage personnels avaient été jetés par-dessus bord et sombraient dans le vaste océan de son humiliation et de son désarroi.

Le 13 août, Tanguy entamait la seule semaine de vacances qu'il s'était accordée et débarquait à New York dans le but de récupérer ses enfants et de les emmener à Epcot puis à Disneyworld, aux environs d'Orlando, en Floride. Alors qu'il patientait à l'aéroport JFK pour récupérer sa valise, son BlackBerry afficha un SMS qui attestait la volonté irrévocable de son n+2 de le rencontrer l'après-midi même. Tanguy eut à peine le temps de déposer ses affaires dans sa chambre du Lower Manhattan qu'il s'engouffrait dans un taxi en direction de la 52e Rue.

Le siège new-yorkais de l'Entreprise affirmait sa prépotence sur trente-deux étages de verre et d'acier dans le quartier d'affaires de Midtown. Tanguy connaissait l'endroit pour y avoir travaillé quotidiennement pendant dix ans. Comme toujours, il fut surpris par le silence glacial qui régnait dans cette cathédrale érigée à la gloire de la libre entreprise, où le plus petit bruit de pas sur le sol de marbre résonnait de manière incongrue et presque vulgaire. Tout au fond du hall, surplombant les visages impénétrables d'un petit déploiement de sept hôtesses en uniforme gris perle, se présentait une longue série d'écrans de contrôle enchâssés dans une structure de palissandre verni qui diffusaient en continu et en temps réel les images de l'intérieur des usines les plus stratégiques du groupe. Plus de 50 % d'entre elles étaient implantées dans des pays plus ou moins démocratiques des continents Asie et Afrique, comme en témoignaient les étiquettes associées à chacun des moniteurs. Un jour, quelqu'un de très inspiré – l'agence de com probablement – avait dû souffler l'idée qu'il serait judicieux d'affirmer la capacité de tir de l'Entreprise en inondant le hall de son siège social – sa tête pensante, donc – de la réalité de ce qui en constituait les entrailles : son système productif. Au risque de se montrer complètement ingénu, il était impossible de ne pas déceler dans cette scénographie une intention proche de celle de certaines dictatures militaires qui affirment la violence de leur suprématie en faisant défiler par milliers leurs soldats et l'armada de leurs machines de guerre. Ce qui était frappant – et que Tanguy nota pour la première fois –, c'était la quasi-absence d'ouvriers sur l'ensemble de ces chaînes de fabrication, au profit d'une multitude de robots de tous les calibres et de toutes les fonctionnalités imaginables. Une pensée le traversa et il réalisa brutalement – comme un uppercut que l'Entreprise lui balancerait en pleine figure – que l'ambition ultime et inavouée du capitalisme moderne – celui qui avait, en vingt ou trente ans, remplacé le capitalisme plus ou moins paternaliste de ses années de jeunesse – était de mettre en place des process destinés à se débarrasser systématiquement et méthodiquement des êtres humains, une opération en quelque sorte assimilable à un vaste génocide des travailleurs du monde entier. Bien que le système les désire de plus en plus nombreux à consommer, il les souhaitait, dans le même temps, de moins en moins nombreux à produire. Tanguy perçut l'ambiguïté – et l'irrationalité – d'une telle équation et prit cela comme une pénible allégorie de la marche du monde et, plus humblement, de sa probable destinée dans l'Entreprise. Car il venait de réaliser, tout aussi brutalement, qu'un mois auparavant il avait fêté son quarante-huitième anniversaire et qu'il y avait fort peu de chances qu'il ne soit pas bientôt éliminé d'office des écrans des propres radars de reconnaissance et de performance pour être avantageusement remplacé par un jeune robot de dix ans son cadet – subtilement programmé pour les nouvelles règles du jeu de ce libéralisme new look –, mille fois plus efficace et surtout mille fois plus discipliné qu'il ne l'avait probablement jamais été. Il s'efforça de détacher les yeux des moniteurs pour s'intéresser uniquement au sol de pierre, tout veiné de bleu azur. Enfin, à l'heure exacte où il était convenu qu'il rencontre son supérieur – malgré ces circonstances, Tanguy apprécia la ponctualité névrotique des Américains, même les plus puissants –, il fut conduit dans l'antre de Douglas W. Stacy, le CEO de l'Entreprise, dont les bureaux occupaient la totalité du dernier étage. Le même sentiment de vide y régnait, en beaucoup plus prégnant. Ici, tout était multiplié au facteur dix : l'atrocité du silence, le moelleux des fauteuils, la longueur des fibres des tapis, l'arrogance et le mépris des hôtesses d'accueil qui, bien qu'effectuant exactement le même job de filtrage et de guidage que celles du rez-de-chaussée, portaient, 32 étages plus haut, le nom d'« attachées de direction ».

L'homme invita Tanguy à s'asseoir et lui proposa une boisson – « un café, un coke, un verre d'eau ? » –, que son subordonné refusa d'un geste efficace de la main. D'emblée, Tanguy nota que, mis à part un ordinateur portable de taille modeste et trois classiques BlackBerry, il n'y avait absolument rien sur la surface de l'immense bureau. Pas un dossier, pas un papier, pas un mémo ne l'encombrait. Il se rappela une boutade que le même Douglas lui avait servie des années plus tôt, quand il le considérait encore comme son protégé :

« La puissance d'un homme se mesure à la qualité de son épouse, celle d'un chef à la qualité du vide de son bureau. »

À l'image de son sobre et sévère espace de travail, Douglas était très grand et très imposant. L'ossature de son crâne et surtout celle de ses mâchoires semblaient être une extension abusive du crâne d'un CEO ordinaire. Le reste du corps relevait des mêmes proportions hypertrophiées, et ses mains – qu'il tenait serrées l'une contre l'autre – avaient l'air de deux énormes battoirs dont il paraissait prudent de redouter les coups et peut-être même les caresses.

— Désastreux ce qui arrive, n'est-ce pas ? dit Douglas en fixant Tanguy et en tapotant les extrémités de ses doigts les unes contre les autres. C'était totalement imprévisible, je suppose.

Sa voix était lente, monocorde, atone ; absolument rien ne perçait de sa fureur certaine.

— J'imagine qu'aucune des enquêtes que vous avez faites sur cette fille ne pouvait laisser prévoir un tel...

Il sembla hésiter, mais Tanguy savait que ce n'était que stratégie : ce genre de type savait toujours trouver ses mots.

— Aidez-moi, Tanguy, un tel..., poursuivit-il.

— Gâchis ? osa Tanguy timidement, en se tassant sur lui-même.

— Gâchis..., répéta Douglas rêveusement.

Le CEO se leva et se dirigea vers une fontaine en plastique.

— Oui, vous avez sans doute raison. Ce qui arrive est un véritable gâchis, dit-il en arrachant un gobelet d'un cylindre de métal pour y faire ruisseler un petit filet d'eau glacée.

Il revint vers Tanguy en sirotant de longues gorgées de son gobelet. Cette fois, il choisit de s'asseoir sur le rebord du bureau. Ayant le soleil de l'après-midi dans le dos, son ombre, pareille à celle d'un ogre, dévora le verre fumé de la table et finit par emprisonner Tanguy dans une obscurité terrorisante.

— Combien on a mis sur la table pour en arriver là ?

— Je suis désolé... Je n'ai pas tous les chiffres en tête, monsieur.

— Tanguy, voyons... Trois ? Quatre ? Cinq ?

— Trois peut-être..., mentit stupidement Tanguy.

Douglas tendit une main vers l'intérieur de son veston et sortit d'une poche une fiche bristol de 105 × 148 mm, imprimée sur une seule face. Ainsi, sur approximativement 155 centimètres carrés, était résumé tout ce qu'il lui avait semblé utile de retenir de l'affaire. Il chaussa habilement une paire de lunettes.

— 6,72 millions de dollars, me dit-on, annonça-t-il en parcourant brièvement la fiche. Dont près d'un million de dollars rien qu'en sauterie inaugurale. Un million de dollars, répéta-t-il tout bas d'un air pensif.

Il se débarrassa de ses lunettes.

— Vous devez savoir qu'ici, aux États-Unis, on établit la fortune d'un homme à son premier million. Quand il possède un million de dollars, un homme est en droit de se sentir riche, de fréquenter certains milieux, de se comporter suivant certaines règles

et parfois d'utiliser certains mots. À partir de ce million, tout devient envisageable. Un million, dans ce
pays, c'est le symbole absolu de tous les possibles.
Imaginez, Tanguy, que ce million perdu, je l'aie donné
à un homme habile, un travailleur acharné, un vision-
naire... Imaginez que ce million gâché soit tombé entre
les mains d'un véritable entrepreneur, de la trempe
de ceux que cette nation fabrique depuis que ses premiers colons s'y sont installés. Un John Rockefeller
par exemple, un Andrew Carnegie, un Jay Gould,
un Henry Clay Frick, un John Morgan, un Cornelius
Vanderbilt. Bon Dieu, imaginez comment des types
de cette envergure auraient utilisé ce simple million
pour en générer ne serait-ce que le double ou le triple.
Imaginez les miracles qu'ils auraient accomplis,
les mouvements spéculatifs qu'ils auraient stimulés, les
maisons qu'ils auraient construites, les hôpitaux qu'ils
auraient bâtis, les routes qu'ils auraient tracées. Ce qui
me chagrine, ce n'est pas tellement d'avoir perdu ce
million, l'argent est par essence une entité fluctuante
avec laquelle j'accepte volontiers de jouer. Non, ce
qui me chagrine le plus, c'est d'avoir eu la prétention de croire que vous en feriez quelque chose de
magnifique, de ce million de dollars, bref, ce qui me
chagrine le plus, c'est d'avoir eu tort à votre sujet.
Je vous ai cru grand, Tanguy, je vous ai cru habile, je
vous ai cru inventif et je réalise que vous êtes absolument le contraire de tout cela. À cause de vous, des
actions risquent de s'effondrer, des maisons cesseront
de protéger des familles, des malades seront privés de
soins, des routes ne mèneront nulle part. Aujourd'hui,
vous m'obligez à faire le constat amer de ma propre

négligence et de mes propres erreurs. C'est pour cela que je vous en veux le plus. Je déteste me tromper. Me tromper me ramène au sentiment insupportable d'avoir trahi tous les gens qui m'ont accordé leur confiance et leur argent. Je les ai déçus, Tanguy, et c'est pour moi une faute absolument impardonnable.

Tanguy paraissait vidé de son sang, à bout de nerfs et pourtant étrangement calme. Il sortit une enveloppe de la poche intérieure de son costume.

— Je vous ai apporté ma lettre de démission, dit-il en se levant pour glisser l'enveloppe sur le bureau.

Douglas le regarda d'un drôle d'air, s'empara de l'enveloppe et, sans même l'ouvrir, la déchira en deux. Le papier émit un crissement court et violent. Tanguy eut un sursaut pénible, une réaction épidermique de profonde douleur, comme si en déchirant cette lettre qu'il avait eu tant de peine à rédiger, Douglas lui avait écorché les entrailles.

— Trop facile, mon garçon.

Le regard de Tanguy était vide de tout sentiment.

— Qu'est-ce que vous attendez de moi, monsieur ?

Douglas lui sourit et, toujours très calmement :

— J'attends de vous qu'en sortant d'ici vous preniez le premier avion en direction de votre bureau et que vous y restiez enfermé jusqu'à ce que vous nous ayez sortis de la merde où votre putain d'incompétence nous a foutus. Voilà ce que j'attends de vous, mon cher Tanguy.

Tanguy ne vit ses enfants que quelques minutes cet été-là. Suivant l'injonction de son patron, il repartit par le premier avion pour Paris et annula ses vacances, ainsi que celles de tous ses n-1. Sa garde rapprochée – après quelques mouvements d'humeur compréhensibles – se constitua finalement en une petite cellule de crise qui fut invitée à plancher sur la façon de se sortir au mieux de ce merdier et à développer pour l'occasion quantité d'idées originales à la fois lucratives en termes de retombées et économiques en termes de mise en place. Seulement voilà, en pleine période estivale, comment faire pour inciter un maximum de consommateurs – tous très occupés à tracer droit sur la route de leurs vacances – à faire un détour stratégique et rémunérateur en direction de la parfumerie la plus proche ? Tanguy tenta bien quelques menues malversations financières en dissipant certaines réserves dans une comptabilité de plus en plus foireuse, mais il reçut une interdiction formelle de son n+1 de continuer à se livrer à ce genre de pratiques. Ce fut Ancha qui, une fois encore, se montra la plus imaginative et mit sur pied une ligne d'attaque visant pour l'essentiel à restaurer l'image désastreuse de l'égérie de leur parfum. Elle s'envola pour la Californie où Kelly McGuire, dans l'attente d'un procès imminent, avait été assignée à résidence en échange d'une caution pharaonique de cinq cent mille dollars. Ancha convainquit la star d'offrir en pâture ses excuses publiques devant les caméras du monde entier. Quelques jours plus tard, la responsable RP organisait une conférence de presse internationale dans le jardin de la luxueuse résidence que la jeune femme occupait au cœur du quartier branché de Silver Lake. Ce fut un délicieux moment de télévision où tout semblait avoir été organisé avec pour seuls mots d'ordre : simplicité et vérité. La styliste de Kelly lui avait déniché une petite robe à manches longues qui réussissait le miracle d'être à la fois sexy et totalement informe. Sa maquilleuse et son coiffeur étaient eux aussi parvenus à des prouesses cosmétique et capillaire équivalentes. De son côté, Kelly avait assimilé un texte, court et poignant, rédigé par un des scénaristes les plus en vogue d'Hollywood – pour la somme relativement modique de cinquante mille dollars. Sous la supervision d'Ancha – qui, pour l'occasion, s'était découvert un talent de direction d'acteurs –, Kelly avait répété des heures durant les quelque quatre cents mots de ce texte et était parvenue, en vraie professionnelle, à entrer parfaitement dans la peau de cette nouvelle Kelly pleurnicharde et repentante. Et le monde entier y avait cru, à cette alternance d'aveux plaintifs, de larmoiements, de silences et de gémissements, d'où surgissaient des phrases comme : « Oui, j'ai osé vous mentir, à vous qui m'avez tant donné », ou : « Oui, j'ai été entraînée, contre ma volonté, dans les couloirs du mal et de la drogue » qui donnaient à cette confession – balbutiée à la première personne du singulier – des airs connus de repentance clintonienne, post-affaire Monica Lewinsky. La semaine suivante, les journaux people de tous les pays insistaient sur l'effort notable de rédemption qu'avait entrepris l'actrice, toute la responsabilité de ses actes étant en réalité à mettre sur le compte d'une enfance misérable dans les bas-fonds du quartier d'Englewood à Chicago, Illinois – certains magazines allaient jusqu'à évoquer un possible inceste paternel –, et sur celui de l'amant de la jeune femme, qui était décrit comme « un pervers narcissique uniquement désireux d'attirer la sublime et innocente jeune star dans les filets poisseux de sa perversion et de sa dépravation addictive».

Dès la fin du mois d'août, la confrontation habile entre le caractère dickensien du passé de Kelly et son *coming out* médiatique firent que les ventes de *Féeric* remontèrent quelque peu.

Tanguy en fut à peine satisfait. Depuis son retour de New York, c'était comme si toute capacité de jouissance lui avait été retirée. D'ailleurs, de manière étrangement synchrone, sa libido avait subi depuis cette date le même acharnement à la baisse que les ventes de son parfum. Il avait même totalement cessé de bander et – par voie de conséquence obligée – de se branler comme un cinglé à la moindre occasion. D'un point de vue plus général, tout ce qui semblait l'avoir un jour intéressé avait fini par ne plus l'intéresser du tout. Il avait délaissé sa Ducati Monster 900 Special qui lui avait servi en des temps révolus à décompresser de situations de stress similaires. Il n'appelait quasiment plus ses enfants de crainte d'avoir à s'expliquer sur les raisons de son absence et de ne pouvoir résister au besoin de leur avouer toute la vérité, et donc d'apparaître à leurs yeux comme un sombre loser. Il cessa pratiquement de s'alimenter – en tout cas correctement – après avoir fait le tour, au bout d'un mois, de toutes les possibilités gastronomiques que lui offraient les diverses officines de livraison à domicile de la ville de Saint-Cloud. De fait, ses journées étaient organisées uniquement autour de ses activités professionnelles. Cette obsession névrotique de se rendre utile et irréprochable aux yeux de ses employeurs avait fini par constituer une sorte de mur virtuel qui n'offrait nulle brèche au plaisir ou au divertissement et contre lequel il passait son temps à se cogner. Ainsi, il vérifiait mille fois par jour qu'aucun mail de son BlackBerry ou de sa boîte personnelle n'avait échappé à sa vigilance ; il convoquait à tour de bras des réunions parfaitement inutiles où il abusait de son autorité pour s'assurer que ses consignes avaient été respectées ; il ne quittait son bureau que très tard pour le retrouver à l'aube, après quelques courtes heures d'un sommeil où il ne récupérait aucune force ni aucune envie. Le travail était son tuteur. Le lui aurait-on enlevé qu'il se serait sûrement effondré. Il dépérissait, cela était visible, et Ancha était la première à s'en inquiéter, sans toutefois oser l'évoquer devant lui. Jamais il ne s'était senti aussi démuni sur le plan physique. Depuis quelques jours, il souffrait d'une hyperventilation qui le privait brutalement de ses capacités respiratoires, et depuis plus longtemps encore, de maux de ventre à répétition qu'il se refusait catégoriquement à soigner. Ajouté à tout cela, il y avait son irascibilité chronique, alimentée par un sentiment de frustration indéfinissable. Un immense flux de colère grondait en lui mais il ne trouvait aucune échappatoire pour le canaliser. Le pire pour Tanguy était le silence assourdissant de Douglas, ou même de son n+1, en dépit des messages de plus en plus optimistes qu'il leur fit parvenir dès que son égérie fut réconciliée avec son public et que les ventes du parfum eurent repris une ascension notable. Cette non-reconnaissance de son acharnement à redresser la barre de son business n'était pas en soi une surprise – il était rare qu'il reçoive un quelconque message de félicitations ou d'encouragement –, mais en ces temps de pénurie affective, elle engendrait un ressentiment et une frustration considérables. Tanguy se donnait corps et âme à l'Entreprise et l'Entreprise ne lui accordait en retour aucun signe compensatoire. Elle était devenue une maîtresse insatisfaite et récalcitrante, insensible à toute marque d'attention et à tout effort pour la séduire.

Le 11 septembre 2011, vers 23 heures, alors qu'il venait de rejoindre son domicile, Tanguy alluma son téléviseur. C'était devenu un réflexe ; il savait qu'il n'allait pas pouvoir s'endormir avant longtemps et les images – surtout les plus ineptes – avaient sur lui un pouvoir lénifiant. Il zappa sur plusieurs émissions de variétés et de téléréalité avant d'atterrir sur la chaîne CNN, qui diffusait en boucle des reportages édifiants sur la commémoration des attentats du World Trade Center, dix ans auparavant. Son doigt se figea sur la télécommande et son regard se vissa à l'écran. Il vivait à New York à cette époque-là et il se souvint aussitôt, avec une précision diabolique, du moindre événement qui avait jalonné cette journée de stupeur et d'incompréhension. Alors, quelque chose se passa dans sa tête, un sursaut mental de l'ordre du déclic. Revoir les éventrements successifs de ces deux tours, suivis, quelques minutes plus tard, par leur effondrement pur et simple ; revoir ces gens qui sautaient en grappes des fenêtres éclatées par la puissance de l'impact pour s'écraser sur le sol jusqu'à quatre cents mètres plus bas ; revoir les visages hallucinés de tous ces rescapés et de tous ces sauveteurs qui erraient comme des morts vivants, aveuglés par un immonde brouillard fait de poussière et de déchets vivants, revoir tout cela le bouleversa de manière irrationnelle et profondément intime. Ces images – qu'il avait pourtant inlassablement vues et revues – opérèrent dans son esprit une sorte d'alchimie psychique. Pour la première fois de son existence, il accepta d'être assez honnête pour se juger lui-même. Il repensa à toutes les journées d'humiliation et de terreur qu'il venait de vivre. Il repensa à la défenestration de Ludovic Gaillard, qui n'en finissait pas d'alimenter ses frayeurs nocturnes. Il repensa à sa famille, à son père, à ses lointains espoirs d'adolescent. Des pans entiers de sa vie passée – proche et distante – se dressèrent devant lui comme des spectres lancinants. Brusquement il sentit dans sa chair la marque cuisante de son anéantissement, de sa chute, de son aveuglement. Il ne ferma pas l'œil de la nuit. Le lendemain matin, alors qu'il présidait une réunion stratégique devant un parterre d'une trentaine de personnes, il s'arrêta tout à coup de parler. Il lui fut impossible d'articuler la moindre parole. En une seconde, ses mots devinrent une fabrication inutile de sa pensée. Ils étaient vains, sans portée, sans dessein. Ses interlocuteurs le regardaient sans comprendre, échangeant des regards entendus, certains moqueurs, d'autres inquiets. Il ne sut plus quoi faire. S'asseoir ? Marcher ? Oui, mais vers où ? Ancha se leva et le prit doucement par le bras pour le guider vers l'extérieur de la salle. Il eut du mal à avancer, ses jambes étaient comme deux douloureux cylindres de mousse élastique qui n'arrivaient pas à le porter tout à fait. Une fois sorti, il s'adossa contre un mur, porta les deux mains à son visage et éclata en sanglots comme il faisait quand il était enfant.

Son *burnout* fut établi de manière irréfutable par le médecin du travail, qui lui imposa un repos complet – associé à une batterie de puissantes molécules anxiolytiques – et l'engagea à prendre dorénavant un soin extrême de sa personne.

— Votre corps vous a lâché. Enfin ! pourrais-je ajouter. Il vous a donné un signal, vous pouvez l'en remercier. Surtout, vous ne pouvez plus faire autrement que de l'entendre, lui dit-il gravement.

Il griffonna une attestation sur une ordonnance.

— Je vous arrête pendant deux mois, dit-il en relevant la tête. Dans votre cas, c'est le minimum.

Tanguy le regarda, affolé.

— Je ne veux rien savoir, dit le médecin.

À ces mots, prononcés de manière autoritaire mais bourrée d'humanité, Tanguy éclata une nouvelle fois en sanglots.

Tanguy épuisa régulièrement ses réserves lacrymales pendant les quinze jours qui suivirent. À part dormir, il ne fit d'ailleurs pratiquement que pleurer. Des périodes de profond sommeil succédaient à de longs moments d'effondrement, eux-mêmes générateurs d'une angoisse insoluble qui finissaient par des hectolitres de larmes, elles-mêmes provoquant une fatigue irrépressible suivie d'un endormissement quasi immédiat : la boucle était bouclée. Au bout du seizième jour de ce régime en dents de scie émotionnelle, il trouva enfin la force de donner suite à mes nombreuses tentatives pour le joindre et me téléphona. Il n'allait pas bien, on le sentait rien qu'à sa voix, qui témoignait d'une capitulation générale de sa personne.

Une heure plus tard, je sonnais à sa porte et, après cinq bonnes minutes d'attente et plusieurs coups de sonnette en rafales, il m'ouvrit.

J'eus beaucoup de difficulté à dissimuler mon inquiétude et, encore plus, mon effroi. Sur son corps amaigri flottaient un caleçon et un T-shirt constellés de taches aux filiations indéfinissables. Ses yeux étaient alourdis par une série de cernes concentriques qui allaient du rouge profond au bleu dur. Une barbe blonde, hirsute, envahissait ses joues et son cou, abandonnant par endroits des morceaux de peau imberbes, comme des espaces en jachère au milieu d'un foisonnement de crins. Ses cheveux étaient dramatiquement hérissés sur le haut de son crâne et s'agglutinaient en plaques rebelles. Sa silhouette tout entière paraissait avoir souffert d'une radicale renonciation aux principes élémentaires de l'hygiène. Visiblement, il ne s'était ni lavé ni peigné pendant deux semaines. D'ailleurs, une odeur rance persistait autour de sa personne comme un halo de miasmes entêtants. On aurait dit un clochard.

— Tanguy, putain..., dis-je, sans presque le vouloir.

— Entre, dit-il d'une voix traînante.

Je pénétrai à l'intérieur de la maison.

Comment décrire l'espèce d'immense foutoir qu'était devenue cette résidence autrefois luxueuse ? L'espace entier relevait de la débâcle. Éparpillés un peu partout, il y avait des chaussures, des vêtements, des sous-vêtements – dont un nombre incalculable de chaussettes –, des serviettes – de table et de bain –, des coussins, des verres, des dizaines de cadavres de bouteilles – en plastique ou en verre. Le tout baignait dans une atmosphère rance et insalubre, saturée de poussière. Mais c'était la cuisine qui avait le plus morflé, dans ce déficit généralisé d'attention domestique. Elle évoquait un lointain et pénible souvenir de bataille dont quelques tristes rescapés étaient là pour témoigner : une brique de lait à la DLC antédiluvienne périssait autour d'épluchures contaminées par une série de boursouflures racornies ; une théorie de fruits agonisaient dans leur corbeille en métal avec, sur toute leur surface, des excroissances éthérées de moisissures blanchâtres ; un amoncellement de couverts, d'assiettes, de plats, de verres peinait à trouver un équilibre au fond d'un évier débordant d'une eau gris-jaune et nauséabonde. J'ouvris la porte du réfrigérateur : il était pratiquement vide.

— Bordel, Tanguy, il n'y a rien à bouffer ici, dis-je.

Je me retournai, soudain en colère.

— Tu as envie de crever, c'est ça ?

Il me regarda, hébété, sans trouver la force de me répondre.

— Il est où ton ordi ? dis-je d'une voix cassante.

Je le suivis dans son bureau, qui demeurait la seule pièce raisonnablement en ordre. Je me mis à pianoter sur le clavier de son portable en vue d'accéder au site sncf.com. Deux heures plus tard, à ma demande expresse, Tanguy était rasé, lavé, habillé de frais et sa valise était prête. Je commandai un taxi et ne quittai Tanguy que quand il se fut engouffré dans la voiture 13 du TGV qui le conduirait à la gare de Plouaret où Colette, sa mère, l'attendrait, suivant les instructions précises que je lui avais fournies par téléphone.

Tanguy reçut, trois semaines durant, les attentions de sa mère, mais aussi de ses deux sœurs qui, vivant à quelques kilomètres, passaient chaque jour le voir après leur travail et aussi les week-ends, pendant de longues heures. La famille se reconstitua autour des souffrances de ce fils prodigue, auquel, comme dans les Évangiles, il fut d'emblée tout pardonné : ses silences, ses absences, la dilapidation irraisonnée de toute l'affection qu'elles lui avaient dispensée. Ce furent des moments à la fois tristes et gais. Tristes, car les circonstances et leurs conséquences l'étaient. Gais, parce que les moments d'intimité dans cette famille l'avaient toujours été. Pour la première fois peut-être, Tanguy accepta de se laisser déborder par les démonstrations de tendresse et d'amour de ces trois femmes qui, bien que souvent envahissantes et parfois intrusives, lui parurent d'une extrême douceur. Jamais on n'avait pris autant soin de lui. Jamais il n'avait eu autant besoin de toute cette accumulation de bienveillance à son égard.

Peu à peu, il retrouva ce qu'il avait perdu : son appétit, son humour, son désir d'être en vie. Quand il eut recouvré assez de forces, il recommença à sortir et fit de longues promenades, paisibles et mélancoliques, dans ces paysages de bord de mer dont il avait oublié toute la puissance et l'énergie qu'ils étaient capables de lui transmettre. Il marchait pendant des heures sur les plages, sur les rochers, à travers la lande qui foisonnait de fleurs. Il aimait sentir le poids du sable mouillé sous ses pieds nus et le souffle froid de l'air du large dans sa poitrine. Il passait un temps infini à observer l'immensité de l'océan qui s'imposait à lui, majestueux ; il se remplissait de sa beauté immobile.

Un jour, il insista pour accompagner Colette à son travail.

— Je préférerais que tu te reposes, Tanguy.

— Je vais mieux, Maman, je t'assure. La preuve, je commence à m'ennuyer.

C'était faux. Il ne s'ennuyait pas. Au contraire, jamais il n'avait été autant diverti par autant de choses simples. Elle accepta à contrecœur et il s'engouffra, joyeux, dans la voiture de sa mère.

L'usine se détachait sur un ciel d'octobre bleu mat, porteur des effluves salés d'un vent de nord-ouest. Elle se dressait, longue et plate, sur une minuscule langue de terre et jouxtait la mer sur trois de ses côtés. À ses pieds, les pavillons triangulaires et colorés hissés sur les hampes des chalutiers claquaient avec des bruits secs. Tanguy eut un choc. Il n'était pas revenu ici depuis trente ans, depuis que lui et Julia – *Bon Dieu, qu'est-ce qu'elle était devenue, cette fille ?* – avaient vainement tenté, avec toute l'arrogance et tout le mépris de leur jeunesse, d'en réformer l'organisation en proposant de la purger de sa substance humaine. En dépit des menaces qu'ils avaient agitées à l'époque, l'usine avait continué à fonctionner. Des contrats de distribution locaux avaient contribué à la faire vivre – vivoter serait plus juste –, bien qu'ils ne soient plus qu'une dizaine d'ouvriers à y travailler, la pyramide naturelle des âges ayant peu à peu éliminé les plus anciens, qu'il était devenu inopportun, pour des raisons économiques, de remplacer. Colette aurait souhaité depuis longtemps se séparer de son entreprise, mais elle ne se résolvait pas à assumer les conséquences sociales d'une telle décision.

Quand ils pénétrèrent dans l'usine, tout le monde était au travail depuis déjà longtemps. Colette s'approcha d'un contremaître qui l'informa de l'avancement de certaines commandes en cours. L'homme, tout en parlant, regardait attentivement Tanguy, qui pensa le reconnaître. Il se souvint d'un jeune homme fougueux et déterminé, l'un des quinze ouvriers que Julia et lui avaient placés sur leur fameuse liste noire. C'était lui, sans aucun doute. Le jeune ouvrier d'alors avait aujourd'hui dépassé la cinquantaine et était devenu un homme solide, enrobé, consistant. Tanguy se dirigea vers lui et lui serra la main. Le contremaître lui adressa un petit sourire de connivence qui se nuança étrangement d'une pointe d'insolence. Tanguy comprit. Ce que venait de lui signifier cet homme, c'était l'erreur qu'il avait commise sur sa personne. Il avait résisté, lui. Il était toujours là, désormais à une place honorable, quoi que quiconque puisse en penser. Tanguy s'éloigna et se mit à arpenter l'usine, où régnait une atmosphère nauséabonde et salée, saturée d'humidité marine. Accrochés à leurs machines, des hommes et des femmes lui souriaient timidement et il leur sourit en retour. Il erra encore quelques minutes dans ces allées glissantes, débordant de caisses en plastique et de divers matériels de conditionnement, puis il entra dans le bureau de sa mère. Il s'approcha du siège et s'y assit. La surface de la table de travail était envahie par des dossiers, des factures, un tas de choses inutiles qu'il se souvenait avoir toujours vues là, exactement au même endroit. Immédiatement, il repensa au bureau

de son CEO à New York, ce bureau si vide, si impersonnel, si prétentieusement directorial, et cette image
le renvoya à l'inhumanité de son environnement de
travail comparée à l'enveloppante humanité qu'il
voyait régner ici, partout, et particulièrement dans
l'amoncellement et la désorganisation des papiers qui
encombraient ce bureau. Il se mit à écouter les bruits
et à sentir les odeurs. Le vacarme des machines était
atténué par la distance et faisait à ses oreilles comme
une alternance rassurante d'inspirations et d'expira-
tions pneumatiques. L'odeur du lieu avait bercé son
enfance. Ses exhalaisons pestilentielles se trouvaient
tempérées par les délicates émanations du souvenir.
Il ferma les yeux. Des images défilèrent en rafales, qui
avaient toutes à voir avec son enfance, avec sa jeunesse, avec ses parents. C'étaient des images gaies,
colorées, qui exaltaient le goût de sucre et de miel
d'un bonheur révolu, mais où, étrangement, n'entrait
aucune forme de nostalgie. Ce fut comme une révélation. Il fut pris d'un violent soubresaut, physique et
mental à la fois, qui n'avait rien de commun avec les
signes de la dépression dont il tentait de s'extraire.
Bien au contraire. Tout à coup, il se sentit joyeux,
plein de sève et de vie, débordant d'un optimisme
salutaire. Lui qui avait tant voyagé, fait le tour du
monde, tenté de toutes ses forces de dénicher un
endroit où se poser enfin, réalisa qu'il avait toujours
sciemment ignoré le seul lieu où il se sentait en har-
monie avec le monde et probablement avec lui-même.
Il ouvrit les yeux avec le sentiment enivrant d'avoir
résolu une énigme jusqu'alors indéchiffrable : il avait
trouvé sa place et cette place était là, dans cette usine,

derrière ce bureau, sur ce siège qu'avaient occupé son père, et sa mère après lui. Sa décision était prise : il allait prendre les rênes de cette entreprise. Il allait reprendre le travail exactement à l'endroit où ses deux parents l'avaient laissé.

12 février 2012

Alice n'avait pas souhaité mentir à Rodolphe sur les raisons qui avaient conduit Benoît à s'éloigner d'elle – et donc de lui, a fortiori. Poussée par on ne sait quelle volonté de contrition, elle ne lui avait en fait épargné aucun détail de la puissance de cet amour souterrain et infiniment patient qui avait fini par jaillir en raison d'un trop-plein de souffrance. Elle ne lui avait pas caché non plus sa douleur de perdre un ami aussi cher et un artiste aussi remarquable, pas plus qu'elle n'avait passé sous silence le baiser adultère dont elle avait précisé – sans que d'ailleurs personne l'y pousse – être à l'initiative et qu'elle avait esquivé sur-le-champ pour des raisons de fidélité à sa personne et à leur mariage. Ainsi exposé, ce sens ultime du devoir matrimonial s'opposait de façon triviale au caractère sublime de cette passion muette, Rodolphe apparaissant dans toute cette histoire comme l'empêcheur de forniquer en rond. Par une sorte d'inversion perverse, Alice en voulait maintenant à son mari de ce qui s'était passé. N'aurait-il pas existé que Benoît serait à ses côtés, un raisonnement spécieux qui passait outre au fait que si cela avait été le cas, si

Rodolphe avait à son tour disparu de la circulation, elle ne l'aurait pas non plus supporté. Comme rarement dans sa vie, Alice n'avait pas obtenu ce qu'elle désirait. Pire, elle avait été placée dans la situation impossible de faire un choix et donc, inévitablement, de devoir perdre quelque chose au bout du compte. Cette situation inédite et détestable avait provoqué sa rancœur envers celui qui avait eu ses faveurs, et elle voulait le lui faire payer, d'une manière ou d'une autre. Par exemple, elle qui avait passé sa vie à surveiller le baromètre des humeurs de son époux estimait qu'il était temps que les choses s'inversent et que lui aussi devait désormais, non pas souffrir – elle n'était pas à ce point revancharde –, mais faire preuve de la plus grande vigilance quant à ses humeurs à elle, ainsi qu'à ses désirs, à ses sentiments et, de manière plus générale, à ses préoccupations personnelles et professionnelles. Une fois ces nouvelles prémisses établies, le sujet Benoît Messager cessa d'être abordé par les deux parties, même s'il restait constamment présent à la mémoire de l'une et de l'autre, pour des raisons très exactement opposées.

— Tu es vraiment certain qu'il est utile que je t'accompagne à ce truc ? dit Alice en faisant distraitement glisser la fermeture Éclair d'une valise encore vide.

Rodolphe se raidit.

— Alice, à ce truc, comme tu dis, vont assister toutes les huiles de la région et du département, sans compter quelques-uns de mes meilleurs amis députés. C'est très certainement le genre de réunion qui sera utile à ma réélection. Qui se joue dans onze mois, si tu as oublié. Et ta présence est essentielle, oui.

Elle acquiesça vaguement, d'un hochement du menton.

— À moins, bien sûr, que tu te fiches complètement de ma réélection.

En temps normal, Alice se serait sentie piégée. Or, on l'a vu, les choses avaient changé.

— Je ne me fiche pas le moins du monde de ta réélection, trésor.

Depuis sa récente reconversion en femme rétive, Alice s'était encombrée d'une panoplie de mots nouveaux et peu impliquants au niveau émotionnel – comme «trésor, chou, lapin»... –, destinés à témoigner de son affection, à l'égard de son époux, mais aussi de toute l'étendue de sa nouvelle autonomie en matière de comportement.

— Oh non, pas trésor, s'il te plaît. Pas trésor.

— OK, je retire le mot trésor. Je tiens seulement à te signaler, Rodolphe, qu'afin d'assister à cette inauguration rasoir, j'ai dû annuler quatre rendez-vous, dont deux au moins avec de probables futurs génies de l'art contemporain, il me paraît donc légitime de savoir si je le fais ou non à bon escient.

Alice avait regagné sur le terrain de l'humour dans sa vie maritale, et cela plaisait à Rodolphe. Il sourit et la regarda remplir minutieusement sa valise.

Sept mois plus tôt, au moment où il avait poussé la porte de ce foutu bureau, il avait eu un sursaut d'effroi en saisissant la teneur de ce qui se tramait entre sa femme et Benoît. Un moment, il pensa l'avoir perdue. Comme il avait au fond une image assez catastrophique de lui-même, il lui était apparu presque logique qu'elle préfère la compagnie d'un homme célèbre et talentueux à celle d'un mari qui peinait à faire de sa vie quelque chose de véritablement honorable. Or, c'était un fait, Alice l'avait choisi, lui, et pas un autre. C'était donc lui qu'elle aimait, finalement, en tout cas plus que n'importe qui, en tout cas un peu plus que Benoît. Cette mise en concurrence impromptue lui avait fait réaliser que l'amour de son épouse, contrairement à ce qu'il avait pu penser pendant trente ans, n'était pas si irrévocable que ça et s'apparentait même à une construction confortable et narcissique de sa pensée. La peur de la perdre décupla son amour pour elle tandis que s'insinuait un sentiment de panique généralisée. Il avait bien conscience par exemple – Alice le lui faisait sentir au besoin – que l'idée de sacrifice avait dangereusement perturbé la mécanique du libre arbitre de cette décision. À tout moment il craignait qu'Alice se lasse de s'être à ce point sacrifiée ; il redoutait d'avoir à découvrir d'autres choses odieuses en poussant d'autres portes et qu'elle lui échappe pour de bon par l'une d'entre elles. Désormais il était sur ses gardes et plein d'attentions nouvelles. Ce curieux retour de manivelle, cet excès de vigilance lui étaient pénibles. Il lui arrivait de la détester d'être contraint de l'aimer de cette façon et regrettait le temps où il pensait son amour pour lui inconditionnel et définitif. Occupé par mille autres choses, il trouvait déplaisant de devoir lui prodiguer constamment certains gestes, certains mots, certains comportements auxquels il n'avait jamais eu recours par le passé. Par réaction, il redevenait odieux, comme il l'avait toujours été – comme sans doute sa nature insatisfaite et colérique l'engageait à l'être –, sauf qu'Alice n'était plus du tout disposée à jouer les souffre-douleurs et à laisser filer. Elle le menaçait – à sa façon –, il prenait peur, le danger de la perdre revenait en force. Et ainsi de suite.

Depuis près d'un an, Rodolphe, Félix et Grégoire avaient fait front commun pour faire entériner par les autorités le projet de complexe héliomarin de la British Spas France.

En première instance, le tribunal administratif avait avalisé le recours déposé par l'association Pas de spa chez nous ! et donné raison aux plaignants contre la mairie – contestant ainsi son plan d'urbanisme local –, en raison de divers alinéas contenus dans la loi littoral. Le juge avait en particulier considéré que « le secteur en question ne pouvait être regardé comme constitutif ni d'un village ni d'une agglomération au sens des dispositions de l'article L.146-4 du code de l'urbanisme ». Le fameux dispositif anti-mitage, qui empêchait de faire se rejoindre artificiellement des parcelles séparées par des terrains inconstructibles. En l'occurrence, Rodolphe avait vu juste.

Au terme d'une longue bataille procédurale, le député Lescuyer avait, en dernier recours, saisi le Conseil d'État en se plaçant uniquement sur le terrain politique, arguant – comme il le faisait constamment depuis des mois – du manque à gagner considérable qu'une telle décision allait entraîner pour cette région économiquement dévastée. Ce rapport était par ailleurs complété par une analyse de l'avocat dont Félix avait sollicité les compétences, un juriste spécialisé dans le droit des collectivités territoriales.

L'homme de loi avait eu la bonne idée d'agiter le concept d'intérêt général pour légitimer l'action de son client et fonder sa demande en annulation, son raisonnement s'appuyant sur divers rapports publics publiés en la matière par l'institution d'État, où il apparaissait que « la tradition française, telle qu'elle s'exprimait dans la législation et la jurisprudence, avait souvent et clairement pris le parti de promouvoir un intérêt général qui aille au-delà d'un simple arbitrage entre intérêts particuliers ». Cette position s'inscrivait sans conteste dans la tradition républicaine française en faisant appel à « la capacité des individus de transcender leurs appartenances et leurs intérêts pour exercer la suprême liberté de former ensemble une société politique ». L'intérêt général, qui exigeait précisément le dépassement de ces intérêts particuliers, apparaissait en premier lieu comme l'expression de « la volonté générale ». Or, la volonté générale, ici, comme le soulignaient avec justesse les conclusions de l'avocat, était que « cette région puisse enfin cesser d'être en faillite endémique et d'afficher un taux de chômage supérieur de 10 points à la moyenne nationale ».

Cet angle d'attaque avait séduit l'institution, qui avait annulé la décision précédemment rendue et permis que ce jour-là soit posée la pierre inaugurale du futur bâtiment. Ce qui avait eu pour conséquence directe – quoique secondaire – qu'Alice soit contrainte de boucler sa valise afin de participer au petit rassemblement politico-mondain que l'événement allait constituer.

La décision du juge suprême en matière de droit public n'avait pas entamé la détermination des opposants au projet. Les manifestants anti-spa se tenaient, nombreux, hargneux, à bout d'invectives, de slogans et d'insultes, derrière un long cordon de gardes mobiles que le préfet avait eu la clairvoyance de déployer aux premières heures du jour à une centaine de mètres du lieu des réjouissances. Leurs cris se mêlaient à ceux – encore plus récriminateurs – d'une quinzaine de mouettes affamées qui tournaient en rond au-dessus des têtes des invités dans le but de profiter des restes de leurs agapes. Mais avant cela, avant que la centaine d'invités ne profitent eux-mêmes du buffet, l'heure était aux discours. Après plusieurs d'entre eux, c'était à Rodolphe de conclure. Il se tenait debout, fièrement, les deux mains en appui sur un pupitre design, choisi tout spécialement par Félix pour ses qualités esthétiques et pour la transparence de son plexiglas qu'il voulait symbolique de la sincérité politique de celui-ci sur le sujet. Le visage de celui-ci était rose d'émotion et son cœur palpitait. Depuis des mois, il était en campagne. Rien ni personne n'aurait pu entamer sa pugnace volonté d'atteindre le but qu'il s'était assigné.

Il commença :

— *Monsieur le Préfet, madame la présidente du Conseil général, monsieur le président du Conseil régional, monsieur le maire, mesdames et messieurs les élus, chers collègues, Mesdames, Messieurs,*

» *En ce jour, je suis particulièrement heureux et aussi particulièrement ému. Poser la première pierre de cet établissement, c'est pour moi affirmer avec force notre détermination indéfectible et collective à ce que vive notre magnifique région...*

Félix l'observait avec inquiétude, guettant le moindre faux pas de son poulain, parfois rempli d'une vive émotion, quand des applaudissements ou des sourires succédaient à certaine phrase bien sentie qu'il avait lui-même rédigée.

— *Quelques-uns... Je les entends... Ils ne sont pas si loin...*

Rodolphe eut un geste vague du bras en direction des manifestants.

— *Quelques-uns s'opposent à l'intérêt général d'une région tout entière sous des prétextes qui ne sont que de fausses raisons.*

» Moi, ces gens-là, je les appelle les petits pantins de la politique.

Félix sourit : il était fier de cette allitération en *p*, que Rodolphe avait d'ailleurs particulièrement bien cadencée.

— *Ils brandissent le mot écologie mais ils ignorent délibérément que ce bâtiment sera unique en matière d'environnement et de performance énergétique, qu'il constituera même un écosystème admirable et le plus bel exemple de la perpétuelle conversation que l'Homme entretient avec la Nature depuis des siècles.*

(Applaudissements.)

Rodolphe se rapprocha du micro et donna à sa voix des accents volontairement dramatiques. Les haut-parleurs rugirent derrière les invités.

— *Que construisent-ils, eux ?*

» *Que construisent-ils, à part un mur d'indifférence au pied duquel deux cents personnes auraient pu mourir de faim et de honte ?*

(Applaudissements encore plus nourris.)

Rodolphe porta son regard vers un homme assis au premier rang et tendit le bras dans sa direction.

— *Mesdames et messieurs, je voudrais maintenant vous présenter mon ami Stéphane.*

L'homme se leva et s'approcha gravement du pupitre. Rodolphe applaudit pour honorer son entrée en scène et, peu à peu, tout le monde l'imita. Stéphane était le fameux chômeur exemplaire déniché par Félix sur proposition de Grégoire. Il correspondait parfaitement aux critères médiatiques exigés. Il n'avait jamais réussi à se fixer plus d'un an à aucun poste que ce soit, son CV tendait vers une compilation aléatoire des Pages jaunes : il avait été tour à tour ajusteur, cariste, carreleur, fraiseur, manutentionnaire, plombier, pompiste, typographe, veilleur de nuit dans un hypermarché, etc. Il avait une femme et deux enfants en bas âge. Son visage et son corps, tous deux maigres et rassis, plombés par un excédent visible d'afflictions, lui donnaient l'apparence d'un homme de quarante ans, alors qu'il avait à peine dépassé la trentaine. Depuis un an, il accompagnait le député Lescuyer dans la plupart de ses déplacements. Rodolphe enroula un bras puissant autour des épaules de son protégé et, tout en s'adressant au public, le serra contre son torse dans un geste amical et protecteur.

— *Stéphane est au chômage depuis trois ans.*

» *Stéphane, grâce à ce projet, va retrouver un emploi et regagner l'espoir qu'il avait dilapidé dans la crainte du lendemain.*

» *Stéphane, grâce à cet emploi, va pouvoir à nouveau subvenir aux besoins de sa famille et construire la maison dont il avait toujours rêvé.*

» *Stéphane, grâce à cette maison, va retrouver la paix et le sommeil et, le plus important sans aucun doute, Stéphane va enfin retrouver sa fierté d'honnête homme.*

(Applaudissements nourris.)

— *Maintenant, écoutons bien ce que Stéphane a à nous dire.*

Rodolphe relâcha son emprise et recula de quelques pas, laissant au futur ex-chômeur le soin de poursuivre. Stéphane s'approcha lentement du micro et s'adressa à la foule en laissant ses deux longs bras pendre le long du corps.

— *Merci, monsieur le Député.*

» *Merci à vous aussi, Mesdames et Messieurs.*

» *Vous avez dit vrai, monsieur Lescuyer, un homme perd sa fierté quand il perd son travail. Pendant trois ans, j'ai poussé toutes les semaines les portes de Pôle Emploi, j'ai épluché des milliers de petites annonces, j'ai répondu à des centaines d'entre elles, je me suis présenté à des dizaines de jobs où personne ne voulait de moi. Pendant trois ans, je me suis senti humilié et j'ai perdu peu à peu l'espoir. Voilà ce que c'est de ne plus avoir de boulot aujourd'hui. On perd tout, absolument tout, et en premier sa dignité.*

Stéphane avait les larmes aux yeux. Des applaudissements éclatèrent. Il s'arrêta de parler quelques secondes pour laisser à la foule le temps de lui signifier son soutien et sa compréhension.

Encombré par un excès de timidité et un manque d'habitude, Stéphane s'était mal accommodé dans les premiers temps de tous ces regards braqués sur lui et des applaudissements répétés que provoquaient ses interventions et parfois même sa simple présence. Au fur et à mesure de ses apparitions – et malgré la sincérité incontestable de ses propos –, il avait fini par y prendre goût et se comportait désormais en vrai professionnel des expositions publiques. Le mérite en revenait en grande partie à Félix, qui s'était évertué à lui peaufiner un discours et un comportement vendeurs, entre détresse du chômeur longue durée et opiniâtreté de l'homme engagé à reconstruire coûte que coûte son existence. Le communicant avait également apporté un soin particulier à sa garde-robe et, plus largement, sévèrement surveillé son look, qu'il avait confié aux talents de sa styliste et de son coiffeur personnels.

Alice, assise au premier rang, observait tout cela avec le plus grand désintérêt. Elle était ailleurs, dans ses pensées, absorbée par la sensation désagréable de savoir Benoît à seulement quelques kilomètres. Elle se trompait. Ce n'étaient pas quelques kilomètres qui les séparaient, mais seulement quelques dizaines de mètres : Benoît se tenait parmi les opposants au projet, derrière les barrières de métal surveillées de près par les CRS. Il avait rejoint ce mouvement contestataire sans s'y engager réellement, simplement soucieux en tant que citoyen d'apporter sa contribution à la dénonciation d'un projet qui lui paraissait inadmissible. Il aurait été facile de percevoir derrière cet acte de rébellion politique la volonté plus humaine de s'opposer indirectement à Rodolphe et donc à Alice. La rancœur de Benoît à l'égard de son ex-amie ne l'avait pas abandonné, et il semblait capable et désireux d'utiliser tous les moyens à sa disposition pour l'expurger.

À l'issue du discours de Stéphane et d'une tempête de bravos, le buffet fut déclaré ouvert. Les invités se dispersèrent tandis que les mouettes et les opposants au projet exprimaient conjointement leur impatience ou leur mécontentement de manière encore plus bruyante. Alice se dirigea vers Rodolphe, mais celui-ci s'en alla au même moment rejoindre un groupe de personnalités qui s'était constitué autour du préfet. Sur son chemin, elle croisa Stéphane, qu'elle avait déjà rencontré à plusieurs reprises.

— Beau discours, dit-elle en avançant son bras.

— Merci, madame Lescuyer, répondit-il.

Il lui serra mollement la main.

— Vous pouvez m'appeler Alice, si vous voulez, ajouta-t-elle avec une complicité sincère.

La petite grimace involontaire que lui fit Stéphane attestait qu'une telle familiarité lui serait impossible. Il regarda au loin pour fuir le regard insistant d'Alice et son visage se figea d'étonnement. Alice se retourna, inquiète, et découvrit ce qui avait provoqué la stupeur chez l'homme : une brèche s'était ouverte, on ne sait comment, à l'une des extrémités des barrières. Trois, puis cinq, puis dix manifestants s'y engouffrèrent et ce fut bientôt leur totalité qui se rua vers le lieu des festivités et parmi la foule. Les convives se mirent à hurler en s'éparpillant dans toutes les directions. Les CRS, débordés de toutes parts, remontèrent en trombe vers le lieu de l'inauguration, leur mission première étant, on s'en doute, de protéger les divers notables, qui furent rapidement entraînés à l'intérieur de la maison des Segovia. Les premiers contestataires s'en prirent symboliquement au buffet qui avait été dressé sous un barnum chauffé. Des pyramides entières de petits-fours, de canapés, de flûtes à champagne volèrent en tous sens et s'écrabouillèrent sur les nappes amidonnées ou à même le sol. Les serveurs, éberlués, ne sachant quelle position adopter – fuir ou résister –, tenaient, du bout de leurs doigts raides d'effroi, des bouteilles de Mumm Cordon-Rouge fraîchement ouvertes. Alice, elle, ne chercha ni à s'échapper ni à se protéger. Elle resta calmement à observer les invités piailler, s'égosiller, se disséminer comme autant de poules effarées et s'amusa de ce spectacle de cataclysme. Et puis, parmi les envahisseurs qui continuaient à remonter des barrières au buffet, elle distingua au loin la silhouette efflanquée de Benoît. Il lui sembla que son corps tout entier l'abandonnait et elle se mit à avoir froid. Benoît s'avançait dans sa direction sans l'apercevoir encore. Quand il la vit, ses yeux s'écarquillèrent et il détourna violemment la tête. Il passa à quelques mètres d'elle en l'ignorant, en essayant surtout de calmer la violence des pulsations de son cœur.

Une semaine plus tard, vers la fin du mois de juillet, Artus Costa fut arrêté par les douanes volantes françaises dans le train qui le conduisait de Genève à Paris. Son bagage était essentiellement composé d'un attaché-case en cuir noir qui, après ouverture, révéla une fonction inattendue de coffre-fort nomade contenant la somme rondelette et illicite de trois cent mille euros en coupures neuves de deux cents et cinq cents euros. Furent également saisis un carnet à la couverture noire entièrement griffonné d'annotations manuscrites ainsi que la carte SIM de son téléphone portable. Cette opération spectaculaire de flagrant délit, qui avait toutes les apparences d'un contrôle de routine, était en fait le fruit d'une longue et patiente filature des services de police judiciaire, initiée selon toute vraisemblance sur la base d'une dénonciation anonyme. Artus fut placé en garde à vue où, après que ses droits lui eurent été signifiés, et en particulier celui de se taire, il resta muet comme une carpe. À l'issue de cet interrogatoire, le Procureur de la République décida de l'ouverture d'une information judiciaire, et Artus fut déféré en première comparution devant un juge d'instruction.

Le magistrat en charge du dossier disposait d'éléments à la fois flous et confondants, mais dont aucun ne constituait en soi une preuve judiciaire recevable. Certains d'entre eux étaient directement issus de la mise sur écoute téléphonique d'Artus, inaugurée deux mois auparavant par les services de police. On y notait en particulier cette conversation sibylline entre Artus et un correspondant anonyme :

— *Je pars mardi faire mon petit marché au pays des vaches grasses. J'en profiterai pour ramener quelques tablettes de bon chocolat.*

— *J'adore le chocolat,* disait l'interlocuteur en éclatant de rire.

— *Rassurez-vous, il y en aura pour tout le monde, et même de quoi s'en faire péter la sous-ventrière,* concluait Artus en éclatant lui aussi de rire.

Artus écouta avec bonhomie l'enregistrement de cet échange privé obtenu en toute légalité. Depuis son arrestation, et sur les conseils de son avocat, il tentait de conserver un calme souverain, ne s'exprimant qu'en cas d'absolue nécessité, et encore sur un mode purement défensif.

— C'est quoi cette histoire de chocolat, monsieur Costa ? dit calmement le juge. Il y avait très peu de tablettes dans cette mallette, mais en revanche beaucoup, beaucoup d'argent.

Les gros sourcils d'Artus se soulevèrent, en une expression qui tentait d'accréditer sa totale innocence.

— Votre petit marché, continua le magistrat, vous ne l'auriez pas fait dans une banque suisse, par hasard ? «Au pays des vaches grasses», selon vos propres mots.

— Je n'ai pas de compte en Suisse, monsieur le Juge. Encore une fois, je vous assure que j'ignorais totalement ce que renfermait cette mallette, dit Artus avec aplomb.

— Bien sûr, bien sûr... Et vous refusez toujours de nous dévoiler l'identité du fameux intermédiaire qui vous l'a remise.

— Je vous le répète, je n'avais jamais vu cette personne, monsieur le Juge.

— Vous n'aviez jamais vu cette personne, il ou elle ne vous connaissait pas non plus, et pourtant vous vous retrouvez dans un train avec la somme faramineuse de trois cent mille euros ! Vous avouerez qu'il y a de quoi être étonné de la confiance exorbitante de cet inconnu à votre égard.

Artus baissa une nouvelle fois la tête et s'enferra dans un silence contrit.

Et puis il y eut le résultat de l'épluchage méthodique du calepin et du contenu de la carte SIM.

Quelques pages du carnet révélèrent une liste impressionnante de pseudos fantaisistes avec, en face de chacun d'eux, un chiffre d'au minimum quatre et le plus souvent cinq chiffres :

Gros Bidon : 4 400

Fornicateur : 15 800

Tapette : 45 900

Courtisane : 25 800

Faux Cul : 37 600

Etc.

— Si l'on veut bien considérer que tous ces chiffres correspondent à des sommes en euros, monsieur Costa, vous serez sans doute surpris d'apprendre que leur simple addition se monte à plus de trois millions, dit le juge.

Il retourna le carnet qu'il tenait dans ses mains et le plaça sous les yeux du prévenu.

— C'est bien votre écriture, n'est-ce pas ?

Artus fit mine de découvrir la liste.

— Une simple expertise graphologique permettrait de le prouver, dit le juge, impatient.

— C'est bien l'écriture de mon client, intervint l'avocat d'une voix coupante, sans même jeter un coup d'œil sur le carnet.

— Bien, je vois qu'on avance, dit le juge avec ironie. Tous ces gens sont donc vos amis, monsieur Costa ?

— Je n'affublerais pas mes amis de noms pareils, monsieur le Juge. Non, ce ne sont pas mes amis.

— À quoi correspondent ces noms, dans ce cas ?

— Ce sont des chevaux, répondit Artus du tac au tac.

— Des chevaux, vraiment ?

— Il m'arrive de parier, oui.

— Si j'étais propriétaire d'un cheval, j'hésiterais personnellement à l'appeler Tapette ou Faux Cul. Mais bon, après tout, je ne suis qu'un pauvre juge.

Artus poussa un léger soupir et balaya des yeux le parquet.

— Nous vérifierons donc si un cheval dénommé Couilles-Molles a réellement existé.

Artus savait – son avocat l'en aurait sans doute informé dans le cas contraire – que, lors de cette première confrontation, ses déclarations, bien qu'enregistrées, ne l'étaient pas sous serment et qu'il avait donc tout loisir de mentir pour esquiver les questions embarrassantes. Il était par ailleurs conscient que dans ce jeu classique du chat et de la souris, il valait mieux ne pas trop mettre à vif les nerfs du magistrat et s'en tenir à une position outragée plutôt qu'ouvertement offensive. C'était exactement le cap qu'il essayait de tenir.

L'examen de la carte SIM révéla uniquement le contenu du carnet d'adresses du chef d'entreprise. Artus – probablement en raison de son âge – n'était pas un grand adepte des nouvelles technologies de communication et utilisait son téléphone mobile – un vieux Nokia de deuxième génération – uniquement pour ses conversations téléphoniques. Les inspecteurs n'y trouvèrent de ce fait aucun mail ni aucun SMS compromettant. Comme il fallait s'y attendre, le répertoire établissait un lien particulier ou personnel avec nombre de maires, d'élus locaux ou nationaux, ainsi qu'avec quelques figures notables – voire célèbres – du monde politique et de l'industrie. Quelques numéros inconnus furent rapidement identifiés comme le point d'accès à des services d'escort et de call-girls tandis qu'une dizaine d'autres aboutissaient à des boîtes vocales probablement domiciliées à l'étranger et nécessitaient, quant à eux, un examen approfondi de la part des inspecteurs en charge de l'enquête.

Hormis de très fortes présomptions, il n'y avait à ce stade aucune matière avérée à des poursuites judiciaires autre que l'illégalité flagrante du transport transfrontalier d'un très grand nombre de devises. À l'issue de cet interrogatoire liminaire et sur la foi de ce délit – quoique plus sûrement encore sur celle de sa conviction intime –, le juge décida cependant de la mise en examen d'Artus Costa et le plaça sous contrôle judiciaire.

Dès lors fut entamée une instruction qui promettait d'être longue et extrêmement complexe.

Le juge engagea en premier lieu la constitution de plusieurs commissions rogatoires auprès de divers services – dont ceux de l'administration fiscale – afin de mettre au jour d'éventuels éléments attestant l'existence de malversations financières. Il ordonna en particulier une perquisition au domicile rennais d'Artus ainsi qu'au siège social de son entreprise. Un nombre faramineux de personnalités publiques ou privées – figurant toutes dans le répertoire saisi par les autorités – furent entendues dans le cadre de l'instruction et d'autres perquisitions furent conduites dans les locaux de certaines mairies particulièrement douteuses. Finalement, ce furent des centaines de cartons bourrés de documents en tout genre qui s'empilèrent dans les locaux des policiers en charge de l'affaire. Au bout de quelques semaines d'instruction, il apparut assez clairement que bon nombre de mairies, dans le cadre d'appels d'offres qu'elles avaient initiés, avaient plus ou moins bafoué les règles élémentaires de mise en concurrence en vigueur dans les marchés publics et désigné à tort l'entreprise Costa comme mieux-disante. En retour, il apparut de façon non moins limpide aux inspecteurs que les municipalités incriminées dans ces affaires avaient profité des largesses de l'entreprise Costa sous forme de soutien à l'organisation de diverses festivités locales – banquets, inaugurations, départs à la retraite, etc. – ou encore d'avantages en nature à leurs élus – voyages à l'étranger, cadeaux variés, location de jets privés, etc. –, tout ceci, on s'en doute, de manière fort opaque et parfaitement illégale. Quelques coffres-forts municipaux révélèrent en outre l'existence d'enveloppes contenant d'importantes sommes en liquide que les intéressés nièrent bien évidemment utiliser pour leur propre compte mais uniquement pour le bienfait de leurs concitoyens ou celui des caisses secrètes de leur parti politique, sans jamais parvenir toutefois à légitimer de manière convaincante leur origine mystérieuse.

À ce stade de l'instruction, le juge ne disposait toujours d'aucune information circonstanciée sur l'origine des fonds transportés par Artus et qui, selon toute probabilité, devaient alimenter ce vaste réseau de corruption et d'abus de biens sociaux.

Il se trouva que les débats houleux autour du problème d'évasion fiscale dans les paradis éponymes avaient, depuis le Forum mondial organisé par l'OCDE en 2009, légèrement assoupli le comportement des autorités suisses en matière de secret bancaire. Dans le cas de procédures pénales, par exemple, elles acceptaient désormais de se montrer plus coopératives et d'échanger certains renseignements dans le cadre de l'entraide judiciaire. Sur demande expresse des services fiscaux français et après constitution d'un solide dossier, la Commission fédérale des banques, seule habilitée à ce genre d'exercice, finit – du bout des lèvres et après des semaines de tractations – par dévoiler l'existence de plusieurs comptes détenus par le citoyen français Artus Costa au sein de la banque helvétique UBS.

À partir de là, et de manière inéluctable, commença de se dérouler le très long écheveau de ce que la presse nomma d'emblée « le système Costa ».

La Corfelia apparut rapidement comme le cœur vivant de l'organisation. Elle détenait des parts dans plus de vingt sociétés-écrans – dont l'entreprise de travaux publics Artus Costa SA – sans que jamais le nom d'Artus apparaisse où que ce soit dans son organigramme. Domiciliée au Luxembourg, cette société de participation financière (SOPARFI) était la filiale à 100 % d'une société belge en commandite par actions dont le commandité – c'est-à-dire le gestionnaire – se trouvait être une troisième structure juridique, également située en Belgique, mais dont les actions étaient entièrement détenues par un trust immatriculé, quant à lui, dans les îles Vierges britanniques, et plus exactement dans les îles Caïmans, mondialement réputées pour l'effarante libéralité de leur système d'imposition. Toute l'astuce avait donc été de créer un système complexe, difficilement traçable par les autorités fiscales en raison de ses nombreuses ramifications, qui permettrait, non seulement de s'affranchir d'une fiscalité encombrante, mais surtout de disposer d'une quantité considérable d'argent frais à laquelle il serait quasiment impossible de remonter. Les mouvements financiers – au total plusieurs dizaines de millions d'euros – se faisaient alors par le biais de diverses institutions bancaires, circulant des tropiques jusqu'aux comptes d'Artus numérotés en Suisse, via un détour éventuel par certains établissements situés à Singapour. La seule façon possible de dégoupiller le système était d'obtenir un flagrant délit lors d'un transfert de fonds. C'était ce qui s'était passé pour Artus.

Ce brillant montage – encore une fois, à aucun moment le nom du bénéficiaire n'apparaissait en propre – n'était pas répréhensible en soi, il n'enfreignait aucune loi d'aucun des pays concernés, mais il pouvait sans aucun conteste apparaître aux yeux de l'administration fiscale – en tout cas française – comme particulièrement abusif, c'est-à-dire un peu trop optimisant, et constituer de fait ce que les fiscalistes désignent comme un abus de droit. Toutes les séquences, considérées les unes après les autres, étaient parfaitement irréprochables, mais l'ensemble était, comme l'annonça le journal économique *Les Échos*, «*un peu trop beau pour être vrai*». C'était même précisément le type de montage qui alertait les services fiscaux sur une éventualité de fraude. Ainsi, outre les motifs de non-déclaration de comptes détenus à l'étranger, de tentative d'évasion fiscale, de corruption de fonctionnaires et d'abus de biens sociaux, Artus fut également confondu pour, en quelque sorte, abus d'intelligence.

Durant les premières semaines de l'instruction, le nom de Rodolphe fut vaguement associé par la presse à celui de son beau-père, assez faiblement toutefois pour ne pas discréditer son image et lui causer de gros ennuis. Ce fut – vers la mi-janvier – quand l'affaire prit l'ampleur d'un scandale économico-politique majeur, quand certains élus ou certaines figures de la société civile se trouvèrent plus ou moins impliqués dans ce vaste réseau de corruption, de fraude, de clientélisme, de fausses factures et de blanchiment d'argent, quand le Parti socialiste lui-même fut accusé d'avoir empoché des sommes illicites de la part de certains de ses élus dans le but d'alimenter ses caisses noires ou, pire, dans celui de graisser la patte à des électeurs en vue d'obtenir leurs suffrages à des élections locales ; ce fut surtout quand la Corfelia, détentrice à 49 % de la British Spas France, fut définitivement identifiée comme le maillon essentiel de cette chaîne à caractère, sinon mafieux, du moins criminel, et que le maire du village qui devait héberger le projet de centre hélio-marin se vit gratifier par l'association éthique Anticor – présidée par le juge Éric Halphen – du prix de la Casserole 2011, récompensant l'élu le plus corrompu de l'année, que le nom et la réputation du député Rodolphe Lescuyer furent irrémédiablement souillés.

Pourtant, aucun élément de preuve ne put jamais être avancé. En dépit de nombreuses investigations le concernant, le juge d'instruction ne retint aucune charge à son endroit, mais le mal était fait, un parfum de scandale s'était sourdement instillé, l'opinion publique doutait et, pire, refusait de faire la différence entre les uns et les autres, alignant ses convictions sur l'air du classique Tous pourris ! Une partie de la presse alimenta cette rancœur populiste en replaçant dans les mémoires la position privilégiée du député Lescuyer, son somptueux appartement à Paris, la fortune de son épouse et le succès mirifique de celle-ci dans des affaires liées à l'art contemporain, leur train de vie dispendieux, leurs réseaux d'amis ou de connaissances qui englobaient non seulement le monde de l'art et de la politique, mais aussi celui du cinéma ou de la chanson et, bien évidemment, couronnant le tout, l'exorbitant cadeau fiscal de quatre cent mille euros récupéré par ladite épouse en raison de la prodigalité d'un gouvernement de droite déjà perçu comme un peu trop charitable vis-à-vis des très fortunés. Tous les ingrédients étaient réunis pour qu'un amalgame soit établi entre pouvoir et corruption, entre richesse et décadence, entre prospérité et impunité.

À la même époque, suivant un mode de pensée pareillement caricatural, le Parti socialiste – résolu, en cette période incertaine de course à la présidentielle, à éloigner de lui les canards boiteux ou supposés l'être – parachuta une candidate inconnue dans la circonscription de Rodolphe pour des questions fallacieuses de parité, invalidant de facto sa participation aux prochaines élections législatives, tout au moins sous la couleur rose d'un étendard que les instances gouvernantes souhaitaient désormais sans pli ni tache.

Durant les six mois que constitua ce qu'il n'apparaît pas exagéré de nommer cette descente aux Enfers, Rodolphe avait peu à peu senti s'effondrer les bases hasardeuses sur lesquelles il avait édifié sa vie et ses convictions. L'idée d'injustice, surtout, lui soulevait le cœur. Il n'était responsable de rien – hormis sans doute de sa naïveté et d'un excès de confiance – et se retrouvait coupable de tout, prisonnier d'une spirale médiatique qui s'apparentait à un jeu de massacre dont il ignorait les règles et donc les moyens de sortir. Il en voulait énormément à Artus – que son avocat lui avait recommandé d'éviter pendant toute la procédure – et ruminait contre lui des idées de vengeance homicide, évidemment impossibles à assouvir, au risque de se retrouver dans un merdier encore plus grand. En ces circonstances, les relations avec Alice, pour des raisons évidentes, n'avaient jamais été aussi tendues, et les rares conseils qu'elle s'estimait en droit de lui donner étaient perçus comme nécessairement partiaux. Quelques députés socialistes continuaient de lui apporter leur soutien, mais c'était de manière parcimonieuse et uniquement en privé. Moi-même je tâchais d'être aussi présent qu'il m'était possible de l'être mais je me trouvais démuni devant l'immensité de son désarroi. Seul Félix demeurait inébranlable et, bien qu'il ait sérieusement morflé lui-même dans cette vague radicale de haine et cette accumulation de mensonges, il restait le seul encore capable de lui insuffler un léger souffle d'énergie positive.

Rodolphe lui rendait grâce de ne pas avoir cédé à la tentation de quitter le navire en ces temps agités. Il réalisait – avec une satisfaction molle, suintant la nostalgie – que Félix était le seul ami politique à lui être resté vraiment fidèle. Malgré cet ultime maillon de fraternité, jamais Rodolphe ne s'était senti aussi seul et aussi fragile, politiquement et humainement parlant. Jamais non plus il ne s'était senti autant en colère.

La position de Félix, alors que s'accumulaient les trahisons, les faux-semblants et les coups bas, avait été de pratiquer la politique du dos rond. En clair, dans l'attente de jours meilleurs, il fallait dénoncer les scandales, clamer son innocence mais surtout ne rien déclencher qui apparaisse comme radicalement guerrier. Avec l'éviction de son poulain de la course électorale, les choses avaient atteint ce qu'il considérait comme le point de rupture. Rodolphe n'avait plus rien à perdre. Autrement dit, le temps de la contre-offensive était venu.

— Tu vas te présenter, Rodolphe. Coûte que coûte. Tu le feras contre cette foutue nana que tes anciens copains ont dénichée, mais tu le feras, nom de Dieu. Si tu ne le fais pas, cela équivaudra à t'avouer vaincu. C'est-à-dire coupable, en langage politique.

Rodolphe accepta sans trop de peine de repartir en campagne, bien que, désormais privé du support logistique d'une grande formation, se pose le problème de l'argent nécessité par une action autonome. Alice, outre son évident soutien moral, l'assura également de son aide financière, ce qui était pour elle une façon de diluer sa culpabilité et de racheter symboliquement les erreurs de son père.

Le 2 février, Rodolphe exprima publiquement sa décision de se présenter contre la candidate officielle du Parti socialiste, un acte de rébellion qui entraîna inéluctablement, quelques jours plus tard, son éviction au motif de dissidence. Dans la foulée, Félix organisa une conférence de presse, où l'ex-député PS, désormais sans étiquette, dut affronter une meute de journalistes, amassés aux premières heures du jour dans l'une des salles de réunion d'un hôtel parisien choisie pour son aspect désolé et dramatiquement impersonnel. Il ne fallut que quelques minutes à Rodolphe, galvanisé par des assauts ininterrompus de questions, pour regagner le flux vital qui l'avait toujours irrigué et qui faisait de lui – avant toute autre chose – une bête politique insubmersible.

Qu'avez-vous ressenti à votre éviction du Parti socialiste ?

Le PS veut se racheter une conduite, ce qui peut paraître légitime au vu de toutes les casseroles qu'il traîne derrière lui depuis des années. En l'occurrence, il se trompe juste de cheval, si j'ose dire. Je ne comprends d'ailleurs pas très bien la manière qu'il a de gérer ses crises internes. À mon humble avis, il tarde beaucoup, par exemple, à invalider la candidature de Jean-Pierre Kucheida dans le Pas-de-Calais, comme il a tardé à s'intéresser au cas Guérini dans les Bouches-du-Rhône. Madame Aubry semble avoir un penchant pour les fédérations mafieuses et préfère sans doute les vrais escrocs aux faux coupables.

Est-ce que vous comprenez que l'opinion, vu votre fortune, a du mal à vous croire de gauche ?

Je sais que ça rassurerait beaucoup de monde que je sois de droite. Ce serait, disons, dans l'ordre des choses. Je viens d'un milieu très modeste, vous le savez. Être de gauche chez nous, c'est une tradition familiale, mais c'est aussi une question de philosophie. C'est cette philosophie qui m'a fait ce que je suis et je ne peux être autre que ce que je suis. Le fait que je possède de l'argent, ou plus exactement que mon épouse possède de l'argent, devrait d'ailleurs me prémunir contre une quelconque volonté d'enrichissement personnel.

Contrairement à votre beau-père, par exemple ?

Artus Costa est très certainement un voyou, mais c'est à la justice d'en apporter la preuve, je vous rappelle que l'instruction est encore ouverte. Je ne vous livre là que ma conviction intime.

À votre avis, il faudrait des mesures plus strictes contre les fraudeurs ?

Si vous vous en souvenez, j'ai voté pour l'élargissement des sanctions liées à l'évasion fiscale, contrairement à la plupart de mes anciens amis socialistes, en l'occurrence. Pour répondre à votre question, j'estime que les services fiscaux ne disposent pas d'assez d'outils législatifs pour traquer les fraudeurs, que je considère personnellement comme de véritables terroristes économiques. Quand je serai élu, je militerai très activement pour permettre à la Justice de disposer de moyens d'investigation et de surveillance comparables à ceux qui sont déjà mis en place dans les affaires liées à la sûreté de l'État.

Ce n'est pas à un voyou, comme vous dites, que vous devez ce poste de député ?

Je ne dois rien à Artus Costa, hormis le fait d'avoir permis qu'une femme aussi admirable que mon épouse puisse exister. Je me suis fait tout seul. Aujourd'hui, plus que jamais, je suis un homme libre.

Etc.

Le surlendemain, probablement électrisé par la bataille publique qu'il venait de mener, Rodolphe décida contre l'avis de tous de rencontrer son beau-père. Il prit le train de 6 h 07 pour un trajet de deux heures et vingt minutes qui lui parut interminable. L'espoir et l'envie – sans doute également absurdes – de régler définitivement ses comptes avec le vieux bonhomme le tenaillaient et il avait hâte d'être arrivé à destination. En gare de Rennes, il récupéra un véhicule de location et, un quart d'heure plus tard, il se garait aux alentours de la résidence des Costa.

Il s'était mis à pleuvoir. Une petite pluie fine et persistante imprégnait toute chose. Au loin, une chape de gros nuages noirs et gonflés cimentait l'horizon en menaçant d'un orage imminent. Rodolphe sortit avec précaution de la voiture et s'attacha à vérifier qu'aucun journaliste ne se trouvait en embuscade dans les parages. Quand il fut rassuré sur ce point, il se rapprocha avec appréhension des hautes grilles, guettant le moindre signal en provenance de la bâtisse. Pour on ne sait quelle raison, ses yeux s'attardèrent sur les longues stries de rouille d'un orange éclatant qui apparaissaient en de nombreux endroits. Il dirigea un index hésitant vers l'interphone et appuya sur le bouton. Il y eut un grésillement strident suivi d'une voix fatiguée que Rodolphe identifia comme celle d'Émilie.

— C'est Rodolphe, dit-il.

— Ah, fit Émilie.

Les deux battants de la grille grincèrent en pivotant. Au loin, la lourde porte d'entrée s'ouvrit et la silhouette d'Artus se dessina peu à peu. Rodolphe sentit son corps s'électriser.

— Bonjour, Rodolphe, dit Artus d'une voix forte alors que son gendre atteignait le seuil de la maison.

— Bonjour, Artus, fit Rodolphe, sans volonté d'être aimable.

Aucune poignée de main, aucun sourire inutile ne vint encombrer ces retrouvailles. Artus ne paraissait pas autrement surpris de le voir débarquer de façon aussi inopinée. Sans doute l'attendait-il, et même depuis longtemps.

Quand il entra, Rodolphe fut frappé par le silence poisseux qui alourdissait l'atmosphère de cette maison autrefois si accueillante et si joyeuse. Le parfum d'opprobre qui entourait le propriétaire des lieux semblait avoir diffusé partout. La bâtisse était à l'agonie. On avait tiré la plupart des rideaux, la lumière ne filtrait que par endroits en dessinant sur les murs et les parquets de longues lames blanches où s'agitaient des milliards de particules de poussière. Fait étrange : Émilie ne réapparut pas pour saluer son gendre.

Artus se retourna sans un mot et Rodolphe le suivit à travers les couloirs puis dans la série d'escaliers qui menaient à son repaire, au troisième étage. Rodolphe se souvint de ce dédale qu'il avait emprunté tout aussi silencieusement vingt-neuf ans plus tôt – le soir des cinquante ans d'Émilie – et de la terreur qui l'avait alors saisi. Il se souvint de ce contrat tacite que les deux hommes avaient passé à propos d'Alice et qui avait initié cette relation d'autorité dont il n'avait jamais pu se dégager complètement. À cet instant, ce n'était plus de la crainte qui lui brouillait les viscères, mais une foule de sensations antagonistes où se mêlaient du dégoût, de la haine, de la rancœur, un désir de vengeance et, par-dessus tout, la détermination farouche de se montrer, pour une fois, à la hauteur de ce type.

Artus s'installa à sa table de travail et invita son gendre à s'asseoir. Tout en prenant place dans l'un des deux fauteuils qui faisaient face au bureau, Rodolphe jeta négligemment un coup d'œil aux murs. Des photographies de chantier récentes – où Artus posait parmi ses équipes tout aussi fièrement que par le passé – s'étaient ajoutées à d'autres, plus anciennes, ou les avaient remplacées. Rodolphe ne put s'empêcher de penser que ce sentiment de contentement, cette volonté ostentatoire d'afficher sa puissance – qui l'avait autrefois tellement impressionné –, lui renvoyait aujourd'hui le goût d'une victoire usurpée, illicite et profondément désolante. Artus n'avait, au fond, jamais cessé de tricher avec tout le monde et ces photographies, quand on s'attachait à les regarder vraiment, en étaient la preuve.

Artus enchevêtra ses gros doigts les uns dans les autres.

— Alors, comme ça, je suis un voyou ? commença-t-il sans autre préliminaire.

Rodolphe essayait de se composer une attitude et jusque-là, il y parvenait assez bien. Il se redressa dans son siège en tentant de conserver son autorité et son flegme.

— Vous m'avez sciemment impliqué dans une affaire à caractère frauduleux en privilégiant vos intérêts au détriment des miens, en faisant douter mes amis et ma famille politique de mon intégrité et de ma bonne foi. Vous avez sali mon nom en toute conscience. Oui, le terme « voyou » me semble assez approprié pour qualifier votre conduite.

— Mon garçon..., dit Artus.

— Appelez-moi Rodolphe, s'il vous plaît, dit-il, tranquillement.

Artus eut un petit sourire écœurant.

— Quoi que tu puisses en penser et contrairement à ce que tu en dis, c'est moi qui t'ai fait. Sans moi, tu ne serais rien, mon garçon, insista-t-il calmement.

Rodolphe éclata de rire.

— Artus, vous êtes un vieux monsieur très fatigué qui a beaucoup trop menti. Plus personne ne vous croit. Plus personne surtout n'a envie de vous écouter.

Artus ne broncha pas et continua, aussi sereinement :

— Souviens-toi quand tu t'es assis pour la première fois dans ce fauteuil. Souviens-toi et sois honnête. Cela devrait t'être facile puisque apparemment tu as décidé de faire de la probité ton fonds de commerce. Tu n'avais alors qu'une seule idée en tête, qu'une seule obsession...

Artus marqua une légère pause en fixant Rodolphe.

— Tu aurais vendu ton âme pour sortir de ce foutu milieu où tu mijotais avant de me rencontrer. Tu puais ce monde, mon garçon. Tes cheveux, ta chemise bon marché, ton allure, tes petites manières, tout chez toi transpirait ce monde ouvrier dont tu avais si honte.

Tu trouvais pareillement abject de t'exposer devant ces snobs dont tu cherchais désespérément à te faire aimer et qui te volaient tout, jusqu'à ta dignité de prolétaire. Tu étais en colère, Rodolphe, et tu cherchais quelqu'un avec qui partager cette colère et qui la comprenne. Je ne suis pas allé te chercher, c'est toi qui es venu vers moi. Est-ce que je mens en disant cela ?

Il chercha un quelconque assentiment dans les yeux de Rodolphe, mais le député se tenait raide, à distance, encaissant la violence des accusations.

Artus reprit :

— Tu n'étais qu'un petit tas de boue informe qui implorait d'être façonné par des mains habiles pour révéler quelque chose qui pourrait s'apparenter à un caractère. Tu crevais d'envie qu'Artus Costa s'intéresse à ta petite personne et te fasse découvrir le monde. Tu crevais d'envie devant mes tableaux, devant mon argent, devant ma gloire, devant ma puissance.

— Vous délirez, dit Rodolphe, un sourire aux lèvres. Vous êtes non seulement un escroc mais un abominable prétentieux. On devrait vous enfermer rien que pour ça.

Artus ne l'écoutait pas.

— Toi aussi tu voulais ta part de gloire. Ton petit quart d'heure de célébrité. Et tu savais que seul quelqu'un comme moi pouvait te l'accorder. Est-ce que ton propre père aurait pu te donner le dixième de ce que je t'ai donné ?

— Mon père est un honnête homme. Son nom dans votre bouche est déjà une insulte. Même sans toutes ces affaires, il refuserait de vous serrer la main.

L'allusion au père de Rodolphe avait dessiné une légère grimace sur les lèvres d'Artus.

— Je te reconnais une certaine intelligence et même un certain bon sens, mais bon Dieu, tu n'as absolument aucune envergure. Une chose est sûre : tu n'étais qu'un obscur petit coureur de fond et tu l'es resté. Des gens comme toi gagnent des batailles parce que d'autres, plus forts, plus ambitieux, plus brillants, acceptent de manipuler les pions à leur place. Tu n'as jamais compris que toi et moi, nous aurions pu être des alliés et qu'ensemble nous aurions déplacé des montagnes.

— Contrairement à vous, je ne suis pas un tricheur. Si les montagnes dont vous parlez étaient des montagnes de devises, effectivement je n'étais pas votre homme, ironisa Rodolphe.

— Tu parles, tu parles, tu parles, mon petit, tu passes ton temps à discutailler mais absolument personne ne t'entend. Je connais certains cercles où tu passes pour le dernier des imbéciles.

— Ce sont certainement les cercles où vous passez vous-même pour un grand argentier.

Artus fut arrêté par ce trait d'humour. Rodolphe en profita pour tenter de reprendre l'avantage :

— J'ai peut-être réussi là où vous avez échoué. En particulier à m'attirer la confiance et la sympathie de milliers de gens. Ce n'est pas pour vous que les électeurs ont voté, Artus, mais pour moi. Ils se sont engagés sur mon nom, pas sur le vôtre.

Artus semblait inébranlable. Aucune pique, aucun trait perfide n'était capable de le désarçonner.

— Réussi ? Tu oses parler de réussite ? Mais où penses-tu que tu as réussi, Rodolphe ? On réussit

quand on emprunte des voies que personne n'avait
eu le culot d'emprunter avant soi, pas quand on se
contente de suivre des routes déjà toutes tracées
par des imbéciles ; on réussit quand on est capable
de créer une pensée neuve qui s'élève au-dessus
des idées communes ; on réussit quand les autres
se retournent sur vous avec de l'admiration ou
même de la haine et qu'on est capable de les ignorer parce que seuls importent le but implacable que
l'on s'est fixé et la tâche qu'il reste à accomplir pour
l'atteindre.

— Vous êtes malheureusement beaucoup plus
lyrique et beaucoup plus admirable dans vos propos
que dans vos actions, mon cher Artus, dit Rodolphe.
Les voies que vous avez tracées, comme vous dites,
ne sont que des petits chemins merdeux où vous
avez fini par vous embourber. Vous avez discrédité
votre propre famille, à commencer par votre fille.

Artus se raidit. L'évocation d'Alice l'atteignit.
Alors il se leva et se mit à hurler.

— Espèce de... Espèce de petit con. Je vous interdis... Vous entendez, je vous interdis de mêler le nom
de ma fille à vos histoires.

Artus, au sommet de sa colère, l'avait vouvoyé
sans le vouloir. Rodolphe sut qu'il tenait le fil pour
désarçonner le vieux lion et il eut envie de le dérouler
lentement, avec obstination.

— Ce sont *vos* petites histoires, Artus, pas les
miennes. En me salissant, vous avez aussi sali votre
fille, que vous le vouliez ou non.

Il se pencha, comme pour mieux verser dans la
confidence.

— Alice ne vous le dira jamais, mais vous lui faites honte, Artus. Vous lui faites terriblement honte.

La colère du vieil homme se calma d'un coup. Il sourit, et ses lèvres se contractèrent en un rictus déplaisant.

— Vous êtes parfois habile, Rodolphe, je peux au moins vous reconnaître ça. Mais je suis moi-même assez malin pour ne pas mordre à l'hameçon.

Il se rassit, calmé, en croisant à nouveau ses mains.

— Je vous ai effectivement utilisé, mon cher gendre. Pas tant dans mon propre intérêt que dans le vôtre, d'ailleurs.

Rodolphe nota que cette insistance à le vouvoyer n'était plus seulement la marque de sa colère mais désormais celle de son mépris.

— J'ai pensé, et je pense toujours, qu'il fallait une action d'envergure pour que le député Lescuyer puisse avoir une chance de légitimer sa prochaine élection. Sans ma petite bévue, vous seriez tranquillement en campagne et tout serait pour le mieux. Le monde aurait continué de tourner comme il a toujours tourné. Vous auriez même peut-être été élu, qui sait ?

Rodolphe eut un frémissement d'inconfort.

— J'ai agi à votre place parce que vous vous êtes toujours montré incapable d'agir par vous-même. Rappelez-vous, je vous l'ai déjà dit, j'ai surtout agi pour ma fille qui, bizarrement, vous aime et vous admire au-delà de toute mesure compréhensible pour moi. Mais c'est ainsi. Cela ne me regarde pas. Un père doit parfois accepter les yeux fermés ce que réclame son enfant à cor et à cri. Sachez que tout ce que j'ai fait dans ma vie, tout ce que j'ai construit, et en tout premier lieu la Corfelia, je l'ai fait... pour Alice...

Il regarda Rodolphe intensément.

— Pour Alice..., répéta-t-il.

Une traînée d'étoiles illumina son regard.

— Vous comprenez, n'est-ce pas ? *Pour Alice...*, articula-t-il.

Pour Alice ? Rodolphe sut qu'il y avait un mystère à percer. Où donc Artus voulait-il l'amener ? Pourquoi autant d'insistance à prononcer ces deux mots ? Il eut soudain un soupçon vague qui se mua en illumination. La Corfelia. Les lettres du nom désignant cette entreprise criminelle dansèrent devant ses yeux. Il les désassembla et les réassembla mentalement, et comprit bientôt qu'il s'agissait d'une anagramme. *Corfelia. For Alice.* Pour Alice. Le vieux cinglé ! À l'image du mégalomane Citizen Kane du film d'Orson Welles, Artus avait, lui aussi, son *Rosebud.* Ce mot mystérieux, prononcé par le héros dans les premières minutes du film, dont la signification constitue le sujet même de l'intrigue et dont on découvre, dans le dernier plan, qu'il est en réalité gravé sur le traîneau d'enfance du citoyen Kane ; ce mot impénétrable – l'émanation lointaine et nostalgique d'une époque enfouie –, qui se veut explicatif et peut-être justificatif des actions d'une vie tout entière ; ce mot, attaché à ce que l'être humain recèle au fond de son âme de plus éminemment secret et vulnérable. Ici, en la circonstance, l'amour absolu, irrévocable, outrancier d'un père pour sa fille. *For Alice.* Bon Dieu ! Rodolphe ne put s'empêcher d'éclater de rire à cette découverte qui lui parut pitoyable et le fruit d'un esprit dérangé.

Artus ne comprit pas. Sa mine se renfrogna. Peut-être s'attendait-il à de l'admiration, ou tout au moins à l'expression d'une surprise qu'il aurait pu assimiler à du respect pour son intelligence et sa vivacité d'esprit. Il n'eut rien de tout cela. Estimant qu'il était temps de partir, Rodolphe se leva.

— Vous n'êtes qu'un vieil homme malade, Artus, dit-il avec tout le dédain qu'il avait en réserve. Personne, pas même votre fille, ne peut plus en douter à présent.

Dehors, l'orage avait éclaté. Sur les bas-côtés, sur les trottoirs, dans les caniveaux, le trop-plein d'eau avait formé un réseau de rivières irréductibles qui charriaient tout un tas de détritus. La lumière n'était plus qu'un halo timide, pâle et évanescent. Elle était si fragile qu'il faisait presque nuit. Rodolphe arriva trempé dans sa voiture et claqua violemment la portière. Il était en colère. Rien ne s'était vraiment résolu avec Artus. Tout n'avait été que surexposition d'ego, d'un côté comme de l'autre. Ce que son beau-père lui avait balancé à la figure – sa petitesse, la honte de ses origines, son incapacité à prendre de réelles décisions, sa haine et sa terreur inégalables des snobs et de tout ce qui s'en approchait –, il en avait malheureusement conscience : c'était comme un pieu planté constamment dans ses entrailles. Cependant, que quelqu'un qu'il détestait autant le lui ait rappelé – de manière aussi cruelle et radicale – le mettait dans un état démesuré de rage. Il ne sut quoi faire. L'idée de reprendre le train lui soulevait le cœur. Il ne voulait pas avoir à s'exposer au regard d'Alice. C'eût été comme affronter Artus de nouveau. Il décida de rouler pour se vider de son aigreur et c'est ce qu'il fit, sauvagement. À la sortie de la ville, il emprunta une route à quatre voies où il était pratiquement le seul à s'être aventuré. Il roulait vite et dangereusement ; la pluie explosait en rafales, comme des paquets de mer, contre son pare-brise et l'empêchait d'y voir clairement devant lui. Ses essuie-glaces balayaient la surface de verre de manière aussi frénétique que les lames de couteaux d'un cuisinier habile en action. Rodolphe ruminait sa rancœur et l'expurgeait dans la vitesse. Il roula tant et si bien qu'un peu plus d'une heure plus tard il était parvenu à une cinquantaine de kilomètres du village où vivaient ses parents. Il lut les panneaux qui longeaient la route et la puissance d'évocation poétique de ces noms, qu'il connaissait si intimement depuis l'enfance, finit par adoucir sa colère et même par le rassurer. Il ralentit. Il réalisa que ce qu'il cherchait inconsciemment depuis une heure n'était autre qu'un abri où il pourrait enfin se sentir en paix, et que cet abri, il le trouverait dans les paysages où il avait grandi. Une sorte d'intuition supérieure avait guidé sa route, il en était certain.

Une demi-heure plus tard, la pluie s'était calmée mais le ciel restait sombre, et menaçait de nouvelles giboulées aussi violentes que les précédentes. Rodolphe gara son véhicule sur le parking municipal et s'avança vers le chantier du centre héliomarin. De hautes palissades barrées de tags multicolores cernaient le lieu sur plus de deux kilomètres. Malgré la mise en examen d'Artus et du maire de la localité – et les incessantes démonstrations d'hostilité des militants anti-spa –, les travaux s'étaient poursuivis à un train d'enfer. Rodolphe dut décliner et justifier son identité à l'un des quatre vigiles en poste avant de pouvoir franchir une petite porte aménagée au sein de cette monstrueuse forteresse de planches. En ce dimanche, l'endroit était désert. Rodolphe eut un haut-le-cœur en constatant combien l'existence même de ce chantier avait dévasté le paysage. Une bande hideuse, large de plusieurs centaines de mètres, s'étalait de la maison des Segovia jusqu'à quelques pas des falaises. La lande ressemblait à un vaste champ de ruines que le pétrissage incessant des roues des camions et le récent excès d'eau avaient transformé en un magma de boue. De l'endroit où il se trouvait, la perspective était pervertie par trois bétonneuses, ainsi que nombre d'engins de terrassement et une série de baraques préfabriquées, d'un bleu électrique, à usage de W-C, de vestiaires ou de salles de réunion pour les architectes et leurs collaborateurs. Deux grues jaune vif, de plus de quinze mètres de hauteur, finissaient de défigurer ce qui avait autrefois été un point de vue où se pressaient des centaines de touristes. Rodolphe ne put s'empêcher de se sentir responsable d'un tel massacre et il en eut les larmes aux yeux. Il s'avança tristement vers le promontoire. La terre fangeuse salissait ses mocassins de cuir et jusqu'au bas de son pantalon. Ses pas provoquaient des bruits de succion semblables à des aspirations visqueuses, comme les gargouillements de la terre elle-même, et cela lui écorcha les oreilles.

Quand il atteignit le promontoire, la pluie se remit à tomber de plus belle. Il s'arrêta et fixa l'horizon. Sous l'effet du vent, la surface de la mer était agitée de vibrations qui créaient comme de légères altérations mécaniques. Sept îles baignaient au large. Sept masses sombres qui émergeaient d'une brume glaciale et éthérée comme un voile de tulle. Il connaissait le nom de chacune d'elles : Rouzic, les Costans, Malban, Bono, l'île aux Moines, l'Île plate, les Cerfs. Comme toujours, Rodolphe se sentit à la fois immensément soulagé et ridiculement petit devant ce panorama. L'eau de pluie se mêlait avec violence à ses larmes. Sans y penser, dans un geste qui appartenait plus à ses habitudes qu'à sa conscience, il se rapprocha peu à peu du bord. Combien de fois était-il venu ici pour se gorger de la beauté et de la force de ce lieu ? Combien de fois s'était-il surpris à réciter intérieurement ce poème de Baudelaire qui l'avait tant frappé étant adolescent :

Homme libre, toujours tu chériras la mer !
La mer est ton miroir ; tu contemples ton âme
Dans le déroulement infini de sa lame,
Et ton esprit n'est pas un gouffre moins amer.

Artus avait raison. Qu'avait-il réussi, au fond ? Qu'avait-il engagé qui soit si remarquable ? Toutes les actions qu'il avait initiées, toutes les décisions qu'il avait prises avaient, comment le nier, manqué d'envergure et souffert de son incapacité à se libérer du poids de ses frayeurs adolescentes. Jamais encore il n'avait réussi à contrarier les mauvais tours que continuaient à lui jouer ses origines et son passé.

Il avança encore de quelques pas et écarta les bras pour mieux sentir le souffle du vent contre son torse.

Il eut pour Alice une pensée douce et triste. Il se rappela leur rencontre, un soir de réveillon, il y avait si longtemps. Comment cette femme avait-elle fait pour supporter ses incurables mouvements d'humeur, sa hargne, ses terreurs ? Des flots de souvenirs noircis par le terreau de la mélancolie gonflèrent sous son crâne. Avait-il su la rendre heureuse ? D'ailleurs, avait-il jamais été heureux, lui ?

Il se mit brutalement en colère contre lui-même de se laisser aller à autant de lamentations nostalgiques. Bon Dieu, il n'était pas encore trop tard ! Il regarda une nouvelle fois l'infini de la mer et des nuages et se promit qu'il allait vivre, enfin.

Alors qu'il se redressait violemment, ses jambes fléchirent et le firent avancer d'encore quelques centimètres du précipice. Soudain, il sentit sous ses pieds que la terre meuble avait cessé de le porter et lui échappait. Il glissait, irrémédiablement. Il fit désespérément un pas en arrière de son pied droit mais son pied gauche fut comme aspiré par la matière élastique et boueuse. Bientôt, toute la masse de son corps se trouva déséquilibrée et entraînée vers l'avant, vers le vide. Il poussa un cri. L'immensité du ciel bascula peu à peu et il vit très clairement l'horizon s'inverser à 180 degrés.

Deux heures plus tard, les services de sécurité, alertés par son absence prolongée, découvrirent son corps, qui s'était écrasé contre la masse rocheuse en contrebas après une chute de plus de douze mètres. On ne résolut jamais clairement cet accident et, pour quelques esprits entêtés, il ne pouvait s'agir que d'un suicide, du passage à l'acte d'un homme politique désespéré, salement lâché par son parti, mais peut-être aussi qui n'avait pas la conscience très tranquille. Certains journaux radicaux virent dans la disparition de Rodolphe la «mort symbolique du politique» et la nécessité, beaucoup plus pragmatique, de combattre l'inacceptable collusion entre gouvernance et affaires. Ainsi, même post mortem, le député Lescuyer continua très injustement d'être marqué au sceau du doute et de l'infamie.

ÉPILOGUE

6 mai 2012

Sur un coup de tête, ma mère a décidé, il y a quinze jours, de fêter en fanfare ses soixante-dix ans et d'organiser pour l'occasion ce qu'elle persiste à appeler de manière désuète une *garden-party*, un terme prétentieux que j'assimile à un reliquat de sa vie passée de petite-bourgeoise de province. La plupart des amis qu'elle s'est fait récemment seront présents, ainsi que mon frère, qui effectuera l'aller-retour Londres-Brest dans la journée, probablement en jet privé. Elle a lourdement insisté pour que j'y traîne Laurent, pourtant bien décidé à ne déserter sous aucun prétexte la région parisienne et sa mission de citoyen modèle puisqu'une élection présidentielle se joue précisément ce week-end-là. Je ne suis moi-même pas très enthousiaste à l'idée de cette première rencontre, mais l'entêtement de ma mère et la possibilité d'un recours à une procuration ont eu raison de nos réticences, à l'un comme à l'autre.

Depuis quatre mois, j'habite à Bagnolet dans la maison de Laurent, une ancienne usine de décolletage qu'il a patiemment et intégralement réhabilitée de ses mains. Pendant un an, j'ai abandonné très progressivement mes routines de vieux garçon chez Laurent, d'abord pour une simple brosse à dents, puis un tiroir de commode, puis une étagère de sa salle de bains, puis un pan entier de sa penderie pour finir, le 21 janvier dernier, par y déplacer la totalité de mes affaires, ainsi que ma chatte Ficelle, encore terrifiée à l'idée de disposer soudainement d'autant d'espace, et surtout d'autant de verdure. Son comportement et le mien sont d'ailleurs pleins de similitudes. Ficelle, elle aussi, procède par accaparements successifs de son territoire et met un temps considérable à accepter l'intrusion et la confiance d'un nouveau maître.

À l'âge de quarante-neuf ans, j'ai consenti – après avoir calmé mes réticences – à franchir cette barrière que d'autres, moins corsetés ou plus instinctifs, franchissent sans trop de peine à vingt ou trente ans. Le plus étrange dans toute l'affaire, c'est que ce passage à l'acte, je l'opère pour quelqu'un dont je ne suis pas réellement amoureux. Une aberration apparente qui trouve son explication dans le contexte très alambiqué de mes mécanismes intimes et, plus sûrement, dans le fait qu'il est la seule personne dont la présence – et même l'absence – ne me fait jamais souffrir ou même regretter de l'avoir rencontré. Il me fait juste beaucoup de bien. Il y a quelque chose d'apaisé dans notre relation, comme un miel épais qui s'écoulerait le long d'un tronc solide. Cela tient à la fois à la personnalité aimante, pacifique, déterminée de Laurent et à mon désir, pour une fois, de lâcher quelque chose de mes comportements pathologiques récurrents. Laurent, bien sûr, n'est pas tel que je l'avais rêvé. L'homme avec qui j'aurais décidé de vivre, je ne l'avais jamais envisagé sous les traits de ce quinquagénaire au visage amoché. D'une manière générale, la vie que je mène n'est pas non plus exactement celle que j'avais imaginée. Je me suis bâti sur des doutes et des erreurs, mais aussi sur d'inutiles espérances. Depuis trente ans, je rêve vainement de déclamer de grands textes dans de grands théâtres ; je rêve vainement d'être grisé par les bravos de foules électrisées par mon talent. Or, à l'aube de mes cinquante ans, je n'ai rien récolté du tout, hormis la satisfaction de jouer parfois sur de toutes petites scènes ; je ne suis ni célèbre ni même un peu riche, je n'ai pas de maison à moi et aucune perspective réelle de pouvoir remédier prochainement à l'un ou l'autre de ces états de fait. Je n'ai donc rien à perdre, sinon des rituels qui, de toute façon, ont fini par me faire horreur. Je ne fais en quelque sorte que renoncer à du vide, à des riens ; mais ces petits riens, à la fois minuscules et tenaces, continuent de s'accrocher désespérément à mes habitudes de pensée et d'action, car c'est sur eux que s'est élaboré le fantasme de mon indépendance et de ma liberté. Y renoncer, c'est accepter que mes rêves inaboutis d'adolescent cessent de me faire souffrir. D'une certaine manière, c'est accepter de grandir enfin.

La fête étant prévue le dimanche après-midi, nous débarquons le samedi en fin de journée. Pour des raisons liées à l'inconfort de la situation – en dépit de progrès récents, je digère toujours mal d'avoir à présenter Laurent de façon aussi officielle –, j'ai souhaité que ce week-end soit le plus court possible.

Ma mère nous attend à la gare. Elle s'est équipée d'un ciré de marin jaune citron et a chaussé des bottes

bleu turquoise, constituant ainsi le seul point coloré
– criard serait plus proche de la réalité – de toute cette
foule et donc très aisément identifiable. Je lui fais un
signe de la main. Quand elle nous aperçoit, elle se
précipite dans notre direction en plantant son regard
dans celui de Laurent. Il n'a pas le temps de poser
son sac qu'elle l'a déjà pris dans ses bras, emprisonné
contre sa poitrine, comme un oiseau blessé dont elle
craindrait qu'il s'envole. Laurent se laisse aller à cette
démonstration excessive en la serrant, lui aussi, chaleureusement dans ses bras. Puis elle se dégage, pose
ses paumes sur les épaules de mon compagnon et le
regarde droit dans les yeux.

— Je suis tellement heureuse de vous rencontrer,
dit-elle. J'ai tellement attendu ce moment.

Cette répétition adverbiale et son attitude, plus globalement, me font redouter qu'elle se mette à éclater
en sanglots mais, finalement, seules quelques grosses
larmes viennent voiler ses yeux cernés de rides.

— Moi aussi, je suis très content de vous voir,
madame Savidan.

— Par pitié, appelez-moi Monique.

Puis :

— On pourrait se tutoyer, ce serait plus sympa,
non ?

Sympa ! pensé-je, atterré, en levant discrètement
les yeux au ciel. Laurent, lui, acquiesce d'un sourire.

Nous arrivons à destination alors que la nuit
s'apprête à tomber. La vieille baraque se dresse en
contre-jour sur un ciel qui vibre de toutes les nuances
possibles qui séparent le noir de l'orange. Je pense au
château en flammes d'un ogre de conte et j'ai un sursaut

de terreur. Je réalise que cette maison m'a toujours mis mal à l'aise et que, des années après que je l'ai quittée, elle continue de le faire.

À peine avons-nous débarqué que ma mère fait visiter son antre à Laurent. Je reste derrière eux, légèrement en retrait, et je l'observe, lui. Il se montre attentif au moindre détail et boit les paroles de ma mère. Son désir de lui plaire à tout prix me fait sourire. Depuis la gare, elle n'a pas cessé de parler. Beaucoup. Et vite. Comme chaque fois qu'elle est submergée par ses sentiments. Elle sait que je déteste ça.

— C'était le bureau de mon mari, mais je l'ai transformé en bibliothèque. Je lis beaucoup, vois-tu ?

Elle pose sa main sur celle de Laurent et son visage prend une expression d'admiration exagérée ; ses sourcils dessinent deux arcs de cercle parfaits.

— Paul m'a dit que tu écris.

— Pour les enfants, oui.

— C'est ce qu'il m'a dit aussi. C'est formidable d'écrire pour les enfants, dit ma mère, joyeuse.

Elle me jette un regard complice.

— Oh, Laurent, je suis si contente que Paul t'ait rencontré.

Je soupire.

— Regarde-le, dit-elle en surprenant mon air coincé. Il n'aime pas que je dise ce genre de choses.

Puis :

— C'est fou comme il me fait penser à son père.

En voyant ma mine affaissée, elle m'embrasse sur le front. Un baiser solide et maternel, destiné à s'excuser de cette comparaison qu'elle sait ne pas me plaire. Puis elle repart, vite et gaiement, et nous la suivons, pièce après pièce, comme deux touristes trottinant derrière leur guide de peur de perdre une miette de ses éclaircissements.

Depuis la mort de mon père, elle a changé ou déplacé tous les meubles et repeint en blanc tous les murs. Des objets nouveaux et inutiles, gais et colorés, s'entassent un peu partout. La maison y a non seulement gagné en clarté, évidemment, mais elle est aussi plus féminine ; tous ces changements lui ont même apporté une espèce de bonne humeur fébrile égale à celle de sa propriétaire. Mais pour moi, par la seule force du souvenir, elle conserve irrémédiablement son caractère glacial.

Après le dîner, nous nous retrouvons dans mon lit à une place. Laurent s'endort rapidement ; son corps est encastré dans le mien en raison de l'étroitesse du matelas et ses bras m'entourent. Je n'arrive pas à trouver le sommeil. J'ouvre les yeux. L'obscurité se dilue peu à peu et chaque objet reprend une consistance.

Voilà ce que je me dis :

J'ai bientôt cinquante ans. Je suis dans la maison de mes parents. Un homme me tient fermement dans ses bras, à seulement quelques mètres de la chambre de ma mère. Si je le souhaitais, si je tendais l'oreille assez fort, je pourrais entendre sa respiration à elle comme j'entends à présent celle de cet homme. Son souffle chaud, régulier, rassurant, vient doucement mourir contre ma nuque. J'ai cinquante ans. Je suis dans la maison de mes parents. Je dors avec un homme dans le lit de mon adolescence. Son corps est confortable et me fait du bien. Je n'ai pas honte.

À mon tour je m'endors, avec, dans la bouche, comme un goût de victoire.

Le lendemain matin, de très bonne heure, j'abandonne ma mère aux préparatifs de sa garden-party. Laurent a souhaité la seconder. C'est seul que je roule vers l'ouest, vers un village curieusement dénommé La Clarté, là où Rodolphe a souhaité être enterré – surtout pas incinéré –, à seulement quelques kilomètres de l'endroit où il a trouvé la mort. Je sais qu'Alice fait fleurir sa tombe, à grands frais, toutes les semaines. Aujourd'hui, des dizaines de lys aux corolles blanches et éclatantes débordent de la surface de granit polie. Dans le soleil de ce début de journée, les grains de mica noir étincellent comme de la poussière de diamant. Sur la pierre tombale, juste en dessous de son nom, est inscrite cette phrase :

En vérité, les convictions sont plus dangereuses que les mensonges.

C'est Félix qui l'a dénichée et a convaincu Alice de la graver dans la pierre.

— C'est du Nietzsche. Un nihiliste, un peu comme l'était Rodolphe, non ? avait-il dit à Alice. Lui aussi pensait que le monde tel qu'il est ne devrait pas être et que le monde tel qu'il devrait être n'existe pas.

Alice, empêtrée dans bien d'autres nécessités et bien d'autres afflictions, n'avait pas su quoi répondre. Elle avait malgré tout compris que Félix souhaitait jusqu'au bout assurer son boulot de communicant en accompagnant Rodolphe une dernière fois et à sa façon, et n'avait pas souhaité lui refuser cette ultime faveur.

Bien que beaucoup de monde se soit déplacé pour l'enterrement, peu de politiques avaient osé s'y montrer – seulement une dizaine de maires et autant de conseillers généraux ou régionaux. Il y avait quelques gens célèbres, dont deux ou trois journalistes de télévision, des peintres et aussi des artistes de variétés, que je soupçonnais d'être présents moins pour honorer la mémoire du défunt que pour témoigner de leur dévouement irréductible à son épouse. La qualité des intervenants était telle qu'il avait fallu protéger l'entrée de l'église, puis celle du cimetière de la foule compacte qui s'était agglutinée dans l'espoir de voir des vedettes en chair et en os et, pour certains, d'obtenir des autographes que les intéressés refusèrent plus ou moins poliment de leur signer. Alice avait insisté pour que son père se tienne éloigné de l'événement, ce qui provoqua chez Artus un amalgame de fureur et d'anéantissement. Du coup, Émilie, accablée par cette mise à distance de son mari par sa propre fille, décida de ne pas se déplacer non plus.

Gabriel avait bouleversé son agenda électoral pour pouvoir être présent et – en bon républicain laïc – uniquement pour la partie cimetière de la cérémonie. Avant la mise en terre, il fit un discours déchirant qu'il conclut, la voix pleine d'émotion, par ces mots :

— *Rodolphe Lescuyer, tu as vécu dans le vacarme des hommes, non pas en te bouchant les oreilles, comme tant d'autres le font, mais en tentant de toutes tes forces de l'apaiser.*

» *Rodolphe Lescuyer, tu n'étais d'aucun parti, hormis celui de la vérité, et l'on sait que la vérité est, de tous les fardeaux, le plus lourd et le plus encombrant qui soit.*

» *Rodolphe Lescuyer, tu étais un homme intègre, honnête et digne.*

» Rodolphe Lescuyer, tu étais mon ami fidèle.

» Rodolphe Lescuyer, j'accomplirai tout ce qu'il est humainement possible d'accomplir pour que le souvenir de ton nom reste à jamais pur et intact.

On sentait qu'il avait calibré et pesé chaque mot de cet éloge funèbre qui visait en particulier certains élus du Parti socialiste, ceux qui avaient lâchement abandonné Rodolphe dans les derniers instants, ou n'avaient pas hésité à salir son nom. Des applaudissements explosèrent mais ils se calmèrent presque aussitôt, chacun sentant l'incongruité d'une telle démonstration de ferveur. À l'issue de la cérémonie, Alice reçut les condoléances de dizaines de personnes. Quand vint le tour de Benoît, il s'approcha avec gravité et lui prit la main si longuement et de manière si appuyée qu'elle s'en trouva gênée. Elle leva son visage vers lui et leurs regards se croisèrent avec insistance. Il y avait tant d'espoir et d'abandon dans les yeux de Benoît et tant de contrition et de tristesse dans ceux d'Alice que ces sentiments antagonistes, les uns et les autres très puissants, s'annulèrent au lieu de fusionner, comme ils l'auraient dû. Benoît repartit, honteux, rejoindre Juliette tandis qu'Alice se raidissait, désolée.

C'est toujours avec un mélange de douleur, de colère et d'incompréhension que je me souviens de ces funérailles. Même aujourd'hui, je ne me suis pas encore habitué à la disparition de Rodolphe. C'est comme une tache sombre et floue dans la partie la plus sensible de mon cerveau. Son nom sur cette pierre me semble une parfaite illusion doublée d'un parfait scandale. De nous quatre, il était le seul que j'imaginais être un jour capable de déployer ses ailes et de s'envoler bien au-dessus de la bêtise, du mensonge et de la médiocrité. C'est tout le contraire qui est arrivé. Ce sont la bêtise, le mensonge et la médiocrité qui ont eu sa peau. De nous quatre, contrairement à ce que nous avions toujours pensé, c'était en vérité le plus fragile et le plus vulnérable. Toute sa vie, en s'exposant comme il l'a fait – et de manière aussi peu économe –, il a traîné derrière lui le poids de son malheur, creusant peu à peu un sillon amer dans lequel il a fini par s'embourber irrémédiablement.

Je regarde ma montre. Il est 11 heures. J'essuie mes larmes et me décide à revenir du côté des vivants.

Les premiers invités de ma mère arrivent vers 18 heures. Elle me présente à chacun d'eux, ainsi que Laurent qu'elle décrit à tous comme son *ami*, avec une insistance sur l'adjectif possessif qui est supposée élucider définitivement la nature de nos rapports et me met mal à l'aise. Laurent, lui, s'en amuse et en est presque fier. Il observe ma gêne mais ne souhaite pas m'en dégager ou même s'y attarder.

Des dizaines de gens défilent. Certains amis de ma mère sont venus avec leurs enfants. Nous sommes bientôt une soixantaine à envahir le jardin, où une série de petites tables aux nappes colorées ont été dressées. Je suis persuadé qu'à un moment donné je vais finir par serrer la main de l'amant secret de ma mère et que je n'aurai aucun mal à mettre au jour leur liaison. Je l'ai senti, elle ne me l'a jamais dit ouvertement mais elle ne s'est jamais fermée non plus à l'hypothèse que quelqu'un partageait sa vie, au moins de temps à autre. Laurent m'a rejoint dans mon investigation. Nous penchons d'abord pour cet ex-professeur de gymnastique, encore solide et sexy, qui lui a apporté un immense bouquet d'agapanthes, mais c'est plus sûrement ce jeune retraité qui l'aide discrètement à servir les convives en la suivant comme un petit chien désorienté. Il y a aussi cet homme solitaire qui ne cesse de la pourchasser du regard en s'enfilant verre sur verre, sans doute pour amadouer sa timidité – quoique plus certainement par atavisme. Au total, c'est six amants potentiels que nous dénichons.

— Et si elle se tapait les six, l'un après l'autre ? dis-je.

— Un pour chaque jour de la semaine et repos le dimanche, ajoute gaiement Laurent.

Nous éclatons de rire, et puis voilà qu'arrive mon frère et je n'ai plus envie de jouer. Plus l'Europe s'enfonce dans la récession, plus Pierre semble s'épanouir, économiquement et physiquement parlant. Il a pris au moins dix kilos depuis la dernière fois que je l'ai vu. Ma mère se charge à nouveau des présentations. Pierre prend un air pseudo jovial en découvrant ses amis, leur métier, leurs centres d'intérêt, qui sont sûrement extrêmement éloignés des siens. Il me fait penser à un nabab qui visiterait ses provinces reculées en s'étonnant des habitudes précaires de leurs autochtones. Puis il s'avance vers nous. Depuis deux ou trois ans, il me serre la main quand il me rencontre. J'imagine que c'est ce que mon père aurait également fait si nous avions continué de nous voir. Oui, c'est sûr, il aurait certainement préféré adopter cette attitude mâle et digne avec son fils. La conversation s'engage sur des riens qui se renouvellent de manière attendue – sa vie trépidante à Londres, la fatigue du voyage, la généalogie de sa famille – et puis bientôt elle s'épuise, faute de munitions. Surgissent des silences que je renonce à combler. À voir son expression inquiète, je comprends que Laurent tente d'élucider nos rapports. Il vient d'une famille où tout est simple, épanoui, cordial. Cette froideur entre frères doit l'embarrasser.

L'arrivée de Tanguy nous sauve de ce qui s'annonçait comme un échec relationnel avéré. Il est accompagné de Sylvie – trente-cinq ans, institutrice –, qu'il tient fermement par la main. La dernière fois que nous nous sommes croisés, c'était à l'enterrement de Rodolphe. Il était alors en compagnie de Julie – trente-deux ans, médecin.

— Si ta mère ne nous invitait pas, on ne se verrait plus, dit-il en abandonnant sa petite amie pour me serrer chaleureusement contre lui.

Tanguy est revenu vivre ici il y a quatre mois. Sa mère a accepté de lui vendre l'usine à la condition expresse de ne licencier personne, un contrat qu'il s'est fermement engagé à respecter. Il a retrouvé sa bonne humeur et son aplomb. Il a aussi repris ses bonnes vieilles habitudes, comme celle de courir après les filles.

Quelques minutes plus tard, c'est au tour de Benoît de débarquer avec Juliette. À l'inverse de Tanguy, il semble s'être replié sur lui-même. Ses joues se sont creusées et son corps n'a jamais été aussi sec. Lui qui était mince est devenu maigre. La fraîcheur adolescente de ses traits s'est dissipée sous un masque tendu, fait de beaucoup d'os et de très peu de chair, où l'on reconnaît pour la première fois les marques de l'âge et aussi de l'inquiétude.

— Ça va ? lui dis-je, soucieux.

— Pourquoi, ça n'a pas l'air ?

Et il part d'un petit rire que seuls le mensonge et la gêne sont capables de fabriquer. Quelque chose le tient, désormais. Et je devine ce dont il s'agit.

— J'ai la gorge sèche, pas vous ? lance soudain Laurent à la cantonade, en faisant comiquement claquer sa langue contre son palais.

Tout le monde acquiesce avec envie. Juliette, Tanguy et Sylvie le suivent vers la grande table où sont rassemblées les boissons. Je me retrouve seul avec Benoît. Je repense à la scène du cimetière, à la poignée de main dramatique qu'il a échangée avec Alice. Cette image ne cesse de me poursuivre. Je décide de faire un pas vers lui, quoi qu'il puisse m'en coûter :

— Tu as revu Alice ? dis-je, incertain.

Je sens qu'il hésite entre me rire au nez, se fâcher ou jouer une carte plus honnête, plus subtile aussi.

— Pas pour l'instant, dit-il dans un demi-sourire.

Il regarde ailleurs, vers le buffet. J'ai envie d'insister :

— Et tu vas le faire ?

Il se tourne vers moi. Ses yeux brillent. J'ai la certitude que l'espoir de revoir Alice le hante et le consume.

— Je lui ai écrit. Elle ne m'a pas encore répondu.

Puis :

— Mais elle le fera. Je sais qu'elle le fera.

À voir cet air buté que je connais si bien, je ne peux m'empêcher de frissonner.

— Fais attention, Benoît.

Son visage se ferme d'un coup.

— Attention à quoi, Paul ?

— Tu sais très bien de quoi je veux parler.

— J'ai toujours fait très attention à tout, malheureusement. Le moment est peut-être arrivé de me
montrer un peu moins prudent pour une fois, dit-il
sèchement, sur un ton de reproche.

L'image de Rodolphe s'impose à moi. Elle grossit
et m'envahit. Je ne peux considérer cet entêtement
autrement que comme la trahison d'une amitié. Un
poids de tristesse mêlée d'une légère animosité me
tombe sur les épaules, ce qui n'est pas seulement une
image : je m'affaisse légèrement. Benoît le remarque.

— De toute façon, c'est Alice qui décidera,
dit-il, comme pour se dégager d'une quelconque
responsabilité.

— Qui décidera ? Et Juliette, elle décidera de quoi,
elle ? dis-je, plus fort et presque méchamment.

Le regard de Benoît se porte spontanément vers
sa compagne, qui s'amuse en toute innocence des
blagues de Laurent.

— Juliette connaît parfaitement la situation.
Depuis le début.

— Et donc ?

Il me fixe.

— Paul, je n'ai jamais souhaité que tout cela
arrive. Je n'ai jamais souhaité la mort de Rodolphe.
Jamais. Je peux t'assurer que je regrette autant que toi
qu'il ne soit pas là aujourd'hui. Il se trouve que maintenant Alice est libre. Elle est libre de refaire sa vie
si elle le souhaite, elle est libre de répondre à ma
lettre si elle en a envie.

Il gonfle sa poitrine comme s'il voulait retenir sa respiration, puis son regard se durcit.

— Je ne sais pas ce qui va se passer, mais une chose est sûre. Quoi qu'il arrive, personne, absolument personne n'aura le droit de nous juger, ni l'un ni l'autre.

Il a l'air à la fois si convaincu et si malheureux que je ne peux m'empêcher de lui adresser un sourire, qui n'est pas de compréhension mais de compassion. En la circonstance, c'est le mieux que je puisse lui offrir.

Le petit groupe revient vers nous et nous sommes contraints d'arrêter là. À l'approche de Juliette, Benoît s'essaie à une attitude plus décontractée. Laurent me tend une coupe de champagne en me souriant. Je le sens heureux de pouvoir s'immiscer dans mon intimité, dans la découverte des lieux de mon enfance et des personnes qui m'ont toujours entouré : un privilège que je ne lui ai que très rarement accordé jusqu'à présent.

Le champagne est frais et je l'engloutis coupe après coupe, avec application. Il y a comme un parfum de fête dans le jardin. Des odeurs pour moi nouvelles s'y développent. Je découvre pour la première fois qu'il peut être un lieu de réjouissances et non pas ce terrain sec et cerné de hautes murailles qu'il me fallait autrefois escalader pour trouver un semblant de liberté. Bientôt je flotte dans un état de douce jubilation, l'équivalent humain d'un ronronnement de chat. Je jette un œil autour de moi. Laurent, Juliette et Sylvie ont disparu, peut-être à l'intérieur de la maison. Nous nous retrouvons tous les trois : Benoît, Tanguy et moi. Le délicat sujet *Alice* a définitivement été expurgé de la conversation. Et le sujet *Rodolphe* est beaucoup trop amer pour pouvoir être évoqué.

— J'aime beaucoup ton ami Laurent, me dit Tanguy.

Il me tapote la joue.

— Tu auras mis le temps mais tu as fini par le dénicher, l'oiseau rare.

Je le regarde et quelque chose me revient en mémoire.

— J'ai toujours eu une âme de sprinter, rappelle-toi, dis-je. C'est dans les derniers mètres que je suis le meilleur.

Tanguy me sourit, sans réellement comprendre ce que je viens de formuler. Il ne se rappelle sûrement pas que cette phrase, il me l'a sortie le jour où j'ai décroché mon bac à l'issue des épreuves de rattrapage. Je m'en souviens, moi, parfaitement.

— On est tous les trois des sprinters, non ? ajoute Benoît, sarcastique. Ce n'est pas dans les derniers mètres que tout se joue pour nous ?

Tanguy saisit l'allusion et s'en amuse. Et puis des cris s'élèvent. Un tumulte joyeux monte de l'intérieur de la bâtisse. Plusieurs personnes en sortent, dépitées ou hilares, alors que d'autres y entrent en gravissant les escaliers à grandes enjambées. Je regarde ma montre et je comprends. Il est 20 heures.

— C'est Hollande, hurle quelqu'un. C'est Hollande !

Ainsi, François Hollande vient d'être élu président de la République. Nous nous observons tous les trois sans rien dire et je sais exactement ce que signifient ces regards fuyants. Le spectre de Rodolphe, comme une immense statue de pierre, s'est insinué entre nous et il me semble qu'il nous observe. À cet instant, chacun de nous réécrit mentalement, à sa façon, les dialogues d'une scène tristement inachevée. Chacun imagine la véhémence des propos qu'il aurait tenus et la mauvaise foi – tout aussi criante – qui les aurait inspirés. Tanguy se serait amusé de ses arguments spécieux pour le contrer. Benoît et moi serions restés en retrait, spectateurs indolents de leur éternel numéro de duellistes. Mais nous nous taisons, affectés par une douleur qui est bien plus que l'amer souvenir de la mort de notre ami, qui est surtout l'évidence que notre capacité à nous enthousiasmer s'est définitivement évaporée. Il y a trente et un ans, presque jour pour jour, nous étions pareillement réunis pour célébrer l'arrivée spectaculaire d'un autre président de la République, lui aussi prénommé François. Quelle qu'ait été la vigueur – ou l'absence de vigueur – de nos convictions d'alors, nous avions tous senti personnellement cette vague démesurée nous terrasser, nous soulever, bousculer nos habitudes et ranimer nos espérances. Il est vrai que nous étions jeunes et que peu de chose suffisait alors à nous griser. Pourtant, l'atmosphère aujourd'hui n'est pas plombée par nos seuls silences de quinquas désenchantés. Les cris de tous les autres ici présents – les jeunes comme les moins jeunes – sont moins voraces ; l'âpreté de la défaite comme la saveur de la victoire sont mille fois moins aiguës et mille fois moins flamboyantes qu'elles ne l'ont été il y a trente et un ans.

Que s'est-il passé ?

Il me semble que nous avons grandi dans un monde où la moindre des certitudes a cédé du terrain.

Un monde qui s'est pris à son propre piège, en faisant exploser avec détermination et arrogance les limites qu'il affirmait s'être fixées. Un monde qui a négligé de se fabriquer un idéal de nation et privilégié l'intérêt particulier au détriment de l'intérêt de tous. Nous sommes bien sûr les fossoyeurs des Trente Glorieuses, les enfants de la crise, du chômage, de la surconsommation, de la mondialisation, de la croissance molle, de l'argent roi soudain devenu argent fou, mais nous sommes, avant tout, les enfants du doute et de l'incertitude. Depuis trente ans, nous naviguons à vue, perplexes, indécis, vers un but que ce monde, lui-même déboussolé, nous a clairement désigné en le survendant : être heureux malgré tout et – son corollaire – réussir sa vie. C'est en tout cas ce que l'on n'a cessé de nous refourguer, partout et en tout lieu : le concept de bonheur. Le bonheur comme un indice de notre succès ou un curseur établissant la limite de notre prospérité, le bonheur comme une marchandise, un vulgaire bien matériel que l'on pourrait se procurer à force de volonté, d'argent ou d'efforts, la jouissance des biens apparaissant comme très largement supérieure à l'impatience et à l'ardeur pour les obtenir, et même à la sagesse suprême de ne rien vouloir obtenir du tout. N'avons-nous pas tous pensé que nous serions heureux le jour où nos rêves d'enfant seraient enfin accomplis ?

Et si tout cela était complètement faux ? Et si le bonheur était la plus grosse arnaque de ce siècle et de tous ceux qui l'ont précédé ? Et si le souci d'atteindre le bonheur était précisément la chose qui nous faisait le plus souffrir ? Ceux qui, comme moi – et des milliards

d'autres –, sont trop faibles pour renoncer complètement aux ambitions délétères de leurs désirs devraient
simplement se contenter d'espérer sans rien attendre.
La teneur de nos rêves, ce qui en constitue la matière
secrète et brûlante, ne vient-elle pas de ce qui échappe
totalement à notre volonté ? J'en suis aujourd'hui intimement convaincu, ne pas souhaiter atteindre son
but est, en la circonstance et de manière paradoxale,
la façon la plus judicieuse de s'en approcher. Nous
devrions être des promeneurs de nos vies au lieu d'en
être des marcheurs entêtés.

Laurent s'avance vers moi. En socialiste invétéré,
il est satisfait de ce qui vient de se passer. Avec son
index et son majeur, il fait le V de la victoire en me
souriant. Je lui souris en retour. Je n'ai jamais rien
attendu de cette histoire, et voilà qu'elle me devient
une chose légère, précieuse, simple, pure, récon-
fortante. Il se rapproche et met son bras autour de
mes épaules. Je décide de ne pas réagir et de laisser
s'épanouir cette marque d'affection, qui autrefois
m'aurait mortifié. Benoît saisit mon regard gêné et
me sourit. Je sens sur son visage une profonde empathie et peut-être aussi un peu d'envie et d'admiration.
J'observe Laurent, mes amis, ma mère, le jardin de
mon enfance, qui me faisait si peur et que je trouve
aujourd'hui si doux. Pour la première fois de mon
existence, j'accepte enfin d'être satisfait du sort que le
destin m'a réservé. Je savoure cette sensation nouvelle
de tout trouver incomparablement léger, sans aucune
consistance réelle. J'ai soudain envie de ne plus rien
prendre au sérieux, et surtout pas le fait de me sentir heureux. D'ailleurs, par son étymologie, le mot

«bonheur» ne se rapproche-t-il pas d'«augure», lui même assez voisin du mot «chance»? Dès lors, comment pourrions-nous faire du bonheur une affaire d'importance s'il est effectivement le fruit du hasard ou de la superstition? C'est certain, le bonheur n'est pas du tout une affaire sérieuse. C'est même, j'en suis convaincu, la seule chose au monde que l'on devrait prendre à la légère.

REMERCIEMENTS

Pour les entretiens qu'ils ont accepté de m'accorder et les informations essentielles que j'en ai retiré, je tiens à remercier : Vincent Brun, Jean-Paul Graindorge, Marina Karmochkine, France Mitrofanoff, Sylvie Nicol, Me Thierry Stucker, Lucas Tidadini, Manuel Valls, Me Nicolas Verly.

Le Livre de Poche s'engage pour
l'environnement en réduisant
l'empreinte carbone de ses livres.
Celle de cet exemplaire est de :

700 g éq. CO₂

PAPIER À BASE DE   Rendez-vous sur
FIBRES CERTIFIÉES   www.livredepoche-durable.fr

Composition réalisée par INOVCOM

Imprimé en France par CPI
en novembre 2015
N° d'impression : 3014604
Dépôt légal 1ʳᵉ publication : janvier 2016
LIBRAIRIE GÉNÉRALE FRANÇAISE
31, rue de Fleurus - 75278 Paris Cedex 06

27/4212/1